T4-AJT-157

Thüsing

Die neutestamentlichen Theologien und Jesus Christus

I. Band

Wilhelm Thüsing

DIE NEUTESTAMENTLICHEN THEOLOGIEN UND JESUS CHRISTUS

I

Kriterien

aufgrund der Rückfrage nach Jesus
und des Glaubens an seine Auferweckung

Patmos Verlag Düsseldorf

225.8X
T421
v.1

8112217

CIP-Kurztitelaufnahme der Deutschen Bibliothek
Thüsing, Wilhelm:
Die neutestamentlichen Theologien und Jesus Christus/
Wilhelm Thüsing. – Düsseldorf: Patmos Verlag.
Bd. I. Kriterien aufgrund der Rückfrage nach Jesus
und des Glaubens an seine Auferweckung.
– 1. Aufl. – 1981.
ISBN 3-491-77321-0

© 1981 Patmos Verlag Düsseldorf
Alle Rechte vorbehalten. 1. Auflage 1981
Umschlaggestaltung: Ralf Rudolph
Satz: Genreith & Gerards, Kaarst
Druck und Bindung: Bercker, Kevelaer
ISBN 3-491-77321-0

Inhalt

ZWEITER TEIL: ERARBEITUNG DER KRITERIEN

DRITTER TEIL:
DIE KRITERIEN ALS GANZHEIT

Vorwort

Das Ziel, dem diese Untersuchung dienen will, ist – bereits in dem hiermit vorliegenden programmatischen Band, erst recht dann in dem geplanten endgültigen Umfang – ein Neuentwurf der neutestamentlichen Theologie unter dem Aspekt der Kontinuität mit Jesus Christus. Die jetzt begonnene Arbeit versucht also, die Vielzahl verschiedener neutestamentlicher „Theologien" auf das zurückzubeziehen, was allein die Möglichkeit bietet, eine letztgültige Einheit zu finden: auf die „Ursprungsstrukturen" des christlichen Glaubens, das heißt: auf die theologischen Strukturen von Botschaft, Wirken und Leben Jesu von Nazaret und auf den theologischen Kern-Gehalt des Glaubens an seine Auferweckung. Auf diese Weise können in dem jetzigen I. Band Kriterien entwickelt werden – Kriterien freilich nicht in einem verengten Sinn mechanisch anzulegender Maßstäbe, vielmehr so, daß die Ganzheit der jeweils zu betrachtenden neutestamentlichen theologischen Konzeption mit der Ganzheit der Ursprünge verglichen werden kann. Nur so werden die geplanten Untersuchungen einzelner „Theologien" neutestamentlicher Verfasser die Chance eröffnen, Aussagen über deren Legitimität und Relevanz zu begründen und die zu suchende Einheit des Neuen Testaments in einem neuen Licht zu sehen. Freilich wird die Kontinuität mit den Ursprungsstrukturen und die „Einheit in der Vielfalt" nur dann wissenschaftlich verantwortbar aufgezeigt werden können, wenn der Blick auch für Grenzen und Defizienzen gegenüber den Ursprüngen nicht verschlossen wird. Insgesamt handelt es sich um den Versuch eines Neutestamentlers, von den Problemen und vor allem den sich deutlich abzeichnenden Erkenntnissen seines Fachgebiets aus einen Zugang zum *Ganzen* des Christusglaubens zu gewinnen.

Mit dem Titel dieses I. Bandes soll freilich nicht behauptet werden, daß ausschließlich die Rückfrage nach Jesus und die Implikationen des ursprünglichen Auferweckungsglaubens Kriterien zu bieten vermöchten. Es ist zu fragen, ob das spätere Neue Testament nicht vielleicht vieles enthält, was diese Kriterien zu ergänzen und zu verstärken vermag; analog muß diese Frage für die Einsichten der späteren Dogmen- und Theologiegeschichte gestellt werden. Es gibt das Kriterium der ekklesialen Agape und darin integriert die Kriterien, die vom gegenwärtigen Glaubensverständnis der Kirche herkommen. Ferner sind diejenigen Kriterien zu bedenken, die ich „Bewährungskriterien" nennen möchte – Kriterien, mit deren Hilfe die theologischen Konzeptionen mit dem Problemhorizont der heutigen Welt konfrontiert werden müßten. Freilich wäre noch zu klären, wie das Verhältnis dieser Kriteriengruppen zu den „Ursprungskriterien" zu bestimmen ist. Eines dürfte aber sicher sein: Auf die neutestamentlichen Ursprungskriterien kann auf keinen Fall verzichtet werden.

Mit den zuletzt genannten Fragen soll sich der II. Band beschäftigen, der den Arbeitstitel „Ursprungskriterien – Kanon – Theologiegeschichte" trägt. Er soll das im I. Band vorgelegte Programm einerseits hermeneutisch vertiefen; andererseits soll er den Blick schärfen für die Problematik des Übergangs von den „Ursprungsstrukturen" zu nachösterlichen theologischen Konzeptionen.

In einem weiteren Band (er wird in der Numerierung der III., in der Reihenfolge des Erscheinens voraussichtlich der zweite sein) sollen die These des programmatischen I. Bandes und das Instrumentarium, das er an die Hand gibt, an einer Reihe von Beispielen neutestamentlich-theologischer Konzeptionen erprobt werden; als solche sind zunächst (nach einer Behandlung des vorpaulinischen Kerygmas) die Theologien des Paulus, des Kolosser- und des Epheserbrief-Verfassers sowie die des vierten Evangelisten vorgesehen. (Vorerst kann ich nur auf eine kleinere Studie aufmerksam machen, die veranschaulichen könnte, wie ich mir die Anwendung der „Ursprungskriterien" auf eine neutestamentlich-theologische Konzeption denke: W. Thüsing, Die Bitten des johanneischen Jesus in dem Gebet Joh 17 und die Intentionen Jesu von Nazareth, in: Die Kirche des Anfangs. Festschrift für H. Schürmann, hrsg. v. R. Schnackenburg, J. Ernst u. J. Wanke [EThSt 38], Leipzig 1977, 307-337.) Ich hoffe, nach Abschluß dieser drei Bände auch weitere neutestamentliche Konzeptionen darstellen und mit dem Maßstab vergleichen zu können, den die „Ursprungsstrukturen" bzw. (zentral) Jesus Christus selbst bilden: vor allem die der synoptischen Evangelien, des Hebräerbriefs und der Apokalypse. Aber solche Pläne müssen noch mehr als die fest angekündigten und teilweise schon vorbereiteten Bände II und III unter dem Vorzeichen von Jak 4,15 stehen.

Ich möchte das Vorwort nicht beschließen, ohne den Mitarbeitern herzlich zu danken, die mir während der Jahre, in denen dieses Buch gewachsen ist, geholfen haben. Vor allem nenne ich Herrn Dr. Franz Prast und Herrn Thomas Söding. Herr Dr. Prast hat das Werden des Buchs von seinen frühen Stadien an mit tätigem Interesse begleitet. Besonders möchte ich ihm für seine

beharrlichen und von Sachkenntnis getragenen kritischen Rückfragen danken, die mich selbst weiterfragen ließen und der Anlaß zu mancher mir wichtig erscheinenden Verbesserung waren. In Zeiten, in denen meine eigene Arbeit durch gesundheitliche Behinderung erschwert war, hat er mich als Assistent bereitwillig entlastet. Die von stetigem Engagement getragene Mitarbeit von Herrn Söding war mir bei der Überarbeitung von Entwürfen und Texten in den letzten zwei Jahren eine große Hilfe, nicht zuletzt dadurch, daß seine intensive Einarbeitung in die Materie klärende Gespräche ermöglichte. Frau Kornelia Kestin danke ich – außer für eine Reihe anderer Arbeiten – vor allem für ihre sorgfältige Mitarbeit an der graphischen Gestaltung des zweiseitigen Schemas zum Schluß des 6. Kapitels. Last not least danke ich meiner langjährigen Sekretärin, Frau Anneliese Herbig, die das satzfertige Manuskript (sowie bereits die nicht wenigen Vorentwürfe) trotz mancher gesundheitlicher Beschwerden mit gewohntem Engagement und gewohnter Sorgfalt erstellt hat.
Mein Dank muß jedoch über den Kreis der Mitarbeiter hinausgehen: Den Hörern meiner Vorlesungen danke ich für ihr anspornendes Interesse, befreundeten Kollegen für hilfreiche Gespräche.

Münster, im Juni 1980

Wilhelm Thüsing

ERSTER TEIL: FRAGESTELLUNG UND THESE

1. Einleitung und Fragestellung: Die christ-lichen Theologien und Jesus Christus

Der Begriff „christ-liche Theologien" in der Kapitelüberschrift meint die Theologien, deren Ausgangspunkt und Kern die christologisch-soteriologische Verkündigung des Neuen Testamtents ist.[1] Die Gegenüberstellung der „christ-lichen (bzw. durch den Christusglauben vermittelten) Theologien" mit „Jesus Christus" signalisiert das theo-logische und christologische Problem. Nun ist dieses freilich lange – von der Alten Kirche bis in unser Jahrhundert hinein – kaum als solches empfunden worden. Man hätte wohl für den Bereich des Neuen Testaments sogar den Plural „Die christ-lichen Theologien" oder mindestens einen Plural „Die Christologien" bestritten; so sehr sah man Paulus, Johannes und alle anderen neutestamentlichen Autoren als Zeugen des einen Glaubens an Jesus Christus. Man erkannte zwar, daß der eine Ergänzungen brachte, die beim anderen nicht standen; aber man hätte daraus kaum auf verschiedene Konzeptionen schließen wollen. Inzwischen hat sich das Bild gründlich geändert. Die christologisch-soteriologischen Konzeptionen der einzelnen neutestamentlichen Schriftsteller werden so stark in ihrer Eigenart betrachtet, also gerade in dem, was sie von anderen unterscheidet, daß viele kaum mehr etwas Gemeinsames zu sehen meinen. Und „Jesus Christus" gilt ebenfalls nicht mehr als unumstrittene Größe. Manchem wird selbst die Name-Titel-Verbindung „Jesus Christus" schon unerlaubt erscheinen. Aber in welcher Beziehung stehen diese vielfältigen christologischen Theologien (des Neuen Testaments – und darüber

[1] Die beiden Stichwörter „Christologie" und „Soteriologie" implizieren und repräsentieren die gesamte neutestamentlich bzw. christ-lich verstandene Theologie: sowohl die Theo-logie als auch die Eschatologie, sowohl die Ekklesiologie als auch die „Ethik" (vgl. die Gesamt-Thematik, die durch die Reihe der „Strukturkomponenten" [unten 3.3.2 und 5.5.1] abgedeckt ist). „Christologie" und „Soteriologie" bezeichnen also nicht Teilgebiete christ-licher Theologie, sondern deren Kernstück überhaupt.
Der Haupttitel des mit diesem Band beginnenden Werks zeigt schon durch seine Formulierung „Die neutestamentlichen Theologien *und Jesus Christus*", wie stark die „Christologie" zum Thema gehört. Zur inhaltlichen Kennzeichnung der christ-lichen Theologien kann also im folgenden gelegentlich auch einfach „Die Christologien" (statt des umfassenderen, in meinem Verständnis sachlich gleichbedeutenden „Die Christologien/Soteriologien") gebraucht werden; in jedem Fall sind Verkündigung und Theologie des von Gott durch Jesus durchgeführten Heilswerks insgesamt gemeint.

hinaus der weiteren Theologiegeschichte) nun wirklich zu Jesus? Und vor allem: Wie kommt man aus der Beliebigkeit von Argumenten und Vorverständnissen heraus? Ist es möglich, hinter der Vielfalt der Christologien und Theologien noch eine Einheit zu erkennen? Eine solche Einheit dürfte freilich nicht einfach harmonisierend angenommen und von außen an die Texte herangetragen werden, sie kann vielmehr nur aufgrund eines sehr differenzierten Sachverhalts gesucht werden; sie kann nur gefunden werden, wenn man die Differenziertheit des Sachverhalts ernst nimmt. Mit anderen Worten: Es müssen Kriterien zur Legitimation von christologisch vermittelten Theologien gesucht werden. Und diese Kriterien müssen beim Gegenstand der Christologie selbst gesucht werden, bei Jesus Christus (wobei der Begriff „Christologie" – wenn er in dieser Arbeit für sich verwendet wird – im umfassenden, die Soteriologie mit einschließenden Sinn zu verstehen ist); und sie müssen zunächst vom Neuen Testament aus gesucht werden, weil das Neue Testament die grundlegende und maß-gebende Bezeugung Jesu Christi enthält – und damit des Christlichen, dessen bestimmende Mitte der Christusglaube ist. Damit sind wir beim Thema dieser Arbeit. Ihr Anliegen ist jedoch erst allzu knapp umrissen; es braucht noch weitere Verdeutlichung.

Zunächst eine Klarstellung: Die Kriterien für nachösterliche christ-liche Theologien werden in dieser Untersuchung zwar aufgrund des neutestamentlichen Befundes erarbeitet und dann (in einem geplanten weiteren Band) auch nur auf neutestamentliche christologisch-soteriologische Konzeptionen angewendet; diese Eingrenzung ist nicht nur durch das Fachgebiet des Autors, sondern auch durch die eben erwähnte theologisch grundlegende Funktion des Neuen Testaments motiviert. Jedoch reicht die Tragweite des Themas „Neutestamentliche Kriterien für Christologie und Soteriologie" weit über die Zeit des Neuen Testaments hinaus. Die Relevanz, die solche Kriterien über die dogmengeschichtliche Entwicklung hinweg auch für heutige theologische Entwürfe besitzen, muß mitbedacht werden.[2]
Zur Verdeutlichung des theologischen Ziels der Arbeit – den für christliche Theologie geltenden Maßstab „Jesus Christus" herauszustellen – seien einige der bisherigen Gedanken noch einmal aufgenommen; und zwar geht es jetzt vor allem um die Frage, welche Stellung Jesus selbst als dem Einheitspunkt der vielfältigen Christologien zukommt und welche Konsequenzen

[2] Jedoch muß bei dieser Ausweitung des Themas über das Neue Testament hinaus beachtet werden: Das Neue Testament ist nicht nur (erstens) Fundort für Kriterien, wobei (zweitens) die einzelnen neutestamentlichen Christologien diesen Kriterien selbst unterworfen sind. Vielmehr ist (drittens) auch die Funktion zu sehen, die das Neue Testament als ganzes für die Folgezeit besitzt: die in ihm beschlossenen Kriterien zu vermitteln und insgesamt für alle weitere Christologie wirksam werden zu lassen. Hierzu wird im II. Band Stellung genommen werden.

sich aus der je verschiedenen Fassung des Maßstabs „Jesus Christus" ergeben können.
Wenn uns das Problem bedrängt, das in der Vielfalt der verschiedenen Theologien des Neuen Testaments liegt, wenn wir dem Eindruck einer Divergenz unverbundener Theologien auf den Grund gehen möchten, dann liegt in diesem Bestreben schon eine erste Entscheidung: die Relativierung der neutestamentlichen Christusbotschaft, die sich aus dem Eindruck von Divergenzen ergibt, nicht ohne weiteres hinzunehmen – bzw. im Fall dieser Arbeit: sie nicht ohne eingehende Untersuchung hinzunehmen, sondern eine Einheit der verschiedenen christologisch-soteriologischen Konzeptionen zu suchen. Doch gibt es hinter den Christologien und Soteriologien, wenn auch verborgen, *die* Theologie des Neuen Testaments? Man könnte von ihr nur dann sprechen, wenn die einzelnen Theologien in einem sachlichen Konnex miteinander stehen. Aber die Antwort ist dadurch erschwert, daß diese Theologien nicht auf einer einheitlichen Entwicklungslinie liegen. Der vierte Evangelist, der fast ein halbes Jahrhundert später schreibt als Paulus, liegt nicht einfach auf der mit Paulus beginnenden Entwicklungslinie; und die synoptischen Evangelisten ordnen sich erst recht nicht einfachhin in eine solche Linie ein. Die verschiedenen Stränge urchristlicher Traditionen über Jesus Christus, seine Botschaft und sein Werk dürfen schon dieses Sachverhalts wegen nicht einfach harmonisiert werden. Wenn man eine Einheit hinter diesen verschiedenen Konzeptionen aufzeigen will, dann ist das nur in der Weise möglich, daß man von jeder einzelnen Konzeption zu Jesus selbst zurückfragt; denn wenn es einen Zusammenhang gibt, kann dieser nur durch den Gegenstand und Ursprung der verschiedenen Christologien gewährleistet sein, also durch Jesus selbst.
Aber was heißt das – welcher Jesus bildet den Einheitspunkt? Wir haben heute – noch gar nicht sehr lange – die faszinierende Möglichkeit, mit hinreichender Sicherheit zu Jesus von Nazaret selbst vorzudringen: zu dem, was sein Leben prägte, zu dem Anliegen, der „Sache", für die er lebte und in den Tod ging. Es ist verständlich, wenn für viele heutige Christen darüber der Christus der Glaubensbekenntnisse und der kirchlichen Lehre, „Gott von Gott, Licht vom Licht, wahrer Gott vom wahren Gott", immer mehr verblaßt, wenn er zurücktritt vor dem Menschen, der mit Ausgestoßenen Tischgemeinschaft hält und die Unbedingtheit der befreienden Liebe lebt und lehrt.
Doch was für eine Relevanz haben dann noch die christologisch-theologischen Konzeptionen der Autoren des Neuen Testaments, die wie der Verfasser des Hebräerbriefs von Jesus als dem Abglanz der Herrlichkeit und der Ausprägung des Wesens Gottes reden (Hebr 1,3) oder wie der Johannesprolog von ihm als dem vorzeitlichen Logos Gottes? Geht uns das Neue Testa-

ment außerhalb der – aus den synoptischen Evangelien etwa herauszuschälenden – ältesten Jesustradition nichts mehr an? Damit ist eine Frage angeschnitten, die mir zu den brennendsten der heutigen neutestamentlich-theologischen Forschung zu gehören scheint und die noch keineswegs die Aufmerksamkeit findet, die sie beanspruchen muß.
Und welche Relevanz haben die christologisch-soteriologischen Aussagen der Dogmengeschichte vom 2. Jahrhundert bis heute? Sie stehen und fallen ja mit den nachösterlichen christologisch-soteriologischen Aussagen der neutestamentlichen Autoren; sie sind im Grunde verschiedene Formen bzw. Weiterentwicklungen des nachösterlichen Glaubens an den auferweckten Jesus. Das Problem „Die Christologien (bzw. Soteriologien) des Neuen Testaments und Jesus" erweist sich in diesem Zusammenhang als wichtigstes und grundlegendes Teilstück der für die Glaubensbegründung entscheidenden Frage „Der kirchliche Christusglaube und Jesus".
Die Frage wird noch verstärkt, wenn wir auf bestimmte Aspekte der heutigen innerkirchlichen Situation schauen. Wir wissen um die Polarisierung innerhalb der heutigen Kirche – zwischen denen, die sich am überlieferten kirchlichen Christusglauben orientieren und denen, die die „Sache Jesu" als Maßstab des Christlichen sehen. Ich möchte die letzteren keineswegs von vornherein für außerhalb der heutigen Gemeinschaft der Jünger Jesu stehend ansehen – aber sicherlich ebensowenig diejenigen, die mit Eifer für die kirchliche Tradition eintreten und denen die „Jesuaner" verdächtig sind. Ich nehme nur die Frage auf: Hat die Christologie zu einer gesellschaftskritischen und kirchenkritischen Ausrichtung auf die „Sache Jesu" zu tendieren oder zur Bewahrung des überlieferten Glaubens an den erhöhten Sohn Gottes? Aber sind das überhaupt einander ausschließende Alternativen? Und was für Maßstäbe – was für Kriterien – haben wir, um darauf eine Antwort zu finden?
Die Frage dieser Untersuchung nach den Kriterien christologisch-soteriologischer Konzeptionen ist also kein rein akademisches Problem. Diese Arbeit hat ein Anliegen, das nicht auf den innerneutestamentlichen, erst recht nicht auf den rein wissenschaftlichen Bereich beschränkt ist. (Das gilt auch angesichts der Tatsache, daß die spezielle Thematik der hier angestellten Überlegungen sich auf das Neue Testament bezieht und nicht über die Zeit des Neuen Testaments hinausgreifen kann.) Diese Untersuchung möchte eine Hilfe für theologisch engagierte Christen bieten, die ihren Glauben und ihr theologisches Denken in dem Spannungsfeld zwischen Jesus von Nazaret und seiner „Sache" einerseits und dem kirchlichen Christusbekenntnis andererseits zu bewähren haben: insofern ein Weg zur Vereinbarkeit dieser beiden Größen – mit anderen Worten: zur Erkenntnis einer wesentlichen Kontinuität in aller Diskontinuität – gesucht wird. Jeder Versuch, zwischen dem

kirchlichen Christusglauben und Jesus von Nazaret Kontinuität zu erweisen, muß innerneutestamentlich zurückfragen zu dem Verhältnis zwischen (einerseits) dem Werk und der Botschaft des irdischen Jesus und (andererseits) dem Geheimnis Jesu, das das Neue Testament als seine Auferweckung und Erhöhung aussagt. Schon im irdischen Leben Jesu gibt es eine spannungsvolle Einheit, die in diesem Zusammenhang ebenfalls zu bedenken ist: zwischen dem Geheimnis, das schon in diesem Wirken und Leben Jesu von Nazaret erkennbar ist, auf der einen Seite – dem Geheimnis des Neuen und der Einmaligkeit seiner Sendung, der Eindeutigkeit und Härte seiner Entscheidungs- und Nachfolgeforderung – und andererseits seiner Hinwendung zu den Entrechteten, zu den Zöllnern und Sündern, seinem Gegensatz zu den Pharisäern und ihrem Legalismus, und damit insgesamt seiner prophetisch-radikalen Öffnung für den Menschen und für das Humanum.
Die Frage nach Kriterien – zunächst einmal neutestamentlichen Kriterien – für christologisch-soteriologische Konzeptionen scheint mir in der heutigen Lage von Kirche und Theologie um der Glaubwürdigkeit des Evangeliums und der Einheit der Christen willen unabweisbar zu sein. Die Glaubwürdigkeit und Verbindlichkeit der christologischen Anschauungen, die sich im Neuen Testament finden, wird ja auch bei Christen in Zweifel gezogen oder – häufiger – durch Nichtbeachtung erledigt. In dieser Lage kann man die Relevanz der Christusbotschaft eines Paulus und Johannes nicht einfach durch Insistieren auf der Inspiration retten.[3] Es geht im Neuen Testament um Schriften, in denen die kirchliche Tradition und Lehre nicht nur den Beistand des Geistes, sondern auch sehr menschliche Entstehungsbedingungen wirksam weiß. Warum soll man nicht die Konsequenz daraus ziehen – warum nicht mit der Möglichkeit von Einseitigkeiten, von Defizienzen rechnen? Wenn die neutestamentlichen Schriften sich in ihrer Relevanz auch für heute zu bewähren in der Lage sind, wird die kritische Prüfung sie nicht beeinträchtigen; und den Zugang zu ihnen wird es für viele heutige Christen nicht ohne solche Prüfung geben.
Gegen einen Versuch, vom Neuen Testament her Kriterien für Christologien (bzw. christologisch bestimmte Theologien) zu gewinnen, könnten sich freilich auch Einwände erheben.
Es kann sicherlich nicht die Absicht sein, Jesus gewissermaßen in den Griff zu bekommen (das ist das erste Verdachtsmoment, das hier genannt werden soll), sondern ein relativ adäquateres Instrumentarium für die Beurteilung dessen zu erhalten, was über ihn gedacht und gesagt wurde. Daß man Christologie und Christentum nicht schematisieren kann, soll durch die Art, wie die Kriterien erarbeitet werden, gerade deutlich werden.[4]

[3] Auch mit dieser Problematik wird der II. Band sich befassen müssen.
[4] Vgl. unten Kap. 3 und 5: Besonders das Strukturprinzip 1 wirkt einer Schematisierung entgegen; vgl. unten 3.4 und den gesamten *Dritten Teil* (Kap. 6 und 7).

Ein weiterer skeptischer Einwand könnte den einzuschlagenden methodischen Weg betreffen: Wie ist es möglich, die angezielten Kriterien in einer methodisch tragfähigen Weise aus dem uns vorliegenden Neuen Testament zu gewinnen? Die Frage stellt sich für die jesuanischen und die nachösterlichen Kriterien je verschieden; in beiden Fällen ist es entscheidend, daß der Zirkelschluß vermieden wird, Kriterien aus Texten zu gewinnen, an die sie hernach wieder angelegt werden sollen. In welcher Weise die Methodik je nach den Bedingungen der vor- bzw. nachösterlichen theologischen Situation zu wählen ist, wird jeweils erst an Ort und Stelle gezeigt werden können.[5] Jedenfalls geht der vorliegende Versuch von der Überzeugung aus, daß das Ziel die Methodik bestimmt – daß also die ersten, grundlegenden Schritte der zu entwickelnden Methodik dann möglich werden, wenn das Ziel hinreichend deutlich erkannt und anvisiert werden kann.
Mit einer solchen Bestimmung des Ziels hängt das Folgende zusammen, das im Rahmen der Gesamttheologie – über das Neue Testament hinaus – noch schwerwiegender sein dürfte: Wenn innerhalb des Neuen Testaments nach Kriterien für die Legitimation christologisch-soteriologischer Entwürfe gesucht wird, könnte sich der Verdacht äußern, hier werde ein weiteres Mal so etwas wie ein „Kanon im Kanon" aufgestellt (das heißt: hier würden ein Teil oder mehrere Teile als Maßstab des Ganzen erklärt). Das ist jedoch in keiner Weise die Absicht. Es geht gerade nicht darum, einen Einzelpunkt herauszugreifen und zum Maßstab des Ganzen zu machen; es geht vielmehr darum, *die Ursprungsstrukturen des Ganzen zu erfassen.*[6] Es kann nicht das Ziel sein, das neutestamentliche und kirchliche Kerygma zu beschneiden oder zu verkürzen, sondern es mit seinem vollen Gehalt wieder einzuspannen in die Zusammenhänge, in denen es von Haus aus steht und in die es hineingehört, wenn es seine Dynamik behalten soll.[7]
Die Kriterien müssen also dem differenzierten Sachverhalt der neutestamentlichen Jesusüberlieferung entsprechen. Der Maßstab kann nicht dadurch gewonnen werden, daß man einige Züge aus dem Wirken des irdischen Jesus herausgreift – und ebensowenig darin, daß man einem solchen Jesusbild (ebenso einfach) eine kirchliche Christologie entgegensetzt.[8] Die Kriterien müssen differenziert sein, dem differenzierten Sachverhalt entsprechen: Jesus von Nazaret widersteht nicht nur „gesellschaftskritisch" dem Legalismus seiner pharisäischen Gegner, sondern sein erstes und eigentliches Anliegen ist darin und darüber hinaus die Heiligung des Namens seines Vaters und das Kommen der Herrschaft dieses Vaters; er ist als der

[5] Vgl. 2.2 und 2.3; vor allem aber 3.1 und 3.2 sowie 5.1.1 und 5.1.2.
[6] Vgl. unten 2.4, Anm. 20.
[7] Vgl. unten 2.6; demnächst auch Bd. II.
[8] Vgl. unten 2.2.

von Gott Gesendete nicht nur der Schenkende, sondern auch der Fordernde. Und das Geheimnis, das schon in seinem irdischen Leben durchscheint, ist für die Verkündigung des Neuen Testaments besiegelt und entfaltet in seiner Auferweckung und Erhöhung.
Hiermit ist schon die These vorbereitet, die das 2. Kapitel zu verdeutlichen hat.
Das Vorhaben dieser Arbeit mag gewagt erscheinen; die dafür an sich notwendigen Vorarbeiten sind ja in der neutestamentlichen Forschung noch kaum in dem erforderlichen Maß geleistet, und auch die vorliegende Arbeit kann schon aus Raumgründen die notwendigen Vorarbeiten oft nur andeuten und nicht selbst im einzelnen durchführen. Trotzdem scheint mir eine solche Untersuchung überfällig zu sein. Die kirchliche und theologische Situation verlangt um des Neuen Testaments willen – richtiger: um der Rechenschaft über unsere im Christusglauben des Neuen Testaments begründete Hoffnung willen – nach Versuchen, sich der Aufgabe zu stellen. Ob dieser jetzt vorgelegte Versuch schon in dem wünschenswerten Maß eine Hilfe sein kann, ist eine Frage, von der die Sinnhaftigkeit und Notwendigkeit *der Aufgabe als solcher* nicht abhängt. Ich halte es für notwendig, auch schon angesichts des gegenwärtigen Standes der Forschung in den hermeneutischen Zirkel zwischen Detailarbeit und Gesamtschau einzutreten (auch wenn, wie gesagt, für die Gesamtschau die Vorarbeiten noch nicht bis ins einzelne geleistet sind).
Die vorliegende Arbeit kann nach Lage der Dinge also nur programmatischen Charakter tragen; sie kann keine bloße Zusammenstellung von allseits begründeten und anerkannten Ergebnissen sein. Auf weite Strecken wird sie nur ein thesenhafter Entwurf sein können, der die Probleme umreißt und Lösungsmöglichkeiten anvisiert.[9] Bei der Vielzahl der angesprochenen Themen wird es wohl nicht immer leicht sein, ständig auf diese ihre Eigenart – man könnte fast sagen, auf dieses ihr genus litterarium – zu achten. So bitte ich den Leser, diesen programmatischen Charakter – und damit das, was die Arbeit anstrebt, wie auch das, was sie nicht leisten kann, also ihre notwendigen Grenzen – im Auge zu behalten.

[9] Zugleich ist diese Untersuchung mit ihren zwei Tabellen jesuanischer und nachösterlich-christologischer Strukturkomponenten der Versuch, ein Arbeitsinstrument zu erstellen, das auch dann seinen Sinn haben dürfte, wenn es im Lauf der weiteren wissenschaftlichen Auseinandersetzung kritisiert und aufgrund der Kritik gegebenenfalls abgeändert werden muß.

2. Die These

2.1 Die These in ihrer Grundstruktur

Jede christologisch-soteriologische Konzeption kann ihre Legitimation nur anhand des Maßstabs empfangen, den Jesus selbst bildet – sind er und sein Werk doch das Thema und der „Gegenstand" selbst, dem sie gerecht zu werden hat. Aber was heißt „an Jesus selbst"? Auf diese Frage antwortet die für diese Untersuchung bestimmende These.

Maßstab der Legitimation von christ-lichen Theologien ist weder allein der irdische Jesus und seine „Sache" noch allein der erhöhte, sondern der Jesus des neutestamentlichen Glaubens, der der Irdische (also letztlich der Gekreuzigte) und der Auferweckte in Identität ist.
Die Kriterien der Legitimation sind also sowohl aus dem Sendungsanspruch, der Intention und dem Weg Jesu von Nazaret zu gewinnen als auch durch die christologische Transformation zu bestimmen, die durch Auferweckung und Erhöhung als die Aufnahme des gekreuzigten Jesus in das wirkmächtige Geheimnis Gottes zustande kommt.[1]

Das „sowohl – als auch " dieser These bildet ihre Grundstruktur.[2] Es besagt, daß beide Grundwirklichkeiten des Ursprungs des Christentums – sowohl das Leben, Wirken und der Tod Jesu von Nazaret als auch die Auferwekkungserfahrung der ersten Zeugen –, je für sich und dann in ihrer wechselseitigen Beziehung, ernst genommen werden. Weil dieses „sowohl – als

[1] Es handelt sich also um umfassende Zusammenhänge, so daß die gesuchten Kriterien nur *innerhalb* dieser Zusammenhänge ihre Funktion erfüllen können; vgl. unten 2.4 („Strukturkomponenten als Kriterien").

[2] Vgl. *W. Kasper*, Jesus der Christus 41: „Inhalt und primäres Kriterium der Christologie ist der irdische Jesus und der auferweckte, erhöhte Christus. Das führt uns zu dem Programm einer Christologie der gegenseitigen Entsprechung von irdischem Jesus und auferwecktem erhöhtem Christus." S. auch *F. Hahn*, Methodologische Überlegungen 75.

auch“ gilt, sind zwei – miteinander korrespondierende – Reihen von Kriterien erforderlich. Freilich ist dieses Ernstnehmen beider durch „sowohl – als auch“ miteinander verknüpfter Sachverhalte nicht leicht zu verwirklichen, wie man an der Tatsache sieht, daß es so oft durch Über- bzw. Unterbetonung des einen oder des anderen Sachverhalts verfehlt worden ist. Aber es scheint mir in der heutigen Forschungssituation (und darüber hinaus auch für die Verkündigung – vielleicht schon heute, sicher aber in absehbarer Zeit) die einzige Möglichkeit zu sein, das Christliche legitim festzuhalten. Weshalb beides, sowohl das Jesuanische als auch die nachösterliche „Transformation“, notwendig ist, muß jetzt in den Abschnitten 2.2 und 2.3 aufgezeigt werden.

2.2 Erste Entfaltung der These: Das Postulat jesuanischer Kriterien

Für die Legitimation von christ-lichen Theologien ist die theologische Struktur von Botschaft und Werk Jesu von Nazaret grundlegend.

Wie ist diese These zu begründen? *Weshalb darf die Legitimation sich nicht nur anhand der nachösterlichen Transformation vollziehen?* Näherhin: Warum dürfen entsprechend der These nicht nur die Bekenntnisse des nachösterlichen Christusglaubens die Grundlage der Legitimation bilden – die Christusbekenntnisse, zu denen (nach den Bekenntnisformeln, die sich innerhalb des Neuen Testaments finden [z. B. in 1 Kor 15,3f und Röm 1,3f]) vor allem die Glaubensbekenntnisse der altkirchlichen Konzilien und die weiteren kirchenamtlichen Lehräußerungen über Jesus Christus gehören?

2.2.1 [Ein erster Grund:] Im Unterschied zu den bisherigen Epochen der Kirchengeschichte ist es heute möglich, durch die Texte der synoptischen Evangelien hindurch (die ihrerseits den irdischen und den erhöhten Jesus zusammenschauen) die theologischen Strukturen der Sendung Jesu von Nazaret und seiner Intention in hinreichend deutlichen Umrissen zu erkennen, das heißt: in Konturen bzw. Hauptlinien, die trotz der vielen noch offenen Einzelfragen doch einen solchen Grad von Deutlichkeit und Zuverlässigkeit aufweisen, daß sie als eigenständige Kriterien dienen können – und auch dienen müssen.[3]

[3] Vgl. unten 3.1.

Hier spreche ich eine Erkenntnis aus, die sich dem heutigen Exegeten geradezu aufdrängt,[4] die aber in steigendem Maß auch über die neutestamentliche Wissenschaft hinaus in der Theologie wird berücksichtigt werden müssen.[5] Zum erstenmal in der Geschichte ist uns die Intention Jesu selbst – als das entscheidende Korrektiv aus dem Bereich der Grundlegung, die das irdische Wirken Jesu bildet – heute in allem Wesentlichen zugänglich. Diese grundsätzliche Eröffnung der Rückfrage nach Jesus selbst hat die Bedingungen mindestens „fundamentaltheologischen" Arbeitens (des historisch-kritischen Beitrags zur Glaubensbegründung, der sich unter vorläufiger methodischer Ausklammerung der kirchlichen Lehraussagen vollzieht[6]) grundlegend verändert. Über die „fundamentaltheologische" Fragestellung hinaus ist jedoch auch im Kern der biblischen und systematischen Theologie (in einer Arbeitsweise, die ich als *fundamental-bibeltheologisch* bezeichne[6a]) die Möglichkeit und Notwendigkeit der Legitimation nachösterlichen und kirchlichen Christusglaubens sowie vor allem seiner Ausdrucksformen neu gegeben. Es ist wohl nicht übertrieben, *in dieser Hinsicht* von einem für alle folgende theologische Arbeit grundlegenden und insofern „epochalen" Neuansatz zu sprechen. Als epochal darf er wohl ebenso bezeichnet werden wie das Aufkommen (und schließlich die kirchliche Freigabe) der historisch-kritischen Methode in der Bibelwissenschaft; sie war ja Voraussetzung und Bedingung für diese neue Möglichkeit, das Jesuanische durch die „Rückfrage nach Jesus" in seinen theologisch relevanten Umrissen mit hinreichender Deutlichkeit zu erkennen. In analoger Weise wird man die Bedeutung dieses Neuansatzes wohl dadurch veranschaulichen dürfen, daß man ihn in bestimmter Hinsicht mit der „cartesianischen Wende" (bzw. mit deren theologischer Rezeption) vergleicht; und zwar könnte die theologiegeschichtliche Bedeutung der beiden Wendepunkte vergleichbar sein, obschon sich die Wende in dem für uns zur Diskussion stehenden Fall – der Eröffnung der Rückfrage nach Jesus – „nur" auf das *Zustandekommen* der Zusammenschau des irdischen mit dem erhöhten Jesus bezieht und die Zusammenschau als solche nach wie vor als das für christlichen Glauben Unabdingbare gelten muß.[7]
In den Jahrhunderten von der Alten Kirche bis zur Aufklärung (und darüber hinaus) glaubte man die christologischen Lehraussagen ausschließlich durch den Rückgriff auf den Erhöhungsglauben und die ihn aussagenden kirchlichen Bekenntnisformeln legitimiert; die Legitimation von Christologien vollzog sich faktisch ausschließlich an dem Jesus Christus des Erhöhungsglaubens (in der Gestalt der offiziellen kirchlichen christologischen Bekenntnisaussagen), und zwar notwendig in einer vorkritischen Weise.

[4] Vgl. *K. Kertelge* (Hrsg.), Rückfrage nach Jesus, darin bes. *F. Hahn,* Methodologische Überlegungen (11-77); *R. Schnackenburg,* Der geschichtliche Jesus (ebd. 194-220).

[5] Vgl. *W. Kasper,* Jesus der Christus 41: „Innerhalb einer... Christologie der gegenseitigen Entsprechung zwischen irdischem Jesus und erhöhtem Christus kommt unter den heutigen Verstehensbedingungen der historischen Fragestellung eine unerläßliche Funktion zu."

[6] Vgl. *H. Fries,* in: SM II 140-150, bes. 143 f.

[6a] Dieser Begriff wird unten in 2.5 erläutert werden.

[7] Der hier gemeinte grundlegende Neuansatz besteht also darin, daß für dasselbe theologische Ziel jetzt – *in etwa* analog zur cartesianischen Wende vom objektivierenden Denken zum Subjekt – ebenfalls grundlegend neue Verstehensvoraussetzungen in Rechnung zu stellen sind: daß die Zusammenschau der Menschheit Jesu mit der Gottheit des Erhöhten nicht mehr nur von der Gottheit her und in diesem Sinn „objektivierend" durchgeführt wird, sondern daß die Rückfrage zum historischen Subjekt „Jesus von Nazaret" auch als solche in neuer Weise zu ihrem Recht kommt; und zwar geschieht diese neue Denkbewegung jetzt, anders als in zahlreichen vergleichbaren Fällen neuen Bibelverständnisses, *im Zentrum des Christusglaubens selbst.*

Das Korrektiv der Intention Jesu war kaum hinreichend zugänglich. „Kaum hinreichend zugänglich": das gilt vor allem für die theologische Theorie. Charismatische Persönlichkeiten, die trotz allem einen solchen Zugang fanden und zeigten, hat es sicherlich immer wieder gegeben.

2.2.2 [Ein zweiter Grund:] Die Auferweckung bringt so sehr den Jesus der Geschichte (und keinen anderen sonst) zu bleibender Gültigkeit und Wirksamkeit,[8] bzw. die nachösterliche Christusbotschaft ist nach heute notwendiger theologischer Einsicht so sehr von ihrem Wesen und ihrem Anspruch her auf den Jesus der Geschichte bezogen, daß die Möglichkeit, zu Jesus selbst zurückzufragen, für die Legitimation von Christologien bzw. christlichen Theologien wahrgenommen werden muß, wenn und sobald sie sich bietet.[9] Gerade wenn wir die Auferweckung als den Vorgang verstehen lernen, durch den Person und Funktion Jesu von Nazaret bleibende Gültigkeit erlangt haben, können wir – wenn die Erkenntnis des Abschnitts 2.2.1 vorausgesetzt ist – von der Intention Jesu von Nazaret nicht mehr abstrahieren.

2.2.3 [Ein dritter Grund:] Eine bloße Wiederholung des theologischen Verfahrens früherer Jahrhunderte, den irdischen und den erhöhten Jesus in der Weise einer „Übermalung" des irdischen durch den Herrlichkeitsglanz des erhöhten zusammenzuschauen, würde die Begründung eines für heute relevanten Christusglaubens gefährden. Die Verbindung dessen, was wir über Jesus von Nazaret wissen, mit dem Auferweckungsglauben darf heute nicht mehr in dieser vorkritischen Weise früherer Jahrhunderte der Kirchengeschichte erfolgen. Sonst würde ein für heute relevantes Bekennntnis des Glaubens gefährdet, daß der erhöhte Herr niemand anders ist als der Mensch Jesus von Nazaret; und die kritische Funktion der Intention Jesu könnte leicht wieder überspielt werden, wie es in der Kirchengeschichte oft geschah.

Die christlichen Autoren früherer Jahrhunderte haben von den synoptischen Evangelisten an – durchaus legitim – den irdischen Jesus so sehr im Licht der Auferweckung gesehen, daß sie das Bild des irdischen Jesus gewissermaßen – wie mittelalterliche Meister – auf Goldgrund gemalt haben. Auch unserer heutigen Theologie ist eine Zusammenschau aufgegeben. Sie darf sich aber im Hinblick auf die „fundamentaltheologische" Aufgabe nicht in derselben vorkritischen Weise vollziehen. Wir dürfen im Rahmen *dieser* Aufgabe nicht – ohne die Rückfrage nach Jesus selbst – den „Goldgrund" etwa neu malen wollen, den das Neue Testament und die folgenden Jahrhunderte mit ihren Mitteln gelegt haben – ohne Bild: Wir dürfen nicht vorschnell und undifferenziert, ohne daß wir uns der Mühe der Rückfrage unterzogen hätten, vom irdischen Jesus bereits Aussagen machen, die erst vom erhöhten gelten. Dann käme keine Legi-

[8] Vgl. *K. Rahner*, Grundlinien, bes. 44-47 (bzw. *ders.*, Grundkurs 262 f).

[9] Zur Funktion der Auferweckung für das Zur-Geltung-Bringen Jesu von Nazaret, seines Anspruchs und seiner Intention vgl. unten 4.4, bes. 4.4.3.

timation zustande, sondern ein Zirkelschluß: Wir würden das voraussetzen, was wir beweisen wollen.
Zudem geht es gerade in heutiger Theologie und Christologie darum, auch den zweiten Pol der Spannungseinheit von Chalkedon – das Bekenntnis zu Jesus als dem „wahren Menschen" – ernst zu nehmen. Dieses Ernstnehmen kann man heute nicht realisieren, wenn man nicht fragt, wer Jesus von Nazaret historisch gewesen ist und was er gewollt hat. Sonst würde man sich so sehr von den schönen Goldgrundbildern der kirchlichen Tradition gefangennehmen lassen, daß man in Gefahr wäre, Entscheidendes von der Intention des Jesus der Geschichte zu übersehen.

2.2.4 [Eine Konsequenz für die Arbeitsweise dieser Untersuchung:] Die durch die Rückfrage nach Jesus gewonnenen Kriterien können aus den angegebenen Gründen nur dann zur Legitimation von Christologien und für die Bestimmung des Christlichen zur Geltung gebracht werden, wenn sie nicht ausschließlich und nicht sofort mit denjenigen Kriterien zusammengeschaut werden, die von der Auferweckungserfahrung herkommen; *die jesuanischen Kriterien müssen vielmehr zuerst für sich, in Differenzierung von den Kriterien der nachösterlichen Transformation erfaßt werden.*
„Zusammenschau des irdischen und des erhöhten Jesus" – das hat es schon im Neuen Testament und seitdem in der Theologiegeschichte mehr oder weniger immer gegeben. Neu ist in unserer These demgegenüber die Betonung der vorgängigen differenzierten Betrachtung des Jesuanischen. Das, was wir von Jesus von Nazaret wissen, muß auch für sich betrachtet werden, ebenso wie das Kerygma der Gemeinde nach Ostern. Das Postulat, daß beides *sowohl in Differenzierung als auch in Zusammenschau* in den Blick kommen müsse, ist die Alternative zu dem, was oben Übermalung des Jesusbildes genannt wurde.[10]
Das „sowohl – als auch" in der „Grundstruktur der These" ist also jetzt dahingehend näher bestimmt, daß die Differenzierung *methodisch* eine Vorrangstellung der Rückfrage nach Jesus von Nazaret verlangt.

[10] Hiermit ist eine Position bezogen einerseits gegenüber einer einseitigen Betonung des Jesuanischen, andererseits gegenüber einseitiger Kerygma-Theologie (und damit nicht nur gegenüber den verschiedenen Formen von einseitiger Herrlichkeitschristologie, sondern auch gegenüber den Versuchen, den irdischen Jesus gegenüber dem Christus des Kerygmas für irrelevant zu erklären, wie das in je verschiedener Weise bei M. Kähler und R. Bultmann der Fall ist).

2.3 Zweite Entfaltung der These: Das Postulat nachösterlicher Kriterien

Zur Legitimation von christ-lichen Theologien muß das im Auferweckungsglauben enthaltene Nachösterlich-Neue inhaltlich bestimmt und zur Geltung gebracht werden.

Stellen wir zur Verdeutlichung wieder die Gegenfrage: Weshalb darf die Legitimation *nicht nur anhand der jesuanischen Kriterien* erfolgen?
Die ursprüngliche Kraft der frühen synoptischen Jesustradition ist so stark und beeindruckend, daß es sehr nahe liegen könnte, sie zum alleinigen Maßstab des Christlichen zu machen. Aber trotzdem kann ein Christ, der den Glauben an die Erhöhung Jesu – bzw. an den in das wirkmächtige Geheimnis Gottes aufgenommenen Jesus – zu bejahen vermag, sich nicht auf den Jesus der Geschichte beschränken. Unter der Voraussetzung des Auferwekkungsglaubens kommt – *einerseits* – zwar zu den theologischen Strukturen von Botschaft, Wirken und Leben Jesu von Nazaret – von seiner Hinwendung zum Vater bis zu seiner Tischgemeinschaft mit den Verachteten – nichts schlechthin anderes hinzu; denn durch Tod und Auferweckung hindurch wird Jesus von Nazaret selbst zu bleibender Geltung und Wirksamkeit gebracht.[11] So wird dem Tod Jesu die Wirkung, das Leben abzuschließen und alles, was in diesem Leben geschah, endgültig zu machen, durch die Auferweckung nicht genommen. Auferweckung Jesu bedeutet ja nicht, daß sein irdisches Leben weitergehen und völlig neue Strukturkomponenten[12] seines Lebens und seiner Geschichte hinzukommen würden. *Andererseits* bedeutet Auferweckung Jesu aber, daß dieser tote, gekreuzigte Mensch nun in einer neuen Weise lebt und im Unterschied zu allen anderen Menschen universale Wirksamkeit erlangt. Die jesuanischen Kriterien erhalten durch den neuen „Kontext" der nachösterlichen Transformation also doch neue Dimensionen; Aspekte der Christologie und Soteriologie gewinnen eine große Bedeutung, die vorösterlich – bei Jesus von Nazaret – noch kaum bzw. nur sehr keimhaft wahrgenommen werden können. Aber welche sind das? Man wird zwar mitbedenken müssen, daß sich der zeitgeschichtliche Bezugsrahmen der Christusverkündigung von Jahrzehnt zu Jahrzehnt, von Jahrhundert zu Jahrhundert und jedenfalls mit jeder bedeutenden historischen Zäsur ändert und in diesem Sinn jeweils neu und anders ist. Doch darin liegt – das muß scharf in den Blick treten – nicht die Antwort auf unsere

[11] Vgl. oben 2.2, Anm. 8 und 9.
[12] Zu diesem Begriff s. unten 2.4, bes. 2.4.2-3.

Frage; die Frage zielt auf das grundlegend Neue und Andere, auf eine Transformation, die alle weitere Christusverkündigung fundamental und bleibend bestimmt. Aber auch dieses grundlegende Neue muß *inhaltlich* differenziert und bestimmt werden können; denn die zweite, nachösterliche Reihe von Kriterien, die wir zufolge der These postulieren, wird sich nur dann auch im einzelnen begründen lassen, wenn es möglich ist, in einer *relativ* konkreten Weise auch tragende inhaltliche Neuheitsmomente zu nennen, die mit dem Wesen der Auferweckungs-Transformation selbst gegeben sind – die also nicht nur durch die Vorstellungs- und Ausdrucksmittel der unmittelbar auf den Tod Jesu folgenden Jahrzehnte bedingt sind. Das inhaltlich Neue kann also, was unsere Frage angeht, nicht in der Sprache des Neuen Testaments selbst benannt werden, sondern muß abstrakt ausgedrückt werden.

Nach dieser Vorklärung fragen wir noch einmal: *Was wird also durch die Aufweckung Jesu und die ihr entsprechende nachösterliche Transformation der Verkündigungsinhalte näherhin neu oder anders gegenüber den theologischen Strukturen von Botschaft, Wirken und Leben Jesu von Nazaret?*
Es sind vor allem drei Sachverhalte: das Zusammendenken von Gott und Jesus; die nachösterlich-neue Bestimmung des Soteriologischen; das Evangeliale und Ekklesiologische. Im folgenden sei schon vorweg – thesenartig – erläutert, was mit diesen drei nachösterlichen Neuheitsaspekten gemeint ist. An späterer Stelle der Arbeit sind sie aus einer theologischen Sicht der Auferweckung Jesu abzuleiten[13] und inhaltlich weiter zu entfalten[14].

(Erstens:) *Das Zusammendenken von Gott und Jesus bzw. die Verbindung von Gottesglaube und Jesusglaube*

Jesus von Nazaret steht Gott liebend, bittend und vertrauend gegenüber. Die Jünger und andere Menschen erfuhren, wie Gott durch ihn wirkte. Aber das Gegenüber „Gott – Jesus" war eindeutig. Wenn Jesus in das Geheimnis Gottes aufgenommen ist[15] und nur in diesem Geheimnis erreicht werden kann, ist der Sachverhalt von vornherein anders. Jetzt wird von Jesus gesagt, daß er in göttlicher Herrlichkeit lebt, daß er der göttliche Kyrios ist. Dieses durch Ostern notwendig gewordene Zusammendenken von Gott und Jesus ist schon im Neuen Testament eine der größten, aber auch schwierigsten Aufgaben der Theologie gewesen – und ist es geblieben.

(Zweitens:) *Die Erkenntnis der universalen Heilsbedeutung Jesu und damit vor allem auch der Heilsbedeutung seines Todes – und die von daher notwendige neue Bestimmung des Soteriologischen*

[13] S. unten 4.5.
[14] Das soll unten in Kap. 5 geschehen.
[15] Vgl. unten 4.4.5.

In den theologischen Strukturen, die durch die Rückfrage nach Jesus gewonnen werden können, sind zwar Ansätze des Soteriologischen in dem Sinn zu finden, wie es in dieser Überschrift verstanden wird; aber von der Sache her konnte es vor Ostern keine eigentliche Theologie der Heilsbedeutung des Todes Jesu geben. Nach Ostern mußte notwendig auf den Tod Jesu reflektiert werden, ungleich stärker als vor Ostern auf die Gefahr des Todes. Wenn Jesus jetzt als der durch die Auferweckung bestätigte Messias Gottes geglaubt wird, als der „zur Rechten Gottes sitzende" Mittler des Heils: Inwiefern ist er das – und welche Bedeutung hat sein Tod dann für das Heilswerk? Diese Fragen mußten die nachösterlichen Gemeinden zu einer neuen Sicht der – jetzt universal gedachten – soteriologischen Stellung Jesu führen.
(Drittens:) *Das Evangeliale und Ekklesiologische*
Vor Ostern gibt es die Gemeinschaft der Jünger, vorübergehend sogar ihre Aussendung, aber noch nicht die durch die Jüngergemeinschaft bzw. Kirche durchgeführte Wirksamkeit Jesu aus dem Geheimnis Gottes heraus. Im Zusammenhang mit diesem nachösterlichen Neuheitsmoment des Ekklesiologischen steht – der Sache nach ihm sogar vorgeordnet – ein eschatologischer Sachverhalt: Schon im Leben Jesu wird eschatologisches Heil unumkehrbar in Kraft gesetzt; und schon das Wirken Jesu von Nazaret ist Verkündigung des „Evangeliums" in einem umfassenden Sinn – in Wort und Tat; es ist also bereits Realisierung des eschatologischen Heilsvorgangs „Evangelium". Nach Ostern ist darüber hinaus das Neue und Andere gegeben, daß die eschatologische Heilswirklichkeit jetzt – aus dem Geheimnis Gottes heraus – *universal mitteilbar* ist. Der Apostel Paulus nennt den eschatologischen Vorgang dieser universalen Mitteilung *euangélion.* Die Kirche ist in diese dynamische Linie der Evangeliumsverkündigung eingespannt und nicht umgekehrt; die Kirche ist um des Evangeliums willen da und nicht das Evangelium um der Kirche willen. Aber sosehr die universale Mitteilbarkeit eschatologischen Heils auch zu den bestimmenden Faktoren des Nachösterlich-Neuen gehört – dieses Nachösterlich-Neue der Evangeliumsverkündigung (die als solche – im Unterschied von der Kirche – bereits vor Ostern klar zu erkennen ist) wird doch am deutlichsten im „Ekklesiologischen"; deshalb fasse ich beides in diesem einen Punkt zusammen.
Für diesen dritten Punkt sind absichtlich die abstrakten, aber offenen Ausdrücke „das Evangeliale" und „das Ekklesiologische" gewählt worden; sie sollen mithelfen, sowohl die Kirche als auch ihr Tun (also die ekklesiologischen Implikationen der nachösterlichen Legitimationskriterien) nicht von der heutigen Erscheinungsform aus zu betrachten (was zu verzerrten Ergebnissen führen könnte), sondern sie in der ganz auf Zukunft geöffneten Weise zu sehen, die vom Neuen Testament her sachgerecht ist. Zwar bringt der wechselseitige Zusammenhang von Evangelium und Kirche, von Christolo-

gie und Ekklesiologie Probleme und Schwierigkeiten mit sich und – wie die Kirchengeschichte zeigt – auch Ärgernisse. Aber wer an die Erhöhung Jesu glaubt, wird niemals daran vorbeikommen: Die Jüngergemeinschaft Jesu, die Kirche, ist trotz aller Schwächen und allen Versagens so sehr mit Jesus und Gott verbunden, daß die Gefahr besteht, Jesus zu verfehlen, wenn man sie auf der Suche nach ihm ausklammert.

Dieses dreifache Neue – das Zusammendenken von Gott und Jesus, die neue Bedeutung des Soteriologischen, das Evangeliale in Einheit mit dem Ekklesiologischen – ist für die Legitimation von christologisch bestimmten Theologien mitzubedenken. Sonst würde wieder – von der anderen Seite her – eine Verarmung und Gefährdung, ja letztlich eine Infragestellung des Jesusglaubens eintreten. Die Konsequenzen, die sich ergeben würden, wenn man die nachösterliche Transformation nicht anerkennt, sind besonders deutlich beim dritten, ekklesiologischen Punkt. Eine theologisch-sakramentale (neutestamentlich etwa: pneumatische) Struktur der Kirche würde gegenstandslos. Die theo-logische Struktur der Christologie und des Christlichen wäre in Gefahr – und damit Gebet und Gottesdienst. Es gäbe wohl nur einzelne Anhänger der Sache Jesu, vielleicht auch die eine oder andere Organisation (fast in der Art von Philosophenschulen). Aber Jesus ist kein Philosoph. Er ruft in die Nachfolge. Eine Gemeinschaft, in der Menschen wirklich in die Nachfolge gerufen werden, gäbe es dann kaum mehr.
Darüber hinaus würde der überwiegende Teil des Neuen Testaments hinfällig, und zwar alles mit Ausnahme des ältesten Materials der Jesustradition. Und auch das letztere wäre noch in Gefahr, mißverstanden und verzeichnet zu werden. Das geschähe, wenn das Jesuanische auf eine gesellschaftskritisch relevante „Sache Jesu" eingeengt und die prophetisch-charismatische Theozentrik Jesu und sein unbedingter Ruf in die Nachfolge nicht mehr gesehen würde. Ein „Geheimnis Jesu" gibt es schon in seinem irdischen Leben. Wenn man das „österliche" Geheimnis Jesu nicht anzuerkennen vermag, wird man kaum das vorösterliche Geheimnis erkennen können. Und von einer universalen Heilsbedeutung Jesu könnte erst recht nicht mehr gesprochen werden.
Stellen wir zusammenfassend noch einmal die Frage: Weshalb muß zu den jesuanischen Kriterien die Berücksichtigung des Nachösterlich-Neuen hinzukommen? Die eigentliche Antwort darauf lautet, wenn vom Neuen Testament und seinem Glauben her gedacht wird: weil sonst der wirkliche, lebendige Jesus Christus und sein Wirken nicht (oder allenfalls sehr indirekt oder bruchstückhaft) erkannt werden können. Jedenfalls könnte auch seine „Sache", seine Intention nicht über den engen Kreis von einzelnen, glaubensmäßig mehr oder weniger individualistisch existierenden Anhängern hinaus

wirksam werden; dann aber würde sie – mindestens auf die Dauer – selbst im Vergleich mit der Wirkmöglichkeit von Christen, die innerhalb sehr unzulänglicher kirchlicher Gemeinschaften stehen, ungleich mehr an Effizienz und Durchhaltevermögen einbüßen. Zufolge der Botschaft des Neuen Testaments will der auferweckte Jesus jedenfalls inmitten der Gemeinschaft seiner unzulänglichen Jünger leben und wirksam werden.

2.4 Eine Implikation der These: „Strukturkomponenten" als Kriterien

2.4.1 Die Implikation der These

Nach dem ersten Satz der These (oben 2.1) ist *das* eigentliche Legitimationskriterium, *der* „Maßstab" der Legitimation von christ-lichen Theologien Jesus selbst – der Jesus des neutestamentlichen Glaubens, der der Irdische-Gekreuzigte und der Auferweckte-Erhöhte in Identität ist. Eine Auffächerung dieses verpflichtenden Maßstabs in Einzelkriterien ist also – entsprechend dem zweiten Satz der These – nur insoweit sinnvoll, als sie ein Gesamtbild zunächst des „Jesuanischen" erkennen läßt (des Wirkens, der Botschaft, des Lebens und des Todes Jesu von Nazaret); sodann, in einem zweiten Schritt, insofern sie – im Zusammenhang mit dem Gesamt des Jesuanischen – das Ganze der grundlegenden nachösterlichen Transformation erschließt.
Eine Kriteriologie für christ-liche Theologien kann also nicht durch voneinander mehr oder weniger unabhängige Einzelbeobachtungen entwickelt werden, sondern nur vom Ganzen her. Die Einzelkriterien sind nur dann adäquat, wenn sie dazu helfen, sowohl das Phänomen „Jesus von Nazaret" als auch den theologischen Kern des Glaubens an seine Auferweckung – und zwar nicht nur in ihren aus dem Neuen Testament zu erhebenden Ausdrucksformen, *sondern auch in ihrer Tiefendimension* – als strukturierte Ganzheiten zu erfassen. Noch besser würden wir sagen, da die These größten Wert auf die Identität des auferweckten Jesus mit dem irdischen legen mußte: Mit Hilfe der „Einzel"-Kriterien soll ein einziges, von den jesuanischen Ursprüngen her grundlegend strukturiertes und durch den Auferweckungsglauben „transformiertes"[16] Lebendig-Ganzes in den Blick kommen.
Demzufolge können die Einzelkriterien nur *„Strukturkomponenten"* des jeweiligen Ganzen sein – der Gesamtstruktur des Jesuanischen und der der

[16] Vgl. unten 4.4.2; auch unten 2.4.2, Anm. 21.

nachösterlichen Transformation; und als solche müssen sie auch (trotz und in der Differenzierung in jesuanische und nachösterliche Strukturkomponenten) die Ganzheit aus Jesuanischem und Nachösterlichem widerspiegeln können.

Aufgrund dieser Konzeption wird im folgenden das Wort „Kriterium" (bzw. „Kriterien") meist durch „Strukturkomponente(n)"[17] *ersetzt.*

Mit der Wahl dieses Wortes möchte ich also andeuten, daß es sich bei den von mir genannten Kriterien um „Komponenten" einer Gesamtstruktur handelt – und bei der Zusammenstellung der Kriterien in zwei Reihen (von denen die zweite, nachösterliche, in Entsprechung zur grundlegenden ersten stehen muß) um den Versuch, des strukturierten Ganzen ansichtig zu werden. Die „Strukturkomponenten" können nur insoweit Kriterien sein, als sie das Gesamt-Beziehungsgefüge des Jesuanischen und des Grundlegend-Nachösterlichen (von je verschiedenen Gegebenheiten aus und unter je verschiedenen Aspekten) wenigstens annähernd und umrißhaft abdecken – soweit das mit einer so begrenzten Zahl von Punkten überhaupt möglich ist, auf die die Tabelle sich beschränken muß, falls sie handhabbar sein soll.

2.4.2 An dieser Stelle sind nun *Abgrenzungen* zum Sprachgebrauch von „Struktur" und eine Präzisierung des von mir verwendeten „Struktur"-Begriffs erforderlich:

„Struktur" bedeutet in meinem Sinn *nicht*

– eine architektonisch-statische „Struktur" (im ursprünglichen Sinn des Wortes: Gefüge eines Baus);

– auch nicht eine „Struktur" im grammatikalisch-formalen Sinn der Linguistik: also nicht eine vom Grammatikalisch-Formalen ausgehende, sich darauf beschränkende und zur bezeichneten „Sache selbst" nicht vordringende „Struktur";

– ferner ist die von mir gemeinte „Struktur" nicht einfach mit dem zu identifizieren, was das Wort meint, wenn von „gesellschaftlichen Strukturen" die Rede ist, Strukturen, die zwar als solche, „als Voraussetzung menschlicher Selbstverwirklichung, notwendig sind, jedoch geschichtlich-kontingent entstehen, die Tendenz zur (sich negativ auswirkenden) Verfestigung und Verselbständigung in sich tragen und die dann wiederum emanzipatorisch verändert werden müssen"[18];

[17] Man kann gewiß die Frage stellen, ob der Begriff „Strukturkomponenten" der optimale Ausdruck für das Gemeinte ist. Von den Alternativen, die ich bedacht habe, schien er mir jedoch der relativ treffendste zu sein; seine Vorzüge überwiegen die Mängel. Vgl. jedoch unten 2.4.4: Er muß als Abbreviatur gelesen werden, die für einen spezifisch gefüllten Sinn steht.

[18] *F. Böckle,* Glaube und Handeln, in: MySal V 21-115, bes. 27-30.

– Struktur in meinem Verständnis unterscheidet sich ebenfalls vom Struktur-Begriff H. Rombachs,[19] nach dem „Struktur" als „offenes System" in der Weise „nach innen" offen ist, daß sie keine festen Bausteine (Elemente) kennt, diese sich vielmehr im Konnex mit der Wandlung der Struktur ebenfalls wandeln.
Jedoch könnte ein Strukturbegriff in einem soziologischen bzw. philosophischen Sinn, der offen für die geschichtlich-unverwechselbaren Ausgangspunkte solcher „Strukturen" wäre, am ehesten dem, was ich meine, nahekommen. Trotzdem: Während gesellschaftliche Strukturen veränderbar sind und auf Veränderbarkeit geöffnet sein müssen, ist solche Offenheit zwar für die Wirkungsgeschichte der von mir gemeinten „Struktur" in den Konsequenzen mitgegeben; zunächst aber bedeutet „Struktur" in meinem Sinn etwas anderes:

Unter „Struktur" verstehe ich im Zusammenhang meines Themas die ein für allemal gesetzte „Ursprungsstruktur" (bzw. die „Ursprungsstrukturen")[20] *eines lebendig-geschichtlichen Zusammenhangs von Gott und Mensch und von Menschen untereinander, etwas, das wachsen und sich – gerade wenn die Lebenszusammenhänge von Menschen untereinander und von Mensch und Gott mitumgriffen sind – dialogisch-geschichtlich entfalten kann, und zwar sowohl in Kontinuität mit den Ursprüngen als auch (ebendadurch) in prinzipieller dynamischer Offenheit.*[21]

[19] *H. Rombach,* Substanz, System, Struktur II 504-506.

[20] Zu dem Begriff „Ursprungsstruktur" bzw. „Ursprungsstrukturen" bin ich angeregt worden durch *H. Schürmann* (Ursprung und Gestalt 9): „Es geht um den ‚Ursprung' – in Werk und Wort Jesu einerseits, in Leben und Verkündigung der apostolischen Kirche andererseits –, weil dieser Ursprung ‚Gestalt' in sich hat, die Maßgestalt bleiben muß. Für das christliche Leben wie für das Lehren wird die Ursprungsgestalt immerdar maßgeblich bleiben; ist beides doch nur dann richtig strukturiert, wenn es seinem Ursprung verbunden ist."
Hier ist freilich ein Unterschied gegenüber der Konzeption K. Rahners zu beachten (der ich mich, was die inhaltliche Füllung meines Begriffs „Ursprungsstrukturen" angeht, anschließe; vgl. unten [6.1.1.5.7]): Während der Doppelbegriff „Ursprung und Gestalt" bei H. Schürmann einerseits das Jesuanische betrifft, andererseits „Leben und Verkündigung der apostolischen Kirche" – also doch wohl dasjenige, was sich im Neuen Testament als Ganzem widerspiegelt –, bezieht Rahner die Theologie der neutestamentlichen Autoren nicht in dasjenige ein, was ich als Ursprungsstrukturen bezeichne, sondern unterscheidet diese neutestamentlichen Theologien von den Ursprungsstrukturen als ‚jenem Kern ursprünglicher Erfahrung an Jesus als dem Christus, die die ursprüngliche, unableitbare erste Offenbarung der christlichen Christologie ist und sich dann später im ‚späten' Neuen Testament und in der kirchenamtlichen Lehre reflexer und artikulierter auslegt" (Grundlinien 35 bzw. Grundkurs 261).

[21] Die stärkste Parallele zur Konzeption H. Rombachs ist zweifellos durch das Stichwort „Offenheit" gegeben – Offenheit der Struktur auf Zukunft hin. Bei Rombach aber ist die Struktur – durch Umstrukturierung – „auf ihr eigenes bestimmendes Prinzip hin" offen, kennt also keine bleibend-gültigen „Elemente". In meiner neutestamentlich-theologischen Konzeption ist die Offenheit dagegen gerade durch die in der Grundstruktur (mitsamt ihren „Struktur*komponenten*") angelegte Spannungseinheit begründet, so daß es durchaus bestimmend *bleibende* (wenngleich immer wieder in je neue geschichtliche „Kontexte" zu transponierende) „Komponen-

Anders könnte der Begriff nicht auf Jesus von Nazaret und seine Auferwekkung als die ein für allemal gesetzten Ursprünge des Christ-lichen angewendet werden. Es geht mir um Ursprungsstrukturen, aufgrund deren dieses Lebendig-Umfassende (die durch das Jesusereignis konstituierte Relation Mensch – Gott und der Menschen untereinander umgreifend) in Kontinuität mit den Ursprüngen wachsen und sich geschichtlich entfalten kann. Die so verstandenen „Strukturkomponenten" können also nicht als „feste Bausteine", etwa im Sinn der „Elemente" bei H. Rombach, aufgefaßt und dann (als solche) abgelehnt werden.[22]
Die Ursprungsstrukturen in dem von mir gemeinten Sinn sind selber geschichtlich (d. h. durch die Geschichte Gottes mit den Menschen in Jesus) zustande gekommen; aber nach neutestamentlichem Glauben haben sie durch eine eschatologische Setzung Gottes ihre unverwechselbare Eigenart und ihre bestimmende Funktion erhalten.

2.4.3 Die einzelnen „Strukturkomponenten" und die theologische Gesamtstruktur

Der Wortbestandteil „Komponenten" ist gewählt worden, weil er als Bezeichnung von Einzelpunkten des Ganzen dem eben entwickelten „Struktur"-Begriff und vor allem dessen geschichtlich konzipierter Eigenart erheblich besser entspricht als das mißverständliche Wort „Elemente".
Wie schon gegenüber H. Rombach gesagt, sind die von mir gemeinten Strukturkomponenten keineswegs feste Bausteine (weil die Struktur als solche ja auch nicht im Sinn eines architektonisch-statischen Baus gemeint ist)[23]; ferner: Die von mir gemeinten Strukturkomponenten *zergliedern die Ganzheit nicht,* sondern führen von je anderen geschichtlichen bzw. theologischen Gegebenheiten zu ihr hin.[24]

ten" der „Struktur" geben kann und muß (und von einer Generierung neuer, *andersartiger* „Elemente" [selbst wenn sie in irgendeiner Weise auf das „bestimmende Prinzip" hin offen wären] nicht gesprochen werden kann).
Gegenüber der Umstrukturierungs-Konzeption H. Rombachs habe ich soeben von einem Transponieren, einer Transposition der Strukturkomponenten gesprochen. Der Begriff „Transposition" ist dabei von dem in meiner Arbeit oft verwendeten Terminus „Transformation" zu unterscheiden (der den Vorgang meint, durch den die grundlegende jesuanisch-theologische Struktur ihre bleibende Gültigkeit erlangt): Nach meinem Sprachgebrauch ist „Transformation" einmalig-grundlegend (das heißt: ausschließlich auf das bezogen, was nachösterlich aufgrund der Auferweckungserfahrung geschieht), während ich die „Übersetzung" in je neue geschichtliche, vor allem geistesgeschichtliche Zusammenhänge „Transposition" nenne.

[22] Vgl. *H. Rombach,* Substanz, System, Struktur II 505 f.

[23] Sie sind eher mit genetischen Anlagen zu vergleichen. Selbstverständlich ist auch hierbei zu berücksichtigen, daß jeder Vergleich unzulänglich ist, „hinkt".

[24] Dagegen bildet „Element" in der von W. Dilthey begründeten und von E. Spranger fortgeführten Ganzheitspsychologie einen Gegensatz zu „Ganzheit".

Diese „Strukturkomponenten“ sind also etwas anderes und mehr als nur Aspekte der Gesamtstruktur: insofern (um Beispiele zu nennen) die Verkündigung der zukünftigen Basileia, ihres Hineinwirkens in diese Weltzeit, die Exusia und die Proexistenz Jesu, der Nachfolgeruf Jesu und sein Zugehen auf seinen Tod – wegen ihres je eigenen geschichtlich-unverwechselbaren Charakters und wegen ihrer je verschiedenen Relationen auf Gott, auf die Menschen und auf Gruppen von Menschen hin – keineswegs nur eine undifferenziert gesehene Ganzheit reflektieren (wie das bei der Betrachtung der psychischen „Struktur“ eines Einzelmenschen eher naheliegen könnte).
Die Kriterien, die ich ermitteln möchte, können und dürfen sich also nicht auf einzelne Artikulationen innerhalb der synoptischen Jesustradition stützen (und erst recht nicht auf spätere neutestamentlich-theologische Konzeptionen). Tragfähiges „Kriterium“ kann nicht irgendeine einzelne Artikulation sein und auch nicht deren Summe. Vielmehr muß ich versuchen, durch die Artikulationen hindurch die Tiefendimension zu erreichen, aus der sie erwachsen[25] – was Jesus selbst angeht: die grundlegende „Glaubens“-Überzeugung von Gott, der eigenen Sendung und dem Willen Gottes für die Welt, aus der die einzelnen Worte, die Gleichnisse, das Handeln hervorgehen.
Weil ich die kriteriologisch relevanten „Ursprungsstrukturen“ des Christ-lichen in diesem Sinn als Tiefendimension, als „Tiefenstruktur“ verstehe (die selbstverständlich auf die „Sache selbst“ und nicht auf einzelne Ausdrucksformen bezogen ist, vielmehr sogar zur „Sache selbst“ gehört) – als Tiefenstruktur also nicht in einem formal-grammatikalischen, sondern in einem theo-logisch, von Gott gesetzten Sinn –: deshalb muß ich von „Strukturkomponenten“ reden, deshalb müssen die zur Ganzheit der „Tiefenstruk-

[25] Hiermit spiele ich schon auf linguistische Termini an, die ich freilich in einem anderen Sinn verwende als ihre Urheber.
Während oben bei den Überlegungen zum Strukturbegriff (in bezug auf meinen jetzigen Zusammenhang) die linguistische Definition ausgeschieden wurde, ist die *Terminologie* der Linguistik dennoch unter einem bestimmten Aspekt – hier nicht auf grammatikalische „Generationsprozesse“, sondern auf „theologische Sachstrukturen“ bezogen – hilfreich, um die notwendige Differenzierung zwischen den kerygmatischen Artikulationen im Neuen Testament und der durch sie hindurch zu erschließenden Tiefendimension durchführen zu können.
Hierfür verwende ich die Begriffe „Kompetenz“ (= die Fähigkeit eines Sprechers/Hörers, die Sätze seiner Sprache [die Performanzen] zu bilden und zu verstehen) und „Performanz“ (= aktueller, individueller Gebrauch, den ein Sprecher/Hörer von seiner Kompetenz macht) – freilich in einem anderen Sinn als Chomsky (Aspekte der Syntax-Theorie), und zwar, indem ich die beiden Begriffe auf eine andere Ebene transponiere:
Die „Ursprungstrukturen“ des Christ-lichen bzw. genauer deren Tiefendimension verstehe ich als grundlegende „Kompetenz“; alle, auch schon die frühesten Artikulationen dieser „Kompetenz“ als der „Tiefenstruktur“ nenne ich dagegen „Performanzen“.

tur“ gehörigen und zu ihr hinführenden „Strukturkomponenten“ auch in ihrer Funktion als *die* legitimen Kriterien erkannt werden.[26]

2.4.4 Um das Gesagte noch unter einem anderen Aspekt auszudrücken, der vielleicht zusätzlich hilfreich sein könnte: Zu dem jetzt entwickelten Verständnis von „Struktur“ kann man einen weiteren Zugang finden, wenn man die gestaltgebenden Ursprünge des Glaubens, vor allem und grundlegend das Jesuanische, als ein *unverwechselbar strukturiertes Funktions- und Relationsfeld* sieht.[26a] Dieses Funktions- und Relationsgefüge, in dem Jesus von Nazaret und sein Wirken und Leben stehen und das aus den alten Schichten der Jesusüberlieferung in hinreichend deutlichen Umrissen zu erkennen ist (das freilich auch der zeitbedingten Ausdrucksweisen nicht entbehren konnte), erschließt nicht nur die aus der Transzendenz heraus, also von Gott gesetzte, dem Jesuanischen und erst recht auch allem Weiteren zugrundeliegende Ursprungsstruktur, sondern ist zugleich als die grundlegend-gültige und maßgebende Ursprungs-Gestalt dieser Tiefenstruktur ihre beste Veranschaulichung[26b]. Denn dieses grundlegende jesuanische Funktions- und Relationsfeld darf und muß als *„strukturiert“* angesehen werden: insofern es durch bestimmte – als seine „Komponenten“ verstandene – Grund-Gegebenheiten der Sendung Jesu, durch bestimmte Grundintentionen und Grundausrichtungen nicht nur abgesteckt und geschichtlich konstituiert, sondern zu einem lebendig-differenzierten Beziehungsgefüge wird – und in diesem Sinn strukturiert ist und „Struktur“ (= die Tiefenstruktur des konkret in die Geschichte hineinwirkenden Sendungs- und Heilswillens Gottes) repräsentiert. (Wie beim Jesuanischen selbst die Grundgestalt des Beziehungsgefüges auch durch Zeitbedingtes mitgeformt wird, ohne daß sie aufhören würde, legitime Ursprungsgestalt als Ausdruck ihrer von Gott gewollten Tiefendimension zu sein, so bringt die Ursprungsstruktur [in dem Sinne, wie sie oben in 2.4.2 definiert worden ist] auch späterhin [zunächst in den uns im Neuen Testament vorliegenden Texten, dann aber auch darüber hinaus] die konkreten Ausdrucksformen nicht für sich allein hervor, sondern zusammen mit den je und je einwirkenden zeit- und geistesgeschichtlichen Faktoren.)
Wenn das jesuanische Funktions- und Relationsfeld jetzt als erste Grundgestalt und beste Veranschaulichung der Ursprungsstruktur angesprochen wurde, so darf doch – um das auch an dieser Stelle zu betonen – nicht außer acht gelassen werden: Zu den „Ursprungsstrukturen“ gehört nicht nur die theologische Struktur des Jesuanischen, sondern mit ihm zusammen der theologische Kern der Auferweckungserfahrung; deshalb ja auch der Versuch, zwei Reihen von Strukturkomponenten zu erarbeiten, von denen die zweite auf die grundlegende erste bezogen bleibt.

[26] Diese „Strukturkomponenten“ werden natürlich grundlegend durch jesuanische „Performanzen“ gefunden, ergeben aber – gerade auch im Hinblick auf die nachösterliche Transformation und *deren* konkrete „Performanzen“ – doch Komponenten einer „Tiefenstruktur“.
Die vier „strukturierenden Prinzipien“, die *E. Schillebeeckx* (Menschliche Erfahrung 41-43 – als Zusammenfassung der Ausführungen in „Christus und die Christen“ 611-623) formuliert, sind anders konzipiert (nicht streng vom Befund der Rückfrage nach Jesus her, sondern bereits in einer Zusammenschau des Jesuanischen mit dem Nachösterlichen).

[26a] Vgl. die Verwendung des Begriffs „Funktions- und Relationsfeld“ bereits in meiner Arbeit „Zugangswege. . . “ (S. 184). S. ferner unten 2.6: Dort geht es um andere Aspekte dieses Funktions- und Relationsfeldes, insofern es nämlich Ausgangspunkt einer umfassenden Traditions- und Rezeptionsgeschichte ist; vgl. außerdem 3.1: Dort wird der Begriff innerhalb der Überlegungen über die Methodik der Rückfrage nach Jesus verwendet.

[26b] Im 3. Kapitel wird das konkreter werden können.

Wenn der Begriff „Strukturkomponente“ (bzw. „Strukturkomponenten“) auf den weiteren Seiten dieses Bandes sehr oft als terminus technicus verwendet wird, so darf – das soll abschließend mit Nachdruck gesagt werden – nicht vergessen werden, daß es sich um eine Abbreviatur handelt: zunächst um eine Abkürzung des eigentlich gemeinten, aber für den ständigen Gebrauch unhandlichen Ausdrucks „Ursprungsstrukturkomponente“. Aber auch diese Formulierung des Begriffs könnte noch zu knapp und verkürzt wirken: *Wenn die Abbreviatur „Strukturkomponente“ erscheint, so ist jedesmal der volle Sinngehalt „Komponente der gestaltgebenden Ursprungs-‚Struktur‘ des Christ-lichen“ mitzuhören.*

2.5 Die Frage nach der Legitimation an den Ursprüngen als fundamental-bibeltheologischer Frageansatz. Legitimationsfrage und „Rückfrage“

Das 3. Kapitel, das erste des *Zweiten Teils* der Arbeit, in dem die Kriterien (bzw. Strukturkomponenten) erarbeitet werden, wird von der „Rückfrage nach Jesus“ bestimmt sein: Die Ermittlung von Strukturkomponenten der Botschaft, der Intention und der Sendung Jesu von Nazaret gehört zu dem Fragenkomplex, der mit diesem Stichwort „Rückfrage nach Jesus“ bezeichnet ist.[27] Daher ist es geboten, die beiden Begriffe „Rückfrage“ und „Legitimationsfrage“ einander gegenüberzustellen; sie haben miteinander zu tun, sind aber keineswegs gleichbedeutend. Auf diese Weise kann die Aufgabe, die diese Untersuchung sich gestellt hat – eben die Legitimationsfrage sowie vor allem ihre Stellung und Funktion innerhalb der biblischen und systematischen Theologie –, verdeutlicht werden.
Bei der *Rückfrage nach Jesus* besteht die Aufgabe darin, durch die nachösterlichen Übermalungen oder richtiger: Umgestaltungen, Transformationen des Überlieferungsstoffes hindurch zu Jesus von Nazaret vorzudringen (etwa bei Jesusworten die Intention zu entdecken, die Jesus selbst damit verbunden hat). Würde man „Rückfrage“ und „Legitimationsfrage“ vermischen, so könnte man meinen, es gälte aufzuzeigen, daß die nachösterlichen neutestamentlichen Schriften – zum Beispiel das Johannesevangelium – letztlich doch dasselbe sagen wie Jesus von Nazaret. Doch darum kann es nicht gehen. Was wir – um bei dem Beispiel zu bleiben – im Johannesevangelium als Jesusworte lesen, hat Jesus von Nazaret bekanntlich so nicht gesagt. Die Frage, ob das Johannesevangelium recht hat, wenn es Jesus sagen läßt „Ich bin der Weg und die Wahrheit und das Leben“ (Joh 14,6) oder „Ich bin der wahre Weinstock“ (Joh 15,1), kann nicht als „Rückfrage nach Jesus“

[27] Vgl. oben 2.2.1, Anm. 4.

bezeichnet werden. Diese ist vielmehr nahezu ausschließlich bei den synoptischen Evangelien möglich. Aber die Legitimationsfrage ist auch dann sinnvoll und kann positiv ausfallen, wenn eine Rückfrage zu Jesus von Nazaret kaum durchführbar ist (bzw. wie im Fall des Johannesevangeliums kaum ergiebig sein würde).
Auch bezüglich des zweiten Ur-Datums für die Legitimationsfrage, der Auferweckungserfahrung, kann von einer historisch-kritischen Rückfrage gesprochen werden, insofern die Auferweckungserfahrung der Zeugen sich in historisch zugänglichen Texten spiegelt. (Eine solche Rückfrage klingt unten in Kapitel 4 an, ohne daß hier der Schwerpunkt dieses Kapitels läge.) Jedoch ist die Frage nach der ursprünglichen Auferweckungserfahrung im Rahmen unseres Themas von anderer Art als die „Rückfrage nach Jesus“: Sie ist die Frage nach dem, was *theologisch* hinter der – durch historische „Rückfrage“ zu ermittelnden – ursprünglichen Erfahrung der Auferweckung Jesu steht. Das suche ich meist dadurch auszudrücken, daß ich von der Frage nach dem „theologischen Sinn“ oder dem „theologischen Kern“ der ursprünglichen Auferweckungserfahrung spreche.

Aber wie ist jetzt die *Legitimationsfrage* vorzustellen? Sie bedeutet, daß die Kritierien, die (aufgrund der uns vorliegenden neutestamentlichen Schriften) durch die „Rückfrage nach Jesus“ *und* durch die Frage nach dem theologischen Kerngehalt der ursprünglichen Auferweckungserfahrung gewonnen werden, an die einzelnen Schriften bzw. Schriftengruppen des Neuen Testaments angelegt werden. Während die „Rückfrage“ historisch-kritischer Methodik zugänglich ist und mindestens prinzipiell auch unter Ausklammerung des Glaubens für den Historiker sinnvoll ist, erscheint die Legitimationsfrage nur auf dem Boden des kirchlichen Glaubens an Jesus Christus als relevant: und zwar insofern es um die Legitimität einer bestimmten theologischen Konzeption *innerhalb* des von seinen Ursprüngen bestimmten Christusglaubens geht (bzw. insofern der Glaube an den auferweckten Gekreuzigten der Kern des kirchlichen Christusglaubens ist und den Glauben an das impliziert, was die lehramtliche Tradition die Göttlichkeit Jesu Christi nennt; der Auferweckungsglaube ist ja auch als Ur-Datum [auf der Grundlage des Lebens und Wirkens Jesu von Nazaret] der einzige Erkenntnisweg dorthin). Die für die Legitimationsfrage zu entwickelnde Methodik führt also (wie in der Einleitung schon angedeutet) bereits in den Bereich der neutestamentlich-theologischen und darüber hinaus der systematisch-theologischen Reflexion hinein.

Die Arbeitsweise, die ich anzuwenden habe, ist in dem Feld zwischen „fundamentaltheologischem“ historisch-kritischem Arbeiten einerseits und biblisch- sowie systematisch-theologischer Reflexion andererseits anzusiedeln. Aber in welcher Weise?

Der von mir intendierte Frageansatz beschränkt sich nicht auf die *im engeren Sinn* „fundamentaltheologische" Problemstellung[28] – trotz der vorläufigen methodischen Ausklammerung nicht nur der kirchlichen Lehraussagen, sondern auch der konkreten, gegenüber den Ursprüngen „späteren" Texte des Neuen Testaments. (Würde von den letzteren ausgegangen, könnten ja keine *Kriterien* zustande kommen.)

Aber mit dieser Ausklammerung verzichte ich nicht schlechthin auf den Glauben als Ausgangspunkt – als ob *nur* „voraussetzungslose" historisch-kritische Wissenschaft betrieben würde. Vielmehr gehe ich von demjenigen Glauben aus an die Texte und Probleme heran, der die Basis für die faktischen neutestamentlichen Ausprägungen von Theologie (die „Performanzen") bildet:

(Erstens:) Bei der Ermittlung der einzelnen jesuanischen „Strukturkomponenten" muß die historisch-kritische Methodik zwar sicherlich voll zu ihrem Recht kommen; das leitende Interesse an Jesus von Nazaret ist jedoch vom Glauben an die bleibende Gültigkeit und Wirksamkeit des Lebens und des Todes dieses Jesus (was bereits der Sache nach gleichbedeutend ist mit dem Auferweckungsglauben[29]) bestimmt – mit anderen Worten: vom Glauben an diejenige Singularität des irdischen Jesus, die auf die Auferweckungstat Gottes als ihre gemäße Bestätigung hingeordnet ist.[29a] Mein Ausgangspunkt ist demnach *(zweitens)* im Zusammenhang mit dem Jesuanischen der theologische Kern des Glaubens an den auferweckten-erhöhten Jesus Christus. *(Drittens:)* Auch das Alte Testament – als der Wurzelboden nicht nur Jesu von Nazaret und des von ihm begründeten Glaubens, sondern damit auch des nachösterlichen Glaubens – wird bereits als der für den Christusglauben relevante Niederschlag der Geschichte Gottes mit Israel gesehen, also nicht vom Blick eines „neutralen", unbeteiligten Beobachters, sondern ebenso wie das Jesuanische von dem des Glaubens her (sosehr auch hier historisch-kritische Arbeit vorausgesetzt ist).

Mein Frageansatz weist also in einem bestimmten Sinn eine *Analogie* zum „fundamentaltheologischen" (im engeren Sinn) auf: insofern von einem bestimmten Zeitpunkt ab – dem des Übergangs vom „Ursprung" (von Jesus und dem theologischen Kern der Auferweckungserfahrung) zu den konkre-

[28] Vgl. oben 2.2.1 mit Anm. 6.

[29] Das wird unten im 4. Kapitel über die Auferweckung Jesu, näherhin in 4.4.3 (in Anknüpfung an K. Rahner), erläutert werden.

[29a] Daß trotz dieses Vorverständnisses in sachgerechter Weise historisch-kritisch gearbeitet werden kann, dafür muß das Prinzip „zuerst in Differenzierung, dann in Zusammenschau" (das oben in 2.2.4 als Postulat aufgestellt wurde und unten in 2.6 weiter reflektiert wird) konsequent eingehalten werden.

ten neutestamentlichen Ausdrucksformen – die letzteren und damit selbstverständlich auch die noch späteren kirchlichen Lehraussagen methodisch vorläufig ausgeklammert werden müssen. (Fragen wir – rekapitulierend – noch einmal, weshalb diese Zäsur zwischen den „Ursprüngen" und dem faktischen Neuen Testament gemacht werden muß: Sie ist notwendig, wenn die Chance bestehen soll, daß das Zurückgehen auf die „Ursprünge" gelingt, daß die Ursprünge zur Geltung kommen und ihre fruchtbare und erneuernde Kraft erweisen; hierfür wäre der Rückbezug auf ein als harmonisierte Gesamtgröße aufgefaßtes Neues Testament heute nicht mehr wissenschaftlich verantwortbar, würde damit also auch nicht zum Ziele führen.)
Der Frageansatz dieser Arbeit unterscheidet sich von der „Fundamentaltheologie" (wenn diese in einem Verständnis gefaßt wird, in dem sie den Glauben überhaupt methodisch ausklammern will), insofern er von der oben angegebenen dreifachen zentralen Glaubensvoraussetzung bestimmt ist, die die Basis für jede weitere neutestamentlich-bibeltheologische (und auch systematisch-theologische) Arbeit ist. Soll ich stichwortartig einen Kurzausdruck für Ansatz und Arbeitsweise dieser Arbeit (und damit der Legitimationsfrage) angeben, so wähle ich dafür den Begriff *fundamental-bibeltheologisch.* In ihm sind alle Momente ausgedrückt oder mindestens angedeutet, die in meinem Verständnis für die Legitimationsfrage konstitutiv sind: die Analogie zu dem eben angegebenen Verständnis von Fundamentaltheologie und damit das – im vollen Sinn ernstgenommene – historisch-kritische Element; darüber hinaus die den Kern des Glaubens an Jesus Christus voraussetzende und reflektierende *theologische* und, weil vom Alten und Neuen Testament ausgehend, *bibeltheologische* Fragestellung; schließlich – in einem weitergreifenden Sinn des Wortes „fundamental" –, daß von der Basis bzw. (noch besser:) von dem Wurzelgrund ausgegangen wird, der sowohl die konkreten Ausprägungen des Christusglaubens in den neutestamentlichen Schriften hervorbringt als auch Legitimation (Aufweis der Kontinuität mit diesem „Wurzelgrund" bzw. dieser „Basis") fordert und ermöglicht.
Die diese Untersuchung bestimmende Fragestellung kommt also vom Glauben her (näherhin von der Basis des Glaubens, die vor den konkreten neutestamentlichen Schriften liegt); sie führt aber auch wieder (mit und in der Berücksichtigung des Historisch-Kritischen) zum Glauben hin, will also bei allem notwendigen kritischen Hinterfragen offen für den in den Schriften des faktischen Neuen Testaments bezeugten Glauben sein. Sie muß sich demnach in ihrer spezifischen Weise im hermeneutischen Zirkel von Vorverständnis (in diesem Fall: von durch den Glauben bestimmtem Vorverständnis) und historisch-kritischer sowie theologisch-kritischer Arbeitsweise bewegen.

In dieser Sicht kann und wird man eine Aufgabe, wie die Legitimationsfrage sie stellt, nicht unter Ausklammerung des Glaubens als solchen angehen; wohl aber ist es sinnvoll und notwendig, daß von den gestaltgebenden Ursprüngen des Glaubens unter vorläufiger Ausklammerung der späteren Ausdrucksformen ausgegangen wird.
Noch ein Wort zu der Frage, wie die Legitimation konkret – einer konkreten neutestamentlichen Theologie gegenüber – durchzuführen ist. Die Legitimationsfrage muß in negativer und in positiver Form gestellt werden: Fehlt es der neutestamentlichen Konzeption, die gerade untersucht werden soll, in irgendeiner Form oder in irgendeinem Punkt an der notwendigen Entsprechung zu der Sinnrichtung des im Licht des Auferweckungsglaubens gesehenen Jesuanischen? Und in positiver Form: Treffen die in verschiedenen Vorstellungsweisen und Ausdrucksformen niedergelegten Intentionen (bei Jesus und in der betreffenden nachösterlichen Schrift), die zunächst nicht oder höchstens teilweise zur Deckung zu bringen sind, einander trotzdem in einem – vordergründig vielleicht nicht ohne weiteres sichtbaren – Konvergenzpunkt? Vermag also diese nachösterlich-neutestamentliche Schrift den wirklichen Jesus von Nazaret, der jetzt als der Auferstandene geglaubt wird, zur Geltung zu bringen? Ist sie dann in diesem bestimmten Punkt legitime Bezeugung Jesu von Nazaret, der jetzt der Christus ist?
Um das eben gebrauchte Beispiel aus dem Johannesevangelium noch einmal aufzunehmen: Wenn wir die Legitimationsfrage an das Johannesevangelium anlegen und dabei auf das Wort Joh 14,6 stoßen, müssen wir fragen, ob der vierte Evangelist mit diesem Wort „Ich bin der Weg und die Wahrheit und das Leben" die Intention und die Wirklichkeit Jesu selbst trifft oder verfehlt – die Wirklichkeit des jetzt bei Gott lebenden „erhöhten" Jesus, der identisch ist mit dem irdischen und in dem der gekreuzigte Jesus von Nazaret von Gott her zur Geltung kommt.
Anders gefragt: Könnte diese johanneische Theologie (wiederum als Beispiel genannt) vielleicht zentrale Anliegen Jesu blockieren – oder ist das, was in der Sprache des johanneischen Jesus anders ist als in der Sprache des Jesus der synoptischen Tradition, legitime nachösterliche Umformung?

2.6 Die Frage nach der Legitimation von christ-lichen Theologien und die Rezeptionsgeschichte des Glaubens

Bei der Frage nach der Legitimation nachösterlicher Theologien (die von einer doppelten Frage abhängig ist – der Rückfrage nach Jesus und der Frage nach dem theologischen Sinn der ursprünglichen Auferweckungserfahrung – und auf dem anschließenden kritischen Vergleich beruht) darf der Gesamtvorgang, im dem sie steht, nicht außer acht gelassen werden: nämlich die vom Ursprung aus (von Jesus und der Auferweckungserfahrung her) verlaufende Überlieferungs- und Rezeptionsgeschichte des Glaubens.

Im Zuge der Legitimationsüberlegungen, die in dieser Untersuchung intendiert sind, sind vier Sachverhalte im Blick zu behalten: der Komplex der Legitimationskriterien – das Verhältnis der einzelnen christologisch-soteriologischen Entwürfe zu ihm – das Neue Testament nicht nur in seiner Vielfalt, sondern auch als Ganzes – und schließlich die vom Neuen Testament abhängige weitere christologische und theologische Entwicklung. Das gilt, auch wenn von den beiden zuletzt genannten Sachverhalten in dieser Arbeit kaum mehr als Ausschnitte oder Problemskizzen geboten werden können. Ein integrierender Aspekt der in 2.1 genannten grundlegenden These, der in der dortigen Fassung nur impliziert ist, muß somit deutlicher anvisiert werden. Ich greife nochmals zurück auf den ersten Satz der „These in ihrer Grundstruktur"[30], nach dem der Jesus des neutestamentlichen Glaubens, der der Irdische und der Auferweckte in Identität ist, den Maßstab der Legitimation von christ-lichen Theologien bildet. Setzen wir diese These voraus, dann stehen einander gegenüber: nicht das Vorösterliche-Jesuanische und die grundlegende Auferweckungserfahrung – diese werden ja in den zwei aufeinander bezogenen und in der Kriterienfunktion eine Einheit bildenden Reihen von Strukturkomponenten *zusammengefaßt*; vielmehr geht es bei der Legitimation *um das Gegenüber* der Rückfrage nach Jesus von Nazaret *zusammen* mit der Frage nach dem theologischen Sinn der ursprünglichen Auferweckungserfahrung (auf der einen Seite) und (andererseits) der Vielfalt von interpretierenden Bezeugungen innerhalb des uns konkret vorliegenden Neuen Testaments – und darüber hinaus der Vielfalt weiterer christologisch-soteriologischer Konzeptionen im Verlauf der Kirchengeschichte bis heute. Die letzteren sind vom Neuen Testament abhängig, insofern es die Sammlung von Dokumenten darstellt, die den gestaltgebenden Ursprung widerspiegeln. Trotz dieser Abhängigkeit (und auch theologischen Nachordnung gegenüber dem Neuen Testament) dürfen und müssen die nachneutestamentlichen christologisch-soteriologischen Konzeptionen aber – für die von der vorliegenden Untersuchung gewählte Betrachtungsweise – doch auch in einer Reihe mit den Christologien des Neuen Testaments gesehen werden.[31]

[30] Oben 2.1.

[31] Hiermit ist zunächst nur gesagt, daß die in diesem Band zu erarbeitenden Kriterien – die „Ursprungskriterien" – auch über das Neue Testament hinaus relevant sind, *also dauernd Kriterien bleiben*. (Vgl. zum Prinzip der nachösterlichen Transformation und der dadurch gegebenen

Festzuhalten ist, daß das Nachösterlich-Christologische in unserer Betrachtungsweise differenziert wird in die grundlegende Auferweckungserfahrung (die mit der ersten fundamentalen Reihe von Strukturkomponenten, der jesuanischen, zusammengesehen wird) und die theologischen Konkretionen der Rezeption dieser ursprünglichen Auferweckungserfahrung.
Aber auch das Jesuanische und die ursprüngliche Auferweckungserfahrung werden in der Konzeption dieser Arbeit nicht unterschiedslos als Einheit gesehen; die Grundstruktur der These von 2.1 wird ja gebildet durch das „sowohl – als auch": Legitimation sowohl aufgrund von Leben, Wirken und Tod Jesu von Nazaret als auch aufgrund der fundamentalen Auferwekkungserfahrung. Daraus ergibt sich, wie wir schon in 2.2.4 sahen, ein zweites „sowohl – als auch": *Die beiden Reihen von Strukturkomponenten sind sowohl in Differenzierung als auch in Zusammenschau zu erfassen.* Genauer: Die theologischen Strukturkomponenten (bzw. Kriterien), die vom Jesus der Geschichte kommen, sind nicht (in der Weise, wie sie seit den synoptischen Evangelien und ihren Vorstufen traditionell ist) ausschließlich und nicht sofort im Licht der Auferweckung zu erfassen. Beides ist nicht ohne weiteres zusammenzuschauen; vielmehr müssen die jesuanischen Kriterien zunächst in Differenzierung von ihrer nachösterlichen Transformation erfaßt werden – das heißt methodisch: in einem ersten Arbeitsgang ohne den Blick auf ihre nachösterliche Transformation.
Voraussetzung dafür, daß solche Differenzierung überhaupt durchgeführt werden kann, ist die Möglichkeit der Rückfrage nach Jesus. Von daher ist aber die Weise einer adäquaten Zusammenschau bestimmt durch die Frage der Gesamt-Überlieferungsgeschichte bzw. Gesamt-Rezeptionsgeschichte[32] des Glaubens, auch schon für den Bereich des Neuen Testaments. Was ist der Grund dafür? Er besteht darin, daß das Neue Testament in der (gegenüber der Rückfrage umgekehrten) Blickrichtung den vielfältigen Niederschlag der Rezeptionsgeschichte des jesuanischen Glaubens wie auch des nachösterlichen Christusglaubens im ersten Jahrhundert darstellt. Hiermit ist schon angedeutet, daß die Frage nach der Legitimität der *einzelnen* Rezeptionen des Grundlegenden (das ich durch die beiden Kriterienreihen erfassen möchte) es erfordert, diese einzelnen neutestamentlichen Rezeptionen *nicht isoliert voneinander* zu betrachten. Denn diese einzelnen Schriften und Autoren stehen in einer Traditions- und Rezeptionsgeschichte mit viel-

bleibenden Gültigkeit und Wirksamkeit der Ursprungsstrukturen unten 4.4.2-3.) Es ist noch nicht gesagt, wie ihr Stellenwert gegenüber der kirchlichen Tradition und Lehre im einzelnen zu bestimmen sei. Jedoch wird die Frage danach – sofern meine These akzeptiert wird – dringender, als sie bis jetzt meist gesehen wurde.

[32] Vgl. *H.-J. Findeis,* Versöhnung – Apostolat – Kirche, bes. die instruktiven Ausführungen über Rezeptionsgeschichte und Rezeptionskritik 30-36.

fältigen Abhängigkeiten, Querverbindungen, aber sicherlich auch Neuansätzen. Soll das Neue Testament *als ganzes* in den Blick kommen, dürfen die einzelnen Schriften und Schichten nicht gewissermaßen flächenhaft nebeneinandergelegt werden; vielmehr muß das Neue Testament als das uns zugängliche und aufgegebene Dokument der Gesamt-Rezeptionsgeschichte des Glaubens in frühchristlicher Zeit erfaßt werden. „... des Glaubens": Dieser Ausdruck umfaßt den jesuanischen Glauben *und* den Auferwekkungsglauben – also den jesuanischen Glauben im Licht des Auferwekkungsglaubens.

Wenn das so ist – wenn es bei der Legitimationsfrage nicht einfach um den Vergleich zweier in einem gewissermaßen geschichtslosen Raum nebeneinandergestellter Größen geht, sondern um zwei Größen, von denen die eine den Ursprung einer komplexen Traditionsgeschichte bildet und die andere je ihren Platz innerhalb dieser komplexen Traditions- bzw. Rezeptionsgeschichte hat –, dann muß das Ziel sein: durch die verschiedenen Vorarbeiten und Vergleiche letztlich die gesamte, *dem Neuen Testament zugrundeliegende Verkündigung in den Blick zu bekommen, und zwar als strukturiertes Ganzes*[33] – also nicht nur die frühe synoptische Jesustradition auf der einen Seite und nicht nur Paulus oder Johannes oder weitere Autoren des Neuen Testaments auf der anderen Seite, sondern *beides* – und zudem noch diese beiden umfassenden Sachverhaltskomplexe (die Rückfrage nach Jesus sowie nach der Auferweckungserfahrung und die späteren interpretierenden Bezeugungen) in Beziehung zueinander zu setzen.[34]

Es muß also das Ziel sein, statt nur in isoliert-mechanischer Weise Maßstäbe anzulegen, das Ganze des Ursprungs der einzelnen neutestamentlichen Interpretationen des Kerygmas von Jesus Christus – und im Zusammenhang damit das Gesamtphänomen der nachfolgenden Interpretationen – in den Blick zu bekommen; es muß das Ziel sein, beispielsweise die Paulusbriefe, das Matthäus- und das Johannesevangelium so zu erfassen, daß man in und hinter ihnen die Traditionsgeschichte ihres Glaubens und vor allem den maß-gebenden Ursprung miterkennt bzw. daß man sie als Neuinterpretationen des Kerygmas von diesem Ursprung sehen lernt.[35] (Das müß-

[33] Im Unterschied zu 2.4 richtet sich das Interesse jetzt nicht nur auf die „Ursprungsstrukturen", sondern darüber hinaus auf deren Rezeptionsgeschichte.

[34] In diesem Zusammenhang geht es nicht um die Gewinnung von einzelnen Kriterien, sondern um das *Anliegen*, dessentwegen die Kriterien gesucht werden: Dieses Anliegen muß in der Weise verwirklicht werden, daß auch die betreffende, an den Ursprungsstrukturen zu messende Konzeption zunächst als ganze erfaßt wird, und zwar im Rahmen der Gesamt-Rezeptionsgeschichte.

[35] Freilich ist meine „fundamental-bibeltheologisch" bestimmte Fragestellung „Die christ-lichen Theologien und Jesus Christus" nicht ohne weiteres mit einer Bemühung um die Theologiegeschichte des Urchristenstums *identisch*. Ich intendiere also nicht (oder mindestens nicht unmittelbar) eine Darstellung der urchristlichen Theologiegeschichte, erst recht noch nicht eine

te, wie ich schon hier betonen möchte, so geschehen, daß auch die alttestamentlichen Wurzeln des „Ursprungs" noch in den Blick kommen und den Charakter des Bildes mitbestimmen.) In diese Sicht ist freilich eingeschlossen, daß dann naturgemäß nicht nur die Übereinstimmungen der neutestamentlichen christologisch-soteriologischen Konzeptionen mit dem Ursprung in die Augen fallen, sondern auch Kontraste, Defizienzen, vielleicht sogar Engführungen und Verzerrungen.

Ist das nur die Betrachtungsweise eines Historikers, der den Einschnitt ignoriert, den der Kanon für kirchlichen Glauben bedeutet? Ein solcher Verdacht ist für einen Entwurf wie den vorliegenden, der als zweite, unverzichtbare Kriterienreihe die vom Auferweckungsglauben abhängige zur Geltung bringen will, doch wohl auszuschließen.[35a] Die historische, traditions- und rezeptionsgeschichtliche Betrachtungsweise halte ich für obligatorisch, nachdem sie einmal in den Bereich des Möglichen gerückt ist; sie muß dann aber dialektisch mit dem Glauben der Kirche an die Heilige Schrift in Kontakt gebracht werden. Diese letztere Aufgabe ist im folgenden noch anzureißen:

Die Grundstruktur der These ruft – das ist jetzt abschließend noch zu sagen – mit ihrem „sowohl in Differenzierung als auch in Zusammenschau" eine weitere Frage hervor, wenn sie mit der kirchlichen Glaubensüberzeugung von der Einheit der Schrift und der Verbindlichkeit der ganzen, inspirierten Schrift konfrontiert wird – und mit der schon in der Kirchengeschichte immer wieder durchbrechenden, bleibend wichtigen Überzeugung, daß die Schrift als ganze das kritische Gegenüber der Kirche darstellt.[36] Denn im Unterschied zu der bisherigen Tradition fügt die in 2.1 formulierte These (vor allem in ihrer ersten Entfaltung in 2.2) nicht nur die Differenzierung zur Zusammenschau hinzu; vielmehr muß die Differenzierung, wenn unsere These konsequent durchgeführt werden soll, zeitlich und methodisch zuerst genannt werden: „zuerst Differenzierung und dann Zusammenschau". (Freilich ist zu betonen: Das gilt für die auf wissenschaftlicher Basis gestellte Legitimationsfrage und keineswegs für jede Beschäftigung mit der Schrift.) Unsere These integriert die Differenzierung in die Zusammenschau, und zwar in einer Weise, wie sie früheren Epochen der Theologiegeschichte noch nicht zugänglich sein konnte: insofern der Versuch der Zusammenschau – überlieferungsgeschichtlich und rezeptionsgeschichtlich – als Frage nach der strukturierten Gesamt-Rezeptionsgeschichte des Glaubens aufgefaßt wird, die den Ursprung (Jesus und die Auferweckungserfahrung) differenziert mitsehen muß.

solche unter genetischem Aspekt. Aber einerseits werden in meine Untersuchung notwendig solche Aspekte einfließen müssen, andererseits kann sie vielleicht Fragen wecken, die auch für die Aufgabe, eine „Geschichte der urchristlichen Theologie" zu schreiben, von Interesse sind.

35a Hierfür ist auf das oben in 2.5 Gesagte zu verweisen.

36 Vgl. *J. Ratzinger,* Kommentar zur Offenbarungskonstitution 519-522. 524 f.

In anderer Weise zusammenfassend gesagt: Die neutestamentlichen Theologien stehen einerseits, wenn auch als erste, in der langen Reihe der vom Ursprung her (das heißt von Jesus Christus her) kritisch zu hinterfragenden theo-logischen Entwürfe. Andererseits haben sie doch nach kirchlichem Glauben eine spezifische, grundlegende Funktion, die nicht eingeebnet werden darf. Diese Aporie muß genannt werden, auch wenn sie – wie auch die ganze rezeptionsgeschichtliche Einbindung des Legitimationsvorgangs – das Thema dieser Untersuchung überschritte, würde man es in einem engeren Sinn auffassen. Die Aufgabe, die sich durch diese Aporie stellt, kann bei unseren Überlegungen nicht außer acht gelassen werden.[37]

2.7 Zum Gang der Untersuchung

Durch den *Ersten Teil* (die einleitenden Fragen [Kapitel 1] und die These [Kapitel 2]) sind für den jetzigen, grundlegenden Band vor allem zwei Aufgaben gestellt: (erstens) die beiden Kriterienreihen zu erarbeiten und (zweitens) ihren theologischen Zusammenhang (ihre „Ganzheit") aufzuzeigen. Die zweite Aufgabe sehe ich im Vergleich mit der erstgenannten keineswegs nur als ergänzend, sondern als unverzichtbar und gleichgewichtig an. (Die anderen bisher schon sichtbar gewordenen Aufgaben – eine hermeneutische und aporetische Reflexion des Entwurfs sowie vor allem die exemplarische Anwendung der Kriterien – sind den weiteren Bänden vorbehalten.)
Die Gedankenfolge der beiden noch ausstehenden Hauptteile dieses Bandes (also der Kapitel 3-7) verläuft in der folgenden Weise:
Im *Zweiten Teil* („Erarbeitung der Kriterien") soll Kapitel 3 die theologischen Strukturen von Botschaft, Wirken und Leben Jesu von Nazaret – als erste Kriterienreihe – ermitteln. Ihm entspricht das Kapitel, in dem die zweite Kriterienreihe, die der nachösterlichen Transformation, dargeboten wird: Kapitel 5. Diesem muß jedoch noch ein Kapitel vorgeschaltet werden (Kap. 4), in dem die Auferweckung Jesu als Grund für die Notwendigkeit der zweiten Kriterienreihe und zugleich als ihre Ermöglichung dargestellt wird.
Der *Dritte Teil* („Die Kriterien als Ganzheit") geht die Aufgabe an, den theologischen Zusammenhang der Kriterien bzw. Strukturkomponenten in

[37] Im II. Band soll sie auch als solche zur Sprache kommen. Eine erste Antwort sei jedoch schon angedeutet: Das Neue Testament selbst ist Niederschlag der (grundlegenden) gemeindlichen und „kirchlichen" Traditionen des 1. Jahrhunderts und insofern schon mit der späteren Lehrtradition der Kirche strukturgleich – trotz und neben seiner Funktion, Fundament aller weiteren Verkündigung zu sein.

den Blick zu bekommen; denn diese dürfen nicht einzeln, gewissermaßen wie aus dem Ganzen gelöste Mosaiksteine, als kritischer Maßstab an theologische Texte und Konzeptionen angelegt werden, sondern nur insgesamt, in ihrem eine Ganzheit konstituierenden Zusammenhang. Diesen theologischen Zusammenhang, der die Kriterien untereinander sowie mit dem theologischen Kern und der Praxis des Glaubens verbindet, suche ich mittels des (schon im Kapitel 3 über Jesus von Nazaret anklingenden) Grundprinzips „Spannungseinheit von Bejahung Gottes und Bejahung des Menschen" zu erfassen.

In Kapitel 6 soll dieses Grundprinzip – das meiner Überzeugung nach in der Gesamtheit der jesuanischen (und von daher auch der nachösterlichen) Strukturkomponenten lebt und das ihre Einheit von innen heraus bestimmt – in seinen theologischen Bezügen reflektiert werden. Gerade die Erkenntnis dieses Strukturprinzips kann dazu helfen, daß die Strukturkomponenten ihre Kriterienfunktion zu erfüllen vermögen – über das Neue Testament hinaus, und gerade auch in der heutigen Situation von Glaube, Theologie und Kirche. Einen Einblick in diese Relevanz der „Kriterien als Ganzheit" will Kapitel 7 geben; wie ich hoffe, werden auf diese Weise auch die bis dahin erzielten, an den Ursprüngen des Neuen Testaments orientierten inhaltlich-theologischen Ergebnisse weiter vertieft werden können.

ZWEITER TEIL: ERARBEITUNG DER KRITERIEN

3. Theologische Strukturen von Botschaft, Wirken und Leben Jesu von Nazaret
(Erste Reihe von Kriterien)

Vorbemerkung

Die „theologischen Strukturen von Botschaft, Wirken und Leben Jesu von Nazaret" betreffen die Basis christ-licher Theologie als ganzer. Das ergibt sich schon daraus, daß die Basileia Gottes im Zentrum von Botschaft und Wirken Jesu steht. Im Hinblick auf das Gesamtthema der Untersuchung ist jedoch schon in diesem Kapitel (bzw. in der hier zu ermittelnden ersten Kriterienreihe) auf die christologisch-soteriologischen Implikationen zu achten. Nur so wird dieses Kapitel mitsamt der in ihm zu erarbeitenden grundlegenden Kriterienreihe auch der Aufgabe zu entsprechen vermögen, die durch den Haupttitel „Die neutestamentlichen Theologien *und Jesus Christus*" gestellt ist. Zudem würde die erste, die jesuanische Kriterienreihe sonst keine ausreichende Grundlage für die nachösterliche, notwendig explizit christologisch-soteriologisch bestimmte Reihe bieten können; gerade dasjenige wäre allzuleicht unterbetont, was die Vermittelbarkeit der zweiten Reihe von Kriterien mit der ersten sichtbar machen könnte. Im Rahmen des Gesamtphänomens „Botschaft, Wirken, Leben (und Zugehen auf den Tod) Jesu von Nazaret" – bzw. im Rahmen der theozentrischen Soteriologie, die man als Thema der Basileia-Botschaft bezeichnen könnte – müssen also schon in diesem Kapitel so deutlich wie möglich die Strukturen der keimhaften Christologie (sowie der keimhaften christologischen Soteriologie) bei Jesus von Nazaret in den Blick kommen.

3.1 Zu den Prinzipien für die Ermittlung jesuanischer Strukturkomponenten

Welche Chancen haben wir, die theologischen Strukturen von Botschaft und Wirken Jesu von Nazaret annähernd zuverlässig zu bestimmen? Anders gefragt: Wie kann man die Rückfrage nach Jesus so betreiben, daß nicht nur

einzelne charakteristische Züge erkannt werden, sondern ein komplexes, annäherungsweise vollständiges, aus einzelnen Strukturkomponenten zusammengesetztes Gesamtbild entsteht? Vielleicht mag angesichts der Quellenlage ein gut Teil Skepsis aufkommen: Wieso soll man denn Legitimationskriterien am historischen Jesus gewinnen können, wenn doch alle unsere im Neuen Testament vorliegenden Quellen nachösterlich-christologisch überformt sind? Noch einmal: Es ist ja nicht nur der jesuanische Charakter einzelner Logien, Gleichnisse oder Erzählungen zu sichern, sondern die Aufgabe besteht darin, die für Christologie und Soteriologie entscheidenden Grundzüge von Botschaft, Werk und Leben Jesu aufzusuchen.
Aber diese Aufgabe mitsamt ihrer Schwierigkeit bedingt umgekehrt gerade die Chancen dieses Versuchs. Denn für sein spezifisches Ziel kommt es nicht auf die Rekonstruktion des Wortlauts einzelner Jesusworte – auf die „ipsissima vox“ – an, sondern auf das, was ich die „ipsissima intentio“ Jesu nennen möchte.[1] Und diese ipsissima intentio, diesen Richtungssinn der Worte und des Verhaltens Jesu zu erkennen, ist in allen wichtigen Punkten möglich. Die Frage ist also zu beantworten, wenn man sieht, daß Legitimationskriterien nicht unbedingt auf genauer Rekonstruktion der jesuanischen Worte, der ipsissima vox, beruhen müssen, sondern jeweils eine Richtung, ein Anliegen, einen bestimmten Akzent der Sendung Jesu hervorheben sollen. Und was die traditions- und redaktionsgeschichtliche Frage angeht, so kann man in einer völlig ausreichenden Zahl von Fällen unterscheiden zwischen den christologisch-soteriologischen Konzeptionen der synoptischen Evangelisten und dem alten Gut der Jesustradition, das in sie eingebettet ist, und kann auch in einer ausreichenden Zahl von Punkten die zugrundeliegende Intention Jesu erkennen.
Vergleichbar mit der Problemstellung dieses Kapitels sind die immer wieder unternommenen Bemühungen, das „eigentlich Jesuanische“ zu bestimmen. Manche dieser Versuche sind jedoch wegen ihrer Tendenz zur Einlinigkeit und Einseitigkeit eher Kontrastparallelen zu dem, was ich intendiere. Und wenn man anderen Versuchen das Bestreben nach Ausgewogenheit bescheinigen muß, so bekommen sie doch kaum alles in den Blick, was von Bedeutung ist; oder sie sind trotz beachtlicher Ausgewogenheit und Vollständigkeit nicht deutlich genug auf das Ziel ausgerichtet, das die vorliegende Arbeit sich stellt.[2]

[1] Vgl. *W. Thüsing*, Zugangswege 183; zustimmend *F. Hahn*, Methodologische Überlegungen 31.

[2] Aus der Fülle der wissenschaftlichen oder doch auf wissenschaftlicher Grundlage basierenden Jesusliteratur seien nur folgende Beispiele herausgegriffen. Repräsentativ für den sich anbahnenden oder bereits weitgehend gelungenen Konsens derjenigen Forscher, die eine ausgewogene Jesusdarstellung anstreben, dürften u. a. die folgenden Werke sein: *G. Bornkamm*, Jesus;

Demgegenüber ist für das Ziel dieser Studie nur die Zusammenschau einer Vielzahl von Beobachtungen, die sich zur Formulierung von einzelnen Strukturkomponenten zu verdichten vermögen, sachgerecht und erfolgversprechend.
Das Aufsuchen jesuanischer Strukturkomponenten ist ein besonderer Anwendungsfall des hermeneutischen Zirkels zwischen Detailexegese und Gesamtschau. Diese „Zirkel"-Bewegung kann in dieser Arbeit nicht im einzelnen durchgeführt werden. Die Zusammenstellung der 18 Strukturkomponenten[3] ist ein Versuch, der hier nicht allseitig abgesichert werden kann. Er entspricht dem Postulat von F. Hahn[4], die „noch erkennbaren Einzelheiten aus dem Leben Jesu zutreffend einzuordnen", also ein Gesamtbild zu erstellen; vgl. auch mein schon früher geäußertes Postulat,[5] auf dem Wege einer Methodenkombination das in einer letztlich unverwechselbaren Weise strukturierte Funktions- und Relationsfeld zu erkennen, in dem Jesus innerhalb der alten synoptischen Überlieferungsschichten gesehen wird.[6]

E. Schweizer, Jesus Christus (18-54); *A. Vögtle*, Jesus; *W. G. Kümmel*, Theologie des Neuen Testaments (20-85); *E. Lohse*, Grundriß der ntl. Theologie (18-50); *H. Frankemölle*, Jesus von Nazareth. Anspruch und Deutungen (Projekte zur theologischen Erwachsenenbildung 4; getrennte, überarbeitete Veröffentlichung der thematischen Teile: *ders.*, Jesus – Anspruch und Deutungen); auf der Seite der systematischen Theologie außer *W. Kasper*, Jesus der Christus, und *E. Schillebeeckx*, Jesus, die auf wenigen Seiten durchgeführte, insgesamt bemerkenswert gelungene Skizze von *K. Rahner*, Grundlinien (25-34), bzw. *ders.*, Grundkurs (244-251). – Die Darstellungen von *R. Bultmann* (Jesus; Theologie des Neuen Testaments 1-34) und *H. Braun* (Jesus) sind zwar beachtliche Versuche, zu einer sachgerechten Darstellung zu gelangen, weisen jedoch infolge des jeweiligen Vorverständnisses für das in dieser Arbeit anvisierte Ziel recht spürbare Defizienzen auf. – Interessant ist der Versuch von *K.-H. Ohlig* (Jesus) als Beispiel einer an der Theologie K. Rahners orientierten Deutung, die konsequent anthropologisch vorgeht und trotzdem das theo-logische Anliegen der synoptischen Jesustradition zu integrieren sucht (vgl. seine Redeweise von der Radikalität und dynamischen „Zentralität" des humanen Engagements Jesu; gemeint ist mit „Zentralität", daß Jesus „in einer singulären Weise die jeweilige konkrete gesellschaftliche Problematik auf ihre Mitte hin, die letzte Sinnfrage des Menschen, Gott, durchschaut und sich mit dieser zentralen Fraglichkeit befaßt hat" [S. 52]); freilich bleiben auch hier noch Fragen offen. – *J. Nolte*, Die Sache Jesu und die Zukunft der Kirche, ist der Meinung, das eigentlich „Jesuanische" bestehe „in einer ungewöhnlichen *Freiheit* Jesu" (S. 219, mit Hinweis auf E. Käsemann und J. Blank). Hier dürfte es sich um eine einseitige Betonung *einer* an sich durchaus wichtigen Hauptlinie von Botschaft und Wirken Jesu handeln; vgl. demgegenüber die Betonung des jesuanischen „Worts von der Befreiung" in der ausgewogenen Darstellung von *W. Trilling*, Botschaft Jesu (28-38); auch *E. Käsemann*, Ruf der Freiheit, ist mit seiner außerordentlich nachdrücklichen Betonung der Kreuzestheologie alles andere als einseitig im Sinn des knappen Entwurfs von J. Nolte. – Nachtrag zu den an erster Stelle genannten repräsentativen Jesusdarstellungen: Hierbei ist jetzt auch der jesuanische Teil der „Christologie" von *F. J. Schierse* zu nennen (S. 20-46).

[3] Unten 3.3.2.

[4] Methodologische Überlegungen 31.

[5] Zugangswege 182 f.

[6] Wollte man sich auf Züge des Jesuanischen beschränken, die sich *unmittelbar* durch Texte aus der alten synoptischen Jesustradition belegen lassen, würde man wohl kaum ein wenigstens umrißhaftes Gesamtbild erhalten. Die Formulierung der Strukturkomponenten wird oft Sachverhalte anzielen müssen, die implizit in oder hinter den Texten liegen. Zum Beispiel wird in

3.2 *Hinführung zu den theologischen Strukturen von Botschaft, Wirken und Leben Jesu von Nazaret: Zentrale Ansatzpunkte als Beispiele*

Von einer Tabelle von Strukturkomponenten, wie sie hier geplant ist, kann Aufschluß über die Intention Jesu von Nazaret erwartet werden, aber auch über die Stellung und Bedeutung seiner Person. Doch was sind die Ansatzpunkte dafür?

Es ist mir im Rahmen dieses Kapitels nicht möglich, eine annähernd vollständige Methodologie der Rückfrage nach Jesus zu entwerfen. Hierzu hat F. Hahn bereits einen vorbildlichen Beitrag geleistet, an den ich im folgenden anknüpfen kann.[7] Das Ziel dieser „Hinführung" ist es vielmehr, von hervorstechenden und in besonderer Weise relevanten Ansatzpunkten aus (die F. Hahn in gleicher oder ähnlicher Weise als Ansatzpunkte für die historische Rückfrage benannt hat) eine erste Vorstellung davon zu vermitteln, wie jesuanisch-theologische Strukturkomponenten etwa umrissen sein müßten.

Die im folgenden genannten geschichtlichen Sachverhalte – die Konflikte Jesu, die Basileia-Verkündigung, der Nachfolgeruf – sind zwar nicht die einzigen Ansatzpunkte, wenn es die Intention und den Sendungsanspruch Jesu zu erkennen gilt. Unter den Texten, die beanspruchen können, zum „Urgestein" der synoptischen Jesustradition zu gehören, gibt es eine ganze Reihe (vor allem Gleichnisse[8] und Logien), die im Wortlaut nicht oder nicht unmittelbar die Konflikte und die Nachfolge ansprechen, zum Teil noch nicht einmal unmittelbar auf die Basileia Bezug nehmen. Sicherlich müssen diese Texte bei der Erarbeitung der Strukturkomponenten berücksichtigt werden. Aber für die erste Hinführung empfiehlt es sich doch, mehr von unbestreitbar zentralen Sachverhalten auszugehen, von denen aus das Phänomen „Jesus von Nazaret" eher als ganzes in den Blick kommen kann.

einer der Strukturkomponenten eine Bestimmung des Verhältnisses zwischen der Basileia-Verkündigung Jesu und den alttestamentlichen Verheißungen notwendig sein, obwohl dieses Verhältnis nur erschlossen werden kann und kein Text der frühen Jesustradition *ausdrücklich* auf die alttestamentlichen Verheißungen Bezug nimmt (vgl. unten 3.5.2.4 zu Strukturkomponente 5 [J]).

Bei dem Versuch, ein Gesamtbild zu finden, ist das sog. Subtraktionsverfahren, das durch eine Art Abschälung von Übermalungen doch wieder zu einer „ipsissima vox" gelangen will, ungeeignet; vgl. *W. Thüsing,* Zugangswege 183; *F. Hahn,* Methodologische Überlegungen 30.

[7] *F. Hahn,* Methodologische Überlegungen. Die Ansatzpunkte werden in der folgenden Darstellung großenteils im Anschluß an die dort von F. Hahn (ebd. 40-51) genannten Punkte dargeboten.

[8] Zur Bedeutung der Gleichnisse als Ansatzpunkte vgl. *F. Hahn,* a.a.O. 46. Auch für das Ziel dieser Arbeit sind die Gleichnisse von außerordentlich hohem Wert, wenn das auch nicht immer im einzelnen herausgestellt werden kann.

3.2.1 Die Konflikte Jesu

Gerade von den Auseinandersetzungen Jesu mit seinen Gegnern her können wir hoffen, charakteristische Konturen des *Gesamt*phänomens „Jesus von Nazaret" zu erkennen; ist es doch offenbar aufgrund dieses Gesamtphänomens und nicht etwa nur durch zufällige Einzelheiten zu den Konflikten gekommen, die schließlich zum Tod Jesu führten. Jesus wird bei den verschiedensten Gruppen seines Volkes Anstoß erregt und Feindschaft hervorgerufen haben.[8a] Gleichwohl lassen sich unter seinen jüdischen Gegnern zwei Gruppierungen erkennen, die für seine Geschichte und sein Geschick weitaus am bedeutsamsten waren: die Sadduzäer und die Pharisäer.

Der Konflikt mit den Sadduzäern war zwar, was das Geschick Jesu angeht, von der größten Tragweite; ihre Feindschaft hat am unmittelbarsten auf den Tod Jesu hingewirkt. Für die Erfassung der theologischen Strukturen von Botschaft und Wirken Jesu ist er freilich weniger ergiebig[8b]. Dennoch bietet er auch hierfür einige Anhaltspunkte. Ich hebe den folgenden heraus: Was auch immer im einzelnen die Motive der sadduzäischen Hierarchen für den Todesbeschluß waren – ein Hauptmotiv muß gewesen sein, daß Jesus durch seinen Nonkonformismus auch ihre konservative Auffassung von einem auf den Tempel und den Tempelgottesdienst zentrierten Israel in Frage stellte. Man vergleiche die Erzählung von der Tempelreinigung, die – gleich, wie ihre Einzelzüge historisch zu beurteilen sind – wohl nur als Reflex der souveränen, kultkritischen Haltung Jesu gegenüber den Tempelautoritäten verstanden werden kann. (Auch seine Freiheit dem Sabbat gegenüber dürfte den Hierarchen unerträglich gewesen sein – wie den Pharisäern, wenn auch in einer anderen Nuancierung der Motive.) *Letzlich* greift Jesus hier in prophetisch-charismatischer Weise (und in prophetischer Tradition stehend) ein bestimmtes Gottesbild[8c] an und zerbricht es: das Bild eines Gottes, der sich an Tempel und Tempelkult bindet – ein Gottesbild, das die Offenheit auf Jahwe als den lebendigen Gott blockiert, der immer wieder die Maßstäbe des kultfrommen Menschen sprengt und dessen man nicht habhaft werden kann.

Noch weit aufschlußreicher für das Gesamtphänomen „Jesus von Nazaret" scheint mir der Konflikt mit den Pharisäern zu sein. Unter den Konflikten Jesu bietet er sich meiner Meinung nach als erstrangiger Zugangsweg zu den jesuanisch-theologischen Strukturen an; denn in der Auseinandersetzung

[8a] Vgl. *F. Hahn*, a.a.O. 42f; *R. Schnackenburg*, Das Urchristentum 292-296.

[8b] Zu den Sadduzäern hatte Jesus „überhaupt keine nähere Beziehung" (*R. Schnackenburg*, a.a.O. 293) und auch kaum irgendwelche positiven theologischen Berührungspunkte.

[8c] Bzw. einen der Hauptzüge des sadduzäisch-hierarchischen Gottesverständnisses, das auch sonst fundamentale Angriffspunkte geboten hätte.

mit diesen Gegnern mußte das Anliegen Jesu am schärfsten herauskommen; war doch deren Auffassung (im Unterschied zu den Sadduzäern) in einer Weise theologisch unterbaut, daß sich Berührungs- und Konfliktpunkte mit der Botschaft Jesu ergaben. Hier, in der Auseinandersetzung mit den Pharisäern, scheint mir die Brisanz des Verkündigungswirkens Jesu und die provozierende Wirkung, die es auf die Gegner ausgeübt hat (und von daher das Geschick Jesu bestimmte), in einer spezifisch verschärften Weise erkennbar zu werden. Das gilt auch dann, wenn nicht unterschiedslos und unkritisch alle Texte herangezogen werden können, die die spätere stereotype Kennzeichnung der Gegner insgesamt als „Pharisäer und Schriftgelehrte" aufweisen; zu vieles in der Polemik Jesu paßt eben nicht auf die Sadduzäer oder andere jüdische Gruppen, sondern nur auf die Pharisäer. Deshalb mag es gerechtfertigt sein, den Schwerpunkt auf den Pharisäerkonflikt zu legen und ihn etwas ausführlicher zu skizzieren.

Es ist auf den ersten Blick erstaunlich, daß ein so starker Gegensatz auch und gerade gegenüber diesen frommen Menschen aufbrach, die für das Gesetz Jahwes eiferten,[9] und nicht etwa gegenüber den von hellenistisch-heidnischer Denkweise geprägten Juden, die es damals auch gab und die für die Pharisäer Gottlose (das heißt Abtrünnige vom Jahweglauben) waren; und tatsächlich ist Jesus trotz aller Gegensätze doch noch durch eine Reihe von Gemeinsamkeiten mit diesen pharisäischen Frommen verbunden.[10] Nun ist dieser Versuch, die Pharisäerpolemik Jesu zu erkennen, schon ein typischer Fall der Rückfrage durch Übermalungen hindurch.[11] Aber der Gegensatz als solcher ist ohne Frage historisch; er ist ja schließlich – wenn auch wohl mehr indirekt[11a] – einer der Faktoren, die Jesus in den Tod brachten. Worin besteht der Gegensatz also?

[9] Wir müssen uns hüten, der Schwarzweißmalerei oberflächlicher Pharisäerpolemik zu verfallen. Die Pharisäer waren – anders, als die spätere stereotype Pharisäerpolemik (vgl. u. a. bes. Mt 23) sie zeichnet – nicht schlechthin und sicher nicht in ihrer Mehrzahl „Heuchler". Sie strebten mit großem Ernst nach der Verwirklichung des Willens Jahwes, wie sie ihn zu erkennen vermochten. Der Christ von heute kann nicht über sie richten; aber er erkennt, wie Jesus sie – und damit letztlich auch ihn selbst – unter das Gericht stellt; und er muß fragen, was der eigentliche Grund für diese Gerichtsdrohung ist.

[10] Vgl. *Sch. Ben-Chorin,* Bruder Jesus 19-23, der Jesus freilich wohl zu stark den Pharisäern annähert.

[11] Unsere Evangelien sind außer dem Markusevangelium ja zu einer Zeit entstanden, als der Pharisäismus nach der Zerstörung Jerusalems zur bestimmenden Kraft im jüdischen Volk geworden und dieses pharisäisch bestimmte Judentum zu einer äußerst krassen Bekämpfung des Christentums übergegangen war. Daß sich Reflexe davon in den Evangelien finden, ist verständlich. So wird bei Matthäus, soweit ich sehe, kein guter Zug an den Pharisäern erwähnt, während es bei Markus (12,34) noch den Schriftgelehrten gibt, der nach dem Wort Jesu „nicht weit entfernt von der Basileia Gottes ist". Nach Lukas läßt sich Jesus wenigstens von Pharisäern zu Tisch einladen.

[11a] Der Pharisäerkonflikt wird gegenüber dem Konflikt mit den Sadduzäern mehr indirekt zum Tod Jesu beigetragen haben: Die Hierarchen hätten das Vorgehen gegen Jesus kaum wagen

Drei charakteristische Gegensätzlichkeiten zwischen Jesus und den Pharisäern sollen im folgenden hervorgehoben werden[12]: der Gegensatz Jesu zu der bei den Pharisäern in einer spezifischen Weise hervortretenden Tendenz, die reine Gemeinde aus Israel auszusondern – zu ihrer Versuchung, sich im sicheren Besitz des Willens Gottes zu wissen[13] – und von daher zu ihrem Gottesverständnis.

Nach Lk 15,1f (vgl. Mk 2,15-17) machen die Pharisäer Jesus zum Vorwurf, daß er mit den „Sündern" Tischgemeinschaft hält – das bedeutet: mit Menschen, die die Pharisäer für ausgeschlossen aus dem Gottesvolk Israel ansahen, weil sie das Gesetz und seine rabbinische Auslegung übertraten oder sogar wie die „Zöllner" mit der heidnischen Besatzungsmacht kollaborierten. Es ist heute nicht ganz leicht, aber unbedingt notwendig, sich klarzumachen, was es in den Augen der jahwegläubigen Zeitgenossen Jesu wirklich bedeutete, daß Jesus diese „Zöllner und Sünder" in seine Gemeinschaft aufnahm. Das Wort Lk 7,34 (par Mt 11,19) – die Beschimpfung Jesu als eines „Schlemmers und Zechers" *wegen* seiner Tischgemeinschaft mit den Zöllnern und Sündern – zeigt, wie unglaublich hart die Gegner Jesu gerade dieses sein Verhalten beurteilt haben müssen. Was ist der Grund dafür?

Alles, was im Judentum der damaligen Zeit religiösen Ernst für sich beanspruchte, arbeitete in der entgegengesetzten Richtung. Man strebte Trennung von den „Unreinen" an. Die Pharisäer und noch krasser die Qumran-Essener wollen etwas, was auch Jesus will; sie wollen das wahre Gottesvolk herbeiführen. Aber sie sind der Meinung, dieses Ziel nur auf dem Weg der Absonderung von den Sündern, die das Gesetz nicht kennen und halten, verwirklichen zu können; sie machen den prophetischen Gedanken des „heiligen Restes" zu einer Art religionspolitischem Prinzip. Das Wirken Jesu ist demgegenüber eine „prinzipielle Absage" an das Absonderungsprinzip.[14] Er geht in gar keiner Weise vom Restgedanken aus. Er will ganz Israel sammeln, er will das Erbarmen Gottes zu ganz Israel tragen und alle retten. Ob vom Gedanken des heiligen Restes in frühjüdischem Verständnis ausgegangen wird oder nicht, das ist keine Methodenfrage, weil nur so, im „Verzicht auf die ‚reine Gemeinde' "[15], in der völligen Offenheit, *Gottes* Erbarmen zum Zuge kommen kann.

Schon bei dieser nur scheinbar methodischen Frage, in welcher Weise Israel

können, wenn die Pharisäer, unter deren Einfluß ein Großteil des Volkes stand, nicht ebenfalls gegen Jesus eingestellt gewesen wären.

[12] Zum Teil im Anschluß an *W. Thüsing,* Zugangswege 190-196.

[13] Schon hier sei gesagt: Diese Versuchung braucht den historischen Pharisäern selbst nicht bewußt gewesen zu sein, während Jesus sie sehr scharf gesehen hat.

[14] Vgl. *A. Vögtle,* Das öffentliche Wirken Jesu 6-10 (bzw. -13).

[15] Vgl. *H. Schürmann,* Worte des Herrn 195-197.

für die Herrschaft Jahwes zu bereiten sei, zeigt sich, daß die Gegner nach der Auffassung Jesu am wirklichen Willen Gottes vorbeileben. Noch deutlicher wird das an den Sabbatkonflikten[15a] – geht es hier doch unmittelbar um das Gesetz als Heilsweg bzw. nach rabbinischer Auffassung um einen Zentralpunkt dieses Gesetzes. Die Sabbatkonflikte als solche sind ohne Zweifel historisch; und auch ein Wort wie Mk 2,27 „Der Sabbat ist um des Menschen willen da und nicht der Mensch um des Sabbats willen" verrät deutlich genug die Intention Jesu selbst. Im Gegensatz dazu steht das Bestreben der pharisäischen Rabbinen, durch ihr System von vielen über die Bestimmungen des Pentateuchs hinausgehenden Eingrenzungen und Verschärfungen einen „Zaun um das Gesetz" zu errichten, damit Israel nur ja nicht in die Versuchung komme, an die Substanz des Gesetzes selbst zu rühren und so das Kommen des Messias zu verzögern. Auf der Seite Jesu sehen wir demgegenüber die Offenheit für den wirklichen Willen Jahwes, der das Heil des konkreten Menschen meint, bis hin zur Gewährung von Gemeinschaft für die Sünder, also Zuspruch der Gottesgemeinschaft für sie und damit der Sache nach Sündenvergebung. Der häufige Vorwurf der Hypokrisis an die Adresse der rabbinisch-pharisäischen Gegner (der zunächst und vordergründig nur als Kritik des Auseinanderklaffens von Lehre und Tun zu erkennen ist) dürfte (ob das den Tradenten und den Redaktoren bewußt war oder nicht) faktisch einen tieferliegenden Zwiespalt signalisieren: daß diese Menschen – schuldhaft oder nicht – behaupten und auch wirklich der Meinung sind, den Willen Gottes bis ins kleinste zu erfüllen, seiner gewissermaßen sogar habhaft geworden zu sein in der Tora, und ebendadurch den wirklichen Willen Gottes verfehlen: Sie sind nicht mehr offen für das neue, endgültige Handeln Gottes in Jesus.
Lukas bringt in 18,9-14 aus seinem Sondergut die Beispielerzählung vom Pharisäer und Zöllner. Sie zeigt, wie der pharisäische Beter (der auf die Zeitgenossen Jesu wohl gerade nicht als Karikatur gewirkt haben wird) trotz allen Wissens um die Größe und absolute Überlegenheit Gottes doch so etwas wie das Verhältnis zu einem Handelspartner praktizierte; sein Gottesverhältnis, das doch im Alten Testament gründen wollte, ist nach dem Urteil Jesu schon der Gefahr der Pervertierung erlegen. Demgegenüber will Jesus *den* Beter, der in der Metanoia steht, der sich als Sünder weiß und bekennt, der Kind werden will vor Gott in dem Sinn, daß er alles von der Güte dessen erwartet, den Jesus seinen Vater nennt. Jesu Gegensatz gegenüber den Pharisäern gründet letztlich in diesem trotz der gemeinsamen alttestamentlichen Wurzel grundverschiedenen Gottesbild bzw. in der völlig verschiede-

[15a] Sie werden vermutlich nicht nur mit den Pharisäern ausgetragen worden sein, aber mit ihnen doch in einer spezifischen, vom pharisäischen Tora-Verständnis bestimmten Weise.

nen Sicht der Relation des Menschen zu Gott. Gerade auch gegenüber den pharisäischen Gegnern zeigt sich, daß Jesus in seinem Eifer für die Heiligkeit des Namens Gottes die falschen Gottesbilder, die die Menschen sich machen, destruiert.

Welche Strukturkomponenten werden nun anhand dieser Skizzierung der Konflikte Jesu, vor allem des Konflikts mit den Pharisäern, sichtbar? Das heißt: Welche von den Einzelzügen, die in diesen Konflikten hervortreten, sind für Jesus und sein Werk so bezeichnend, daß das Jesuanische ohne sie nicht zutreffend beschrieben werden kann?
Wir stoßen durchweg zunächst auf Verhaltensweisen Jesu und von Jesus geforderte Grundhaltungen, die sehr charakteristisch sind, freilich auf den ersten Blick kaum christologische Sachverhalte erkennen lassen. Dieser Eindruck gilt jedoch nur für den ersten Blick: Wenn Jesus als Grundhaltung Gott gegenüber (und als „Einlaßbedingung" für die Herrschaft Gottes) die Metanoia fordert in der für ihn bezeichnenden Akzentuierung des Kind-Werdens, dann läßt das einen Rückschluß auf ihn selbst zu; dann ist zu erschließen, daß er selbst Gott in einer Haltung gegenübersteht, die derjenigen seiner Gegner entgegengesetzt ist. Ähnliche Rückschlüsse legen sich nahe von seiner Forderung der schrankenlosen Agape aus, die er der Kasuistik der von ihm angegriffenen Gegner entgegensetzt, und vor allem von seiner Einstellung gegen den Legalismus und für die von den Gegnern verachteten Randexistenzen der jüdischen Gesellschaft aus; hinter diesen Verhaltensweisen und Forderungen steht Jesus als der prophetisch-charismatische Bote des Neuen von Gott her, das er Herrschaft Gottes nennt, und steht vor allem sein singulärer Sendungsanspruch. Mit diesem Anspruch Jesu, das Eschatologisch-Neue zu bringen (und damit das Alte zu relativieren), hängt der Vorwurf der Gotteslästerung zusammen. Das bezeichnendste Charakteristikum Jesu, das durch den Konflikt sichtbar wird, dürfte jedoch die Tatsache sein, daß bei Jesus Haltungen zur Einheit verbunden sind, die sonst in Spannung zueinander stehen und auseinanderstreben: auf der einen Seite der Eifer für das Recht und die Forderungen Gottes (darin hätten die Pharisäer zustimmen können) und auf der anderen Seite die Öffnung für die „Zöllner und Sünder", die die Gegner niemals mit ihrem Verständnis von Frömmigkeit bzw. Gesetzestreue hätten vereinbaren können.

3.2.2 Die Basileia-Verkündigung Jesu

Nach dem übereinstimmenden Zeugnis der synoptischen Tradition ist „Basileia Gottes" der Zentralbegriff der Verkündigung Jesu. Zwar sprach nicht

nur Jesus von der Herrschaft Gottes,[16] aber bei ihm ist dieser Begriff die eigentliche und zentrale Artikulation des Eschatologisch-Neuen[16a], das er verkündet, und nirgendwo sonst ist die Basileia Gottes so eng und unauflösbar mit einem ihrer Boten verknüpft. Noch mehr: Hier haben wir innerhalb der synoptischen Jesustradition den eigentlichen Ansatzpunkt für Christologie; denn in dieser geht es um die Bestimmung des Verhältnisses Jesu zu Gott bzw. richtiger: zunächst Gottes zu Jesus: Das Thema „Jesus und die Basileia Gottes“ ist letztlich identisch mit dem Thema „Jesus und Gott“.
Was ist nun das Eigentliche, das Wesentliche in der Basileia-Botschaft, das wir unbedingt hervorheben müssen, wenn bei unserem Versuch, die jesuanischen Strukturkomponenten aufzufinden, die Gewichte annähernd richtig verteilt sein sollen? Dieses Eigentliche deutet sich dadurch an, daß die Basileia-Botschaft Jesu keine bloße Lehre, sondern Proklamation von unerhörter Brisanz ist: Der Gott, dessen richtende Herrschaft nahe herbeigekommen ist, ist der Vater. Das Gottesverständnis Jesu enthält eine Spannungseinheit von Majestät und bisher so nicht gekannter Nähe Gottes.[17] Die Verkündigung des erbarmenden Vaters und des richtenden Herrn bilden eine Einheit, wobei die Gerichtsverkündigung die Vaterverkündigung vor Entschärfung und Verharmlosung bewahrt. Das Gebet, das Jesus seinen Jüngern übergab – das Vaterunser –, das ohne jeden Zweifel äußerst bedeutsam ist für seine Intention, bestätigt diese Bedeutung der Basileia-Botschaft; die Heiligung des Namens des Vaters und das Kommen seiner Herrschaft und seines Reiches sind das Anliegen, für das Jesus lebt und letztlich in den Tod geht.
Hiermit ist der theo-logische Aspekt der Basileia-Botschaft Jesu angedeutet. Mit ihr verbindet sich untrennbar der (meist zuerst in die Augen fallende) eschato-logische Aspekt.[18] Das rätselhafte Wort Lk 12,49[19] signalisiert die eschatologische Brisanz des Wirkens und der Intention Jesu – gleich, ob das Wort ipsissima vox ist oder nicht und welche genaue Bedeutung es haben mag. Ich halte es nicht für ausgeschlossen, daß das „Feuer, das Jesus auf die Erde zu werfen hat“, mit dem universalen Vorstoßen der Kräfte der Basileia identisch ist; mindestens steht es – als Chiffre für Begleiterscheinungen dieses Kommens – in engster Beziehung dazu. In diesem Wort vom Feuer wird wie in kaum einem anderen die eschatologische Dynamik spürbar, die Jesus mit

[16] Vgl. die Übersicht bei *R. Schnackenburg,* Gottes Herrschaft 23-47.

[16a] Vgl. *F. Hahn,* Methodologische Überlegungen 44f, der vom Phänomen des „eschatologisch Neuen“ spricht, das für das gesamte Wirken Jesu bestimmend ist (45) und das am deutlichsten in seiner Verkündigung der Basileia Gottes zum Ausdruck kommt (45, Anm. 92).

[17] Vgl. den Abba-Ruf Jesu; s. *W. Thüsing,* Zugangswege 185.

[18] Das eschatologisch kommende Heil ist ja letztlich der Gott, der sich anschickt, seine Herrschaft in beglückend-rettender, offenbarer Macht selbst anzutreten.

[19] „Ein Feuer auf die Erde zu werfen, bin ich gekommen, und wie sehr wünsche ich, es wäre schon entflammt.“

seinem auf die Basileia hinzielenden Wirken verbunden weiß. Für die Zeitgenossen muß es „schockierend“[20] gewesen sein, wie Jesus die Basileia nicht einfach (in der Art der Apokalyptik) als bloß futurische Größe verkündet, sondern sie in seinem eigenen Wirken schon in diese Weltzeit vorstoßen sah (vgl. Lk 11,20).[21] Jesu Verkündigung ist nicht einfach eine Mitteilung lehrhafter Inhalte, die ohne Rücksicht auf seine Person nur in Ruhe zu bedenken wären; ihre auf das Ganze gerichtete Dynamik[22], auf die eschatologische Umgestaltung und das Heil aller Menschen und der Welt, ist nicht ohne Jesus selbst zu denken.

Dieser provozierende Charakter der Basileia-Botschaft ist gegeben, obwohl – nein, weil Jesus (der Jude Jesus, als den man ihn begreifen muß) die Heilserwartung des Alten Testaments und des zeitgenössischen Frühjudentums aufnimmt. Der alttestamentliche Verheißungshorizont ist für Jesus und seine Basileia-Botschaft konstitutiv. Jesus verkündet nicht einfach die Erfüllung, sondern das Nahegekommensein der nach wie vor zukünftigen Herrschaft Gottes. Diese vom Wesen her zukünftige Basileia stößt in ihm selbst und seinem Wirken schon dynamisch in diese Weltzeit hinein vor und stellt die Menschen in Israel – ganz Israel – vor die Entscheidung; sie fordert zur Solidarisierung mit dem Boten der Basileia heraus.

Sieht man diese spezifische Eschatologie der Basileia-Verkündigung Jesu zusammen mit ihrem so außerordentlich engagiert betonten theozentrischen Charakter, dann erkennt man, wie sehr hier der Horizont für das neue Handeln Gottes durch Destruktion verkrusteter, blockierender Gottesbilder geöffnet wird – in diesem Zusammenhang vor allem einer damals einflußreichen Ausprägung des apokalyptischen Gottesbildes, der Vorstellung des Gottes, der diesen jetzigen Äon nicht mehr positiv und heilshaft qualifiziert, sondern ihn nur noch dem Untergang entgegenführt, aber auch das andersartige religiöse Denkschema eines Gottes, der in der Geschichte Israels in der Weise heilshaft gehandelt hat, daß das Heil jetzt „an eine heilige Vergangenheit gebunden war“[22a].

Auch im Rahmen des Begriffsfeldes der Basileia-Botschaft (Jesu) erkennen wir also *Strukturkomponenten des Jesuanischen:* das Engagement Jesu für die Geltung und die Herrschaft des Vaters und damit den Vorrang der Theozentrik; die Destruktion der falschen Gottesbilder; das spannungsreiche Verhältnis von Zukunft und Gegenwart des verheißenen Heils und die Funktion Jesu selbst für das Nahekommen und das zukünftige Hereinbrechen der Basileia.

[20] Vgl. *E. Schweizer,* Jesus Christus 29.

[21] „Wenn ich... durch den Finger Gottes die Dämonen austreibe, dann ist die Basileia Gottes zu euch hin vorgestoßen.“

[22] Vgl. *W. Trilling,* Botschaft Jesu 71.

[22a] *F. Hahn,* Methodologische Überlegungen 45.

3.2.3 Der Nachfolgeruf

Der für die unverwechselbare Eigenart Jesu so bezeichnende Ruf von Jüngern in die Nachfolge läßt zwar nicht eine solch komplexe Fülle von Strukturkomponenten in den Blick treten wie der Konflikt mit den Pharisäern und die Basileia-Verkündigung (braucht also hier auch nicht in der relativen Ausführlichkeit wie diese besprochen zu werden[23]), unterstreicht aber wesentliche Züge des Jesuanischen – in einer Weise, die kaum durch andere Beobachtungen ersetzt werden kann.
Wie sehr Jesus vollmächtig im Mittelpunkt des Geschehens von Heilsangebot und Entscheidung steht, tritt noch stärker hervor in der Unbedingtheit, ja Radikalität, mit der *er* souverän in die Nachfolge ruft, mit der *er* den Gerufenen zumutet, sein Schicksal zu teilen – anders, als ein Rabbi es jemals tun könnte. (Als Beispiel vergleiche man etwa Mt 8,19-22 par Lk 9,57-62.) Vor allem ist für Christologie relevant, wie sehr die Gemeinschaft der Berufenen mit Jesus Einbeziehung in seine Haltung ist, Einbeziehung in seinen „Glauben", das heißt: in seine gehorsam-vertrauende Bejahung seiner Sendung. (Das wird sehr deutlich in den Worten, in denen den Jüngern das Sorgen verwehrt wird, besonders in Lk 12,22-32 par Mt 6,25-34.)

3.3 Die jesuanischen Strukturkomponenten und ihre Gruppierung

3.3.1 Aus den in Abschnitt 3.2 angedeuteten Beobachtungen – und anderen, die hier nicht im einzelnen reflektiert werden können – ist der jetzt folgende Versuch entstanden, die komplexe Wirklichkeit des Jesuanischen in achtzehn Strukturkomponenten zu erfassen, genauer: in einem übergreifenden „Strukturprinzip" und siebzehn „Strukturkomponenten".
Die Reihenfolge der Strukturkomponenten schließt sich nicht unmittelbar an den Gedankengang an, der in den oben ausgeführten Ansatzpunkten des Pharisäerkonflikts und der Basileia-Botschaft in Erscheinung tritt. Freilich ist die eschatologische Dynamik der Basileia-Verheißung bestimmend gewesen für den theologischen Ansatz innerhalb der folgenden Tabelle; die Verankerung des Jesusgeschehens im Alten Testament ist dazu noch stärker betont, als es bisher geschah.

[23] Das Thema der Nachfolge wird außerdem (im Unterschied zu dem der Konflikte) unmittelbar in einer Strukturkomponente (Nr. 16[J], s. unten 3.8.2.2) wieder aufgenommen; vgl. auch unten 3.9.2. Vor allem ist unten der Abschnitt 7.2 („Schöpfungsbejahung" und „Jesusnachfolge") zu vergleichen; zum theologischen Kontext von „Nachfolge" s. 7.2.1.3.1.

Der unter Nr. 1 genannte Punkt bildet ein Vorzeichen des Ganzen, ein durchgängig wirksames Strukturprinzip. Die dann folgenden Strukturkomponenten 2-18 sind in fünf Gruppen geordnet:

A. Eschatologie und Theozentrik Jesu
B. Die keimhafte Christologie Jesu von Nazaret
C. Die von Jesus geforderten und gelebten religiös-ethischen Grundhaltungen
D. Gemeinschaftstheologische Aspekte der vorösterlichen Jesusbewegung
E. Die Stellung Jesu zu seinem Tod (Die keimhafte Passionstheologie Jesu von Nazaret)

Die relativ umfangreiche Gruppe A entfaltet in fünf einzelnen Strukturkomponenten den Ansatz beim Eschatologischen und Theo-logischen. In der Gruppe B wird die implizite bzw. besser keimhafte Christologie Jesu selbst (Nr. 7-10) stichwortartig umrissen, und zwar in durchgehender Korrespondenz mit den Weisungen und dem Verhalten Jesu selbst (Gruppe C, Strukturkomponenten Nr. 11-14). Sodann werden – um die Weisungen Jesu von allen individualistischen Mißverständnissen abzuheben – die gemeinschaftsbezogenen, wenn man so will, keimhaft „ekklesiologischen" Aspekte genannt: die Forderung der Solidarisierung mit Jesus und der Ruf zur Nachfolge (Gruppe D). Zum Schluß, in Gruppe E – wieder in Korrespondenz mit den Weisungen und dem Verhalten Jesu –, werden zwei Strukturkomponenten angegeben, die Jesu Wirken und Intention im Hinblick auf seinen Tod sehen.
Die achtzehn (bzw. 1 + 17) Strukturkomponenten können sicher nicht alles Wichtige einfangen; sie könnten an vielen Stellen erweitert und sicherlich auch um neue Punkte vermehrt werden. Aber sie sind, wie ich hoffe, so formuliert, daß dasjenige an Wichtigem, was nicht explizit angegeben ist, mindestens implizit an bestimmten Stellen durch die Formulierung der von mir ausgewählten Strukturkomponenten zur Geltung kommt.
Bei dem in der Tabelle vorgelegten Versuch, das Gesamtfeld des Jesuanischen durch eine solche Reihe von Strukturkomponenten einzugrenzen und zu erfassen, können Überschneidungen nicht vermieden werden. Es ist wohl auch gut, daß dadurch die Querverbindungen sowie die Komplexität des Ganzen sich andeuten. Die achtzehn Strukturkomponenten liegen nicht auf einer Ebene; es finden sich Strukturkomponenten, die sich bereits durch ihre Thematik unterscheiden, und solche, bei denen (bei Gleichheit des betrachteten Objekts bzw. Themas) die Verschiedenheit in dem Aspekt liegt, unter dem der betreffende Einzelzug betrachtet wird. Anders gesagt: Die Verschiedenheit kann auch dadurch zustande kommen, daß innerhalb der jeweils komplexen und miteinander zusammenhängenden Sachverhalte verschiedene Akzentsetzungen möglich und geboten sind.

3.3.2 Theologische Strukturen von Botschaft, Wirken und Leben Jesu von Nazaret

1 (J) Ein durchgängig wirksames Strukturprinzip:
Spannungseinheit von eschatologisch-charismatischem Zur-Geltung-Bringen des Anspruchs Gottes und eschatologisch-charismatischem „Schenken von Freiheit" – im Zusammenhang des Eschatologisch-Neuen der Sendung Jesu

---

A. Eschatologie und Theozentrik Jesu

---

2 (J) Verankerung des Jesusgeschehens in der Geschichte Jahwes mit Israel: Jesus als jahwegläubiger Jude

3 (J) Eschatologische Zukunft der Basileia Gottes (und eschatologische Zukunft Jesu) – Heil und Gericht

4 (J) Die Ankündigung der andrängend „nahe herbeigekommenen" Basileia: gegenwärtiges Heilsangebot und gegenwärtige Befreiung vom Bösen durch Jesus – gegenwärtiger Anspruch Gottes durch Jesus (vgl. Nr. 9 im Zusammenhang von 7-10)

5 (J) Die Basileia-Verkündigung Jesu im Verhältnis zur alttestamentlichen Verheißung: Das Verkündigungswirken Jesu als zeichenhafte Vor-Realisierung und damit letztgültige Zusage der alttestamentlichen Verheißungen (die im Sinne Jesu auf die in der Zukunft vollendete Basileia zielen). Trotz der eschatologisch-neuen Vor-Realisierung keineswegs Voll-Erfüllung: deshalb „Verheißungsüberschuß"

6 (J) Basileia-Verkündigung *als Verkündigung Gottes* – und zwar als des Vaters. Destruktion der falschen Gottesbilder

---

B. Die keimhafte Christologie Jesu von Nazaret

---

7 (J) [Der Mensch für Gott:] Relation Jesu zu Gott als seinem Vater (singuläre dialogische Theozentrik). Bejahung der Sendung: Gehorsam, Vertrauen, „Glaube"

8 (J) [Der Mensch für die anderen:] Proexistenz Jesu

9 (J) Jesus als der prophetisch-charismatische Bote des Eschatologisch-Neuen

10 (J) Exusia (Sendungsvollmacht) bzw. Sendungsanspruch Jesu

C. Die von Jesus geforderten und gelebten religiös-ethischen Grundhaltungen

---

11 (J) Die von Jesus gewiesene Grundhaltung des Menschen vor Gott (und Grundbedingung für das Eingehen in die Basileia): Metanoia, „Kind-Werden", „Glaube"; unbedingte Priorität für den Anspruch Gottes („zuerst die Basileia Gottes") (vgl. Nr. 7)

12 (J) Prophetisch-radikale Verkündigung und Forderung der Agape (vgl. Nr. 8)

13 (J) Befreiung vom Legalismus (vgl. Nr. 8, 9 und 10)

14 (J) Offenheit für die „Randexistenzen", die „Sünder". Verzicht auf die abgesonderte „reine Gemeinde" (vgl. Nr. 8 und 9)

	D. Gemeinschaftstheologische Aspekte der vorösterlichen Jesusbewegung
15 (J)	Heilsentscheidende Bedeutung der Solidarisierung mit Jesus
16 (J)	Jesusnachfolge und Sich-Exponieren für Jesus und seine Botschaft
	E. Die Stellung Jesu zu seinem Tod (Die keimhafte Passionstheologie Jesu von Nazaret)
17 (J)	Kreuzesnachfolgeforderung und eigene Bereitschaft Jesu zum Prophetenschicksal
18 (J)	Durchhalten der Proexistenz (in der Weise des Durchhaltens der Spannungseinheit von „Anspruch Gottes" und „Geschenk der Freiheit") bis zum Tod

3.4 Das Sprengen aller Schemata – Das Phänomen des Neuen und der Spannungseinheit. Zur durchgängigen Bedeutung von Strukturprinzip 1 (J)

3.4.1 Es wird vielleicht überraschen, daß als erster der achtzehn Punkte, als „übergreifendes Strukturprinzip" nicht etwa ein Aspekt genannt wird, der uns innerhalb der Basileia-Thematik begegnet, sondern die „Spannungseinheit von eschatologisch-charismatischem Anspruch der Theozentrik und eschatologisch-charismatischem ‚Schenken von Freiheit'". Ist hier tatsächlich ein durchgängiger, hinter den einzelnen Strukturkomponenten liegender und sie letztlich zusammenfassender Aspekt anvisiert? Stellen wir zur Probe einmal die (bekanntlich oft diskutierte) Frage, was denn eigentlich bei Jesus das Originale, das Unableitbare ist; verzichten wir außerdem methodisch zunächst darauf, den Auferweckungsglauben hierfür ins Spiel zu bringen.
Zu fast jedem Einzelzug der Verkündigung Jesu kann man Parallelen in der frühjüdischen Literatur finden[24] – falls man den betreffenden Einzelzug für sich betrachtet. Die Vater-Anrede in der familiären Form des *abbā* ist für Jesus typisch und in dieser Form sonst nicht belegt; aber wiegt diese Beobachtung gegenüber der Tatsache, daß es die Vater-Anrede für Gott im Judentum durchaus gab, für sich allein schon so schwer, daß man nur aufgrund jener Beobachtung von einer Unableitbarkeit Jesu sprechen könnte? Ähnlich ist es bei der Metanoia-Forderung und bei der Nachfolgeforderung; auch hier ist durchaus für Jesus Spezifisches festzustellen, aber ebenso mit ande-

[24] Vgl. *J. Klausner*, Jesus 529-552 (bes. 534-542). (Klausner betrachtet Jesus freilich vorwiegend unter national-religiösen Aspekten, s. dazu *Sch. Ben-Chorin*, Jesus im Judentum 12.)

ren Zeugnissen frühjüdischen Glaubens Gemeinsames. Das gilt selbst noch für die Basileia-Botschaft; das Unableitbare ist nur für den wahrnehmbar, der anzuerkennen vermag, daß Jesus die Gegenwart des Heils verkündete und darüber hinaus untrennbar an sein eigenes Wirken – und damit an seine eigene Person – knüpfte. Insgesamt hat die Grundhaltung, die Jesus fordert und aufzeigt – Umkehr und Glaube –, ihre Parallelen im Judentum und ihre Wurzeln im Alten Testament.
Das Bild ändert sich jedoch, wenn man das Phänomen „Jesus von Nazaret und seine Botschaft" als Ganzes nimmt. Dann entdeckt man durchgängig zwischen den verschiedenen Strukturkomponenten und auch innerhalb einzelner Strukturkomponenten Spannungen von (mindestens aus unserer Perspektive) Auseinanderstrebendem, das aber bei Jesus offenbar zur Einheit zusammengehalten ist. Als die für Jesus charakteristischste, ja geradezu zentrale Polarität hat sich mir immer mehr die von prophetisch-radikaler Bejahung Gottes und von ebenso prophetisch-radikaler Bejahung des Menschen erwiesen. Bejahung Gottes in der für Jesus spezifischen prophetisch-radikalen Weise – dafür sind unter anderem die folgenden Kennzeichen zu nennen: die Unbedingtheit, mit der er die Forderung Gottes weitergibt; die Selbstverständlichkeit, mit der er die Gerichtspredigt durchführt; die Härte des Nachfolgerufs. Prophetisch-radikale Bejahung des Menschen: Dafür stehen die Stichworte „Befreiung vom Legalismus", „Ermöglichung von Gemeinschaft und Nächstenliebe bis zur Feindesliebe", „Offensein für die Randexistenzen und die Ausgestoßenen" – und damit zusammenhängend die prophetisch-radikale Bejahung der Schöpfung und in Konsequenz des Humanum.

Bei dem Pol der „Bejahung Gottes" spreche ich im folgenden – entsprechend dem prophetisch-apokalyptischen Kolorit der Verkündigung Jesu, das nicht eliminiert werden darf – mehrfach vom „Anspruch Gottes"[25]. Den Pol der „Bejahung des Menschen" kennzeichne ich öfters durch den Begriff „Geschenk der Freiheit"[26]. Dieser letztere Begriff dürfte schwerpunktmäßig die Ermöglichung humaner (kommunikativer) Selbstverwirklichung treffen, also das Kernstück von Humanität umgreifen. Zudem lassen sich Mißverständnisse, die das Christliche nivellieren, bei dem Begriff „Freiheitsermöglichung" bzw. „Geschenk der Freiheit" vielleicht relativ leichter vermeiden als bei dem Wort „Humanität", das an sich ebenfalls auf die Bejahung des Menschen durch Jesus anwendbar ist.

3.4.2 Um das durchgängige Vorhandensein dieser Spannungseinheit im Gesamtfeld des Sendungsanspruchs und der Botschaft Jesu aufzuzeigen, benutze ich schon jetzt die Tabelle der 18 jesuanischen Strukturkomponenten. Sie

[25] Vgl. zu diesem Begriff unten 6.3.3.3.1.
[26] Vgl. die Erläuterung dieses Begriffs unten 6.3.3.3.2.

kann schon hier – als Niederschlag und konzentrierende Zusammenfassung der noch folgenden Überlegungen zu den einzelnen jesuanischen Themen [27] – die Funktion erfüllen, das ohne ein solches Hilfsmittel schwer überschaubare Gesamtgefüge des Jesuanischen auf unsere Frage hin zu überblicken. Ein Blick auf die Tabelle[28] läßt bereits erkennen, wie sehr die Durchsetzung des Anspruchs Gottes eine beherrschende Rolle in der Sendung Jesu spielt. Das ergibt sich von der zentralen Bedeutung seiner Basileia-Botschaft her. Diese beinhaltet nicht nur Heilsverkündigung und Hoffnung, sondern gleichzeitig einen starken, drängenden, bereits gegenwärtigen *Anspruch Gottes* (Strukturkomponente 4). Das gleiche Miteinander von Heilsverkündigung und betontem Anspruch Gottes zeigt sich auch in weiteren Strukturkomponenten. Die jesuanische Akzentuierung des Anspruchs Gottes ist offenbar grundgelegt in der Gottesverkündigung Jesu (Strukturkomponente 6: *Basileia-Verkündigung als Verkündigung Gottes)*: Jesus verkündigt Gott nicht nur als Vater, sondern ebendarin als denjenigen, um dessentwillen die falschen Gottesbilder destruiert werden müssen. *Die Exusia bzw. der Sendungsanspruch Jesu* (Strukturkomponente 10) weisen auf die Macht und den Anspruch *Gottes* hin, insofern sie deren christologischen Reflex darstellen. Die Härte der Forderung, die mit dem – Jesus und seinem Jünger aufgegebenen – Engagement für die Basileia verbunden ist, wird besonders in dem *Ruf zur Nachfolge* (Strukturkomponente 16) und schon in der (an alle gerichteten) *Solidarisierungsforderung* (Strukturkomponente 16) erkennbar – eine Schärfe, die bis zu der Zumutung geht, in Solidarisierung und Nachfolge auch das Letzte, das Leben, zu riskieren (Strukturkomponente 17: *Kreuzesnachfolgeforderung und eigene Bereitschaft Jesu zum Prophetenschicksal*).Grundlegend ist sie bereits in der von Jesus gewiesenen *Grundhaltung des Menschen vor Gott* (Strukturkomponente 11) enthalten, in der dem Anspruch Gottes unbedingte Priorität zugemessen wird.

Die Härte der Gerichtspredigt und des Nachfolgerufs ist jedoch nur die eine Seite der Verkündigung und des Verhaltens Jesu. Wie wir schon aus seinem Gegensatz zu den Pharisäern erkannten, steht ihr eine in den Augen dieser Gegner unerhörte *Offenheit für den Menschen und seine Freiheit* gegenüber. Am deutlichsten wird sie in der *Befreiung von der versklavenden Gesetzlichkeit* durch Jesus (Strukturkomponente 13) und in seiner *Offenheit für die Randexistenzen und „Sünder“* (Strukturkomponente 14).

Härte der Forderung einerseits und Offenheit für den Menschen andererseits – beides trifft, verbindet und durchdringt sich in weiteren Strukturkomponenten, die von ihrem engeren Thema zunächst dem Pol der Hinwendung

[27] Unten 3.5 bis 3.9.

[28] Oben 3.3.2.

zum Menschen zugeordnet erscheinen: in der *Proexistenz Jesu* (Nr. 8), im *prophetisch-charismatischen Charakter der jesuanischen Verkündigung des Eschatologisch-Neuen* (Strukturkomponente 9) und in der *prophetisch-radikalen Forderung der Agape* (Strukturkomponente 12). Aber *beides* kehrt von daher – gleichsam rückwirkend – auch in den Strukturkomponenten wieder, die wir bereits als betont dem Pol des Anspruchs Gottes zugeordnet erkannten[29]. Schließlich wird beides, Forderung und Freiheitsermöglichung, im Thema von Strukturkomponente 18 – *daß Jesus seine Proexistenz* (und von daher die Spannungseinheit von Anspruch Gottes und Freiheitsermöglichung) *bis zum Tod durchhält* – in letzter Konsequenz aufgenommen und zur Vollendung gebracht.

3.4.3 Es ist mehrfach beobachtet worden, daß Verhalten und Wort Jesu jedes Schema sprengen,[30] daß sich in Verhalten und Wort Jesu eine „Paradoxie" zeigt.[31] Das Miteinander dieser verschiedenen Strukturkomponenten wäre in der Tat bei keinem Rabbi der Zeit Jesu zu finden. Die Gegner Jesu hätten die apokalyptisch-prophetische Radikalisierung der Forderung Gottes – stünde sie für sich allein – durchaus verstanden. Sie hätten über einen hellenistisch-aufgeklärten Juden, der die Geschmacklosigkeit einer Tischgemeinschaft mit Zöllnern und Dirnen beging, vielleicht – trotz aller Feindschaft gegenüber solchen Leuten – nur den Kopf geschüttelt. Aber daß einer, der in seinem Eifer für Jahwe im Grunde zu ihnen hätte gehören müssen,[32] gleichzeitig jedoch diese unerhörte Freiheit dem Gesetz gegenüber zusammen mit der ebenfalls unerhörten Offenheit für die Außenstehenden bewies, das war mit ihren Denkschemata in keiner Weise mehr zu vereinbaren, das empfanden sie als so bedrohend für ihr Selbstverständnis, daß sie diesen Menschen nicht tolerieren konnten.
Anders gesagt: Wenn man das Verhältnis Jesu zu Gott nicht als den einen Pol dieser Spannungseinheit begreift, zu der eben auch noch unabdingbar der andere dieser prophetisch-radikalen Bejahung des Menschen gehört, dann wird man für den ersten Pol „Bejahung Gottes" sicherlich zeitgenös-

[29] Das gilt für die Strukturkomponenten 4 (J); 6 (J); 11 (J); 15 (J) und 16 (J). In Strukturkomponente 4 (J) (Gegenwärtiges Heilsangebot und gegenwärtiger Anspruch Gottes durch Jesus) begegnet nicht nur die Forderung Gottes, sondern auch seine Offenheit für den Menschen und dessen Freiheit. Ähnlich verhält es sich in Strukturkomponente 6 (J) (Gottesverkündigung als Verkündigung des Vaters und als Destruktion der falschen Gottesbilder), 11 (J) (Grundhaltung vor Gott: Metanoia...), 15 (J) (Solidarisierung mit Jesus nicht nur als dem Fordernden, sondern ebenso dem Schenkenden) und 16 (J) (Sich-Exponieren für Jesus und seine Botschaft von Gericht *und* Heil).

[30] Vgl. *E. Schweizer,* Jesus Christus, bes. 18 f. 29 f.

[31] Vgl. *H. Braun,* Der Sinn der neutestamentlichen Christologie 248 f.

[32] Vgl. *Sch. Ben-Chorin,* Bruder Jesus 22, der Jesus sogar zu einer „inneren Opposition innerhalb dieser größten Gruppe in dem ihm zeitgenössischen Judentum" (= den Pharisäern) rechnet.

sische Parallelen finden. Und wenn man andererseits die „Humanität“ Jesu für sich nimmt, losgelöst von dieser Spannungseinheit, dann werden sich wohl ebenfalls Parallelen finden lassen, wenn auch im Judentum kaum so signifikante und eindrucksvolle. Aber das, was das Singuläre bei Jesus ausmacht, ist genau diese zur Einheit zusammengehaltene Polarität von Bejahung Gottes und Bejahung des Menschen.

Ist diese jesuanische Spannungseinheit, die wir jetzt aufzeigen konnten, einfach ein Kennzeichen großer persönlicher Spannweite Jesu von Nazaret – oder hat sie eine Beziehung zu dem, was bei Jesus für den Glaubenden absolut einzigartig ist (in vorösterlicher Ausdrucksweise: zu seinem Sendungsanspruch)? Ist sie wirklich der Ansatzpunkt, um zu der für den Glauben relevanten Unableitbarkeit Jesu vorzustoßen?

Wenn wir die Chance haben wollen, diese Frage zu beantworten, müssen wir die jesuanische Spannungseinheit von Zur-Geltung-Bringen des Anspruchs Gottes und Freiheitsermöglichung auf dem Hintergrund der Sendung Jesu sehen, Bote der Basileia Gottes zu sein – also auf dem Hintergrund des „Eschatologisch-Neuen“, das Jesus verkündet und bringt und das von ihm selbst unablösbar ist. Der Begriff „das Eschatologisch-Neue“, der in den Strukturkomponenten mehrmals vorkommt,[33] soll den eschatologisch-letztgültigen, aus dem Judentum nicht mehr ableitbaren, universal bedeutsamen Charakter der Sendung Jesu – und Jesu selbst – andeuten.

Auch bei diesem „Eschatologisch-Neuen“ stoßen wir auf eine in Jesus zur Einheit zusammengehaltene Polarität von an sich auseinanderstrebenden Sachverhalten. Denn wie kann ein Mensch, der als frommer Jude das Bundesverhältnis Jahwes mit Israel bejaht, den Anspruch erheben, den „neuen Wein“ zu bringen, der die „alten Schläuche“ sprengen muß (vgl. Mk 2,22 parr)? Offenbar ist die Spannungseinheit von radikaler Ausrichtung auf Gott und radikaler Bejahung des Menschen und seiner Freiheit nicht durch ein zufälliges Zusammentreffen mit dem Eschatologisch-Neuen verbunden, sondern mit ihm von innen heraus zusammengehörig, geradezu ein Kennzeichen dieses Eschatologisch-Neuen. Dieser Sachverhalt gründet im Gottesverständnis Jesu: Die Spannungseinheit von Bejahung Gottes und Bejahung des Menschen ist letztlich Auswirkung der Gottesverkündigung Jesu und ihrer Kehrseite, der Destruktion der falschen Gottesbilder. In beidem ist ebenfalls der Sachverhalt des „Eschatologisch-Neuen“ angesprochen.

Der eschatologische Hintergrund der Spannungseinheit von Zur-Geltung-Bringen des Anspruchs Gottes und Freiheitsermöglichung (wie er in der Formulierung von Strukturprinzip 1 angegeben ist: „ ...im Zusammenhang des

[33] Der Begriff ist durch F. Hahn angeregt; s. oben 3.2.2, Anm. 16a.

Eschatologisch-Neuen der Sendung Jesu") muß also hinzugesehen werden, wenn dieser Spannungseinheit zu Recht eine solche übergreifende Stellung angewiesen werden soll, wie es hier geschieht.
Wird diese jesuanische Spannungseinheit so verstanden, so dürfen und müssen die einzelnen Strukturkomponenten von ihr her gesehen werden – sicherlich dann, wenn wir ein Gesamtbild anstreben, das in sich berechtigt ist und das seinerseits wieder Kriterien für christ-liche Theologien abgeben kann. Dieses übergreifende Strukturprinzip 1 soll dazu helfen, daß in den anderen 17 Strukturkomponenten nicht einfach eine Addition verschiedener Einzelinhalte der Botschaft Jesu und verschiedener einzelner Verhaltensweisen Jesu gesehen wird, die zufällig zusammengekommen wären, sondern daß im Jesusgeschehen ein Ganzheitsphänomen zu erkennen ist.

3.5 Die erste Gruppe jesuanischer Strukturkomponenten (= Gruppe A): Jesus im Spannungsfeld von Verheißung und Erfüllung. Die Eschatologie und Theozentrik Jesu

3.5.1 Zum Zusammenhang der Strukturkomponenten 2 (J) bis 6 (J) und zur Bedeutung der Gruppe A innerhalb der gesamten Reihe von Strukturkomponenten

Überlegungen, die wie dieser Abschnitt Zusammenhänge herstellen wollen, sind zweifellos nicht leicht zu lesen, schon deshalb, weil sie bereits ein bestimmtes Maß an Übersicht über den Gesamtkomplex voraussetzen bzw. in knappster Form vorführen – und weil sie kaum schon bei der ersten Lektüre Erkenntnisse vermitteln werden, die bereits in sich als lohnend empfunden werden, bei denen also gewissermaßen schon etwas aufleuchtet. Ich bitte den Leser trotzdem, sie nicht einfach als Zutaten zu betrachten, die im Rahmen des Ganzen unwichtig wären. Diese Bitte möchte ich kurz begründen. Hierzu knüpfe ich an das an, was eben zum Schluß des vorhergehenden Abschnitts 3.4 bereits (bezüglich des übergreifenden Strukturprinzips 1) gesagt wurde. Meines Erachtens dürfen die Strukturkomponenten nicht einfach isoliert nebeneinanderstehen, falls überhaupt eine Chance bestehen soll, die Gesamtstruktur des Jesuanischen annähernd zu erfassen. Die Tabelle mit ihren 18 Strukturkomponenten kann nur dann diesem Ziel dienen (bzw. kann nur dann Instrument zur Durchführung der Legitimationsfrage sein), wenn sie nicht nur eine Ansammlung zusammengewürfelter Mosaiksteine darstellt, sondern ein in sich zusammenhängendes Ganzes repräsentiert. Das letztere kann aber nur durch Querverbindungen zwischen den einzelnen Strukturkomponenten aufgezeigt werden – also durch Erörterungen über den wechselseitigen Zusammenhang der Strukturkomponenten insgesamt und zunächst der jeweiligen Gruppe von Strukturkomponenten.

Die fünf Strukturkomponenten dieser Gruppe sind durch ein komplexes, aber trotzdem einheitliches Thema zusammengehalten. Vier von ihnen – Nr. 3-6 – zeigen die Zusammengehörigkeit durch das gemeinsame Stichwort „Basileia". Die Basileia-Verkündigung, die oben in 3.3.2 kurz skizziert wurde, steht, wie allgemein anerkannt ist, im Mittelpunkt des Wirkens Jesu. So muß auch die Reihe der Strukturkomponenten von ihr ausgehen. Das für Jesus charakteristische Miteinander von Eschatologie und Theozentrik kann so von vornherein in seiner Bedeutung erkannt und festgehalten werden.

Die erste Strukturkomponente dieser Gruppe (Nr. 2: *Verankerung des Jesusgeschehens im Alten Testament)* kennzeichnet den durch die Zugehörigkeit Jesu zu Israel vorgegebenen heilsgeschichtlich-eschatologisch-theozentrischen Hintergrund des Wirkens Jesu und damit auch gewissermaßen das Kolorit seiner Botschaft und bildet so eine Art Vorzeichen für die vier Strukturkomponenten, die durch das – auch die Geschichte Israels beherrschende – Stichwort „Herrschaft Gottes" verbunden sind. Die drei anschließenden Strukturkomponenten (Nr. 3-5) stellen eine Auffächerung des eschatologischen Gehalts der Basileia-Botschaft Jesu dar:

3 (J) Eschatologische Zukunft der Basileia Gottes – Heil und Gericht
4 (J) Die Ankündigung der andrängend „nahe herbeigekommenen" Basileia: gegenwärtiges Heilsangebot und gegenwärtige Befreiung vom Bösen durch Jesus – gegenwärtiger Anspruch Gottes durch Jesus
5 (J) Die Basileia-Verkündigung Jesu im Verhältnis zur alttestamentlichen Verheißung: Das Verkündigungswirken Jesu als zeichenhafte Vor-Realisierung und damit letztgültige Zusage der alttestamentlichen Verheißungen... Trotz der eschatologisch-neuen Vor-Realisierung keineswegs Voll-Erfüllung

In 3 (J) wird der futurisch-eschatologische Akzent der Basileia-Botschaft herausgestellt, in 4 (J) der präsentisch-eschatologische. Strukturkomponente 5 (J) gibt die Beziehung zwischen 4 und 3 an durch die Stichworte „Vor-Realisierung" und „letztgültige Zusage der alttestamentlichen Verheißungen". Durch den Bezug auf die *alttestamentliche* Verheißung setzt Strukturkomponente 5 die beiden vorhergehenden gleichzeitig in Beziehung zu Strukturkomponente Nr. 2 (Verankerung des Jesusgeschehens in der Geschichte Jahwes mit Israel).

Wird die Botschaft Jesu in Nr. 3-5 in ihrem *eschatologischen* Gehalt gekennzeichnet, so hebt Strukturkomponente 6 ihren *theo-logischen* Charakter hervor:

6 (J) Basileia-Verkündigung als *Verkündigung Gottes* – und zwar als des Vaters. Destruktion der falschen Gottesbilder

Dabei ist der in Nr. 6 angezielte theo-logische Aspekt alles andere als bloßer Anhang an 3-5; vielmehr stehen Theo-logie und Eschato-logie innerhalb der Basileia-Verkündigung in enger Beziehung zueinander.[34]

3.5.2 Zu den einzelnen Strukturkomponenten 2 (J) bis 6 (J)

3.5.2.1 Strukturkomponente 2 (J):

Verankerung des Jesusgeschehens in der Geschichte Jahwes mit Israel: Jesus als jahwegläubiger Jude

Der Apostel Paulus prägt in Röm 11,18 (in einem an die Adresse von Heidenchristen, die offenbar in Versuchung waren, sich über die ungläubigen Juden zu erheben, gerichteten Text) das Wort von Israel als der Wurzel, die den Christen – auch den Heidenchristen – trägt; und in Röm 9,4-5 zählt er die Gnadenvorzüge der Israeliten auf, zu denen er als letzten und höchsten rechnet, daß von ihnen der Christus der leiblichen Herkunft nach abstammt. Die Christen sind immer wieder in Gefahr, diese Wurzel des Christentums und der Christologie zu vergessen. Solchem Vergessen der „Wurzel" im Sinne von Röm 11,18 soll es wehren, wenn als erste Strukturkomponente gerade diese genannt wird. Christologie und Soteriologie werden nur dann recht betrieben, wenn sie auch dem Wiedergewinnen dieser Wurzel dienen, anders gesagt: wenn sie das Jude-Sein Jesu und mit ihm zusammen das Alte Testament als Wurzelboden und Lebensraum Jesu und seiner nachösterlichen Jünger (mitsamt deren christologisch vermittelter Theologie) annehmen[35]. Das ist nicht nur ein Lieblingsgedanke heutiger, dem Christentum

[34] *A. Vögtle* („Theo-logie") ist zuzustimmen, wenn er stärker als *H. Schürmann* (Hauptproblem) die Zusammengehörigkeit von Theo-logie und Eschato-logie – bzw. den theo-logischen Charakter der eschato-logischen Botschaft Jesu – betont (vgl. jetzt auch *H. Merklein,* Gottesherrschaft 39 f und 212-215; vgl. jedoch schon Schürmann selbst a.a.O. 32 f). Das Bestreben Schürmanns, die in der theologischen Tiefenstruktur der Botschaft Jesu (das heißt in der „Kompetenz" [„langue"] im Unterschied von „Performanz" [„parole"], vgl. *H. Schürmann,* Tod 44, Anm. 105) zu postulierende Priorität des Gottesgedankens herauszustellen, dürfte jedoch seine Bedeutung behalten, vor allem in systematisch-theologischer Hinsicht – freilich unter der Voraussetzung, daß es historisch besser abgesichert wird und auf eine zu frühe Eintragung christologischer Postulate verzichtet wird. Die Priorität der Theo-logie wird übrigens m. E. einleuchtend herausgestellt in *H. Schürmann,* Gebet des Herrn 31-53, vgl. 36: „Das völlige Ernstnehmen Gottes ruft eine Eschatologie, die Untergang und Neuschöpfung bedeutet." Vgl. auch *W. Trilling,* Botschaft Jesu 72: Die „Theozentrik" Jesu trägt seine Basileia-Botschaft.

[35] Vgl. hierzu jetzt vor allem das Werk von *F. Mußner* „Traktat über die Juden", das insgesamt für unseren Zusammenhang einschlägig ist. Trotzdem seien einige Abschnitte besonders hervorgehoben: das 2. Kapitel (S. 88-175), in dem Mußner aufzeigt, daß die Christen dankbar „das

wohlwollend bzw. gesprächsbereit gegenüberstehender jüdischer Theologen, sondern das haben auch Christen zu betonen, wenn sie Christologie treiben; es ist so wesentlich, daß es zu den Strukturkomponenten der Christologie und des Christlichen gerechnet werden sollte. Freilich ist die Formulierung in Strukturkomponente 2 mit Bedacht gewählt worden; die Angabe „Jesus als jahwegläubiger Jude" ist bestimmt und theologisch qualifiziert durch die „Verankerung des Jesusgeschehens in der Geschichte Jahwes mit Israel". Strukturkomponente für Christologie/Soteriologie kann nicht einfach irgendwelches Jude-Sein Jesu sein, sondern dasjenige, das der im Alten Testament bezeugten Geschichte Gottes mit seinem Volk, besser: der im Alten Testament bezeugten Absicht Gottes, sich selbst mitzuteilen („Jahwe" zu sein), entspricht.[36]

3.5.2.2 Strukturkomponente 3 (J):

Eschatologische Zukunft der Basileia Gottes (und eschatologische Zukunft Jesu) – Heil und Gericht

Der Begriff Basileia Gottes war zur Zeit Jesu aktuell. Von den prophetischen Zeugnissen des Alten Testaments ging die Entwicklung zur Apokalyptik und zu den verschiedenen Strömungen des Frühjudentums. Die jüdischen Zeitgenossen Jesu – sicherlich Johannes der Täufer, mit dem Jesus in einer, wenn auch kaum genau zu klärenden Beziehung steht – sind großenteils durch die Erwartung der futurischen Basileia Gottes geprägt. Es kann hier offengelassen werden, in welchem Maß Jesus selbst durch die Apokalyptik bestimmt war.[37] Aber wer die Heiligung des Namens Gottes so wie Jesus für das unvergleichlich dringendste Anliegen hält (vgl. die erste Vaterunserbitte) und sich dabei bewußt ist, daß Gott in dieser Weltzeit nicht in der ihm gebührenden Weise zur Geltung kommen kann, muß um Gottes willen die volle Durchsetzung seiner Herrschaft, also die futurische Basileia, erwarten.

große Glaubenserbe Israels" erkennen sollten, „das durch Jesus und die Kirche in die Völkerwelt gekommen ist... Durch dieses Erbe ist Israel auch die bleibende theologische ‚Wurzel' der Kirche"; in diesem Kapitel vgl. u. a. den Abschnitt über die „Grundhaltungen vor Gott" (S. 103-120); das 3. Kapitel (S. 176-211: „Der Jude Jesus").
Vgl. auch *Th. Sartory*, „Nicht du trägst die Wurzel..." 5-7.

[36] Dieser Punkt ist auch für andere jesuanische Strukturkomponenten relevant, vor allem für Nr. 7 (J) (Relation Jesu zu Gott). Der Gehorsam und der „Glaube" Jesu sind durch und durch alttestamentlich bestimmt.

[37] Die Tatsache, daß Jesus apokalyptische Vorstellungselemente benutzt hat bzw. daß apokalyptische Denkmodelle bei ihm eine Rolle spielten, dürfte unbezweifelbar sein. Für die Ermittlung der Strukturkomponente 3 (J) ist jedoch der Richtungssinn seines futurisch-eschatologischen Denkens (im Rahmen seiner „Kompetenz") von größerer Bedeutung als die religionsgeschichtliche Einbindung der „Performanzen". Zum grundlegenden Unterschied des jesuanischen gegenüber dem apokalyptischen Denken vgl. unten 3.5.2.3 zu Strukturkomponente 4 (J) sowie 3.5.2.5 zu Strukturkomponente 6 (J). S. auch Anm. 41.

Auch aus der Botschaft Jesu ist die Botschaft von der zukünftigen Basileia nicht herauszulösen. Sie ist um der Theozentrik Jesu willen notwendig und für seine Botschaft völlig unaufgebbar.
Ebenso unaufgebbar ist, daß in dieser Erwartung der zukünftigen Gottesherrschaft *Heil und Gericht sich verschränken.* Zwar ist die Basileia primär heilshaft, so daß man von einer Präponderanz des Heils in der Basileia-Botschaft Jesu sprechen muß. Aber gleichwohl hat der in der Predigt Jesu so hervorstechende *Gerichtsgedanke* gerade in dem Blick auf das futurisch-eschatologische Kommen der Basileia Gottes (also in dem Inhalt dieser Strukturkomponente 3) seinen gemäßen Ort. Würde der Gerichtsgedanke in der Reihe der Strukturkomponenten keinen Platz erhalten, so könnte das vom Befund der frühen Jesustradition her nicht gerechtfertigt werden. Dabei darf jedoch nicht übersehen werden, wie eng der jesuanische futurisch-eschatologische Gerichtsgedanke an die gegenwärtige Entscheidung des von der Botschaft angerufenen Menschen gebunden wird.
In diesem Zusammenhang ist darauf zu achten, für welches Verhalten bzw. Fehlverhalten die Gerichtsdrohung Jesu die Sanktion darstellt: Nach der frühen synoptischen Tradition ist das schwerpunktmäßig in recht eindeutiger Weise die Solidarisierung mit Jesus bzw. die Verweigerung dieser Solidarisierung.[38] Der Inhalt von Strukturkomponente 15 (*heilsentscheidende Bedeutung der Solidarisierung mit Jesus*) gehört demnach zum sachlichen Kontext des futurisch-eschatologischen Gerichtsgedankens. Die Stellungnahme der Menschen „in den Städten Israels“[39] für oder gegen Jesus hat ihre futurisch-eschatologische Auswirkung. Wenn somit gerade die Solidarisierungsforderung sehr stark durch den Gerichtsgedanken[40] unterstrichen wird (vgl. vor allem Lk 12,8f), so umfaßt das Verhalten des Menschen gegenüber der andrängenden Dynamik der Basileia, das für das futurisch-eschatologische Gericht entscheidend ist, darüber hinaus ohne Zweifel auch die Weisungen Jesu im Sinn der Strukturkomponenten 11-14: die Weisungen zur Metanoia, zur Agape bis hin zur Feindesliebe, zur Bereitschaft, sich durch Jesus vom Legalismus befreien und in die Offenheit auch den Verachteten gegenüber hineinstellen zu lassen.
Die theologischen Fragen, die mit der Zukunftserwartung Jesu verbunden sind, können hier nicht diskutiert werden. Für unser Ziel der Ermittlung von Kriterien für Christologie und Soteriologie ist das auch nicht im einzelnen notwendig. Vor allem braucht hier – für diesen gegenwärtigen Zweck – nicht genauer bestimmt zu werden, wie die Akzente auf zukünftiges und gegen-

[38] Vgl. *A. Polag*, Christologie, vor allem 72-78.
[39] Vgl. Lk 10,8-12 par Mt.
[40] Mit dem Gerichtsgedanken ist auf das engste das Wissen um die Bedrohung des Menschen durch das Böse verbunden; vgl. unten 3.5.2.3 zu Strukturkomponente 4 (J).

wärtiges Heil sich bei Jesus verteilen.[41] Es kommt nur darauf an, daß sie beide – Erwartung der zukünftigen Basileia und schon gegenwärtige Wirksamkeit in Jesus – unverzichtbar zur theologischen Struktur der jesuanischen Verkündigung gehören. Weder ein zu ausschließlicher Akzent auf der Naherwartung noch eine Interpretation, in der die gespannte futurisch-eschatologische Erwartung ausfiele, würde dem Phänomen, das Jesus von Nazaret darstellt, gerecht und könnte deshalb auch nicht die Grundlage für Kriterien bieten.

In der jetzt besprochenen Strukturkomponente 3 ist nach „Eschatologische Zukunft der Basileia Gottes" in Klammern angefügt „und Jesu". Die Verwendung der Klammern soll andeuten, daß eine zukünftige Funktion Jesu für die Basileia mindestens nicht so offenkundig ist wie die futurische Basileia-Erwartung als solche. Es liegt zwar nahe, als Ansatzpunkt für eine futurisch-eschatologische Bedeutung Jesu selbst die Sprüche vom kommenden Menschensohn zu wählen.[42] Jedoch möchte ich den Menschensohnbegriff als solchen nicht in den Wortlaut dieser Strukturkomponente übernehmen; ich möchte die Frage nach einer mit der Basileia verbundenen eschatologischen Zukunft *Jesu selbst* nicht abhängig machen von der Frage, ob diese Menschensohnworte authentisch im Sinn einer „ipsissima vox" sind. „Eschatologische Zukunft Jesu" ist meines Erachtens erstens durch die Schlußfolgerung gesichert, daß Jesus als der von der Basileia unablösbare Bote mit ihr zusammen eine Zukunft haben muß, wenn die Basileia selbst eine Zukunft hat. Zweitens wird diese Schlußfolgerung gestützt durch Stellen wie vor allem Mk 14,25 und Lk 22,15ff, an denen in offenbar alter Tradition eine eschatologische Heilserwartung Jesu für sich selbst ausgesprochen wird.[43]

[41] Vgl. *W. Thüsing*, Zugangswege 196-209. Zwar halte ich die dort vertretene Auffassung von der theologischen Struktur der jesuanischen Eschatologie aufrecht, würde aber jetzt in Abwägung der Argumente von *G. Lohfink* (Naherwartung 41-50. 131-137), *D. Zeller* (Exegese als Anstoß für systematische Eschatologie; *ders.*, Prophetisches Wissen) und *W. Trilling* (Botschaft Jesu 51-56. 109-111) die drängende Erwartung der *nahen* Basileia (und damit die zeitliche Komponente) noch stärker akzentuieren.
Die Zitierung des von mir (Zugangswege 200) verwendeten Wortes „Stetsbereitschaft" bei Lohfink (a.a.O. 40) (in dem Sinne, daß ich die zeitliche Komponente der futurisch-eschatologischen Erwartung Jesu eliminieren würde) beruht auf einem Mißverständnis (das der Terminus *für sich allein genommen* freilich begünstigen könnte). Der Ausdruck „Stetsbereitschaft" war von mir *nicht* als Äquivalent für die „Naherwartung" *Jesu* gemeint; erst recht ist er nicht als zeitloses Existential zu verstehen. Vielmehr war nach dem Kontext die *Antworthaltung* gegenüber dem drängenden Entscheidungsruf Jesu gemeint – als „stetige Bereitschaft, das für die ganze Menschheit absolut und einmalig vollendende Handeln Gottes zu erwarten" und sich dabei schon jetzt und ohne Verzug „auf die ‚Einlaßbedingungen' für die Gottesherrschaft einzulassen und sich damit für die Basileia zu entscheiden" (Zugangswege 200 f). Übrigens kommt es mir auf den Terminus „Stetsbereitschaft" als solchen (der ohnehin keinerlei tragende Funktion in den zitierten Erörterungen besitzt) nicht an; ich könnte seiner Mißverständlichkeit wegen auf ihn verzichten.

[42] Mindestens durch Lk 12,8 f (s. unten 3.8.2.1 zu Strukturkomponente 15 [J]) wird eine Beziehung zwischen Jesus und dem Endgericht hergestellt. Zum Menschensohnbegriff vgl. unten 3.6.1 und die dortige Anm. 59.

[43] Dabei darf der Akzent nicht außer acht gelassen werden, den die Verbindung zwischen Jesus und dem Endgericht (im Sinn von Lk 12,8 f) trägt. – Vgl. zur Funktion Jesu „im Gesamtgeschehen des endzeitlichen Handelns Gottes" *A. Polag*, Christologie 113 (Zeile 13-20); 120 f.

3.5.2.3 Strukturkomponente 4 (J):

Die Ankündigung der andrängend „nahe herbeigekommenen" Basileia: gegenwärtiges Heilsangebot und gegenwärtige Befreiung vom Bösen durch Jesus – gegenwärtiger Anspruch Gottes durch Jesus

Das für die jesuanische Eschatalogie Spezifische ist das Miteinander von Zukunft und Gegenwart der Basileia. Strukturkomponente 4 bezeichnet nun den Sachverhalt, der in der zeitgenössischen jüdischen Theologie nicht vorgegeben war; erst dadurch wird also dieses spezifische Miteinander im eigentlichen Sinn konstituiert.
Für die Verkündigung Jesu bezeichnend ist das *Andrängen* der Basileia aus der Zukunft heraus in die Gegenwart; dieses Andrängende in der Basileia-Botschaft darf auf keinen Fall nivelliert werden. Was durch Jesu Wort und Wirken geschieht, ist Heilsangebot und Entscheidungssituation im Hinblick auf die mit Macht andrängende, von ihrem Wesen her auf die zukünftige Vollendung angelegte Basileia.[44]
Ziel der Basileia-Botschaft ist die Solidarisierung ganz Israels mit dem Boten der Basileia und dadurch die Sammlung des ganzen Volkes für Jahwe.[45]
Die zentrale Stelle im sicher alten Überlieferungsgut (im „Urgestein" der Jesusüberlieferung) für diese Frage nach der Gegenwärtigkeit der Basileia ist Lk 11,20: „Wenn ich aber durch den Finger Gottes (Mt hat: „durch den Geist Gottes") die Dämonen austreibe, dann ist die Basileia Gottes wirklich zu euch hin vorgestoßen."[46] Die Basileia Gottes bleibt also dem jesuanischen Denken zufolge trotz ihres Gegenwartsaspekts eine wesentlich zukünftige Größe. Aber sie ist als solche nicht nur nahe herbeigekommen und wartet gewissermaßen in Distanz, sondern sie stößt dynamisch auf die Menschen der Zeit Jesu vor. Die Basileia Gottes ist nicht nur „nahe", sondern ihr Andrängen ist ebendarin in einer völlig neuen Weise gegeben, daß sie *durch Jesus,* durch sein Heilsangebot und seine Überwindung des Bösen, schon in diese Weltzeit hinein wirksam wird. Hier sehen wir den wesentlichen Unterschied gegenüber der frühjüdischen Apokalyptik. Denn die Behauptung Jesu, daß die Basileia Gottes *bereits jetzt in seinem Wirken* reale Mächtig-

[44] Wenn man Heilsangebot und gegenwärtigen Anspruch Gottes anhand synoptischer Texte erfassen will, müssen auch die *Gleichnisse* Jesu berücksichtigt werden. Vgl. hierzu *F. Hahn*, Methodologische Überlegungen 46; *E. Schweizer*, Jesus Christus 30-34; *G. Bornkamm*, Jesus 62-68.

[45] S. unten 3.8.2.1 zu Strukturkomponente 15 (J) („Heilsentscheidende Bedeutung der Solidarisierung mit Jesus"); vgl. schon den vorhergehenden Abschnitt 3.5.2.2 zu Strukturkomponente 3 (J).

[46] Vgl. auch Lk 10,9, eine ebenfalls sicher zum alten Bestand der Jesustradition gehörige Stelle. Weitere Aussagen über die Gegenwart der Gottesherrschaft s. bei *H. Merklein*, Gottesherrschaft 158-165.

keit erweise, die Menschen vor die Entscheidung stelle und jetzt schon Heil ermögliche, läuft der apokalyptischen Auffassung von den zwei voneinander scharf getrennten Äonen (dem jetzigen bösen und dem zukünftigen der vollen Gottesherrschaft) völlig zuwider.
Diese Strukturkomponente 4 eröffnet den eigentlich christologisch relevanten Sachverhalt in der Basileia-Verkündigung Jesu.[47]
Das eben zitierte zentrale Logion Lk 11,20 zeigt schon, welche Rolle die Kampfsituation gegenüber dem Bösen[48] bei Jesus spielt. Wenn Jesus den Anspruch Gottes geltend macht und ihn durch den Gerichtsgedanken verschärft, so verbindet sich bei ihm damit ein lebendiges Wissen um die Bedrohung des Menschen durch das Böse. Es handelt sich um eine seiner Grundüberzeugungen, die nicht unterschlagen werden darf – um eine für ihn so typische Auffassung, daß sie in der Formulierung dieser Strukturkomponente 4 (J) einen Niederschlag finden muß. In Lk 10,18 wird die sieghafte Überzeugung Jesu, daß die Überwindung des Bösen bereits durch sein Wirken geschieht, in der Weise ausgedrückt, daß er „den Satan wie einen Blitz vom Himmel fallen“ sah.[49] Von einer anderen Seite her belegt die Bitte um die Abwendung der Versuchung (Lk 11,4 par Mt 6,13), wie sehr das „Hineingelangen in die Basileia“ (Mt 18,3 u.ö.) durch Bedrohungen gefährdet und deshalb in Kampf und rückhaltlosem Vertrauen gewonnen werden muß.[50]

[47] Vgl. hierzu die Charakterisierung der Basileia-Wirksamkeit Jesu als einer „Botenfunktion“ (im Anschluß an A. Polag) in Strukturkomponente 9 (J) – im Zusammenhang der Strukturkomponenten 7 (J), 8 (J) und 10 (J). – Was das Verhältnis Jesu zur Basileia angeht, gibt *W. Trilling* (Botschaft Jesu 71) einen beachtenswerten Hinweis: „Gott führt [durch die nachösterliche Jüngergemeinschaft] den mit Jesus gesetzten Anfang seiner Basileia fort, weil diese Basileia nicht gleichsam in Jesus dem Christus ‚aufgeht‘ (‚Autobasileia‘!), sondern weil ihre Dynamik auf das Ganze gerichtet ist, weil sie die Beglückung und Verwandlung aller Menschen, der Gesellschaft insgesamt und der ‚Welt‘ schlechthin intendiert.“

[48] An einer Reihe von Stellen, vor allem im Kontext der Dämonenaustreibungen, wird dieses Böse personal vorgestellt; vgl. die eben zitierte Stelle Lk 11,20, an der Jesus die Redeweise der Gegner vom „Austreiben der Dämonen durch den obersten der Dämonen“ aufnimmt; vgl. auch Lk 10,18 (s. unten).

[49] Vgl. *W. Trilling*, Botschaft Jesu 49 f, zum Kampfcharakter der Gottesherrschaft; s. ferner *H. Frankemölle*, Jesus 119, zu der realistischen Sicht des Bösen im Menschen und in der Menschheit durch Jesus: „... Die Gottesherrschaft im Sinne Jesu ist erst dann richtig verstanden, wenn man die Negation, den Gegensatz dazu mitdenkt, also den gesamten Unheilskomplex, den das Neue Testament... mit dem Begriff ‚diese im argen liegende Welt‘ umreißt.“

[50] Nur so ist übrigens die Forderung der Metanoia als Grundforderung Jesu motiviert; sie mußte deshalb auch in den Wortlaut von Strukturkomponente 11 (J) (Die von Jesus gewiesene Grundhaltung des Menschen vor Gott) aufgenommen werden. Im Zusammenhang der Befreiung vom Bösen durch Jesus ist ferner schon hier auf Strukturkomponente 14 (J) zu verweisen: Jesus spricht den Sündern das Heil zu durch Gewährung von Gemeinschaft.

3.5.2.4 Strukturkomponente 5 (J):

Die Basileia-Verkündigung Jesu im Verhältnis zur alttestamentlichen Verheißung: Das Verkündigungswirken Jesu als zeichenhafte Vor-Realisierung und damit letztgültige Zusage der alttestamentlichen Verheißungen (die im Sinne Jesu auf die in der Zukunft vollendete Basileia zielen). Trotz der eschatologisch-neuen Vor-Realisierung keineswegs Voll-Erfüllung: deshalb „Verheißungsüberschuß"

Diese Strukturkomponente 5 signalisiert die Antwort auf eine Frage, die sich aus der Strukturkomponente 4 mit ihrer Betonung des Gegenwartscharakters der Basileia (und damit also des gegenüber der zeitgenössischen jüdischen Theologie Neuen) bei Jesus ergibt: Wird durch diesen so stark betonten Gegenwartscharakter nicht die Verheißung in die Erfüllung hinein aufgehoben? Wäre es so, dann würde das der „Verankerung des Jesusgeschehens in der Geschichte Jahwes mit Israel" (Strukturkomponente 2) strikt zuwiderlaufen. Denn nur wenn die in Strukturkomponente 5 enthaltene These berechtigt ist, wenn also die Verheißung nicht aufhört, sondern erst recht – *als Verheißung* – in Kraft gesetzt wird, kann man von einem positiven Zusammenhang Jesu und seines Wirkens mit der Geschichte Israels reden, die ja wesentlich Geschichte der sich intensivierenden Verheißung ist.
Freilich wird man in den Texten der frühen synoptischen Jesustradition vergeblich eine explizite Verhältnisbestimmung von Basileia-Verkündigung Jesu und alttestamentlichen Verheißungen suchen. Aber die Verbindung zwischen beiden ist zweifellos implizit vorhanden; die Basileia als Inbegriff allen – in der eschatologischen Zukunft von Gott zu vollendenden – Heils muß im Sinne Jesu auch Inbegriff für die Erfüllung der alttestamentlichen Verheißungen sein: Das Wirken Jesu kündigt mit seinen Heilungstaten und seinem Wort die Basileia nicht nur verbal an, sondern bringt bereits – zeichenhaft, aber wirkmächtig – eine Vor-Realisierung dieses zukünftigen Heils und stellt ebendamit die letztgültige Zusage der Verheißungen dar[50a].
Doch die Ausgangsfrage muß noch einmal gestellt werden: Gibt es für den im Sinne Jesu glaubenden Menschen noch offene Zukunft? Ist die Hoffnung nicht doch zur Ruhe gekommen in der Erfüllung? Lebt die Gewißheit „Jetzt ist die Basileia zu euch hin vorgestoßen" nicht doch vielleicht trotz allem an der Tatsache vorbei, daß das Leiden der Menschheit weitergeht?
Die entscheidende Antwort ist bereits in der Strukturkomponente 3 („Eschatologische Zukunft der Basileia Gottes") enthalten. (Es gilt auch jetzt

[50a] Zu dem von Kap. 5 an öfter gebrauchten Begriff „Vor-Erfüllung" für die nachösterliche Transformation der jesuanischen Vor-Realisierung s. unten 5.3.5.
Zum Zusammenhang von *bᵉrīt* (Selbstverpflichtung, Zusage) Jahwes und jesuanischer Verkündigung der Basileia Gottes vgl. unten 5.3.3.2.

– immer wieder, wenn solche Fragen auftauchen –, die Strukturkomponenten *in ihrem Miteinander* im Blick zu behalten.) Aber auch darüber hinaus sind weitere Antworten aus der Verkündigung Jesu möglich. Denken wir an die Seligpreisungen, die in der ursprünglichen Form der Logienquelle an Menschen gerichtet sind, die wirklich arm sind, die Not, Hunger und Durst haben und die geknechtet werden. Ihnen spricht Jesus die zukünftige Herrschaft Gottes zu, ihnen verheißt er die Umkehr aller Verhältnisse durch die transzendente Tat Gottes selber, die freilich – aufgrund des Wirkens Jesu – ihre Konsequenzen im Handeln der Menschen schon jetzt haben muß.[51] Die Basileia-Verkündigung Jesu ist vor dem Zynismus, der am Leid der Menschen vorbeigeht, dadurch bewahrt, daß sie (erstens) eine Einheit bildet mit seinem Wirken, in dem er sich diesem Leid helfend zuwendet, und daß sie (zweitens) nach wie vor mit ganzer Intensität das zukünftige Heil Gottes anzielt. Schaut man auf die Botschaft Jesu als ganze, so lassen sich die Ankündigung der Basileia und die implizite Aussage von Jesus als dem Entscheidungszeichen der Basileia[52] nur so verstehen, daß damit die Verheißung eben nicht ad acta gelegt wird, sondern in gewaltigem Maß verstärkt wird – daß sie neu und endgültig, unumkehrbar in Kraft gesetzt wird.[53] Die Basileia-Verkündigung Jesu enthält einen immensen in die Zukunft Gottes und seines Heiles weisenden Verheißungsüberschuß.

3.5.2.5 Strukturkomponente 6 (J):

Basileia-Verkündigung als Verkündigung Gottes – und zwar als des Vaters. Destruktion der falschen Gottesbilder

Die offene Zukunft ist durch die Basileia-Verkündigung und das Wirken Jesu gegeben, weil Gott in der Gotteserfahrung Jesu, in seiner Einheit mit seinem Vater und in seiner Gottesverkündigung der Andrängende ist, der, der alle Bilder zerbricht, die die Menschen immer wieder von ihm sich verfertigen. Die Verkündigung des Gottes, der aus seiner Zukunft heraus in die Gegenwart dynamisch hineinwirkt, ist in der Weise, wie Jesus sie durchführt, Infragestellung, ja Zerstörung der den Positionen der Gegner zugrun-

[51] Seligpreisungen und Liebesgebot bilden letztlich eine Sinneinheit; vgl. die enge Zusammenfassung beider in der programmatischen Rede der Logienquelle (Lk 6,20-36). Das bis hin zur Feindesliebe radikalisierte Liebesgebot (Lk 6,27-36) bewahrt den Hörer der Makarismen vor der Versuchung, die Umkehr der Verhältnisse in bloßer Passivität von Gott zu erwarten. Vgl. hierzu auch die Strukturkomponente 12 (J) („Prophetisch-radikale Verkündigung und Forderung der Agape", s. unten 3.7). Zum Thema „Seligpreisungen – geforderte Neuorientierung des Handelns" vgl. *H. Merklein*, Gottesherrschaft 48-55, bes. 54 f.

[52] Vgl. *A. Polag*, Christologie 50: Jesus in seiner Sendung kann als das „Begegnungszeichen" der Basileia verstanden werden.

[53] Vgl. *W. Thüsing*, Zugangswege 104 f.

deliegenden Gottesvorstellungen. Sie stellt das Gottesbild derer in Frage, die das Heil Jahwes an die heilige Vergangenheit seines Volkes gebunden sahen. Sie ist pharisäismuskritisch, insofern sie Destruktion des pharisäischen Gottesbildes ist, nach dem Gott (schematisch und damit vergröbernd gesagt) der Partner ist, der für die Leistung des Menschen eschatologischen Lohn zu geben hat; Erwartung der jesuanischen Basileia Gottes setzt die Haltung des Zöllners von Lk 18 voraus. Die Basileia-Verkündigung Jesu ist *bewußt* pharisäismuskritisch, *faktisch* aber auch antiapokalyptisch: Sie ist – trotz aller Naherwartung, trotz dieses oder jenes apokalyptischen Bildes, das Jesus in seine Verkündigung aufnimmt – Destruktion des apokalyptischen Bildes eines Gottes, dessen Plan periodisiert und deswegen durch das fromme Denken vereinnahmt werden kann. Diese Verzerrungen des Gottesbildes sind durch den Verzicht Jesu auf die urmenschliche Versuchung, Gott, seinen Willen und seinen Plan in den Griff zu bekommen, von Grund auf durchkreuzt.

Gerade in dieser Destruktion der vom Menschen entworfenen Gottesbilder zeigt sich, wie da eine Spannung durchgehalten wird von Gegenwart und Zukunft, Macht Gottes und Liebe Gottes, von Bindung an Gott und Freiheit für den Menschen. Die Majestät des Schöpfers und Herrn und die in der *abbā*-Anrede Jesu[54] sich spiegelnde, für zeitgenössische Juden unerhörte familiäre Nähe des Vaters Jesu gehören zusammen.

Eine Predigt der Basileia Gottes hätte in der palästinensischen Umwelt Jesu an sich gar nicht zur Ablehnung und Verurteilung des Boten dieser Basileia führen müssen. Vom Thema her hätte die Basileia-Verkündigung durchaus dem Erwartungshorizont der damaligen Juden konform sein können. Aber die Art und Weise, wie Jesus sie inhaltlich füllte, war nonkonformistisch. Die Art und Weise, wie er von diesem Inhalt her die Gottesbilder zerbrach und die Spannungseinheit durchhielt – nicht nur zwischen Gegenwart und Zukunft, sondern zwischen dem Gott, der Freiheit ermöglicht und der den Menschen Mensch sein läßt, und andererseits dem Gott, der trotz seiner Liebe und in seiner Liebe harte Forderungen stellt –, ist in äußerster Weise religionskritisch und auch gesellschaftskritisch brisant. Diese durchgehaltene Polarität mitsamt dem selbst für einen Propheten unerhörten Anspruch war nonkonformistisch in ebendieser Weise radikaler Solidarisierung mit den Menschen und in der Weise der unbedingten Abhängigkeit von dem Gott, den Jesus seinen Vater nennt.

So ist es vom theo-logischen Charakter der Basileia-Botschaft her überhaupt

[54] Vgl. in der synoptischen Tradition Mk 14,36 als Wiedergabe der aramäischen *abbā*-Anrede Jesu, ferner den nachösterlichen Reflex dieser Anrede in Gal 4,6 und Röm 8,15. Zur Bedeutung der Gottesanrede *abbā vgl. J. Jeremias*, Neutestamentliche Theologie I, 73.

erst möglich, daß Jesus die durch seine Sendung gegebenen Spannungen zwischen der Manifestation des theozentrischen Anspruchs und der „Humanität" Gottes nicht nur aushielt, sondern zur Einheit zusammenführte und zusammenhielt.[55]

Die Basileia-Verkündigung Jesu ist also nicht Verkündigung irgendeiner Zukunft, bei der man von Gott abstrahieren könnte (etwa so, wie ein Futurologe bei seinen Vorstellungen über eine zukünftige Menschheitsgeschichte von Gott abstrahieren kann), sondern sie ist Verkündigung *des Gottes der Zukunft und der Gegenwart*.[56] Und deshalb – weil nicht irgendeine glückliche Weltperiode verkündet wird, sondern der kommende Gott – ist die Eschatologie Jesu primär theo-logisch. Und weil sie von Jesus selbst nicht ablösbar ist (vgl. die Strukturkomponente 4 und die jetzt in 3.6 folgende Gruppe von Strukturkomponenten), ist sie letztlich auch christologisch. Wegen dieses Charakters der Basileia-Verkündigung als durch Jesus vermittelter Gottesverkündigung kann gesagt werden, daß die Botschaft von der kommenden Gottesherrschaft „der Grundgedanke der Christologie" sei.[57]

3.6 Die zweite Gruppe jesuanischer Strukturkomponenten (= Gruppe B): Die keimhafte Christologie Jesu von Nazaret

3.6.1 Vorbemerkung: Nicht-titulare statt titularer Christologie. Zum Gedankenduktus der Gruppe B

Das auffallendste Kennzeichen der *nachösterlichen* Christologie sind die sogenannten Hoheitstitel Jesu (Messias, Menschensohn, Gottessohn, Kyrios u.a.). Es läge an sich nahe, auch eine vorösterliche Christologie Jesu von Nazaret von ihnen her aufzubauen; und das ist auch oft genug versucht worden. Doch dürfte sich inzwischen die Erkenntnis durchgesetzt haben, daß dieser Weg nicht gangbar ist. Bei keinem Hoheitstitel läßt sich mit genügender Sicherheit erweisen, daß Jesus selbst ihn für sich in Anspruch genommen hat[58]; und auch da, wo vielleicht eine gewisse Wahrscheinlichkeit dafür er-

[55] Von hier aus ist also in einer neuen Weise die Begründung des übergreifenden Strukturprinzips 1 (J) (s. oben 3.4) zu erkennen; vgl. ferner unten 6.2.1.

[56] Vgl. das IV. Kapitel bei *H. Merklein*, Gottesherrschaft 173-215 („Die theo-logische Verkündigung Jesu als Implikation seiner Botschaft von der Gottesherrschaft").

[57] *W. Kasper*, Jesus der Christus 85; vgl. auch 118.

[58] Vgl. *F. Hahn*, Hoheitstitel, passim; *W. Kasper*, Jesus der Christus 122-131.

reicht werden kann – im Falle des Menschensohntitels – ist der genaue Sinn, den Jesus selbst mit ihm verbunden haben könnte, allzusehr umstritten.[59] Man erkennt heute mehr und mehr, daß die einzig gemäße Zugangsmöglichkeit zu einer vorösterlichen „Christologie" Jesu von Nazaret darin besteht, nach einer nicht-titularen Christologie zu fragen. Man könnte diese nichttitulare Christologie eine funktionale Christologie nennen; denn in den christologisch relevanten Aussagen des alten synoptischen Traditionsgutes erkennt man, wer Jesus ist, an den Funktionen, die er ausübt oder die er beansprucht. Voraussetzung dafür, daß zu Recht von einer funktionalen Christologie geredet werden kann, ist freilich die Einsicht, daß seine Funktionen in der (seine personale Existenz ganz ergreifenden) *Sendung* begründet sind[59a].

Die jetzt in Frage stehende „Christologie" Jesu selbst wird, vor allem seit Bultmann, als implizite (oder auch indirekte) Christologie bezeichnet. Diese Terminologie hat ihren Sinn, insofern die „Christologie" der alten synoptischen Jesustradition die Direktheit und Explizitheit nachösterlicher Hoheitstitel noch nicht kennt. Jedoch muß auch die Mißverständlichkeit des Begriffs „implizite Christologie" bedacht werden; denn man könnte durchaus von einer Christologie Jesu ohne Anführungszeichen und ohne Einschränkungen sprechen, da der Sendungsanspruch Jesu unmittelbar christologisch relevant ist.[60] Besser reden wir also wohl von einer ansatzhaften oder

[59] Vor allem der Spruch vom kommenden Menschensohn Lk 12,8f parr dürfte zwar auf Jesus zurückzuführen sein (vgl. *G. Bornkamm*, Jesus 206; *H. E. Tödt*, Menschensohn, bes. 314; *F. Hahn*, Hoheitstitel, bes. 40-42). Es ist jedoch nicht zu sichern, daß Jesus sich selbst mit dem grammatisch von ihm unterschiedenen Menschensohn identifiziert hat (vgl. die genannten Forscher). Immerhin wird in Lk 12,8f eine Beziehung zwischen Jesus und dem futurisch-eschatologischen Gericht Gottes hergestellt. Der Menschensohnbegriff von Lk 12,8f als solcher kann aber darüber hinaus nicht als Grundlage zur Ermittlung der „Christologie" Jesu selbst dienen. – Bekanntlich wird übrigens die Frage, ob Lk 12,8f Jesus selbst zuzuschreiben ist (und damit die Frage, ob er das Wort „Menschensohn" überhaupt in irgendeinem Sinn gebraucht hat), auch von namhaften Forschern verneint; vgl. *Ph. Vielhauer*, Jesus und der Menschensohn (z. B. 136); *E. Lohse*, Grundriß der neutestamentlichen Theologie 47-49. – *H. Schürmann*, Menschensohntitel (bes. 141 f.146 f) ist mit beachtlichen Gründen der Auffassung, daß der Menschensohntitel „wahrscheinlich nicht in die älteste Schicht der Logienüberlieferung gehört. . . ".

[59a] Von „Sendung" darf hier gesprochen werden, obwohl der Begriff in der frühen Jesustradition nur vereinzelt auf Jesus selbst angewendet wird. Vgl. jedoch vor allem Lk 10,16 par Mt 10,40; s. dazu *A. Polag*, Christologie 70 f. Da das Prophetische (trotz gewisser Einschränkungen) als Modell für das Verständnis Jesu von Nazaret nicht abgelehnt werden darf (s. unten 3.6.2.3), kann auch der Topos „Sendung" nicht illegitim sein. (Vgl. auch Lk 11,49-51 par Mt.) Außerdem dürfen wir uns für das Ziel, jesuanische Strukturkomponenten zu ermitteln, prinzipiell nicht auf den Wortlaut der Texte beschränken, sondern haben auch nach ihren theologischen Implikationen zu fragen. Der theologische Sinn von „Sendung" – daß die absolute Initiative Gottes einen Menschen in Dienst nimmt und dadurch das Geschick des Gottesvolkes bzw. der Welt bestimmt – darf und muß auch bezüglich Jesu von Nazaret postuliert werden. (S. auch unten 6.3.2.1.) – Der späte, spezifisch johanneische Sendungsbegriff darf hier aus methodischen Gründen nicht eingetragen werden.

[60] Vgl. *F. Hahn*, Methodologische Überlegungen 49f, und die dort (Anm. 108 und 110) angeführte Literatur.

keimhaften Christologie. Damit kann ausgedrückt werden, daß es sich eben noch nicht um die entfaltete nachösterliche Christologie handelt, sondern um ihre Grundlage. Der Keim birgt in diesem christologischen Sinn bereits das grundlegend Entscheidende in sich, ohne daß es an ihm schon gesehen werden kann.

Von den Ansatzpunkten, die für eine solche nicht-titulare Christologie in Frage kommen, ist oben bereits gesprochen worden.[61] Im jetzigen Zusammenhang sei an folgendes erinnert: an die Funktion Jesu für die Basileia Gottes, wie sie vor allem in Lk 11,20 zutage tritt[62]; die souveräne Stellung Jesu gegenüber dem Gesetz, die in seinen Sabbat-Konflikten hervortritt und in der faktischen Vergebung der Sünden ihren Höhepunkt findet[63]; an den Nachfolgeruf[64]; an die vollmächtige Art des Sprechens Jesu, wie sie vom Evangelisten Matthäus zu Recht mit dem „Ich aber sage euch" wiedergegeben oder verdeutlicht wird.

Scheinbar läge es nahe, von den soeben dargelegten Ansatzpunkten aus zunächst und vor allem zu dem Jesus zu kommen, der das Eschatologisch-Neue mit einzigartigem *Sendungsanspruch* (Strukturkomponente 10) als *prophetisch-charismatischer Bote* verkündet (Strukturkomponente 9). Doch so bezeichnend diese beiden Strukturkomponenten für Funktion und singuläre Stellung Jesu sein mögen – für die jesuanische nicht-titulare Christologie ist nicht hier anzusetzen, sondern bei der *Relation Jesu zu Gott* (Strukturkomponente 7) und seiner *Proexistenz* (Strukturkomponente 8). Die beiden Strukturkomponenten 7 und 8 sagen Sachverhalte aus, die die Existenz des Menschen Jesus zuinnerst betreffen; in ihnen geht es um die Frage, wie die einzigartige Sendung auf den Menschen Jesus zurückwirkt bzw. ihn prägt.[65]

Die Strukturkomponenten 7 und 8 gehören zusammen. Die Redeweisen von Jesus als dem „Menschen für Gott" (Strukturkomponente 7) und als dem „Menschen für andere" (Strukturkomponente 8) bilden gewissermaßen eine Einheit für sich; denn die Kennzeichnung Jesu als des „Menschen für andere"[66] braucht die Ergänzung, besser: den tragenden Grund, der in der Relation Jesu zu Gott liegt.[67] Es handelt sich um zwei Seiten der Bejahung der Sendung – einerseits Gott gegenüber und andererseits in Hinwendung zu den Menschen, die Gott für seine Basileia bereiten will.

[61] S. oben 3.2.

[62] S. oben 3.5.2.3 zu Strukturkomponente 4.

[63] Vgl. oben 3.2.1.

[64] Vgl. oben 3.2.3 und unten 3.8.2.2 sowie 3.9.2; ferner 7.2.1.3.1.

[65] Strukturkomponente 7 (J) schließt übrigens an die Gruppe A bzw. näherhin Strukturkomponente 6 (J) (Basileia-Verkündigung als Verkündigung Gottes) an.

[66] *D. Bonhoeffer*, Widerstand und Ergebung 191 f; bes. 192.

[67] Vgl. *W. Thüsing*, Zugangswege 142. 161 f. 195.

3.6.2 Zu den einzelnen Strukturkomponenten 7 (J) bis 10 (J)

3.6.2.1 Strukturkomponente 7 (J):

[Der Mensch für Gott:] Relation Jesu zu Gott als seinem Vater (singuläre dialogische Theozentrik). Bejahung der Sendung, Gehorsam, „Glaube"

3.6.2.1.1 Diese Strukturkomponente nimmt Nr. 2 („Verankerung des Jesusgeschehens in der Geschichte Jahwes mit Israel: Jesus als jahwegläubiger Jude") wieder auf; aber jetzt geht es nicht mehr nur um das unverlierbar Gemeinsame, das Jesus mit der Theozentrik Israels verbindet, sondern um sein Eigenes, eben um ein Element keimhafter Christologie. Jesus ist ganz auf den „theozentrisch" im Mittelpunkt seines Lebens stehenden Jahwe, den er als gläubiger Jude bekennt, hingeordnet, aber in einer singulären Weise. Aus der Art, wie er Gott anredet, wie er seine Jünger zu diesem Gott beten lehrt und wie er sich von der Vollmacht dieses Gottes getragen weiß, zeigt sich etwas Einzigartiges. Es ergibt sich aus der Einzigartigkeit seiner *Sendung,* das Eschatologisch-Neue – die andrängende Herrschaft des lebendigen Gottes – anzusagen und bereits wirksam zu machen. Wir müssen von einer singulären, einer einzigartigen Theozentrik sprechen. Die Relation, in der Jesus zu Jahwe steht, verbindet ihn mit diesem Gott *als seinem Vater.* Die Anrede Gottes als *abbā* und das vertrauensvolle Verhältnis zu dem Schöpfer, Herrn und Richter seines Volkes und der Welt sind so konstitutiv für die Gottesbeziehung Jesu, daß wir dies mit Nachdruck betonen müssen. Die frühe synoptische Jesustradition läßt keinen Zweifel, daß die Gotteserfahrung Jesu so ursprünglich und stark war – und daß Jesus sie als in spezifischer Weise ihm selbst zugehörig betrachtet hat –, daß der glaubende Jünger (und der spätere Christ) sie als unableitbar und einzigartig ansehen darf.
Das Stichwort „Bejahung der Sendung" könnte an sich auch über Strukturkomponente 8 („Proexistenz Jesu") stehen, insofern die Durchführung der Sendung in Richtung auf die Menschen in Israel von der Sache her schon das Akzeptieren der Sendung bedeutet. Auch in Nr. 10 („Exusia bzw. Sendungsanspruch Jesu") ist die Bejahung der Sendung impliziert, insofern deren Anspruch realisiert wird. Aber hier in Strukturkomponente 7 soll mit dem Stichwort „Bejahung der Sendung" vor allem der Aspekt der Bejahung hervorgehoben werden, *in der Jesus sich „dialogisch" zum sendenden Vater zurückwendet.*
3.6.2.1.2 Der treffendste Kurzausdruck für diese Hinwendung Jesu zu seinem Vater – wenn man so will, die Chiffre dafür – ist meiner Meinung nach die Redeweise vom *„Glauben" Jesu.* Sie soll im folgenden verwendet werden. Das vielleicht Befremdende an diesem Ausdruck darf ausgehalten werden und sollte ausgehalten werden.

In der kirchlichen Praxis ist – seit den Zeiten des Neuen Testaments – von Jesus die Rede als von dem, *an den* man glaubt. Und man mag fragen: Widerspricht eine Redeweise vom Glauben Jesu selbst nicht dem christologischen Dogma des Konzils von Chalkedon, Jesus sei wahrer Gott? Aber wir müssen gleich die Gegenfrage stellen: Könnte es nicht faktisch dem Bekenntnis dieses Konzils zu Jesus als dem wirklichen Menschen widersprechen, wenn wir den Gedanken an einen Glauben Jesu selbst ausschließen würden? Glaube – das ist das, was den Menschen in seinem Verhältnis zu Gott kennzeichnet. Und nach der synoptischen Tradition gibt es ein wirkliches menschliches Gottesverhältnis Jesu. Die Berechtigung, es mit dem Begriff „Glaube" zu kennzeichnen, gibt der spezifisch synoptische und von Jesus selbst gebrauchte Glaubensbegriff. Jesus fordert den Glauben an Gott als Vertrauen auf Gottes mächtige Hilfsbereitschaft[68] angesichts seines eigenen, Jesu, Wirkens. Dieser synoptische Glaubensbegriff wurzelt schon im Alten Testament. An den für das Neue Testament relevanten Stellen im Alten Testament beschreibt das Wort *emunā* nicht bloß „das Sich-an-Gott-Halten im täglichen Leben", sondern mehr „das Greifen nach Gott in der Krise, das Niederringen der Anfechtung"[69]. So kann der Gehorsam Jesu im Vollzug seiner Sendung, der ihn gewiß in schärfste Krisen führte, und das Vertrauen auf den Gott, dem er gehorsam war, durchaus sachgerecht als „Glaube" bezeichnet werden. Jesus ist nach der synoptischen Tradition ohne jeden Zweifel der Betende und Vertrauende. Glaube und Gebet (das letztere als Lebensvollzug des antwortenden Glaubens[70] und nicht als isolierter kultischer Akt verstanden) stehen für ihn in engstem Zusammenhang. Seine Worte vom bergeversetzenden Glauben sind nicht zuletzt bezeichnend für ihn selbst. Sie stehen im Zusammenhang seiner eschatologischen Verkündigung. Wirklicher Glaube partizipiert an der Macht Gottes, wie Gott sie in der *Endzeit* offenbart – also erst recht der „Glaube" Jesu. Im Zusammenhang der synoptischen Jesusverkündigung kann das nur bedeuten: Der Glaube der Jünger partizipiert an der eschatologischen Vollmacht *Jesu;* das Kommen der Basileia ist ja an Person und Wirken Jesu gebunden. Im Gesamtzusammenhang der synoptischen Verkündigung muß das Wort vom bergeversetzenden Glauben eschatologisch *und von daher christologisch* verstanden werden. Würde man es von diesem eschatologisch-christologischen Verständnis loslösen, könnte es übrigens (selbst bei Berücksichtigung seiner hyperbolischen Struktur) allzuleicht absurd wirken.

[68] Vgl. *H. Schürmann*, Worte des Herrn 164-167.

[69] Vgl. *J. Jeremias*, Neutestamentliche Theologie I, 160.

[70] Vgl. den Buchtitel von *O. H. Pesch* „Sprechender Glaube. Entwurf einer Theologie des Gebetes", Mainz 1969.

3.6.2.1.3 Es ist in der Verkündigungssprache der späteren Kirche und selbst im Neuen Testament – darauf wurde schon hingewiesen – nicht selbstverständlich, von Jesus in seiner Hinordnung auf den Vater zu reden. Es ist geläufiger, daß Jesus vom Vater ausgeht und in der Macht des Vaters handelt. So dürfte es nützlich sein, für den oft nicht leicht erkennbaren Sachverhalt der Hinwendung Jesu zu seinem Vater eine Terminologie einzuführen, die das Gemeinte knapp bezeichnet und öfter daran erinnern kann. Dazu unterscheide ich zwischen der „absteigenden" und der „aufsteigenden" Linie der Theozentrik (bzw. der Sendungslinie und der Anwortlinie).[71] Bei der „absteigenden" Linie ist Gott als Ursprung der Heilsdynamik gesehen, als derjenige, der die Initiative zum Heil ergreift und der der Schenkende ist, während er bei der „aufsteigenden" Linie als Zielpunkt betrachtet wird, auf den alles hinzuordnen ist, als der, dessen schenkender Liebe geantwortet wird. In dem Stichwort von der „dialogischen Theozentrik" in der Formulierung der Strukturkomponente 7 ist beides gemeint; der Nachdruck liegt auf dem, was in der theologischen Tradition oft unterbetont oder übersehen wird, auf der „aufsteigenden Linie". Von hier gelangen wir wieder zum Stichwort vom „Glauben" Jesu: Gerade die „aufsteigende Linie" ist in Gefahr auszufallen oder unterbetont zu werden, wenn das, was alttestamentlich und synoptisch „Glauben" heißt, allzu schroff und apodiktisch von Jesus ferngehalten werden soll.[72]

[71] Vgl. die ausführlichere Begriffsbestimmung unten in 6.3.2.1.

[72] Im Rahmen dieser Strukturkomponente ist hiermit ein jesuanischer Akzent bzw. eine Linienführung jesuanischen Denkens genannt, die der theologischen Tradition Schwierigkeiten bereitet hat. Eine heute stark empfundene Aporie, die sowohl gegenüber dem synoptischen Befund als auch gegenüber der nachneutestamentlichen theologischen Tradition gegeben ist, wird damit freilich noch nicht artikuliert: Dem heutigen Christen erscheint die „absteigende Linie der Theozentrik Jesu" (mitsamt seiner Exusia und seinem Sendungsanspruch) zunächst in viel stärkerem Maße problematisch als die „aufsteigende Linie" mit ihrer Betonung des Menschseins Jesu. (Übrigens kann dieser erste Eindruck leicht täuschen: Auch die „aufsteigende Linie" ist heutigem Verständnis gar nicht so leicht zugänglich, wie es erst scheint – jedenfalls dann nicht, wenn die Einzigartigkeit erkannt wird, die das Neue Testament auch bezüglich dieser Linie von Jesus aussagt.) An dieser Stelle sei nur ein Hinweis gegeben: Zur „absteigenden Linie", die bei Jesus ein Sendungsbewußtsein voraussetzt, kann nur aufgrund einer Reflexion von *Gotteserfahrung*, näherhin: der im Neuen Testament von Jesus ausgesagten spezifischen Gotteserfahrung, ein Zugang gewonnen werden. Vgl. *W. Thüsing*, Zugangswege 184-189. 211-226. Wenn man neuzeitlich-anthropologisch denkt, verschlingen die absteigende und die aufsteigende Linie der Gottesbeziehung sich ineinander: Gotteserfahrung macht ein Mensch dann, wenn er sich auf den Glauben einläßt (vgl. schon Joh 7,16-17).

3.6.2.2 Strukturkomponente 8 (J):

[Der Mensch für die anderen:] Proexistenz Jesu

Aus der Sendung, in der er die Zuwendung Jahwes zu seinem Volk ansagen und verwirklichen soll, ergibt sich das Dasein Jesu für diese Menschen, zu denen er gesendet ist. „Proexistenz" ist die den Menschen zugewendete Seite der „Bejahung der Sendung".[73] Diese Strukturkomponente „Proexistenz Jesu" muß schon hier, im Rahmen der „keimhaften Christologie Jesu selbst", erscheinen, obschon sie erst im Zusammenhang der Gruppe E („Die Stellung Jesu zu seinem Tod") deutlicher wird; denn sie gehört zu seiner Sendung konstitutiv hinzu und bestimmt damit nicht erst seinen Tod, sondern sein gesamtes Leben und Wirken.[74] Jesus richtet an seine Jünger die Weisung, Dienende zu sein.[75] Diese Jüngerbelehrung hält ihrer Tendenz nach sicher der historischen Kritik stand. Eingebettet in sie findet sich das Wort Lk 22,27: „Wer ist größer, der zu Tische liegt oder der Bedienende? Nicht der, der zu Tische liegt? Ich aber bin in eurer Mitte wie der Dienende."[76] Ob das Wort Lk 22,27 als ipsissima vox nachgewiesen werden kann, bleibe dahingestellt. Jedenfalls kennzeichnet es die Proexistenz Jesu in prägnanter Wei-

[73] Zur Terminologie: Das Wort „Proexistenz" verwende ich für die Zuwendung Jesu (auch nachösterlich: des erhöhten Jesus Christus) zu den Menschen – entsprechend dem neutestamentlichen, vor allem auf die Heilsbedeutung des Todes Jesu bezogenen Sprachgebrauch von *hypér* („für", bes. „für die vielen" Mk 14,24). Vgl. unten 5.3.4 (Reflexion über das „Für" des Todes Jesu, bes. 5.3.4.7); ferner 5.3.3.3, Anm. 29; auch [6.3.4.4], Anm. 313. Zwar könnte man in Anlehnung etwa an Röm 6,10 (der auferweckte Jesus lebt „Gott" [Dativ] bzw. „in Hinwendung zu Gott" oder „für Gott") an sich auch von einer Proexistenz Jesu Christi Gott gegenüber sprechen; jedoch ziehe ich für diesen Sachverhalt die Begriffe „Theozentrik Jesu Christi selbst" bzw. „Hinwendung Jesu Christi zu Gott" vor. Trotz der Formulierung „Der Mensch für Gott" in der Strukturkomponente 7 (J) behalte ich den Begriff „Proexistenz" also dem in Strukturkomponente 8 (J) zusammengefaßten Sachverhalt („Der Mensch für die anderen") vor. Die Zusammengehörigkeit der beiden Strukturkomponenten 7 und 8 darf jedoch trotzdem nicht vernachlässigt werden: Die Bejahung seiner Sendung durch Jesus ist wesentlicher Inhalt der Strukturkomponente 7 (J), in der es um die Haltung Jesu Gott gegenüber geht. Die Bezeichnungen Jesu als des „Menschen für Gott" und des „Menschen für die anderen" gehören also auf das engste zusammen, ohne ineinander aufzugehen.

[74] Auch wenn „Proexistenz" unbedingt auf das ganze Leben Jesu von Nazaret bezogen werden muß, braucht der Akzent, der auf der Todes-Proexistenz liegt, nicht geleugnet zu werden; vgl. die Strukturkomponente 18 (J) (dazu vor allem unten 3.9.3).

[75] Bezeichnend ist hierfür das Gleichnis vom barmherzigen Samariter mit seiner Mahnung zur tätigen, dienenden Nächstenliebe (Lk 10,25-37). Diese für alle Zuhörer geltende Mahnung Jesu ist nach der synoptischen Tradition in spezifischer Weise an die Jünger gerichtet worden. Vgl. den Reflex dieser spezifischen Jüngerbelehrung in Mk 9,33-35; 10,35-45 und vor allem die sogenannte lukanische Abschiedsrede Lk 22,24-27.

[76] Dieses Wort ist offenbar aufgenommen in Mk 10,45; die markinische Version wird in der vorliegenden Form nachösterlich geformt sein. Vgl. *K. Kertelge*, Der dienende Menschensohn. (Zur theologischen Interpretation, auch in vorsichtiger Rückfrage nach Jesus, vgl. dort bes. 237-239.)

se.[77] Lk 22,27 ist Ausdruck für das, was sich bezüglich der Stellung Jesu zu seinem Tod wahrscheinlich machen läßt[78] und was mit derselben an Sicherheit grenzenden Wahrscheinlichkeit im Leben Jesu wirksam gewesen ist.

3.6.2.3 Strukturkomponente 9 (J):

Jesus als der prophetisch-charismatische Bote des Eschatologisch-Neuen

Neben Strukturkomponente 10 („Exusia") bildet die Formulierung dieser Strukturkomponente 9 eine der bezeichnendsten Überschriften, die über den Sachverhalt der keimhaften Christologie gesetzt werden können. Strukturkomponente 9 ist für die Kennzeichnung Jesu schon vom historischen Befund her unerläßlich. Mit der Formulierung dieser Strukturkomponente soll die in neuerer Zeit relativ häufig gebrauchte[79], an sich berechtigte, aber doch mißverständliche Kennzeichnung Jesu als des „eschatologischen Propheten" in eine sachgerechtere, inhaltlich gefülltere Form gebracht werden. Zwar hat die Urchristenheit diesen Titel „Prophet" für Jesus schon relativ früh nach Ostern durch andere ersetzt, in dem zutreffenden Bewußtsein, daß Jesus – auch schon vorösterlich – mit der Bezeichnung des Propheten nicht ausreichend zu kennzeichnen sei. Trotzdem scheint mir die Kategorie des Prophetischen noch durchaus geeignet zu sein, Jesus zu charakterisieren. Das Vorstellungsmodell des Propheten für Jesus muß von seinem ganzen Auftreten her nahegelegen haben. Die Aufforderung zur Umkehr, die Gerichtspredigt und vieles andere[80] weisen tatsächlich in diese Richtung. Der Vorschlag von M. Hengel, Jesus nicht als „Propheten" und erst recht nicht als Rabbi zu bezeichnen, sondern als den „eschatologischen Charismatiker"[81], scheint mir die Sache zu treffen. „Charismatiker" – das gibt übrigens auch schon etwas von dem wieder, was man nach Ostern als die Geistbegabung Jesu erkannt hat, als die Salbung Jesu mit dem Geist Gottes. Trotzdem scheint mir – im Unterschied zu Hengel – das Moment des Prophetischen

[77] Lk 22,27 hat seinen ursprünglichen Ort im Kontext eines Mahles – sicherlich (entsprechend der lukanischen Erzählung) im Kontext des letzten Mahles Jesu, das aber trotz seines Gewichtes und seiner Eigenbedeutung noch in einem Zusammenhang mit den anderen Mahlzeiten Jesu stehen dürfte, auch des Mahlhaltens Jesu und seiner Jünger mit Zöllnern und Sündern.

[78] S. unten 3.9 zu Strukturkomponente 18 (J).

[79] Vgl. *F. Schnider*, Jesus der Prophet (umfassende Darbietung des Materials); *F. Mußner*, Sohneschristologie 89 f, der die Bedeutung des Ansatzes bei der „Prophetenchristologie" zu Recht stark hervorhebt; *F. Hahn*, Hoheitstitel 351-404; *G. Friedrich*, Art. προφήτης (ThWNT VI) 842-849.

[80] So dürfte beispielsweise die Tradition von der Antwort der Jünger in Mk 8,28, man halte Jesus für Johannes den Täufer oder Elias oder sonst einen der Propheten, einen solchen Hinweis darstellen.

[81] Nachfolge und Charisma 76; zur Mißverständlichkeit der Ausdrucksweise vom „eschatologischen Propheten" s. ebd. 97.

für den Gesamtsachverhalt von solcher Bedeutung zu sein, daß es auch in die Formulierung dieser Strukturkomponente aufgenommen werden sollte. Außerdem möchte ich den Zusammenhang dieser prophetisch-charismatischen Funktion Jesu mit dem unverwechselbar Eschatologisch-Neuen betonen, das Jesus (als „Bote“) ansagt und bereits dynamisch wirksam werden läßt, mit der Basileia Gottes.[82]

3.6.2.4 Strukturkomponente 10 (J):

Exusia (Sendungsvollmacht) bzw. Sendungsanspruch Jesu

Der Inhalt dieser Strukturkomponente 10 steht in engstem Zusammenhang mit dem soeben besprochenen Thema „Jesus als der prophetisch-charismatische Bote des Eschatologisch-Neuen“ (Strukturkomponente 9). Aber obschon die Exusia, die Sendungsvollmacht, sicherlich mit der charismatischen Eigenart Jesu und seines Wirkens zusammenhängt, ist sie doch nicht einfach mit dieser charismatischen Eigenart identisch. Das gilt vor allem dann, wenn nach Ansatzpunkten für die nachösterliche Transformation gefragt wird. Die vorhergehende Strukturkomponente 9 ist der ganzen Existenzweise Jesu von Nazaret zugeordnet; sie geht von dem „Phänomen Jesus“ aus, dem Phänomen des Menschen Jesus von Nazaret, der in prophetisch-charismatischer Weise alle Schemata seiner Zeit sprengt und so der Bote des Neuen ist. Die in dem jetzigen Abschnitt zu besprechende Strukturkomponente 10 („Exusia“) ist demgegenüber typisch für das, was wir die „absteigende Linie der Theozentrik“ genannt haben,[83] für die gewissermaßen von Gott auf Jesus „herabsteigende“ Vollmacht und Würde bzw. dafür, daß Gott den Anspruch an seine Menschen – den Anspruch, den er seiner Gottheit wegen stellt und stellen muß – Jesus von Nazaret anvertraut. Der mit Exusia begabte Jesus erscheint als Beauftragter (als „Mandatar“) Jahwes; damit hängt seine spezifische Würde zusammen. Ich betrachte die Exusia und den Sendungsanspruch[84] Jesu selbst (also den Inhalt von Strukturkomponente 10) als den vorösterlichen Ansatzpunkt für die späteren Aussagen der Deszendenz-Christologie und die in ihrem Zusammenhang stehenden Aussagen der Würde und Macht Christi.[85] Die Zuerkennung der

[82] Das bloße Adjektiv „eschatologisch“ („der eschatologische Prophet“) ist hierfür kaum ausreichend.

[83] Vgl. oben 3.6.2.1.3. Die Exusia Jesu steht übrigens in engstem Zusammenhang mit *seinem* bergeversetzenden „Glauben“ (s. hierzu auch die Ausführungen in 3.6.2.1.2).

[84] Exusia und Sendungsanspruch sind begrifflich nicht dasselbe. Sendungsanspruch ist Konsequenz des Wissens um die Sendung; er korrespondiert der Exusia.

[85] Hier liegt der jesuanische Ansatzpunkt der Kyrios-Christologie, der zum Beispiel innerhalb der synoptischen Tradition vom Evangelisten Matthäus in besonderer Weise ausgestaltet wird.

Exusia an Jesus ist für seine in der „absteigenden Linie“ gedachte Funktion, die Basileia Gottes bereits wirksam zu machen, typischer als seine Proexistenz (Strukturkomponente 8), insofern sie „provozierender“ erscheint, auffälliger: Sie setzt den Akzent auf den Sendungs*anspruch* Jesu.

Auch diese Strukturkomponente „Exusia“ hat ihren Anhaltspunkt in einem durchgehenden Phänomen des Wirkens Jesu[86] – in einem Phänomen, das in der synoptischen Tradition sogar mit diesem Stichwort „Exusia“ angesprochen wird[87]: in der Souveränität und Freiheit, in der Jesus lebte und wirkte. Bezeichnend ist dafür das „Ich aber sage euch. . . “ in den Antithesen der matthäischen Bergpredigt[88] – gleich, ob diese Wendung eine ipsissima vox Jesu darstellt oder nicht.

3.7 Die dritte Gruppe jesuanischer Strukturkomponenten (= Gruppe C): Die von Jesus geforderten und gelebten religiös-ethischen Grundhaltungen

11 (J): Die von Jesus gewiesene Grundhaltung des Menschen vor Gott (und Grundbedingung für das Eingehen in die Basileia): Metanoia, „Kind-Werden“, „Glaube“, unbedingte Priorität für den Anspruch Gottes („zuerst die Basileia Gottes“)

12 (J): Prophetisch-radikale Verkündigung und Forderung der Agape

13 (J): Befreiung vom Legalismus

14 (J): Offenheit für die „Randexistenzen“, die „Sünder“. Verzicht auf die abgesonderte „reine Gemeinde“

3.7.1 In dieser Gruppe braucht nicht wie bisher ausführlicher auf die einzelnen Strukturkomponenten eingegangen zu werden. Einerseits ist schon in früheren Abschnitten, vor allem im Zusammenhang von 3.2.1 („Die Konflikte Jesu“), das Notwendigste gesagt.[89] Andererseits – und vor allem – stellt diese Gruppe einen Sonderfall dar. Sie bildet als Zusammenstellung von

[86] Wenn auch, wie oben dargelegt, in anderer Weise als Strukturkomponente 9 (J) („Jesus als der prophetisch-charismatische Bote des Eschatologisch-Neuen“), s. oben 3.6.2.3.

[87] Vgl. *G. Bornkamm*, Jesus 52-55, bes. 54; *W. Thüsing*, Älteste Christologie 60 f.

[88] Mt 5,22.28.32.34.39.44. Es dürfte sich dabei um die schärfste Verdeutlichung des doch wohl jesuanischen „Amen, ich sage euch“ handeln.

[89] Vgl. zu Strukturkomponente 11 (J) *(Grundhaltung vor Gott)* oben 3.4.1; zu Strukturkomponente 7 (J) 3.6.2.1 (im Zusammenhang der Gottesbeziehung Jesu selbst: 3.6.2.1.2); zu Struktur-

Weisungen und Verhaltensweisen Jesu so sehr eine Einheit, die sich von den anderen Strukturkomponenten abhebt, daß sie schon deshalb als zusammengehöriger Komplex besprochen werden muß.
Als solcher stellt sie jedoch ein Problem, das deutlich artikuliert werden muß. Denn es mag sich die Frage aufdrängen, was diese Forderungen und Verhaltensweisen Jesu mit Christologie und Soteriologie zu tun haben; es mag sich der Einwand melden, die Christologie sei doch die Lehre von der Person Jesu, die Lehre, wer Jesus ist, und nicht eine Lehre von Forderungen Jesu. Wir sind gewohnt, die christologischen Formulierungen des Symbolums von Nikaia und Konstantinopel („Gott von Gott, Licht vom Licht. . . ") oder die Formulierung des Chalkedonense „wahrer Gott – wahrer Mensch", in denen von Forderungen und Verhaltensweisen Jesu *nicht* die Rede ist, als sehr typisch für Christologie anzusehen.
Durch diese Problemstellung wird der Zusammenhang von Ethik und *Christologie* zum Ansatzpunkt der weiteren Untersuchung. Das ist angesichts der Tatsache, daß sich die von Jesus gewiesenen religiös-ethischen Grundhaltungen aus seiner Basileia-Botschaft entwickeln lassen, nicht selbstverständlich; der primäre, in der Basileia-Verkündigung liegende theozentrische Ansatz muß ernstgenommen und voll zur Geltung gebracht werden. Dennoch läßt sich – wie schon in der Vorbemerkung zu diesem 3. Kapitel angedeutet – die Verbindung von Ethik und Christologie für das Ziel dieser Studie nicht ausklammern oder vernachlässigen. Sollen die religiös-ethischen Grundhaltungen, also der Inhalt der Strukturkomponenten 11-14 der jesuanischen Kriterienreihe, „transformierbar" sein in den nachösterlichen, christologisch-soteriologisch bestimmten Kontext, dann muß schon jetzt die Frage nach dem Zusammenhang zwischen Ethik und Christologie gestellt werden. Die Frage ist zudem – und vor allem – eine unabweisbare Konsequenz dessen, was oben über die „keimhafte Christologie Jesu von Nazaret" (Strukturkomponenten 7-10) herausgearbeitet werden konnte. Und wir werden sehen, wie stark die Zusammenhänge zwischen der jetzigen Gruppe von Strukturkomponenten und der „keimhaften Christologie Jesu von Nazaret" sind. Eine Antwort, die den Kern des Problems trifft,[90] scheint mir dann möglich zu sein, wenn die Unbedingtheit der Solidarisierungsforderung Jesu und im Zusammenhang damit die Unablösbarkeit der „Sache" Jesu von seiner Person in den Blick kommt – wenn gesehen wird, wie unbedingt der Mensch Je-

komponente 12 (J) *(Agape-Forderung)* 3.2.1 (S. 63 f); 3.4.1 und 3.4.2; in 3.5.2.4 auch Anm. 51; zu Strukturkomponente 8 (J) 3.6.2.2 (dort auch Anm. 75); zu Strukturkomponente 13 (J) *(Befreiung vom Legalismus)* 3.2.1; 3.4; zu Strukturkomponente 14 (J) *(Offenheit für die Randexistenzen)* 3.2.1.

[90] Es kann hier nicht beabsichtigt sein, im logisch-argumentativen Sinn eine Stringenz hinsichtlich dieses Zusammenhangs vorzuführen; es muß mehr ein Aufweis als ein Beweis versucht werden.

sus von Nazaret nach seinem eigenen, schon in der alten synoptischen Tradition verankerten Anspruch die Menschen angeht. Sicherlich setzt es eine Glaubensentscheidung voraus, wenn die christologische Relevanz der Grundhaltungen der Strukturkomponenten 11-14 in ihrer Abhängigkeit von dem Unbedingtheitsanspruch Jesu erkannt werden soll; aber diese Voraussetzung gilt schon für die Hörer Jesu von Nazaret selbst. Sie gehört also durchaus in den Bereich einer historischen Untersuchung.
Jesus ist derjenige, dessen Sendung geradezu darin besteht, die Basileia Gottes – und damit Gott selbst – in diese Welt hineinwirken zu lassen. Das ist in der Weise, wie Jesus seine Funktion für die Basileia auffaßt, sicherlich nicht einfach durch seine religiös-ethischen Forderungen und Verhaltensweisen (Strukturkomponenten 11-14) möglich. *Es ist aber auch nicht ohne sie möglich*; denn die Gottesherrschaft ist „Handlungsprinzip"[91]. Wenn Jesus das „Begegnungszeichen" der Basileia und sein Wirken die „Begegnungsform" der Basileia sein soll,[92] dann gehört sein religiös-ethisches Verhalten als Mensch, als Lehrer, als desjenigen, der in die Nachfolge ruft, mit hinzu. Für diese Funktion Jesu, in seiner Person und seinem Leben Begegnungszeichen für die Basileia Gottes zu sein, *ist eine Einheit von „Person" und „Sache" Jesu notwendig.*[93] Denn für diese Funktion genügt nicht eine – isoliert aufgefaßte – singuläre Sendung von Gott (zusammen mit der daraus resultierenden personalen Exusia) und *ebensowenig* seine – isoliert auf-

[91] Vgl. den Titel der Untersuchung von *H. Merklein* „Die Gottesherrschaft als Handlungsprinzip"; vgl. bes. 146-171 zum Verhältnis zwischen der futurisch-eschatologischen Basileia-Predigt und den sittlichen Weisungen Jesu.

[92] *A. Polag*, Christologie 50.

[93] Vgl. *W. Kasper*, Jesus der Christus 118: „Bei Jesus von Nazareth lassen sich seine Person und seine ‚Sache' nicht trennen; er ist seine Sache in Person." – Wenn W. Kasper formuliert, Person und Sache seien bei Jesus identisch, und darin bestehe das eigentlich Christliche, so ist das sicherlich eine in ihrer Prägnanz hilfreiche Formulierung. Ich ziehe jedoch „*Einheit* von Person und Sache" dem vielleicht doch nicht ganz unmißverständlichen Begriff „Identität von Person und Sache" vor. Es geht in Wirklichkeit nicht eigentlich um „Identität" von Person und Sache Jesu (dann würde „Jesus" leicht zur Chiffre für seine Sache werden können), sondern um eine von Gott ermöglichte und bestätigte singuläre Ganzhingabe an eine singuläre Sendung – und damit eine einzigartige Einheit von Person und Sache. Diese „Einheit" wäre nicht möglich, wenn die „Sache" Jesu nicht in der Bejahung, Ermöglichung und Schaffung personaler Relation bestünde; vgl. oben 3.2.1 und 3.6.2.2; unten 3.8.1 und 3.8.2; ferner und vor allem – da die Einheit von „Person" und „Sache" Jesu zusammen mit der Schaffung personaler Relation erst nachösterlich letztgültig zu erkennen ist – unten 5.3.3, bes. 5.3.3.3-4.
Die Einheit von Person und Sache bei Jesus selbst ist nicht identisch mit der Spannungseinheit von „Bejahung Gottes" und „Bejahung des Menschen" (vgl. oben 3.4), steht aber in Beziehung zu ihr. Aus der Einheit von Person und Sache bei Jesus ergibt sich für den Glaubenden die Spannungseinheit von „Theologie des Geheimnisses Jesu" (des Geheimnisses seiner einzigartigen Gottesbeziehung, ja Einheit mit Gott [„Aufnahme in das Geheimnis Gottes durch die Erhöhung"]) und „Theologie der Sache Jesu" (seiner Intention, die freilich nicht nur das Geöffnetsein für die von Gott geliebten Menschen, sondern auch die Öffnung für Gott selbst umfaßt).

gefaßte – „Sache“ bzw. seine Intention (zusammen mit seiner eigenen Verwirklichungsweise dieser „Ethik“).[94]
Aber stellen wir noch einmal die Frage, wie sich die von Jesus geforderten und gelebten Grundhaltungen (Strukturkomponenten 11-14) zum keimhaft-christologischen Anspruch Jesu verhalten! Bereits die ältesten Schichten der synoptischen Jesustradition lassen erkennen, daß die Weisungen Jesu nicht ablösbar sind von seiner Person.[95] (Das ist ein Grundzug, der in der gesamten christologischen Entwicklung des kirchlichen Christentums durchgehalten werden mußte bzw. hätte durchgehalten werden müssen.) Denn dann – und nur dann – gilt, daß Jesus die Menschen, die er anredet (das heißt nach seiner Intention ganz Israel – und in nachösterlicher Konsequenz jeden Menschen), unbedingt angeht. Dann ist aber der Schluß unausweichlich: Die von Jesus geforderten und gelebten „religiös-ethischen“ Grundhaltungen (Strukturkomponenten 11-14) gehören zur Christologie unmittelbar hinzu und nicht nur zu einer von der Christologie abtrennbaren Lehre Jesu; und erst recht müssen sie hinzugenommen werden, wenn Christologie und Soteriologie, wie es in dieser Arbeit durchgängig geschieht, als Einheit aufgefaßt werden.
Diese theologische Konsequenz steht zwar in enger Nachbarschaft zu dem schon im Neuen Testament wirksamen Theologumenon von der Vorbildhaftigkeit Jesu, ist aber nicht identisch damit.[96] In der frühen Jesustradition geht es meiner Meinung nach nicht darum, Jesus als unbedingt geltendes Vorbild hinzustellen, sondern primär darum, daß die Gemeinschaft bzw. die Solidarisierung mit ihm unbedingt heilsnotwendig ist.[97]

3.7.2 Jetzt können wir uns auch im einzelnen dem Verhältnis der von Jesus geforderten und gelebten Grundhaltungen (Strukturkomponenten 11-14 =

[94] Wenn man von einer „Ethik“ Jesu sprechen will, so ist das in engem Zusammenhang mit der „Sache“ Jesu möglich, weil die „Sache“ Jesu in der Neuschaffung der Gottesbeziehung und von da aus der („ethischen“) Beziehung der Menschen untereinander besteht. Von einer „Ethik“ Jesu zu reden, ist also nur dann gerechtfertigt, wenn die Dimension der Gottesbeziehung mit hinzugenommen wird. Vgl. auch die Intention des Werks von *H. Merklein*, Gottesherrschaft; s. vor allem die Hauptthese Merkleins, ebd. 15. Wenn Merklein den ursprünglich geplanten Titel seines Werks („Ethik Jesu“) geändert hat in „Die Gottesherrschaft als Handlungsprinzip“, will er damit ausdrücken, „daß die Ethik Jesu eine Konsequenz und Implikation seiner eschatologischen Botschaft ist, bzw. daß für Jesus die Gottesherrschaft das Prinzip ist, das den Menschen formal zu einem neuen Handeln provoziert und zugleich das provozierte Handeln auch inhaltlich in ganz bestimmter Weise (nämlich wie es in den konkreten Forderungen Jesu zutage tritt) festgelegt.“

[95] Der Sachverhalt ist entscheidend anders als bei dem Verhältnis zwischen den Weisungen eines Rabbi und der Person dieses Rabbi, vgl. *M. Hengel*, Nachfolge und Charisma 46-55.

[96] Vgl. 6.1.2.4, dort Anm. 103.

[97] Vgl. unten 3.8.2.1 zu Strukturkomponente 15 (J).

Gruppe C der Tabelle) zu den Inhalten der keimhaften Christologie Jesu von Nazaret (Strukturkomponenten 7-10 = Gruppe B) zuwenden.
Hierfür ist es sinnvoll, das Instrument zu benutzen, das mit der Tabelle[98] geschaffen worden ist. Die Zusammengehörigkeit der religiös-ethischen Grundhaltungen mit der Christologie als solcher wird noch besser und differenzierter erkennbar, wenn wir die einzelnen Strukturkomponenten der beiden soeben genannten einschlägigen Gruppen der Tabelle (B und C) zueinander in Beziehung setzen.
Die Strukturkomponenten der keimhaften Christologie Jesu von Nazaret (Gruppe B) können zum Teil nur im Rückschluß von den durch Jesus geforderten religiös-ethischen Grundhaltungen (Gruppe C) her inhaltlich ausreichend gefüllt werden. Was die *prophetisch-charismatische Botenfunktion* (Strukturkomponente 9) und die *Exusia Jesu* (Strukturkomponente 10) beinhalten, ist ohne seine Intention, die Menschen *vom Legalismus zu befreien* (Strukturkomponente 13) und *offen zu sein sowie offen zu machen für die „Randexistenzen“* (Strukturkomponente 14), nicht voll zu verstehen; und auch die für die keimhafte Christologie Jesu von Nazaret konstitutive Hinordnung auf Gott (Strukturkomponente 7: *Jesus als der Mensch für Gott)* und auf die Menschen (Strukturkomponente 8: *Proexistenz Jesu*) ist ohne die religiös-ethischen Komponenten seiner Weisung nicht ausreichend zu erfassen, vor allem nicht ohne *die von ihm gewiesene Grundhaltung des Menschen vor Gott* (Strukturkomponente 11) und seine *Forderung der Agape* (Strukturkomponente 12). Denn die Weisungen Jesu sind in der synoptischen Tradition nicht nur greifbarer als die Grundhaltungen Jesu selbst, sondern man darf und muß auch die Schlußfolgerung ziehen, daß sich in den von Jesus geforderten Grundhaltungen Gott und dem Nächsten gegenüber die Unbedingtheit von Gottesbeziehung und Proexistenz Jesu spiegelt.
So ist die Gruppe C der Strukturkomponenten zur Explikation vor allem der zentralen Strukturkomponenten der keimhaften Christologie (Nr. 7 und 8) notwendig, aber auch für die – zur Kennzeichnung der keimhaften Christologie Jesu so typischen – Strukturkomponenten 9 und 10.
Zwischen der keimhaften Christologie Jesu von Nazaret (Strukturkomponentengruppe B) und seiner „Ethik“ (Strukturkomponentengruppe C) besteht also eine ganze Reihe von *Querverbindungen,* die jetzt zur Ergänzung und Rekapitulation noch einmal angedeutet seien. Die Grundhaltung des „Kindwerdens“[99] und der Entscheidung, *dem Anspruch Gottes unbedingte*

[98] Oben 3.3.2.
[99] Vgl. Mk 10,15 (par Lk 18,17; vgl. Mt 18,3). Bei dem „Kindwerden“ handelt es sich um eine für die Metanoia-Weisung Jesu äußerst signifikante Ausdrucksweise, die die radikal vertrauende Haltung gegenüber Gott als dem Vater kennzeichnen soll. – Zur Haltung des „Kindes“ bei Jesus vgl. *H. Merklein*, Gottesherrschaft 128 f.

Priorität zu geben (Strukturkomponente 11), entspricht der eigenen Relation Jesu zu Gott, seinem eigenen Gehorsam, seiner eigenen Bejahung der Sendung, seinem „Glauben". Und die *prophetisch-radikale Verkündigung und Forderung der Liebe* zum Nächsten bis hin zur Feindesliebe (Strukturkomponente 12) korrespondiert dem Da-Sein Jesu für die anderen, seiner *Proexistenz* (Strukturkomponente 8).

Die *Befreiung vom Legalismus* (Strukturkomponente 13) *entspricht ebenfalls zentralen Grundhaltungen Jesu selbst:* der Proexistenz Jesu (Strukturkomponente 8) wie der Bejahung seiner Sendung als des prophetisch-charismatischen Boten des Eschatologisch-Neuen (Strukturkomponente 9); Jesus ist ja als der Charisma-Träger derjenige, der in prophetischer Dynamik offen ist für den Auftrag Gottes und damit für die Menschen, denen Jahwe selbst sich mitteilen will. (In diesem Sinn ist die pharisäismuskritische Grundeinstellung Jesu keineswegs etwas zufällig Hinzukommendes, das auch fehlen könnte.) Und wenn in Strukturkomponente 14 das Stichwort *„Offenheit für die Randexistenzen"* steht – mit der theologisch bedeutsamen und in der Jesustradition begründeten Steigerung „für die Sünder" –, dann ist auch für diesen Punkt noch einmal mit Nachdruck auf die christologische Grundhaltung der Strukturkomponente 8 (Proexistenz Jesu) zu verweisen.

3.7.3 Die integrierende Zugehörigkeit der Strukturkomponenten der Gruppe C zur Christologie als solcher läßt sich darüber hinaus noch durch eine Art Gegenprobe verdeutlichen. Man stelle sich nur einmal eine Christologie vor, in die die Strukturkomponenten der Gruppe C nicht integriert wären – die also etwa nur eine Entfaltung der im engeren Sinn christologischen Glaubensaussagen wie der des Konzils von Nikaia „Gott von Gott, Licht vom Licht..." sein wollte und bei der die prophetisch-reformerischen Elemente der Befreiung vom Legalismus, der Offenheit für die Menschen auch außerhalb der Gemeinschaft der Frommen nicht mehr im Bewußtsein stünden. Es ist wohl nicht schwer zu erkennen, daß Fehlhaltungen, die aus einem Übergewicht der Orthodoxie gegenüber der Orthopraxis erwachsen und die in der Kirchengeschichte allzuoft zu beklagen sind, mit einer Christologie zusammenhängen, in der die Inhalte der Strukturkomponenten 11-14, die Strukturkomponenten der Intention Jesu, ausgeklammert sind. Doch darüber ist unten in Kap. 5 noch ausführlicher zu sprechen.

Auch von der Frage her, was denn der eigentliche Beitrag der Christen zur Humanisierung der Welt sei, läßt sich ein Zugang zu dem Thema der Zusammengehörigkeit dieser „religiös-ethischen Grundhaltungen" von Strukturkomponentengruppe C mit der Christologie gewinnen.

Das, was die Christen zu einer besseren, humaneren Welt beizutragen haben – und das Einzige, was sie wirklich als ihr Eigenes beizusteuern haben –, ist die Lauterkeit der Agape, die auf der jesuanisch verstandenen Metanoia, dem „Kind-Werden" und letztlich dem Kreuz gründet. Man kann sogar sagen, daß dieses Wirksam-werden-Lassen von Agape und Metanoia die der Weltaufgabe zugewandte Seite der Jesusnachfolge ist, die letztlich Nachfolge des auf das Kreuz zugehenden Jesus sein wird (vgl. Strukturkomponente 17). Das schließt freilich ein, daß das Vorhandensein oder Nichtvorhandensein dieser jesuanisch-christlichen Haltung letztlich nicht juristisch fixierbar ist, daß hier auf die Sicherung durch eindeutig registrierbare Leistungen verzichtet und stattdessen im Zentralen, Entscheidenden die Unwägbarkeit und Unsicherheit gewählt werden muß, die dem Handeln aus der Lauterkeit der Agape und der Metanoia eignet – und daß sie im vertrauenden Glauben auch gewählt werden darf.

3.7.4 Wenn man das als den wesentlichen Beitrag der Christen zur Humanisierung der Welt bestimmt, setzt das eine Christologie voraus, bei der Metanoia bzw. „Kind-Werden", Agape, Befreiung vom Legalismus usw. ein inneres Moment bilden.[100] Die so verstandene Christologie des proexistenten Jesus (der für die anderen da ist bis zur Konsequenz des Kreuzes), die allein die Lauterkeit der in Metanoia geübten Agape als Verwirklichung der Jesusnachfolge motivieren kann, schließt eine „Haltung" Jesu von Nazaret zu Gott und den Menschen ein, die zu Agape, Befreiung vom Legalismus und Offenheit für alle von innen heraus drängt. Dieses letztlich entscheidend Jesuanische und für den Dienst der Christen an der Welt Spezifische ist eine äußerste Verdichtung der Spannungeinheit, die Jesus von Nazaret gelebt hat und die er seinen Jüngern anvertraut.

[100] In der inhaltlichen Füllung der jesuanischen Metanoia-Forderung liegt letztlich etwas unableitbar Christliches, eine Befreiung des Menschen von dem „Gekrümmtsein auf sich selbst" von solcher Radikalität und Unbedingtheit, daß man dafür wohl schwerlich adäquate Parallelen findet. Vielleicht am klarsten wird das in der paulinischen Verdeutlichung der Metanoia als eines Verzichts auf das (auf Eigenes gründende) „Sich-Rühmen" (vgl. 1 Kor 1,29.31; 3,21; 4,7; Röm 3,27; 5,2.11; Gal 6,14) – insofern diese etwas entscheidend Jesuanisches in der Weise sichtbar macht, daß sie als gemäße Rezeption auch umgekehrt wieder eine heuristische Funktion für die Erkenntnis des Jesuanischen besitzt.

3.8 Die vierte Gruppe jesuanischer Strukturkomponenten (= Gruppe D): Gemeinschaftstheologische Aspekte der vorösterlichen Jesusbewegung

3.8.1 Zur christologisch-soteriologischen Relevanz dieser Gruppe von Strukturkomponenten

Die beiden Strukturkomponenten 15 und 16, die unter dieser Überschrift zusammengefaßt sind, unterscheiden sich trotz der hierdurch signalisierten Zusammengehörigkeit in bestimmter Hinsicht. Strukturkomponente 15 (*Solidarisierung mit Jesus*) visiert die Intention Jesu an, ganz Israel zu sammeln für Jahwe, während sich Strukturkomponente 16 *(Jesusnachfolge. . .)* auf die „Nachfolge" einzelner bezieht. Und auch von diesen ihm auf den Wegen Galiläas „nachfolgenden" Menschen, die sich immerhin bereits dadurch für ihn exponieren, sendet Jesus offenbar nur einen Teil aus, damit er in seine eigene Funktion der Ankündigung der Basileia eintrete.[101] Stand auch bei beiden Sachverhalten (sowohl bei Nr. 15 als auch bei Nr. 16) die Gründung einer „Kirche" nicht im Blickfeld Jesu – ganz Israel war ja die Gemeinde, die gesammelt und als Gemeinde Jahwes neu geformt werden sollte –, so sind beide Strukturkomponenten zusammen doch innerhalb der gesamten Reihe Ansatzpunkte für das Nachösterlich-Ekklesiologische. Das trifft zu sowohl für den Solidarität und Gemeinschaft stiftenden Anruf Jesu an alle (Strukturkomponente 15) als auch für das Sich-Exponieren mit Jesus zusammen und (zunächst in diesem Sinn) für Jesus sowie – wohl noch davon zu unterscheiden – den Dienst an der ausdrücklichen Weitergabe der Botschaft Jesu, der innerhalb des soziologischen Rahmens der besonderen Jesusnachfolge geleistet wird (Strukturkomponente 16). Im Unterschied zu anderen Aspekten des jesuanischen Vorstellungshorizonts kann man sie beide in etwa als „soziologisch"-theologisch akzentuierte Strukturkomponenten charakterisieren. Wie schon in der Überschrift sei hier nochmals betont: „Gemeinschaftstheologisch" sind diese Strukturkomponenten nicht im Hinblick auf eine feste Institution, sondern im Hinblick auf die „Jesusbewegung", die Jesus als der prophetisch-charismatische Bote des Eschatologisch-Neuen anstieß und mit vorwärtsdrängender Hoffnung erfüllte. Inwiefern liegen hier nun aber *christologisch-soteriologische* Strukturkomponenten vor, das heißt: Inwiefern sind diese „gemeinschaftstheologischen" Struk-

[101] Vgl. die Aussendungstraditionen Lk 10,1-12 par; Mk 6,6b-13 parr.

turkomponenten der Jesusbewegung relevant für Christologie und Soteriologie?
Zunächst tritt die keimhafte Christologie Jesu von Nazaret hier wieder als „Christologie des Anspruchs“ hervor.[102] Der Gerichtsgedanke in der Predigt Jesu, der in der Reihe der Strukturkomponenten seinen Ort vor allem in den Strukturkomponenten 3 (J) und 4 (J) (Zukunft und Gegenwart der Basileia) hat, kennzeichnet die von Gott her andrängende Zukunft nicht ohne Beziehung zu Jesus selbst. Vielmehr hat die Solidarisierung mit Jesus oder die Ablehnung Jesu – im Sinne von Lk 12,8f – heilsentscheidende Bedeutung, so daß der Gerichtsgedanke im Sinne einer Sicherung und Sanktion des heilshaften Angebots Gottes zu verstehen ist. Da in dieser Strukturkomponente 15 (J) die Sendungsvollmacht und der Sendungsanspruch Jesu so scharf hervorgehoben sind, kann man Strukturkomponente 15 auch als Konkretisierung dessen auffassen, was mit *Exusia* (Strukturkomponente 10 der keimhaften Christologie) bezeichnet wurde.
Doch damit ist die Frage nach der christologischen Relevanz der Strukturkomponenten 15 und 16 noch nicht voll beantwortet. Die bedeutsamste Antwort steht noch aus: Gerade diese beiden Strukturkomponenten konstituieren nicht eine Christologie bzw. Soteriologie des „Christus exemplar“[103], sondern eine Soteriologie der Solidarisierung und Gemeinschaft mit ihm. Strukturkomponente 15 ist also nicht nur ekklesiologisch, sondern vor allem soteriologisch von Bedeutung; und Strukturkomponente 16, in der Nachfolge und Sendung zur Herbeiführung dieser Solidarisierung in Frage stehen, ist ebendadurch gleichfalls dem soteriologischen Charakter von Nr. 15 eingeordnet.
Ich fasse zusammen: In diesen beiden Strukturkomponenten tritt uns eine Christozentrik der Solidarisierung und Sendungsgemeinschaft mit Jesus entgegen, der die Tendenz zur Schicksalsgemeinschaft (vgl. unten Strukturkomponente 17) immanent ist.

3.8.2 Zu den einzelnen Strukturkomponenten 15 (J) und 16 (J)

3.8.2.1 Strukturkomponente 15 (J):

Heilsentscheidende Bedeutung der Solidarisierung mit Jesus

Wenn wir diese Strukturkomponente jetzt noch einmal für sich in den Blick nehmen, so gehen wir am besten von Lk 12,8f par aus.[104] In diesem sehr

[102] Vgl. *A. Polag*, Christologie 127 f.
[103] Vgl. unten 6.1.2.4.
[104] Vgl. *R. Pesch*, Autorität Jesu. – Die Solidaritätsforderung ist nicht nur an dieser Stelle, sondern breiter verankert; vgl. *A. Polag*, a.a.O. 72-75.119-122.

wahrscheinlich dem „Urgestein“ der Jesustradition zugehörigen Menschensohnwort „Wer mich vor den Menschen verleugnet, den wird auch der Menschensohn verleugnen“ (bzw. umgekehrt „Wer mich vor den Menschen bekennt, zu dem wird sich der Menschensohn bekennen“) wird das Verhalten zu Jesus – innerhalb der Öffentlichkeit menschlich-irdischer Gesellschaft – als das Entscheidende hingestellt, als der Punkt, an dem das Heil des Menschen sich im Hinblick auf das Gericht Gottes entscheidet – endgültiges Heil oder Unheil des Menschen in der Ewigkeit bei Gott. Das Heil Gottes kann sich realisieren, wenn das Ja zu Jesus gesprochen wird; das Heil wird abgelehnt, indem Jesus abgelehnt wird.
Jesus hat den Menschen in der Basileia-Verkündigung das Heil Gottes angeboten. Für das Hineingelangen in die Basileia hat er „Einlaßbedingungen“ genannt: Metanoia, Kindwerden, Glaube (vgl. Strukturkomponente 11). Vor allem ist die im Sinn Jesu geübte Liebe zu Gott und zum Nächsten als entscheidende Einlaßbedingung zu erkennen (vgl. Strukturkomponente 12). Die alte synoptische Tradition läßt jedoch ebenso deutlich erkennen, daß das Heil nicht nur von diesen in den Strukturkomponenten 11 und 12 genannten Grundhaltungen – Metanoia und Agape – abhängt, sondern ebenso von der Stellung des Menschen zu Jesus selbst, von der Frage, ob er sich mit Jesus solidarisiert oder nein zu ihm sagt.
Hier drängt sich die Frage auf, wie beides sich zueinander verhält. Die Antwort dürfte schon im vorigen Abschnitt 3.7 über die „von Jesus geforderten und gelebten religiös-ethischen Grundhaltungen“[105] angedeutet sein. Sie wird uns jedoch noch weiter beschäftigen müssen.[106]

3.8.2.2 Strukturkomponente 16 (J):

Jesusnachfolge und Sich-Exponieren für Jesus und seine Botschaft

Gerade die Unbedingtheit des Nachfolgerufs unterscheidet Jesus scharf von den Rabbinen seiner Zeit. Jesus ist derjenige, der Menschen so unbedingt beanspruchen darf und muß, wie das in den Nachfolgeworten der Jesustradition niedergelegt ist. Wenn Jesus in Lk 10,3 den Jüngern, die er aussendet, sagt „Siehe, ich sende euch wie Schafe mitten unter Wölfe“, so wird den Jüngern mit diesem Bildwort vorhergesagt, daß sie in eine Anfeindungssituation hineingelangen, die das Risiko von Verfolgungen, ja sogar von Hingabe des Lebens in sich schließt. Die Reihe der Zitate ließe sich bekanntlich beträchtlich erweitern; es dürfte deutlich genug sein, in welchem Ausmaß auch diese Strukturkomponente 16 (Jesusnachfolge) der Kennzeichnung Jesu und sei-

[105] Gruppe C der jesuanischen Strukturkomponenten (3.7).
[106] Vgl. unten 5.3.6.

ner Sendung, also der „keimhaften Christologie und Soteriologie Jesu von Nazaret" dient. Jedoch wird das bedeutsame Thema „Jesusnachfolge" in einem anderen Zusammenhang noch einmal aufgegriffen werden müssen.[107]

3.9 Die fünfte Gruppe jesuanischer Strukturkomponenten (= Gruppe E): Die Stellung Jesu zu seinem Tod (Die keimhafte Passionstheologie Jesu von Nazaret)

Strukturkomponente 17 (J):
Kreuzesnachfolgeforderung und eigene Bereitschaft Jesu zum Prophetenschicksal

Strukturkomponente 18 (J):
Durchhalten der Proexistenz (in der Weise des Durchhaltens der Spannungseinheit von „Anspruch Gottes" und „Geschenk der Freiheit") bis zum Tod

3.9.1 Zur keimhaften Passionstheologie Jesu von Nazaret

Dieses Thema ist für die jesuanischen Strukturkomponenten unerläßlich. Ohne die „keimhafte Passionstheologie" wäre vieles andere in den Strukturkomponenten nicht adäquat zu erfassen; man denke nur an die Worte der unbedingten Nachfolge. Und gerade die „keimhafte Passionstheologie" bietet den Ansatzpunkt für etwas, was nachösterlich auf das stärkste in die Augen fällt und integrierend zur Struktur der nachösterlichen Botschaft gehört: für die Verkündigung des mit der Auferweckung zusammengesehenen Todes Jesu.
Nun ist der Tod Jesu in verschiedenen theologischen Konzeptionen[108] poin-

[107] S. unten 7.2 (im Zusammenhang des Themas „Schöpfungsbejahung und Jesusnachfolge"); zum jesuanisch-theologischen Kontext des Nachfolge-Begriffs s. dort 7.2.1.3.1.
Zum Thema Jesusnachfolge vgl. *M. Hengel*, Nachfolge und Charisma; *R. Schnackenburg*, Nachfolge (bes. 89-97); *A. Polag*, Christologie 84-86; *G. Bornkamm*, Jesus 133-140; *E. Neuhäusler*, Anspruch 186-214; *A. Schulz*, Nachfolgen 17-133.

[108] Gemeint sind nicht nur die verschiedenen Spielarten einer Christologia gloriae von den gnostisierenden Strömungen zur Zeit des Neuen Testaments bis hin zu den auf die Christologie zurückwirkenden Versionen einer Ecclesiologia gloriae, sondern auch prononcierte Kerygma-Theologien (von M. Kähler bis R. Bultmann), in deren Gefolge sich diese Gefahr zeigen kann. Eine Theologie, die einseitig und forciert ausschließlich in der Weise vom nachösterlichen Kerygma ausgeht, daß sie dabei den Rückbezug auf Jesus von Nazaret faktisch oder sogar ausdrücklich ausschließt, mochte gegenüber der Jesusforschung früherer Zeiten mit ihren wechselnden und widersprüchlichen Ergebnissen verständlich erscheinen. Heute ist sie keine legitime

tiert vom Auferweckungskerygma her (und nicht auch vom irdischen Leben Jesu von Nazaret her) gesehen worden; dann kann es leicht dazu kommen, daß die Tradition vom irdischen Wirken einerseits und das Kerygma von Tod und Auferweckung andererseits als zwei Dinge angesehen werden, die keinen inneren Zusammenhang besitzen. Damit wäre Christologie überhaupt in Frage gestellt; es wäre ein Bruch im Kern der Christologie vorhanden, der das Ganze fragwürdig machen würde. Es muß also auch aus diesem Grund versucht werden, die Passion Jesu im Zusammenhang mit seinem Leben, von seinem Leben aus zu sehen.

Der Zugang zu dem Thema des Verhältnisses Jesu zu seinem Tod – bzw. zu der Frage, ob Jesus selbst in seinem Tod einen Sinn gefunden habe – wird durch die Quellenlage außerordentlich erschwert. Denn die Äußerungen Jesu über seinen Tod in den synoptischen Evangelien sind entweder redaktionell (so die sogenannten Leidensansagen bei Markus) oder zumindest nachösterlich überformt. Dieses letztere gilt gerade auch für die deutlichsten Texte, die Herrenmahlsworte. Bei dieser Sachlage wäre es verfehlt, das Ziel zu weit zu stecken und zu meinen, eine entfaltete oder auch nur in etwa explizite Passionstheologie, die vielleicht sogar der nachösterlichen eines Paulus annähernd analog wäre, sei bereits bei Jesus zu finden. Aber eine *keimhafte*, das heißt noch nicht voll ausgebildete, ansatzhafte Passionstheologie zu erheben – das ist möglich. Man braucht entgegen einer heute weit verbreiteten Skepsis keineswegs auf jesuanische *Ansatzpunkte* für die nachösterliche Passionstheologie zu verzichten. Einer der wichtigsten, die sich dafür anbieten, sind die radikalen Nachfolgeforderungen Jesu, die man entsprechend der (wohl eher nachösterlichen) Formulierung von Mk 8,34 als Kreuzesnachfolgeforderungen bezeichnen kann (Strukturkomponente 17). Aber zuvor haben wir unser Augenmerk noch auf den Zusammenhang von Sendung und Todesgeschick Jesu zu richten.[109]

Jesus mußte zumindest in der letzten Phase seines Wirkens mit der Möglichkeit eines gewaltsamen Todes rechnen, die sich gegen das Ende zu einer Wahrscheinlichkeit verdichtet haben wird. Zur Gegnerschaft der Pharisäer war die machtpolitisch bestimmte der Sadduzäer hinzugekommen. Diese

Möglichkeit mehr. (Typisch ist nach wie vor die Auffassung Bultmanns, daß Jesus nicht in eine Theologie des Neuen Testaments hineingehöre [Theologie des Neuen Testaments 1f], daß es auf das bloße *Daß* seines Gekommenseins ankomme, wobei auf eine inhaltliche Verknüpfung der Verkündigung Jesu von Nazaret mit dem nachösterlichen Kerygma nicht reflektiert wird.) Vgl. *E. Simons*, Kerygma (in SM II) 1121 f.

[109] Hierfür folge ich großenteils Anregungen, die *H. Schürmann* in dem Aufsatz „Wie hat Jesus seinen Tod bestanden und verstanden?" (Jesu ureigener Tod 16-65) gegeben hat. S. jetzt auch Schürmanns „Bemerkungen zur ‚impliziten Soteriologie' Jesu" in: *ders.*, Todesverständnis. Vgl. ferner *K. Kertelge* (Hrsg.), Der Tod Jesu, darin bes. *J. Gnilka*, Wie urteilte Jesus über seinen Tod? (13-50) und *A. Vögtle*, Todesankündigungen und Todesverständnis Jesu (51-113).

Situation war für Jesus durchaus erkennbar. Aber gibt es Zeugnisse in der alten synoptischen Tradition, die diese Schlußfolgerung bestätigen könnten? Der redaktionelle Charakter der Leidensansagen des Markus verbietet es, in ihnen eine Todesdeutung Jesu selbst finden zu wollen. Einen Ansatzpunkt hierfür bietet jedoch die auch außerhalb des Markusevangeliums – vor allem in Q – feststellbare, im Grundbestand vorösterliche Tradition, nach der Jesu Geschick als Prophetengeschick aufgefaßt werden kann. Das Wort Lk 17,25 „Er muß von diesem Geschlecht verworfen werden" dürfte – wenn nicht im Wortlaut, so doch in der Aussageintention – zum Urgestein gehören: Jesus erkennt das Prophetengeschick für sich an; er deutet seine Ablehnung entsprechend der der alttestamentlichen Propheten.[110] Diese Bejahung des von Gott verfügten Prophetengeschicks ist eins der Grundelemente keimhafter Passionstheologie. In der vorösterlichen Phase ist mit der Deutung des Todes Jesu als Prophetengeschick noch keine explizite Soteriologie verbunden. Jedoch ist in dieser Übernahme des Prophetengeschicks der Gedanke impliziert, daß für die Durchsetzung des Willens Gottes – der als solcher heilshaft ist – auch und vielleicht gerade dieses in der Verfügung Gottes beschlossene „Muß" der Verwerfung des Boten gilt.[111]

War Jesus nun in der Lage, dieses auf ihn zukommende Todesgeschick mit seiner Sendung zusammenzudenken? Das ist die entscheidende Frage. Anders gefragt: War Jesus imstande, dem Todesgeschick eine Funktion für das Kommen der Basileia zuzuerkennen – bzw. zu der Überzeugung zu gelangen, es hindere oder vereitele dieses Kommen nicht, sondern diene ihm, wenn auch in einer für die Erkenntnismöglichkeit Jesu noch nicht genau bestimmbaren Weise?

Jesus mußte Todesrisiko und Näherkommen der Todesgefahr im Kontext *seines* Lebens sehen – dieser Existenz, die in der Funktion für die Basileia Gottes aufging. Dann mußte dieses Zusammendenken von Basileia und Tod des Boten möglich sein – trotz oder wegen der durchgehaltenen Hoffnung auf den Sieg der Herrschaft Gottes.

[110] Vgl. zum Beispiel Lk 13,33: „Es geht nicht an, daß ein Prophet außerhalb Jerusalems umkommt." Vgl. *O. H. Steck*, Israel 265-316, bes. 280-289; *G. Friedrich*, Art. προφήτης (in ThWNT VI) 835 f.

[111] Die Vorstellung früherer Dogmatik, Jesus sei von Anfang seines Lebens an mit klarem göttlichen Bewußtsein auf den Tod zugegangen, würde dem wirklichen Menschsein Jesu nicht entsprechen. Wir haben durchaus mit einer allmählich wachsenden Einsicht Jesu in seine Sendung zu rechnen, in der es auch neue Erkenntnisse geben kann; und wenn ihm die Gefahr der „Katastrophe" aufging und die Notwendigkeit, trotzdem auf sie zuzugehen, dann mußte ihm das wie eine zunächst gar nicht einsichtige, rätselhafte Verfügung Gottes erscheinen. Das *dei* in dem nachösterlich geformten Text Mk 8,31 ist Reflex dieser bei Jesus vorauszusetzenden Auffassung und Haltung.

Ein Beleg dafür dürfte der alte, futurisch-eschatologische Text Lk 22,15-18 par Mk 14,25 sein[112], der mindestens als Ausdruck der ipsissima intentio Jesu allen Anspruch auf Authentizität hat. Dieser sicherlich im Kern auf Jesus zurückgehende alte Herrenmahlsbericht enthält die Aussage: Jesus sagt den Jüngern das eschatologische Heil zu (unter dem Bild einer Mahlgemeinschaft mit ihm, Jesus selbst!) – und zwar im Angesicht des bevorstehenden Todes. Somit besagt dieser alte Herrenmahlsbericht: Jesus hält die Basileia-Verheißung durch trotz des jetzt unmittelbar drohenden Todes.[113]

3.9.2 Die radikale Nachfolgeforderung Jesu als Reflex impliziter Passionstheologie

In einigen Jesusworten, die vom Jünger die unbedingte Nachfolge fordern, ist der Zusammenhang von Leiden (bzw. Situation der Anfeindung) und Verheißung der Basileia deutlicher zu erkennen als in Worten über Jesus selbst. Zwei Worte seien zitiert: Lk 22,28f „Ihr seid es, die mit mir durchgehalten haben in meinen *peirasmoi* [‚Versuchungen‘]. Und ich vermache euch die Basileia. . . “; Lk 12,32 „Fürchte dich nicht, du kleine Herde, denn es hat eurem Vater gefallen, euch die Basileia zu geben.“
In bezug auf die Jünger werden also Anfechtungssituation und Basileia-Verheißung verbunden. Von hierher ist ein Rückschluß auf Jesus selbst möglich: Auch für Jesus gehören Leiden und Basileia-Verheißung zusammen. Auch bei Jesus sind „seine“ *peirasmoi* (Lk 22,28) keineswegs etwas nur Psychologisch-Privatistisches, sondern ein Sachverhalt, der mit der in die Öffentlichkeit seines Volkes zielenden Basileia-Botschaft und dadurch mit der faktischen Passion in Zusammenhang steht. Die *peirasmoi* ergeben sich aus Anfeindungen und Anfechtungen, und das Durchhalten in diesen *peirasmoi,* das im Hinblick auf die Basileia geschieht, hat für Jesus den Tod zur Konsequenz.

[112] Lk 22,16.18: „. . . Ich werde [das Pascha] nicht mehr mit euch essen, bis es seine Vollendung findet in der Basileia Gottes. . . Ich werde von jetzt an vom Gewächs des Weinstocks nicht mehr trinken, bis die Basileia Gottes kommt“; Mk 14,25: „Amen, ich sage euch, ich werde nicht mehr vom Gewächs des Weinstocks trinken bis zu jenem Tage, da ich es neu trinken werde in der Basileia Gottes.“

[113] Der Kern des uns geläufigen, in anderer Weise auf Jesus zurückgehenden Herrenmahlsberichts (Lk 22,19 f parr mit seiner doppelten Todesprophetie, seiner Heilszusage als Frucht der Proexistenz Jesu und als Zusage einer neuen Gemeinschaft mit Jesus) braucht keinen ausschließenden Gegensatz dazu zu bilden; trotz der traditionsgeschichtlich notwendigen Differenzierung können der futurisch-eschatologische und der präsentisch-eschatologische Herrenmahlstext der Sache nach in demselben Verhältnis zueinander stehen wie Gegenwart und Zukunft der Basileia (vgl. 3.5.2.2 und 3.5.2.3 zu den Strukturkomponenten 3 [J] und 4 [J]; s. auch 3.5.2.4 zu Strukturkomponente 5 [J]).

Dieser Rückschluß kann ferner durch die folgende Überlegung gestützt werden[114]: Die Radikalität der Forderungen Jesu, die dem Jünger das Äußerste zumutet, ist historisch unbestreitbar. Kann man sich vorstellen, daß Jesus an sich selbst keine so radikale Forderung gerichtet sah? Sicherlich nicht. Die Boten-Existenz Jesu für die Basileia ist von ihrer Struktur her verbunden mit dieser Unbedingtheit, die das Todesrisiko niemals ausschließen kann, sondern bewußt einschließen muß. Wenn Jesus solche Forderungen an diejenigen stellte, die die Botschaft der nahen Basileia weiter vertreten sollten, dann mußte er die Forderung unbedingten Engagements erst recht an sich selbst gerichtet wissen, da er ja diese Botschaft zuerst und grundlegend – als erster und als Initiator – vertreten hatte.

3.9.3 Die Proexistenz Jesu[115] – Sinnmitte der vorösterlichen keimhaften Passionstheologie

Genauso wie für den Spannungspol „Geltendmachen des Anspruchs Gottes" (die bisherigen Überlegungen standen in der Nähe *dieses* Gedankens) gilt die Notwendigkeit, die Forderung unbedingten Engagements an sich selbst gerichtet zu wissen, für den korrespondierenden Spannungspol „Sendung zum Heil der Menschen, zu denen Gott seinen Boten schickt"[116]. Ohne Bejahung eines unbedingten Engagements wäre das nicht möglich gewesen, was um der Menschen willen sein mußte: das Durchhalten der Spannungseinheit von Entscheidungsforderung und Freiheitsermöglichung, von Bejahung Gottes als Macht und als Liebe. Dieses Durchtragen erreicht seinen Höhepunkt im Angesicht des Todes.
Das möglicherweise jesuanische Logion Lk 12,49 dürfte mit dieser Haltung zusammenhängen und sie veranschaulichen: „Ein Feuer auf die Erde zu werfen, bin ich gekommen, und wie sehr wünsche ich, es wäre schon entflammt; mit einer Taufe muß ich getauft werden, und wie drängt es mich, bis sie vollendet ist."[117] Ob dieses Wort nun ipsissima vox Jesu ist oder nicht, jedenfalls bedeutet es die Bejahung der mit einem Feuer verglichenen Dynamik der Basileia-Verkündigung – mag die von der Todestaufe sprechende Vershälfte nun ursprünglich mit dem Feuer-Wort verbunden gewesen sein oder nicht. Auf jeden Fall entspricht diese Verbindung von Bejahung der Basileia-Dynamik und Bejahung des eigenen Todesrisikos der inneren Logik.

[114] Vgl. *H. Schürmann*, Tod 35.
[115] Zum Sprachgebrauch vgl. oben 3.6.2.2, Anm. 73.
[116] Vgl. die Zusammengehörigkeit der Strukturkomponenten 7 (J) „Jesus als der Mensch für Gott" und 8 (J) „Jesus als der Mensch für die anderen".
[117] Vgl. zu diesem Wort auch oben 3.2.2.

die dem radikalen Sendungsverständnis Jesu eigen ist. Das Drängende dabei ist kein Wille zum Untergang, sondern Wille zum Durchtragen des in die letzte Zerreißprobe führenden „für die Menschen".[118]
Steht die Einsicht, daß Jesus die radikale Forderung zuerst an sich selbst richtete, bevor er sie den Jüngern auferlegte, in einem Zusammenhang mit seinem Leben „für" die anderen, seiner Proexistenz? Dieses „Leben für" ist in den Sprüchen vom Dienen Jesu und seiner Jünger ausgedrückt. Wir besitzen im Kern unbestreitbar jesuanische Worte, nach denen Jesus die Jünger als Dienende will.[119] Hier ist ebenfalls der Schluß möglich und notwendig: Bevor Jesus das unbedingte Dienen von den Jüngern forderte, hat er sein eigenes Leben so verstanden.[120]
Wenn wir erkennen wollen, was es in der Situation Jesu selbst bedeutete, das eigene Leben als Proexistenz aufzufassen, müssen wir das uns aus der Frömmigkeitsgeschichte, vor allem der Sakramentsfrömmigkeitsgeschichte bekannte, allzuoft gefährlich in der Nähe von Magie stehende Mißverständnis ausschließen, dieses „für" werde schon in einer isolierten (und damit pervertierten) Kultfrömmigkeit oder in einer den Bezug zur Orthopraxis verlierenden Passionsmystik wirksam. Die Möglichkeit nachösterlichen Pneumawirkens in sakramentalen Zeichen soll davon nicht berührt sein[121]; im Rahmen der vorösterlichen „keimhaften Passionstheologie" Jesu selbst ist jedoch immer wieder auf den Diakonia-Gedanken zu verweisen.[122]
Geht man von der Radikalität bzw. Unbedingtheit aus, von der die Jüngerunterweisung zum Dienen bestimmt ist, läßt es sich zumindest wahrscheinlich machen, daß Jesus seinen Willen zum Dienen selbst im Angesicht des Todes nicht aufgab – daß er das Bewußtsein hatte, so sehr im Dienst der Basileia Gottes zu stehen, daß alles, was ihm widerfuhr, in diesen Dienst einbezogen sein mußte, selbst der Tod. Wenn die Basileia als letztgültige Zuwendung Gottes zu den Menschen „für" sie ist (bzw. besser: für sie geschieht), dann ist das Durchhalten der Botenfunktion Jesu, seiner Funktion, „Begegnungszeichen"[123] für die Basileia zu sein, ebenfalls grundsätzlich „für" diese Menschen, zu denen Gott ihn sendet. Es ist alles andere als undenkbar, daß Jesus die Notwendigkeit, für die Basileia-Verkündigung in den

[118] Das gilt, ob das Feuer in Lk 12,49 nun in irgendeinem Sinn auf die verzehrende und rettende Liebe Gottes gedeutet werden darf, wie es mir – mindestens in der Konsequenz des Wortes – nicht ausgeschlossen zu sein scheint, oder nicht. Wahrscheinlich wäre eine solche Deutung im Rahmen der alten synoptischen Tradition nur dann möglich, wenn der Gerichtsgedanke nicht eliminiert wird; er braucht freilich nicht den alleinigen Akzent zu tragen.
[119] Vgl. oben 3.6.2.2 zu Strukturkomponente 8 (J).
[120] Vgl. *H. Schürmann*, Tod 47-49; *J. Roloff*, Anfänge 62-64.
[121] Vgl. unten 5.1.3 und 5.4.4.5 mit Anm. 102.
[122] Vgl. *H. Schürmann*, Tod 47f; s. auch *ders.*, Entsakralisierung 321, Zeile 27-31.
[123] *A. Polag*, Christologie 50.

Tod zu gehen, in den Gedanken der Diakonia für diese Basileia hineinnahm; sein Dienst für die Menschen mußte jetzt diese unverständlich erscheinende Form des Leidens und Sterbens annehmen.
In dieser letzten Aufgipfelung des Dienens, angesichts des Letzten, das von menschlichen Beurteilungsmaßstäben her das Scheitern, ja die Katastrophe ist, wird noch einmal deutlich, wie sehr die Proexistenz Jesu sich inhaltlich darin ausprägt, daß er dasjenige als Einheit anbietet, vorlebt und ermöglicht, was im Leben der von ihm angerufenen Menschen auseinanderstrebt und was im Auseinanderstreben das Menschsein mindern und letztlich zerstören muß: daß er die Polarität von Theozentrik (als der Auswirkung des Anspruchs Gottes, als Herstellung und Sicherung der Relation zu Gott) und Verwirklichung des Humanum wirklich als *Einheit* zu gewinnen und durchzutragen vermag. Jesus lebt dafür und geht dafür in den Tod, daß die Menschen Bindung an Gott und Freiheit zur Selbstentfaltung als Einheit suchen und leben können – und daß sie so das Heil (letztlich das der futurischen Vollendung) gewinnen. Ermöglicht wird das Anstreben dieser Einheit von Bindung an Gott und Freiheit (in der Weise, daß es schon eine anfanghafte Realisierung impliziert) durch die Solidarität mit Jesus, die letztlich allein die unausweichliche Bedrohung dieser Spannungseinheit rettend überwinden kann.

4. Die Auferweckung Jesu als Grund einer zweiten Reihe von Kriterien

4.1 Vorbemerkung: Die Frage nach der Integration des Auferweckungsglaubens in das Gesamt der neutestamentlichen Verkündigung

Ob im Rahmen des vorliegenden Entwurfs sinnvollerweise nach der Auferweckung Jesu gefragt werden kann, ob es also wirklich durch die Auferwekkung Jesu bedingt ist, daß es mit der jesuanischen Reihe von Strukturkomponenten bzw. Kriterien nicht sein Bewenden haben kann – diese Frage hängt von dem theologischen Verständnis der Auferweckung Jesu ab. Soll eine Chance bestehen, die Frage positiv zu beantworten, dann ist Voraussetzung dafür eine Sicht von Auferweckung, in der diese nicht nur von außen her als Beweis für die Gottessohnschaft Jesu die apologetische Grundlage der weiteren kirchlichen Christologie bildet (und dann leicht als isoliertes Mirakel aufgefaßt würde). Vielmehr müßte eine Sicht von Auferweckung vorausgesetzt werden können, in der diese gewissermaßen von innen heraus die gesamte nachösterliche Wirklichkeit Jesu und der an ihn Glaubenden bestimmt.
Von hier aus ergibt sich das Anliegen, das dieses Kapitel durchzieht: die Auferweckung Jesu integriert zu sehen in das Gesamt der neutestamentlichen Verkündigung und deshalb konsequent nach Wegen solcher Integration zu fragen.

4.2 Der neutestamentliche Befund zum Thema „Auferweckung Jesu“: Problematik und Wege zur Lösung

4.2.1 Der Befund und die mit ihm gegebene Problematik

Keine theologische Reflexion des neutestamentlichen Auferweckungskerygmas kann an der Problematik vorbeigehen, die aus dem vielschichtigen neu-

testamentlichen Befund resultiert. Dieser umfaßt Texte unterschiedlichen Alters, unterschiedlicher literarischer Gattung, unterschiedlicher geographischer Einordnung[1], unterschiedlichen theologischen Gewichts und unterschiedlicher Relevanz für die *historische* Frage nach der Auferweckungserfahrung der ersten Zeugen. Konkreter: Uns liegen bekanntlich die zwei großen Gruppen von Texten über die Auferweckung Jesu vor, einmal die Ostergeschichten der Evangelien, zum anderen die Bekenntnisformeln und sonstigen Ausdrucksformen des Glaubens an die Auferweckung Jesu. Die erzählenden Ostertexte der Evangelien umfassen wieder zwei Typen von Geschichten, die traditionsgeschichtlich zu unterscheiden sind, die Erscheinungsgeschichten und die um das Grab Jesu kreisenden Geschichten.
Die Problematik dieses Befundes – gerade im Hinblick auf das Anliegen unseres jetzigen Kapitels – wird vielleicht am deutlichsten, wenn wir die verbreitete, angesichts der Anschaulichkeit der erzählerischen Evangelientexte naheliegende, meist unreflektierte Auffassung konstatieren, diese Ostererzählungen seien recht eigentlich repräsentativ für die neutestamentliche Verkündigung der Auferweckung Jesu. Zudem dürfte mit einer solchen, wenn auch nicht immer zum Bewußtsein kommenden Auffassung sehr leicht die Tendenz verbunden sein, die unterschiedlichen Texte flächenhaft nebeneinander zu sehen, sie gewissermaßen auf eine einzige Ebene aufzutragen und damit zu nivellieren. Dann liegt das Mißverständnis nicht mehr weit ab, die Auferweckung Jesu als ein auf einen bestimmten Zeitpunkt kurz nach dem Kreuzestod – und nur auf diesen Zeitpunkt – fixiertes Geschehen aufzufassen, das seine Bedeutung vor allem in der (apologetisch aufgefaßten) Bestätigung der Göttlichkeit des Gekreuzigten besitzt. Der Zusammenhang dieses so aufgefaßten Auferweckungsgeschehens mit der Gesamtwirklichkeit „Jesus Christus" droht verlorenzugehen – und zwar sowohl seine Bedeutung für die Fruchtbarkeit des irdischen Wirkens Jesu von Nazaret als auch eine nicht nur von außen, sondern von innen heraus gegebene Relevanz für die Wirklichkeit der nachösterlichen Gemeinde. Mit anderen Worten: Die Auferweckung droht in die Nähe eines recht isoliert gesehenen Mirakels zu geraten.
Die Problematik liegt also nicht nur in der Divergenz der Einzelberichte, sondern darin, daß die soeben aufgezeigte Engführung und Nivellierung der Texte die Frage hervorruft: Wie kann etwas zum tragenden Grund christlichen Glaubens gemacht werden, das doch die Möglichkeiten historischer Verifizierung transzendiert? Und zwar etwas „Metahistorisches", dessen Bezeugung zudem noch scheinbar so spärlich und widersprüchlich ist und au-

[1] Vgl. die Galiläa-Tradition bei Markus und Matthäus und die Jerusalem-Tradition bei Lukas und Johannes.

ßerdem nur durch Menschen geschieht, die Glaubende sind, glaubend freilich nach ihren Angaben aufgrund dieses Ereignisses?
Dabei ist jedoch festzuhalten: Diese sicherlich nicht geringe Problematik würde erst durch zwei Fehler so verschärft, daß der Weg zu einem verantwortbaren Glauben blockiert werden könnte. Diese beiden fundamentalen Fehler sind (erstens) die Fixierung des Blicks auf ein isoliertes Ereignis „Auferstehung", das für sich allein zum Fundament des Glaubens gemacht wird, und (zweitens) eine Behandlung des Themas, in der die Auferweckung Jesu als „historisches Faktum" im Sinne der Geschichtswissenschaft angesehen oder mindestens unreflektiert so behandelt wird. (Mit diesem zweiten Fehler hängt im Extremfall die Auffassung der Auferweckung als der Wiederbelebung eines Leichnams – in dem Sinn, daß irdisches Leben weitergeht – zusammen.)
Angesichts dieser Sachlage kann die Lösung der Problematik nur unter der Voraussetzung gefunden werden, daß die nicht nur historische, sondern auch theologische Prävalenz der Bekenntnistexte erkannt und als Richtschnur genommen wird. Was die erzählerischen Ostertexte der Evangelien angeht, so kann es hier nicht um ihre positive theologische Würdigung gehen, die sicherlich möglich ist,[2] sondern um die Frage, wie die Auferweckung Jesu als die Wirklichkeit erkannt werden kann, die für das gesamte Glaubensleben der nachösterlichen Christen bestimmend ist. Die Ostererzählungen der Evangelien sind hierfür nicht entfernt so geeignet wie die Bekenntnistexte, wie sie auch – als relativ späte Texte – nur bedingt maßgebend sind für den ursprünglichen Sinn des Kerygmas von der Auferweckung Jesu. (Und auch diese bedingte Relevanz besitzen sie nur im Zusammenhang mit den Bekenntnistexten.) Wir werden uns also vor allem auf die Bekenntnisformeln stützen müssen, zu denen auch die zahlreichen Ausdrucksformen, Variationen und Reflexe des Kerygmas von der Auferweckung Jesu bzw. von dem bei Gott lebenden auferweckten Jesus hinzuzurechnen sind. Innerhalb dieser Gruppe ist – als Sonderfall von einmaligem Gewicht – der älteste uns erhaltene Bekenntnistext 1 Kor 15,3-5 noch gesondert zu werten.

4.2.2 Ansatzpunkte im Bereich des Geschichtlichen für ein theologisches Verständnis der Auferweckung Jesu

In der gebotenen Kürze soll jetzt eine *Vorfrage* für unser Hauptproblem der theologischen Integration des Auferweckungsglaubens besprochen werden;

[2] Vgl. *J. Kremer,* Osterbotschaft (Lit.); *H. Graß,* Ostergeschehen; vor allem *K. Lehmann,* Die Erscheinung des Herrn.

und zwar muß danach gefragt werden, ob und in welcher Weise der *historische Befund* die *Möglichkeit eines integrierten Verständnisses* offenläßt oder nahelegt. Schon in der bisherigen Darlegung der Problematik wurden Ansatzpunkte im Bereich des Historischen erkennbar, vor allem die traditionskritische Schichtung der in den Texten erkennbaren Aussagen und die historische Prävalenz der einfach strukturierten Kerygmatexte („Gott hat ihn auferweckt", „...erhöht").[3] Darüber hinaus lassen die folgenden Beobachtungen erkennen, daß der geschichtliche Befund für eine theologisch-integrierende Deutung der Auferweckung Jesu (im Gegensatz zu einem episodenhaft-isolierenden Verständnis) offen ist:

4.2.2.1 Wenn die angesichts des Scheiterns Jesu am Kreuz unerwartete und außerordentlich starke Dynamik der urchristlichen Mission erklärt werden soll, kommt man an der Schlußfolgerung nicht vorbei, daß es hierfür – abgesehen von der Eindruckskraft des Wirkens Jesu, die aber angesichts der für jüdisches Verständnis vernichtenden Katastrophe[4] nur unter bestimmten Bedingungen wieder aufleben konnte – noch ein *Initialgeschehen* nach seinem Tod gegeben haben muß, ein Initialgeschehen, das ebendiese Bedingungen schaffen konnte. Dieses Initialgeschehen kann nach der neutestamentlichen Überlieferung nur in der Auferweckungserfahrung der maßgebenden Jünger liegen;[5] es ist der Anstoß, der notwendig war, damit bei diesen nachösterlichen Jüngern die Überzeugung zustande kam, daß das Evangelium Jesu als Christuskerygma verkündet werden müsse. Damit ist zunächst noch nichts über die Frage ausgesagt, ob dieser nach dem Tod Jesu von den Jüngern erfahrene neue Anstoß psychologisch-religionsgeschichtlich zu erklären sei oder darüber hinaus (bzw. ebendarin) auch eine Einwirkung aus der Transzendenz sei. Verfolgt man diese Überlegung weiter, so muß offenbleiben, ob dieses Initialgeschehen historisch enger (im Sinn eines isolierten Wunders) oder weiter zu fassen ist; das letztere ist jedoch von vornherein wahrscheinlicher.

4.2.2.2 Als ältestes Zeugnis des Auferweckungsglaubens besitzen wir in 1 Kor 15,3-5 einen Text, mit dem wir sehr nahe an die Ereignisse selbst herankommen;[6] und gerade dieser Text weist eine Auffassung von Auferwek-

[3] Was die Ostererzählungen angeht, so wäre es theoretisch zwar möglich, bei den ihnen zugrunde liegenden Traditionen anzusetzen; aber diese Traditionen sind kaum eindeutig genug zu sichern.

[4] Gegen den Versuch von *R. Pesch* (Zur Entstehung 219-221), dieses auf das scandalum crucis bezogene Argument zu entkräften, vgl. *A. Vögtle*, Osterglaube 69-74. 129; *W. Kasper*, Glaube an die Auferstehung Jesu 236.

[5] Vgl. *F. Hahn*, Mission 37f. 40; *E. Schweizer*, Jesus 49; *W. Thüsing*, Älteste Christologie 45f.

[6] Vgl. *J. Kremer*, Das älteste Zeugnis (zur Frage des Alters von 1 Kor 15,3-5: 29f); *F. Hahn*, Hoheitstitel 197-212; *K. Lehmann*, Auferweckt am dritten Tag (zu 1 Kor 15,3-5: 17-157).

kung auf, die das der Auferweckungserfahrung zugrundeliegende Geschehen völlig anders deutet als etwa im Sinn der Wiederbelebung eines Leichnams – nämlich als Erscheinen bzw. „Sich-sehen-Lassen" des bei Gott lebenden auferweckten Kyrios Jesus.[7]

4.2.2.3 Die Autoren des Neuen Testaments und schon die von ihnen verarbeiteten Traditionen lassen die durchgängige Überzeugung erkennen, daß das zu postulierende Initialgeschehen (ganz auf der Linie des frühen Textes 1 Kor 15,3-5) in der Auferweckungserfahrung liegt, in der Kreuzestod und Auferweckung Jesu als zusammengehörig erkannt werden – und mit der darüber hinaus noch die Pneuma-Erfahrung der Urchristenheit auf das engste verbunden ist.[8]

4.2.2.4 Das für die Dynamik der urchristlichen Mission unerläßliche Sendungsbewußtsein der Zeugen steht in engstem Zusammenhang mit der Erfahrung der Auferweckung Jesu.[9]

4.2.2.5 In diesem Zusammenhang sind auch die geistes- und religionsgeschichtlichen Voraussetzungen von Erfahrung und Verkündigung der Auferweckung Jesu zu bedenken.[10] Für Menschen, die in apokalyptischen Kategorien dachten, bestand zum Beispiel die Notwendigkeit, das Initialgeschehen urchristlicher Mission auch in solchen apokalyptischen Kategorien („Auferstehung der Toten") auszusagen – obwohl auch innerhalb dieser Denkkategorien nicht an die Wiederkehr eines Leichnams in das normale irdische Leben gedacht sein konnte. Auch von solchen religionsgeschichtlichen Überlegungen aus können einerseits Engführungen relativiert werden, die in die Nähe des nur Mythologischen geraten; andererseits ergeben sich Möglichkeiten, die Auferweckung Jesu im Gesamtzusammenhang der eschatologischen Verkündigung zu sehen.[11]

[7] 1 Kor 15,5-8. Vgl. *G. Ebeling*, Wesen 64 f; *J. Kremer*, Entstehung 8-10; *A. Vögtle*, Osterglaube 37-59.128 f.

[8] Die Logienquelle ist kein Gegenbeweis; vgl. auch *M. Hengel*, Christologie 55.

[9] Vgl. unten 4.3.4.

[10] Die Hypothese von *K. Berger* (Die Auferstehung des Propheten), es habe zur Zeit Jesu ein Interpretationsschema gegeben, das einen einzelnen, der als eschatologischer Prophet galt, nach seinem Martyrium durch Auferstehung und Himmelfahrt gerechtfertigt sah, dürfte der weiteren Prüfung in der Forschung kaum standhalten; vgl. *M. Hengel*, Osterglaube 257-260; *P. Stuhlmacher*, „Kritischer..." 246; *A. Vögtle*, Osterglaube 80.83-85.

[11] S. unten 4.4.5.

4.2.3 Wege zur Integration des Auferweckungsglaubens in die Gesamtwirklichkeit des nachösterlichen Jesusglaubens

Diese Wege, die bereits in Abschnitt 4.2.1 grundgelegt sind und in Abschnitt 4.3 und 4.4 näher beschrieben werden sollen, sind hier im Sinn einer ersten Übersicht vorweg zu nennen:
– Die Auferweckung Jesu muß zusammengesehen werden mit dem, was im Neuen Testament „Erhöhung Jesu" genannt wird. Hier liegt die zentrale Integrationsmöglichkeit.
– Im Zusammenhang mit dem Erhöhungsglauben muß die Auferweckung Jesu als eschato-logische Aussage begriffen werden. Hierzu können wir uns schon auf die älteste nachösterliche Christologie stützen.

Während die beiden jetzt genannten Wege zur Integration des Auferwekkungsglaubens vom neutestamentlichen Befund ausgehen, bauen die noch zu nennenden zwei Wege zwar auf dem neutestamentlichen Befund auf, versuchen das mit „Auferweckung Jesu" Gemeinte jedoch stärker systematisch-theologisch auf seinen – notwendig in theologischer Abstraktion zu erfassenden – Kerngehalt zurückzuführen:
– Im Zusammenhang mit dem Erhöhungsglauben muß die Auferweckung Jesu als ein Vorgang der *Transformation* begriffen werden. Mit dem Begriff „Transformation" ist die Frage angesprochen, was durch die Auferweckung Jesu für Jesus selbst und für sein Werk anders wird und was bleibt, anders ausgedrückt: die Frage, ob und wieso Jesus und seine Funktion durch die Auferweckung zu bleibender Gültigkeit gelangen können.
– Schließlich ist – in Zusammengehörigkeit mit dem Transformations-Postulat und letztlich entscheidend und grundlegend – die Auferweckung Jesu als theo-logische Aussage zu verstehen, als Aussage über Gott.

4.3 Auferweckung Jesu als Erhöhung

Vom neutestamentlichen Befund aus bietet der Zusammenhang zwischen Auferweckung und Erhöhung die wichtigste Integrationsmöglichkeit des Glaubens an die Auferweckung Jesu. Vor allem durch diesen Zusammenhang kann erfaßt werden, daß die Auferweckung in keiner Weise episodenhaft verstanden werden darf, daß sie vielmehr nicht ohne Zerstörung des Ganzen aus dem Kerygma herausgelöst werden kann.

4.3.1 Zur Terminologie

Ich unterscheide zwischen „Erhöhungsvorstellung“ und „Erhöhungsglaube“.

„Erhöhungsvorstellung“ beinhaltet die in monarchischen und mythologischen Kategorien vorgestellte Inthronisation Jesu zum Weltherrscher (vgl. die Akklamation der „Mächte“ in Phil 2,10f). Sie findet sich noch nicht in der ältesten nachösterlichen Christologie, ist aber doch schon sehr früh im Neuen Testament wirksam.

„Erhöhungsglaube“ meint das, was der „Erhöhungsvorstellung“ zugrunde liegt und auch ohne antik-monarchische und mythologische Redeweisen ausgedrückt werden kann: den Glauben an den Jesus, der jetzt „bei Gott“ lebt, das heißt, der in das Geheimnis Gottes aufgenommen ist und aus diesem Geheimnis heraus und in der Kraft dieses Geheimnisses wirksam ist.[12] Dieser „Erhöhungsglaube“ ist bereits in der ältesten nachösterlichen Christologie implizit vorhanden (vgl. den folgenden Abschnitt 4.3.2).

Diese terminologische Unterscheidung halte ich für notwendig, weil manche Mißverständnisse und Fehldeutungen durch einen undifferenzierten Gebrauch des Begriffs „Erhöhungsvorstellung“ zustande kommen. Es geschieht allzu leicht, daß der Erhöhungsglaube als ganzer – und damit fast das ganze nachösterliche Neue Testament – abgelehnt wird, wenn nur die erste (natürlich religionsgeschichtlich und mythologisch befrachtete) Bedeutung „Erhöhungsvorstellung“ gesehen wird und nicht erkannt wird, daß diese zeitgeschichtlich und mythologisch geformte Vorstellung einen Sachverhalt intendiert, der auch für heutigen Christusglauben existenznotwendig ist.

4.3.2 „Auferweckung Jesu“ als eschato-logische Aussage

Da das von Gott verfügte Eschaton nach dem Glauben des Neuen Testaments (und weiter Kreise des Frühjudentums) die gesamte Menschheit angeht, bedeutet die Erkenntnis, daß „Auferweckung Jesu“ eine eschato-logische Aussage sei, ihre Relevanz für die ganze Menschheit.

Die Erhöhungsvorstellung ist für die älteste nachösterliche Christologie noch nicht in expliziter Form anzunehmen. Trotzdem ist gerade diese früheste Christologie, die in den entscheidenden Umrissen rekonstruiert werden kann,[13] von großer Bedeutung für das Thema „Auferweckung“ – und zwar nicht nur für die Überwindung eines isolierten Auferweckungsverständnisses (die bereits dadurch zustande kommt, daß die Auferweckung in

[12] Vgl. unten 4.4.2 und 4.4.5.

[13] Vgl. *W. Thüsing*, Älteste Christologie, bes. 88-99.

die eschatologische Sicht Jesu und der Urkirche einbezogen wird), sondern auch für die Einbindung der Auferweckung in den Erhöhungsvorgang.
Innerhalb der auf das futurische Eschaton ausgerichteten, weithin apokalyptischen Denkstrukturen des zeitgenössischen Judentums war es naheliegend, sowohl die Auferweckung Jesu als auch die Gabe des Geistes als Beginn der Eschata zu deuten – und zwar als einen Beginn, der die Erwartung der in Vollendung kommenden Basileia und der Parusie Jesu als des Menschensohn-Richters neu entfachte und ihre Intensität außerordentlich steigerte. Wahrscheinlich bestand die erste christologische Bewältigung des Auferweckungsglaubens darin, daß man Jesus mit dem kommenden Menschensohn identifizierte. Dadurch hat man Jesus mit der eschatologischen Verheißung Jahwes zusammengedacht. Die Verheißung Jahwes ist durch diesen Auferweckungsglauben und diese Menschensohn-Theologie also bekräftigt, „festgemacht". Aber mit dieser in die Zukunft gerichteten Blickweise der ältesten Christologie verhält es sich wie mit der Basileia-Verkündigung Jesu: Was da für die Zukunft in neuer Lebendigkeit erhofft wird, ist bereits aus dieser Zukunft heraus in die Gegenwart hinein wirksam. In der Erwartung des mit Macht kommenden Menschensohns Jesus ist schon „Erhöhungsglaube" impliziert; denn der „vom Himmel aufgenommene"[14] Jesus wartet in der Vorstellung der ältesten Urgemeinde nicht etwa untätig,[15] sondern wirkt mit Dynamik auf das Kommen der Basileia Gottes und damit auch auf seine eigene Parusie hin.
Die Erscheinungen des Auferweckten vermitteln der frühen Gemeinde die Erkenntnis, daß die Eschata jetzt eingeleitet sind, und lassen *gleichzeitig* erkennen, daß der Herr Jesus bereits in gegenwärtiger Kommunikation mit den Seinen steht. In den Geistwirkungen wird die nahe und schon eingeleitete Erfüllung der Verheißungen, aber auch die Gegenwart des auferweckten Geistträgers Jesus erfahren. Durch den Ausblick auf das Mahl der Vollendung in den alten eschatologischen Herrenmahlsworten wird das Wissen um die schon in der nachösterlichen Gegenwart neu geschaffene Tischgemeinschaft mit dem Auferweckten nicht geschmälert, sondern intensiviert. Der vielleicht typischste Ausdruck für die Zusammenschau des auferweckten mit dem kommenden Jesus (das heißt: für die Zusammenschau seiner Zukunft mit seiner nachösterlichen Gegenwart) ist der gutbezeugte urchristliche Gebetsruf *maranathā* (1 Kor 16,22), der sicher der palästinensischen Gemeinde entstammt. Er ist Bitte um das Kommen zur Parusie. Aber daß man Jesus und nicht nur Gott in einem solchen Bittruf um die Parusie an-

[14] Vgl. Apg 3,21.
[15] Vgl. *W. Thüsing*, Älteste Christologie 44f (dort bes. Anm. 13); ebd. 93 (im Unterschied zu *F. Hahn*, Hoheitstitel 184-186. Vgl. jedoch die Korrekturen und Präzisierungen F. Hahns in VF 15 (1970) 36-38.

redete, ist nur dann sinnvoll, wenn man ihn als jetzt schon wirksames und gegenwärtiges Gegenüber wußte.
Noch etwas ist bei dieser Überlegung zur ältesten futurisch-eschatologisch bestimmten Christologie von Bedeutung für unser Thema: Wenn die Auferweckung Jesu als Beginn der Eschata verstanden wird, dann muß sie auch nach Art der eschatologischen Auferweckung gedeutet werden, also eben *nicht* als Rückkehr eines Leichnams ins irdische Leben. Dann hat Jesus „nicht nur das Sterben, sondern den Tod" hinter sich gelassen.[16]

4.3.3 Auferweckung „im Zuge der Erhöhung"

Daß man Auferweckung und Erhöhung in einem einzigen sachlich-theologischen Zusammenhang sehen muß,[15a] soll jetzt anhand einiger neutestamentlicher Stellen belegt werden. Auch soweit sie späten neutestamentlichen Texten angehören, lassen sie sich als Reflexe einer schon früh keimhaft gegebenen Auffassung erkennen.
Die Rede von der Auferweckung und die von der Erhöhung Jesu scheinen an einigen wichtigen Stellen nahezu austauschbar zu sein. Im Christushymnus von Phil 2 beispielsweise wird nach der Erniedrigung bis zum Tod nicht die Auferweckung, sondern die Erhöhung genannt: „Darum hat Gott ihn über-erhöht. . . " (Phil 2,9). In Lk 24,26 heißt es: „Mußte nicht der Christus dieses leiden und in seine Doxa eingehen?"
Die Konzeption des *Hebräerbriefs* ist besonders typisch. In diesem Brief ist von der Auferweckung Jesu kaum die Rede[17], während das Erhöhungskerygma den Brief durchzieht. Ich weise auf Hebr 12,2 hin: „. . . der das Kreuz erduldete, die Schande geringachtete und sich zur Rechten des Thrones Gottes gesetzt hat."
Es gibt ferner im Neuen Testament Stellen, an denen Auferweckung und Erhöhung wechselweise gebraucht werden bzw. ineinander übergehen. Aber es gibt auch Aussagen, nach denen sich die Auferweckung als Ursprung und Anfang der Erhöhung vollzieht. Vor allem ist die alte christologische Formel Röm 1,3f zu vergleichen; das zweite Glied dieser Formel lautet: „. . . eingesetzt in die Machtstellung des Sohnes Gottes gemäß heiligem Geist seit [oder: kraft] der Auferstehung von den Toten." Auch in Röm 8,34 ist das

[15a] Und zwar trotz der methodisch *zunächst* gebotenen Differenzierung.
[16] *G. Ebeling,* Wesen 66: „Daß Jesus auferstanden ist von den Toten, heißt keinesfalls, daß er in dieses irdische Leben zurückgekehrt ist als einer, der den Tod noch einmal vor sich hat. Sondern es heißt, daß er, der Tote, den Tod, wohlbemerkt nicht nur das Sterben, sondern den Tod, endgültig hinter sich hat und endgültig bei Gott ist, und eben darum gerade hier in diesem irdischen Leben anwesend ist."
[17] Hebr 13,20 ist die einzige Stelle im ganzen Brief, die sich, wenn auch in Umschreibung, ausdrücklich auf die Auferweckung Jesu bezieht.

„Sitzen zur Rechten Gottes“ (das Erhöhtsein) Jesu als Deutung und Entfaltung der Auferstehungswirklichkeit zu erkennen.
Der Sinn der Auferweckung ist also nicht der eines isolierten Mirakels zum Beweis der Göttlichkeit Jesu[18], sondern die Erhöhung als Übergang des toten Jesus zum machtvollen Leben bei Gott. In diesem Sinn kann also von „Auferweckung als Erhöhung“ gesprochen werden. H. Schlier[19] gibt eine differenzierte und ausgewogene Beschreibung des Sachverhalts, die hier im Wortlaut zitiert sei: „... man wird sagen müssen, daß die Erhöhung inneres Ziel, aber auch Auswirkung der Auferstehung Jesu Christi ist, und diese deshalb schon im Zuge der Erhöhung geschieht. In der Auferweckung Jesu Christi von den Toten ereignet sich schon Erhöhung, und in der Erhöhung ist Auferstehung von den Toten wirksam.“
Die Auferstehungserfahrungen der ersten Zeugen sind der Ansatzpunkt für die Entfaltung und Artikulation des Erhöhungsglaubens. Dieser Glaube hat die „herrscherliche“ Wirksamkeit des Erhöhten zum Inhalt. Das Wirksam-Werden in diesem Sinn setzt aber für biblisch-jüdisches Verständnis die Lebendigkeit und Kommunikationsfähigkeit des ganzen Menschen Jesus voraus, also seine Auferstehung von den Toten.

4.3.4 Erscheinungen des Auferstandenen als Berufung und Legitimation

Bei den Erscheinungstraditionen steht zwar sicherlich der auferweckte Jesus im Mittelpunkt; sie sind jedoch *auch* als Legitimationsnachweise der Männer weitergegeben worden, die – eben aufgrund einer Berufung durch den auferweckten Jesus – bleibende Autorität in der Kirche hatten.[20] Auch wenn diese Bedeutung der Erscheinungstraditionen kaum die primäre und schon gar nicht die allein bestimmende gewesen sein dürfte – denn meiner Meinung nach ist der christologische Aspekt des Auferstehungskerygmas primär und nicht der ekklesiologische[21] –, stellt sie doch einen wichtigen Aspekt des Auferweckungszeugnisses dar.

[18] Man denke an Argumentationen früherer Apologetik und an manche Strophen von Osterliedern (z. B. Gotteslob Nr. 927 [Eigenteil der Diözese Münster] Str. 2: „... Verbürgt ist nun die Göttlichkeit von Jesu Werk und Wort“).

[19] Auferstehung 24 f.

[20] Vgl. *U. Wilckens,* Auferstehung 147: „...bei der *Überlieferung* der Erscheinungen ging es darum, die Beauftragung der Zeugen durch die Autorität des Auferstandenen auszusagen.“

[21] Von U. Wilckens und R. Pesch unterscheide ich mich in dieser Frage der Legitimationsbedeutung der Erscheinungstraditionen (bzw. zunächst der Erscheinungssaussage von 1 Kor 15) in einer Akzentsetzung, die, mindestens was R. Pesch angeht, doch wohl von grundsätzlicher Bedeutung ist. Zwar sehen beide Autoren auch den christologischen Aspekt des Auferstehungskerygmas (vgl. *U. Wilckens,* Auferstehung 166f; in bedeutend abgeschwächterer Weise *R. Pesch* [nach dem die *ohne Erscheinungen* zustande gekommene christologische Legitimationsaussage

Mit dem Stichwort „Legitimation der Zeugen“ ist gleichzeitig das Thema „Konstituierung von Gemeinde“ angesprochen. Die Legitimation der Zeugen geschieht auf Gemeinde hin und nicht nur wegen des Weitergehens einer von der Gemeinde losgelösten „Sache Jesu“[22]. Deshalb kann das Geschehen, das im Neuen Testament als Auferweckung Jesu und als Manifestation dieser Auferweckung ausgesagt wird, nicht einfach als immer wieder sich ereignende Vergegenwärtigung Jesu im Kerygma verstanden werden[23]; vielmehr muß es als *Initialgeschehen mit Einmaligkeitscharakter,* das auf die Konstituierung und die Mission der Gemeinde ausgerichtet ist, festgehalten werden. Aber auch diese Sicht bekräftigt unsere Auffassung der Auferweckung Jesu als eines Geschehens „im Zuge der Erhöhung“ und damit als eines Geschehens, das die Wirksamkeit des Erhöhten nicht nur einleitet, sondern grundlegt. Gerade wenn die Beauftragung der ersten Zeugen untrennbar mit Auferweckungserfahrungen verbunden ist, besteht diese Auffassung zu Recht; denn Erfahrungen und Martyría der ersten Zeugen eröffnen ja das gesamte missionarische Wirken der Urkirche; und dieses wird als Wirken des erhöhten Jesus selbst aufgefaßt – er selbst wirkt durch die zu seiner Gemeinde gehörenden Menschen (vgl. Röm 15,18). Auch die missionarische Wirksamkeit der Urkirche wird also im Zusammenhang des Erhöhungsglaubens gedeutet.
„Auferweckung als Erhöhung“ bedeutet also: Die Auferweckung ist Grundlegung und Eröffnung der Periode, in der die Sache Jesu von ihm selbst her weitergetrieben wird – eben durch die Berufung derer, die sein Werk jetzt durchführen, und durch die Kraft, die ihnen gegeben wird.

4.3.5 Auferweckungserfahrung und Geistempfang

Zwar kann die Auferweckungserfahrung der Zeugen von 1 Kor 15,3ff nicht auf das „pfingstliche“ Phänomen der Geisterfahrungen in der Urkirche *reduziert* werden; das Thema „Auferweckungserfahrung und Geistempfang“

vorgängig ist gegenüber der Erscheinungsformel als der ekklesiologischen Legitimationsaussage: Entstehung 217; vgl. *A. Vögtle,* Osterglaube 51]). Der christologische Aspekt hat jedoch nicht nur als notwendige Begründung, sondern auch als Aussageziel in 1 Kor 15,3-5 eine Priorität. Wendungen wie 1 Kor 15,3-5 sind zunächst Bestandteil christologischer Bekenntnisse und dienen ebendamit freilich auch – aber in zweiter, abgeleiteter Linie – der Legitimation der Zeugen. Vgl. ferner *U. Wilckens,* Ursprung 75f; *J. Kremer,* Entstehung 9; *A. Vögtle,* Osterglaube 44-51. 128f.

22 Der Ausdruck als solcher geht auf W. Marxsen zurück; s. unten 4.4.3, Anm. 33.

23 Vgl. die Rede von der „Auferstehung ins Kerygma hinein“ *(R. Bultmann,* Das Verhältnis der urchristlichen Christusbotschaft zum historischen Jesus 469). Zu einem eventuellen positiven Sinn dieser Ausdrucksweise s. unten 4.4.3 (Anm. 36).

ist jedoch trotzdem unerläßlich, wenn eine Integration von Auferweckung und Erhöhung gelingen soll. Auferweckungserscheinungen bedeuten, daß Gott (bzw. Jesus selbst) die „Erhöhung" bzw. das Lebendigsein und Herr-Sein des Erhöhten für die Zeugen erfahrbar macht. Als solche grundlegenden Erfahrungen sind die Erscheinungen auf einen relativ kurzen Zeitraum[24] begrenzt. Die Pneuma-Erfahrungen durchziehen demgegenüber das ganze Leben der Urchristenheit. Trotzdem gehört beides – Auferweckungserfahrung und Geisterfahrung – untrennbar zusammen. Es gäbe im Urchristentum nicht den sieghaften Auferweckungsglauben, wenn die Martyría der berufenen ersten Zeugen nicht eingebettet wäre *in die Gesamtheit der urchristlichen Erfahrungen des Pneumas* und somit in die Erfahrung *des jetzt bei Gott lebenden Jesus selbst.*

Die Auferweckung war den Angehörigen der ersten Gemeinden schon in der unmittelbar nachösterlichen Periode nicht für sich allein (also nicht isoliert betrachtet – auch nicht ausschließlich durch ein [etwa von der Gemeindewirklichkeit isoliertes] Wort der Zeugen) als Beginn der Eschata zugänglich, sondern eben in Verbindung mit der Geistmitteilung bzw. von der Geistmitteilung her. Dadurch kommt das Moment der Glaubens*erfahrung* in das Auferweckungsverständnis hinein. Erfahrung des Pneumas meint sicher nicht eine supranaturalistisch verstandene Zugabe zum menschlichen Leben; es umgreift nicht nur die – fraglos von den frühen Gemeinden hochgeschätzten – ekstatischen Phänomene, sondern das gesamte Leben der Christen. Pneuma-Erfahrung gibt es innerhalb der konkret im Alltag gelebten christlichen Existenz selbst.[25]

Wir hätten also nichts von dem begriffen, was für die Urchristenheit das Wesentliche war, wenn wir uns nur auf die Frage fixieren ließen, wie das isolierte Ereignis „Auferweckung" nachzuweisen sei. Der Sinn dessen, was im Neuen Testament als Initialgeschehen für Gemeinde und Verkündigung bezeugt wird, ist nur dann zu erfassen, „wenn man sich darauf konzentriert,

[24] Nach 1 Kor 15,8 bzw. Gal 1,15f erstrecken sie sich auf den Zeitraum bis zur Bekehrung des Paulus, also auf wenige Jahre.

[25] Vgl. die aufschlußreichen paulinischen Texte Gal 5,25; Röm 8,9f.12-17; 12,1f. S. auch *W. Thüsing,* Zugangswege 150-160. Zwei Texte von *K. Rahner* sind in diesem Zusammenhang hilfreich: Grundlinien 38-40 (bzw. Grundkurs 264-269: Transzendentale Auferstehungshoffnung als Horizont der Erfahrung der Auferstehung Jesu) und Grundlinien 40-42 (bzw. Grundkurs 269-271: Die Einheit von apostolischer und eigener Auferstehungserfahrung). Vgl. bes. Grundlinien 41 (bzw. Grundkurs 270): „Es ist also gar nicht so, daß wir an die bezeugte Sache selbst gar nicht herankämen. Im ‚Geist' erfahren wir selbst die Auferstehung Jesu, weil wir ihn und seine Sache als lebendig und siegreich erfahren. Mit diesem Satz machen wir uns nicht unabhängig von dem apostolischen Auferstehungszeugnis. . . " (Rahner will ja gerade die Einheit von apostolischer und eigener Auferstehungserfahrung aufzeigen:) „Wir selber sind nicht einfach und schlechterdings außerhalb der Erfahrung der apostolischen Zeugen."

jene *Bewegung* zu verstehen, in die die Erfahrung der Auferstehung Jesu die Kirche des Urchristentums gestoßen hat“[26].

4.4 Auferweckung als Transformations-Vorgang: Bleibend-lebendige Realität von Person und Funktion Jesu durch die Auferweckung

4.4.1 Der Fragepunkt

Es bedarf einer Erklärung, weshalb im Unterschied zu den bisherigen Abschnitten, die sich am neutestamentlichen Sprachgebrauch orientierten, die dem Neuen Testament (was den Wortlaut angeht) fremde Vokabel „Transformation“ über diesen jetzigen Abschnitt gesetzt wird, der in meinem Verständnis der zentrale des Kapitels 4 ist.
Bis jetzt (vor allem in Abschnitt 4.3) wurde versucht, die Auferweckung Jesu dadurch in das Gesamt des urchristlichen Kerygmas zu integrieren, daß sie als Geschehen „im Zuge der Erhöhung“ erfaßt wurde. Im jetzigen Abschnitt 4.4 geht es demgegenüber nicht mehr nur um die theologische Einordnung in das im Neuen Testament vorfindliche Kerygma, sondern um den Versuch einer – notwendig abstrakten – Bestimmung dessen, was Auferweckung und damit auch Erhöhung Jesu in ihrer theo-logischen Tiefendimension sind. Wenn man so fragt, kann man die bildhaften bzw. von Vorstellungsweisen der damaligen Zeit mitgeprägten Texte des Neuen Testaments nicht wieder unmittelbar als Antwort verwenden; man muß sie ja hinterfragen auf ihren Kern, ihr „Wesentliches“ – und hierfür ist die Bereitschaft zur Abstraktion unumgänglich.

Sicherlich werden wir die narrativen Züge der neutestamentlichen Ostertexte nicht als belanglos hinstellen dürfen; die Ostergeschichten vermögen vieles auszudrücken, was sich nur schwer rein begrifflich sagen ließe. Aber wir dürfen auch nicht einfach in das Gegenteil hinterfragenden, abstrakten Denkens verfallen und nur das Narrative als solches gelten lassen – die Grenze zur illegitimen Historisierung von Legende und Mythologie wäre allzuleicht überschritten. Auch Theologie in der Weise der Erzählung, „narrative“ Theologie, lebt davon, daß sie fähig ist, das Wesentliche zu erkennen; nur dann kann sie legitim sein. Wir besäßen die Gleichnisse Jesu, das klassische Beispiel narrativer Theologie, nicht, wenn Jesus nicht in der Lage gewesen wäre, das Wesentliche, hier: den wesentlichen Vergleichspunkt, klar zu erfassen und daraus das jeweilige Gleichnis zu gestalten. Gleichnisse generieren und erzählen kann nur der, der vom tertium comparationis[27] aus denken und gestalten kann. Und wenn ein Erzähler

[26] *U. Wilckens*, Auferstehung 156.
[27] Bzw. von einem Komplex von Vergleichspunkten, der in seiner „Kompetenz“ verankert ist.

mit seinem Gleichnis ein eminent theologisches Ziel anstrebt und erreicht, wie Jesus das gelingt, dann ist damit ein theologisches Abstraktionsvermögen hohen Grades gegeben – freilich eines, das integriert ist in die Fähigkeit zu narrativer Gestaltung und das wie diese auf Glaubenserfahrung beruht und der Artikulation von Glaubenserfahrung dient.

Für die Suche nach dem, was soeben der theologische Kern der Auferwekkungsbotschaft genannt wurde, setzen wir ein bei der Frage, wie die vom nachösterlichen Neuen Testament ausgesagte Erhöhungsexistenz Jesu sich zu der Wirklichkeit „Jesus von Nazaret" verhält. Diese Frage ist keineswegs überflüssig, weil es ja durchaus Phänomene der Diskontinuität zwischen Jesus von Nazaret und den nachösterlichen christologisch-soteriologischen Konzeptionen gibt. Es sei nur an den recht scharfen Unterschied erinnert zwischen der johanneischen Darstellung Jesu als des Offenbarers des Vaters – dessen Reden allein um dieses nachösterlich-christologische Thema kreisen – und dem Jesus der synoptischen Tradition, dem Jesus der Basileia-Verkündigung, der Bergpredigt und der Tischgemeinschaft mit den von den Frommen verachteten „Zöllnern und Sündern". Wenn von dem „garstigen Graben" zwischen dem historischen Jesus und dem nachösterlichen Christusglauben gesprochen wurde,[28] so ist das eine pointierte Ausdrucksweise für die faktischen Phänomene von Diskontinuität, die sich einer simplifizierenden Behauptung von Kontinuität so sehr widersetzen.
Das Stichwort „Transformation" soll angesichts dieses Problems die Richtung anzeigen, in der eine Lösung zu suchen ist. Ich hoffe, gerade infolge der Abstraktions- und Integrationsmöglichkeit, die der Gedanke der Transformation an die Hand gibt, annähernd formulieren zu können, was mir für die in dieser Arbeit gestellte Aufgabe tragend erscheint. Es ist ja zu beachten, daß das Thema „Auferweckung Jesu" hier nicht nur um seiner selbst willen behandelt wird, sondern weil es entscheidend ist für die Frage, ob nachösterliche Christologien anders aussehen dürfen bzw. müssen als unser Bild von Jesus von Nazaret, wie es uns auf dem Weg historisch-kritischer Rückfrage zugänglich ist; auch von hier aus dürfte die Bedeutung des Stichworts „Transformation" klarwerden.

4.4.2 Zum Begriff „Transformation"

Ich verwende den Begriff „Transformation" in dieser Arbeit in zweifacher Weise. *Erstens* – und das trifft für den jetzigen Abschnitt 4.4 zu – wende ich

[28] Dieser in der neueren Diskussion über das Verhältnis des nachösterlichen Christusglaubens zu Jesus von Nazaret öfters gebrauchte Ausdruck geht auf *G.E. Lessing* zurück (Über den Beweis des Geistes und der Kraft 287).

den Begriff auf den im Neuen Testament „Auferweckung Jesu" (bzw. in dem weitergespannten Rahmen „Erhöhung Jesu") genannten Vorgang an, in dem die vorösterliche Wirklichkeit „Jesus von Nazaret" durch den Tod hindurch von Gott gerettet und ohne jeden Verlust ihrer Identität umgestaltet bzw. neugestaltet wird zu der vom nachösterlichen Neuen Testament verkündeten Erhöhungswirklichkeit des jetzt „bei Gott" lebenden Christus Jesus. Diese Verwendung des Begriffs „Transformation" für den Vorgang an Jesus selbst, der den Grund legt für alle Transformation vorösterlicher theologischer Motive, vermag zur Verfremdung des allzu gewohnten Worts „Auferweckung" beizutragen; überdies besitzt sie einen nicht zu unterschätzenden Anhaltspunkt in Texten des Neuen Testaments.[29]

In zweiter Linie – in meinem Verständnis in deutlicher Abhängigkeit von der zuerst genannten Verwendung – verstehe ich unter Transformation den Vorgang, in dem die Jünger nach Ostern das Bild von Jesus, das sie in seinem Erdenleben gewannen, nicht nur bewahrten[30], sondern in dem sie es – eben aufgrund der Auferweckung Jesu und der Gabe des Geistes – als neu geschenkt erfuhren und in dem sie infolgedessen auch die einzelnen Motive der vorösterlichen Verkündigung und der impliziten „Christologie" Jesu neu gestalteten. In diesem zweiten Sinn wird der Begriff „Transformation" unten in Abschnitt 4.5 gebraucht werden.[31]

[29] Paulus spricht in Phil 3,21 vom Auferwecken als einem „Umgestalten" (μετασχηματίζειν *[metaschēmatizein]*); vgl. 1 Kor 15,35-44; Röm 8,29.

[30] Eine bloße Bewahrung war angesichts der völlig neuen Lage, die durch Auferstehung und Geistsendung gegeben war, nicht möglich.

[31] Meine Verwendung des Begriffs „Transformation" für diesen letzteren Sachverhalt ist angeregt durch den Gebrauch des Wortes „Transposition" bzw. „Motivtransposition" in der alttestamentlichen Theologie (vgl. *H. Groß*, Motivtransposition): Motive alttestamentlicher Theologie, zum Beispiel „Wandern", „Zion", „Frieden", „Bund", werden aus jeweils früheren Schichten oder Schriften alttestamentlicher Verkündigung und Tradition in jeweils spätere „transponiert" und gewinnen durch den neuen geschichtlichen und textlichen Zusammenhang neue Akzente bzw. einen neuen, gefüllteren Inhalt.
Dieser Begriff „Transposition" ist nun zwar sehr geeignet, die Kontinuität des transponierten Motivs auszudrücken (die aber auch durch den Begriff „Transformation" keineswegs geleugnet zu sein braucht); der Begriff „Transformation" vermag demgegenüber jedoch der durch Tod und Auferweckung Jesu sowie durch die Geistsendung bedingten Wandlung (die wesensmäßig über die Ereignisse hinausgeht, die im Alten Bund eine „Motivtransposition" auslösten) besser gerecht zu werden. (Sucht man nach bildhaften Vorstellungen für das hier Gemeinte, wird man kaum bei der Bedeutung des Worts „Transformation" im physikalischen Bereich ansetzen; vielmehr dürfte das geeignete Bild nach wie vor das von Samenkorn [bzw. Keim] und entfalteter Pflanze sein. Vgl. schon im Neuen Testament [auf die Auferweckung der Toten bezogen] 1 Kor 15,35-44; noch beziehungsreicher das Wort vom Fruchtbringen des sterbenden Weizenkorns Joh 12,24.)
Vor allem erhält diese zweite Verwendung des Begriffs „Transformation" durch ihre Beziehung zur ersten (für die Auferweckung Jesu) ein Kolorit, das sie trotz aller Analogie stark von der alttestamentlichen Motivtransposition abhebt; denn wenn der Begriff nicht nur für die Umgestaltung der Verkündigungsinhalte verwendet wird, sondern auch für das Geschehen an Jesus

4.4.3 Auferweckung und Erhöhung als Transformation

Um die eben (in Abschnitt 4.4.1) gestellte Frage der Kontinuität zwischen dem irdischen und dem auferweckten Jesus wieder aufzugreifen: Auferwekkung Jesu kann nicht bedeuten, daß Jesus ein anderer geworden sei, als er es in seinem irdischen Leben war. Das wäre ja eine illegitime mythologische Vorstellung. Aber diese anscheinend selbstverständliche Erkenntnis ist in der Geschichte der Kirche keineswegs immer voll erreicht und festgehalten worden. Auf recht weite Strecken hat es die Tendenz gegeben (und gibt es sie bis heute), sich vom auferweckten Jesus ein Bild zu machen, das in entscheidenden Punkten andere Strukturen aufweist als Jesus von Nazaret. Das ist zum Beispiel da der Fall, wo der auferstandene Christus in die Nähe einer Kultgottheit gerät, die das jeweilige politische und religiöse Establishment garantiert.[32]

Heute werden – schematisierend gesagt – vor allem zwei Wege beschritten, um die Identität des nachösterlichen Jesus mit dem irdischen zu erfassen und festzuhalten, von denen jedoch nur der zweite der durchgängigen Verkündigung des Neuen Testaments voll gerecht wird.

Der erste Weg würde darin bestehen, daß man die „Erhöhung" als das „Weitergehen der Sache Jesu"[33] ansähe, wobei eine Existenz Jesu bei Gott nach dem Kreuzestod mindestens für die theologische Reflexion ausgeklammert würde. Was Jesus selbst angeht, so hätten seine Anhänger es also nach „Ostern" nur mit der Erinnerung an den (toten) Jesus von Nazaret zu tun. Würde diese Auffassung absolutgesetzt, so müßte man das gesamte nachösterliche Kerygma des Neuen Testaments als erledigt betrachten.

Will man demgegenüber die Kontinuität mit dem Glauben der Urchristenheit und der gesamten ihr folgenden Kirche aufrechterhalten, dann gibt es nur eine Möglichkeit – *den zweiten Weg:* Das, was durch die Auferweckung Jesu zustande kommt, ist nicht etwas anderes, Fremdes gegenüber Jesus von

selbst, das der Grund für das Neue der nachösterlichen Verkündigung ist, kann die starke Wechselbeziehung zwischen beiden sowie die Singularität auch der nachösterlichen Transformation von Verkündigungsinhalten deutlicher hervortreten.

[32] Vgl. die Verquickung des Glaubens an Christus als den göttlichen Kyrios mit der byzantinischen Reichsideologie (vgl. *H.-G. Beck,* Art. Byzanz: RGG I, 1574); ferner die monophysitische bzw. „kryptogam-monophysitische" Verzerrung des Christusglaubens, die immer noch eine Gefahr darstellt. Vgl. *K. Rahner,* Probleme der Christologie (Schriften I) 176f (Anm. 3); ebd. 200; *ders.,* Menschwerdung (Schriften IV) 152.

[33] Vgl. zu dieser von *W. Marxsen* (Die Auferstehung Jesu als historisches und als theologisches Problem 25.29.39) in die theologische Diskussion eingeführten Wendung *J. Kremer,* Das älteste Zeugnis 115-129, bes. 117; *F. Mußner,* Auferstehung Jesu 13-21. W. Marxsen selbst hat inzwischen seine Auffassung erläutert und gegen Mißverständnisse abgegrenzt, vor allem gegen den Mißbrauch, den Begriff der weitergehenden Sache Jesu aus dem Kontext herauszulösen, in dem er ihn benutzt hat: Kerygmata, bes. 54f.

Nazaret, sondern *dasselbe* in „österlicher" Transformation.[34] Auferwekkung Jesu bedeutet, daß durch den Tod hindurch derselbe Jesus da ist, derselbe Richtungssinn seines Lebens, aber eben in der neuen, „transformierten" Weise des Auferstehungslebens, der Aufnahme in das Geheimnis Gottes.[35]

[34] Vgl. *K. Rahner,* Grundlinien 36 (bzw. Grundkurs 262): „. . . die Auferstehung bedeutet nicht den Beginn einer neuen, mit anderem Neuen erfüllten, die Zeit weiterführenden Lebensperiode Jesu, sondern gerade die bleibende, gerettete Endgültigkeit des einen, einmaligen Lebens Jesu, der gerade durch den freien Tod im Gehorsam diese bleibende Endgültigkeit seines Lebens gewann."

[35] Trotz aller Bejahung des *Anliegens* von *R. Pesch* (Zur Entstehung) – im Sinne von K. Rahner die grundlegende Bedeutung Jesu von Nazaret selbst auch für das Verständnis der Auferwekkung herauszustellen, den Zusammenhang von Leben und Tod, von Tod und Auferstehung Jesu (sowie die Bedeutung Jesu für die Gottesfrage) aufzuzeigen und vor allem eine heute verantwortbare, von historischen Scheinproblemen unbelastete Begründung des Jesusglaubens zu versuchen – unterscheide ich mich also von ihm in wichtigen Punkten. R. Pesch will (positiv) eine nicht nur grundlegende und durch und durch entscheidende, sondern für sich allein suffiziente Funktion Jesu von Nazaret selbst für die Entstehung des Osterglaubens erweisen; *negativ* läßt sich sein Ziel durch das Stichwort „Verzicht auf Begründung des Osterglaubens von Ostererscheinungen her" (Materialien und Bemerkungen 184) kennzeichnen. Bei diesem Versuch, Jesus von Nazaret selbst als den Urheber des Osterglaubens aufzuzeigen, muß freilich gesehen werden, daß R. Pesch Jesus von Nazaret nicht nur als „historischen", sondern zugleich als „göttlichen" Grund des Glaubens aufzeigen will (Stellungnahme 276f).
Meine andersartige Position kann ich in vier Punkten zusammenfassen, von denen die beiden ersten sich an die bisherige Kritik an R. Pesch anschließen. *Erstens:* Die Hypothese von Pesch leidet zu sehr an exegetisch und religionsgeschichtlich fragwürdigen Annahmen; die Hypothese von K. Berger dürfte auch jetzt, nach dem Erscheinen seines Buchs, eine zu schwache Grundlage bilden. *Zweitens:* R. Pesch hat das durchgängige neutestamentliche Zeugnis von der Auferweckung bzw. der Auferweckungserfahrung der Zeugen als dem Initialgeschehen für die nachösterliche Jüngergemeinschaft und ihre Mission gegen sich. *Drittens:* R. Pesch berücksichtigt, soweit ich sehe, die Zusammengehörigkeit von Auferweckungserfahrung und Geisterfahrungen (s. oben 4.3.5; vgl. auch *J. Kremer,* Entstehung 15f) nicht und isoliert dadurch die Frage nach den Erscheinungen in zu starkem Maße. *Viertens:* Die Auferweckung Jesu wird bei R. Pesch nicht konsequent theo-logisch gesehen; die primäre Größe, die die neutestamentliche Auferweckungsverkündigung bestimmt, nämlich Gott, scheint in seinen Ausführungen nahezu aus dem Blickfeld zu schwinden. Gerade hier ist die Isolierung der Auferweckungserfahrungs-Problematik besonders spürbar.
Die Konsequenz aus Rahners Erkenntnis der grundlegenden und bleibenden Bedeutung Jesu von Nazaret und seines Wirkens, von der auch ich ausgehe, ist meiner Meinung nach nicht mittels des Verfahrens von Pesch zu ziehen (alle fundamentaltheologische Glaubensbegründung beim historischen Jesus zu suchen), sondern durch ein Verfahren, wie es in der vorliegenden Arbeit versucht wird: daß Jesus von Nazaret die unbedingt grundlegende Position eingeräumt wird, daß aber das Initialgeschehen der Auferweckungs- und Geisterfahrungen sowie die Bedingungen der nachösterlichen Transformation ebenfalls in Rechnung gestellt werden.
Freilich könnte R. Pesch zurückfragen, ob nicht auch in der in meiner Arbeit vorgelegten Konzeption ohne die Erscheinungen auszukommen sei. Der auferstandene Jesus könnte ja auch ohne nachfolgende Erscheinungen in das Geheimnis Gottes aufgenommen sein. Aber genau bei dieser Frage muß die Notwendigkeit in Rechnung gestellt werden, die Auferweckung Jesu in ihrer Besonderheit gegenüber der Auferweckung der Toten (näherhin der vollendeten Christen) zu sehen: als Geschehen *im Zuge der Erhöhung* – als Inthronisation, als Einsetzung in universale heilshafte Wirksamkeit. Und hierfür spielt – was die geschichtliche Erfahrbarkeit dieser „Inthronisation" angeht – das gegen alle Erwartung rasche, dynamische und weitausgreifende

Was durch die Auferweckung (bzw. durch den umfassenden Vorgang „Erhöhung") zustande kommt, kann also nicht etwas Zweites, anderes sein gegenüber dem irdischen Leben Jesu. Es kann nichts Zusätzliches oder Ergänzendes (gewissermaßen Angeklebtes) sein im Verhältnis zu Leben und Werk Jesu selbst; es ist vielmehr *die neue, aus dem Geheimnis Gottes heraus gegebene Realität, Gültigkeit und Wirksamkeit dieses gekreuzigten Jesus von Nazaret und seiner Sache.* Die bleibend-lebendige Realität von Person *und Funktion Jesu*[36]: Das schließt die bleibende Realität seiner Einheit von Theozentrik und Humanität ein, von Offenheit für Gott und Offenheit für den Mitmenschen – die bleibende Realität seines sinn-ermöglichenden und rettenden Durchtragens dieser Polarität.

Die Auferweckung Jesu als der Vorgang, der zum Initialgeschehen des christlichen Glaubens wird, hat also den Charakter einer Transformation einer und derselben Wirklichkeit – und zwar in der Weise, daß sie trotz der Neugestaltung eine und dieselbe bleibt. Um es noch einmal zu unterstrei-

Ingangkommen der urchristlichen Mission eine wichtige Rolle; und dieses wiederum ist ohne das Initialgeschehen, das in Auferweckungs- und Geisterfahrung liegt, nicht vorstellbar. Wenn die Rede vom Wirksamwerden des auferweckten Jesus aus dem Geheimnis Gottes heraus berechtigt sein soll, dann ist und bleibt es also wohl die entscheidende Frage, ob dafür nicht doch – über Leben und Tod Jesu von Nazaret hinaus – ein ihn von Gott her bestätigendes Geschehen, das gleichzeitig seine Wirksamkeit aus dem Geheimnis Gottes heraus grundlegt und einleitet, akzeptiert werden muß. Die Bezeugung dafür ist im Neuen Testament – mit und ohne Verwendung der Auferweckungs- oder Erhöhungsterminologie – zu stark und durchgehend, als daß man diese Frage verneinen dürfte. Es geht keineswegs nur um 1 Kor 15,3-5 und auch nicht nur um die Ostertexte im engeren Sinn, sondern um die durchgängige Aussage eines qualitativ neuen Handelns Gottes.

(*W. Breuning,* Aktive Proexistenz, sucht das Anliegen R. Peschs sehr ernst zu nehmen, ohne sich mit seinen Grundthesen zu identifizieren. Es ist mir jedoch fraglich, ob Pesch in der Weise, wie er sich im Nachtrag zu „Materialien und Bemerkungen" [181-184] auf Breuning beruft, diesem wirklich gerecht wird. Die „Richtung, die ... in der Tat für die Christologie entscheidend scheint" – daß „Christi aktive Proexistenz als seine Gott und Menschen verbindende Tat der Erweis ‚ist' ", daß Gott Liebe ist [W. Breuning, a.a.O.213] – kann zwar die Position von R. Pesch mit umgreifen, geht aber [und das ist in unserem Zusammenhang von großer Bedeutung] bei Breuning weit darüber hinaus: „Aktive Proexistenz Christi" meint bei ihm sowohl die Proexistenz des irdischen als auch des erhöhten Christus; vgl. a.a.O. 213, Zeile 6-8.)

[36] Diese Formulierung ist im Anschluß an *K. Rahner,* Grundlinien 38 (bzw. Grundkurs 263) gewählt. K. Rahner modifiziert in diesem Zusammenhang die von R. Bultmann akzeptierte Redeweise von der „Auferstehung Jesu ins Kerygma hinein": Er spricht statt dessen davon, daß Jesus in den *Glauben* seiner Jünger hinein aufersteht. Grundlinien 38: „Wenn die Auferstehung Jesu die gültige Bleibendheit seiner Person und Sache ist und wenn diese Person-Sache nicht die Bleibendheit irgendeines Menschen und seiner Geschichte meint, sondern die *Sieghaftigkeit* seines Anspruchs bedeutet, der absolute Heilsmittler zu sein, dann ist der *Glaube* an seine Auferstehung ein inneres Moment dieser Auferstehung selbst... In *diesem* Sinn kann man ruhig und muß man sagen, daß Jesus in den Glauben seiner Jünger hinein aufersteht." Tatsächlich ist dadurch, daß der Glaube an die Auferstehung Jesu von Rahner als ein „inneres Moment dieser Auferstehung selbst" begriffen wird, sowohl die durch die Auferstehung zustandekommende „Bleibendheit" seiner *Person* als auch die seiner „Sache" verständlich gemacht. – Vgl. ferner *F. Mußner,* Auferstehung 145f.

chen: Wenn der nachösterliche Sachverhalt richtig erfaßt werden soll, kommt alles darauf an, *daß die Personidentität des gekreuzigten und des erhöhten Jesus – und damit zusammen die Identität der „Intention“ des Irdischen und des Erhöhten* – nicht nur irgendwie beibehalten wird, sondern *die unabdingbare Grundlage bildet.*

Diese These kann jetzt noch abgerundet und abgeschlossen werden, indem wir die Bestimmung des Begriffs „Erhöhungsglaube“ (oben 4.3.1) wieder aufnehmen:

„Jesus ist auferweckt“ bedeutet: *Er ist in der Weise ganzheitlich (als vollendeter Mensch, in der Ganzheit und Kommunikationsfähigkeit seines Menschseins) in das Geheimnis Gottes aufgenommen, daß er, der durch den Tod hindurchgegangene Jesus von Nazaret, aus diesem absoluten Geheimnis heraus und in der Kraft dieses Geheimnisses universal wirksam werden kann* – auf seine nachösterliche Jüngergemeinschaft hin, die er in Dienst nimmt, und auf das Heil der gesamten Menschheit hin. Wenn in dieser Formulierung Wert gelegt wird auf die universale Wirkmöglichkeit des auferweckten Jesus „auf das Heil der gesamten Menschheit hin“,[37] so ist damit dasjenige genannt, was die Einzigartigkeit Jesu und *seiner* Auferweckung gegenüber dem frühjüdischen und neutestamentlichen Glauben an die Auferweckung aller Toten mitbegründet und charakterisiert.[38]

[37] Der durch den Tod hindurchgegangene Jesus ist, so müssen wir das neutestamentliche Auferweckungs- und Erhöhungskerygma interpretieren, nicht nur in die vollendende Gemeinschaft mit Gott eingegangen (das geschieht auch bei denen, die „durch ihn“ auferweckt werden): Er ist demgegenüber in singulärer Weise mit diesem wirkmächtigen absoluten Geheimnis vereinigt. Wenn Gott mehr ist als ein ins Äußerste gesteigerter Mensch – dem immer noch Beschränkungen anhaften würden –, wenn er die Schranken jeder Begrenzung sprengt und der universal Wirkende ist, dann bedeutet unsere Redeweise von der Aufnahme Jesu in das wirkmächtige Geheimnis Gottes: Der durch den Tod des Kreuzes hindurchgegangene Mensch Jesus von Nazaret selbst erlangt jetzt in seiner Einheit mit Gott universale Heilsbedeutung und Heilswirksamkeit für die ganze Menschheit.

[38] Es wäre auch in diesem Zusammenhang lohnend, der Frage nachzugehen, wie die Auferweckung Jesu Christi und die Auferweckung der Toten sich unter Voraussetzung der These vom *Ansatz der Eschata im Tod* zueinander verhalten. Als repräsentativ und gut informierend sollen hierfür die Arbeit von *G. Greshake,* Auferstehung der Toten, und die Aufsätze von G. Greshake und G. Lohfink in dem von ihnen herausgegebenen Buch „Naherwartung – Auferstehung – Unsterblichkeit“ stehen. Zufolge dieser These sind „die Eschata des einzelnen und der Welt im Tod und in der auf den Tod zuführenden Geschichte anzusetzen“ *(G. Greshake–G. Lohfink,* Naherwartung 5). Ausgangspunkt der These sind einerseits die kritische Hinterfragung nicht nur des apokalyptischen Weltbildes bzw. seiner Raumvorstellungen, sondern auch des apokalyptischen Geschichtsbildes (vgl. *G. Lohfink,* Naherwartung 60) und andererseits eine Reflexion über die Begriffe „Zeit“ und „Ewigkeit“ (vor allem ein sorgfältig reflektierter Zeitbegriff, wie *G. Lohfink,* Naherwartung 64-81; *ders.,* Zeitproblem 131-155 [bes. 145-147], ihn zu erarbeiten sucht).

An dieser in der protestantischen Theologie nach dem Ersten Weltkrieg entworfenen und inzwischen auch von namhaften katholischen Theologen rezipierten (und modifizierten) These (vgl. die Übersicht bei *W. Breuning* in MySal V 883f; *G. Greshake,* Auferstehung 387f; *ders.,* Unsterblichkeit und Auferstehung 118f) wird die theologische Forschung, auch die neustesta-

[4.4.4] EXKURS:
Neutestamentliche Äquivalente für die Auffassung der Funktion des auferweckten Jesus als einer „Wirksamkeit aus dem Geheimnis Gottes heraus" und für die Aussage von der „bleibenden Realität und Gültigkeit von Person und Sache Jesu"

Dieser Exkurs soll *primär* der Illustration des soeben in Abschnitt 4.4.3 Entfalteten durch neutestamentliche Texte dienen, will also nicht als tragende Argumentation für

mentliche, kaum vorbeigehen dürfen. *Freilich wird dabei die universalgeschichtliche Sinnspitze der neutestamentlichen Verkündigung von der Auferweckung der Toten als endgültiger Vollendung der Welt bewahrt werden müssen.* So scheint mir mindestens die *Zielvorstellung* richtig zu sein, die Konvergenz anzustreben von (einerseits) dem Ansatz der Eschata im Tod und (andererseits) dem Durchhalten der jesuanisch-biblischen Erwartung einer die Geschichte universal abschließenden Vollendung. (Diese Zielvorstellung sehe ich bei Greshake–Lohfink am Werk. Vgl. *G. Lohfink,* Naherwartung 70-81; *G. Greshake,* Auferstehung, vor allem 379-414. Recht deutlich [und die 1. Auflage korrigierend] kommt G. Lohfink meiner eben genannten Zielvorstellung [eine Konvergenz anzustreben, wenn auch vielleicht nur asymptotisch] noch näher in: Zeitproblem [innerhalb des der 3. Auflage beigefügten Kapitels „Disput"] 145.152-155. Lohfink spricht dort vom „Recht beider" [„nebeneinandergestellter"] „eschatologischer Grundmodelle" [a.a.O. 155].)
Kann die in der vorliegenden Arbeit soeben entfaltete Sicht der Auferweckung Jesu mit der These vom Ansatz der Eschata im Tod verbunden werden, und in welcher Weise wäre das möglich? Wenn die Frage hier auch nicht aufgearbeitet werden kann, so können doch die folgenden Hinweise gegeben werden. *Erstens:* Die Auffassung einer Auferstehung Jesu Christi „im Tod" könnte unter Voraussetzung des bei *K. Rahner* (Grundlinien 36 bzw. Grundkurs 261f: Die Einheit von Tod und Auferstehung Jesu) und *G. Greshake* (Auferstehung 258, dort auch die Anm. 24) entwickelten Gedankens der Einheit von Tod und Auferweckung Jesu durchaus in Einklang mit der oben vorgetragenen Sicht stehen. Auch die Auffassung G. Lohfinks von der Auferweckung Jesu als „eschatologischem Realmodell" ist zu beachten: *G. Lohfink,* Naherwartung 79-81; *ders.,* Zeitproblem 138-145. *Zweitens:* Die Einzigartigkeit der Auferweckung Jesu Christi muß im Sinn des soeben Gesagten (vgl. auch die vorige Anm. 37) gewahrt werden und könnte auch unter Voraussetzung der These von der im Tod des einzelnen geschehenden Auferstehung gewahrt bleiben: Nur die Auferweckung Jesu geschieht „im Zuge der Erhöhung"; Jesus ist der einzige Mensch, der in der Weise in das absolute Geheimnis Gottes aufgenommen wird, daß er aus diesem Geheimnis heraus universale Heilswirksamkeit entfalten kann. Jesus ist ja auch der einzige Mensch, durch dessen Auferweckung eine völlig einzigartige und unüberbietbar enge Gottesbziehung zu bleibender Gültigkeit und Wirksamkeit geführt wird (vgl. die vermutlich nachösterliche, aber im Keim auf Jesus von Nazaret zurückgehende Bezeichnung Jesu als *des* Sohnes). *Drittens:* Daß die Auferweckung Jesu Christi trotzdem – als Auferweckung – *auch* auf einer gemeinsamen Linie mit der Auferweckung der anderen vollendeten Menschen liegt (bzw. nach Paulus umgekehrt), zeigt – in der Weise des apokalyptischen Geschichtsbildes bzw. mit betonter zeitlicher Distanz zwischen der Auferweckung Christi und der der Christen – besonders deutlich 1 Kor 15,21-28. (Vgl. schon 1 Kor 15,12-19; V. 13: „Wenn es keine Auferstehung der Toten gibt, ist auch Christus nicht auferweckt.") Ist einmal erkannt, daß Paulus auch bezüglich der Auferweckung der Toten eine grundsätzliche Gemeinsamkeit zwischen Christus und den durch ihn aufzuerweckenden Menschen sieht, kann auch unter der Voraussetzung der These vom Ansatz der Eschata im Tod durchaus eine Analogie und Gemeinsamkeit zwischen der Auferweckung Jesu Christi und der der anderen vollendeten Menschen angenommen werden sowie die Zusammengehörigkeit der auferweckten, im Geheimnis Gottes vollendeten Menschen mit Jesus Christus. Auf der Grundlage seiner These kann *G. Greshake* (Auferstehung 388f, mit Hinweis auf A. Darlap und H. Schwantes) formulieren: „Die Auferstehung Jesu ist nicht die Auferstehung eines Einzelnen als Einzelnen, sondern mit ihm, der

das in 4.4.3 Gesagte verstanden sein.[39] Gleichwohl kann er *sekundär* auch der Abstützung des bisher Entwickelten dienen. Zwar wäre für eine historisch voll tragfähige Argumentation ein Rückgriff auf die früheste nachösterliche Christologie geeigneter; handelt es sich doch in der These von 4.4.3 um Formulierungen, die den Anspruch erheben, die „Tiefendimension“, den „Kern“ dessen zu umreißen, was mit der ursprünglichen Auferweckungserfahrung zugänglich geworden ist.
Jedoch ist auch hier wieder zu berücksichtigen, daß die älteste nachösterliche Christologie (und auch die Christologie der ersten zwei Jahrzehnte bis zu den Paulusbriefen) noch nicht die ausreichenden theologischen Ausdrucksmöglichkeiten für den Erhöhungsglauben – den sie meiner Meinung nach ohne Zweifel implizierte – und für seine theologischen Bezüge besaß. Ein neutestamentlicher Beleg für die These von Abschnitt 4.4.3 kann deshalb nur ansatzweise von der frühen nachösterlichen Christologie her kommen, die uns durch einige vorpaulinische Texte zugänglich ist; vor allem der Absatz über die Relevanz urchristlicher Zusammenschau des auferweckten Jesus mit dem Pneuma Gottes (unten S. 134f) kann hier dienlich sein.
Um zu einer noch deutlicheren Illustration der These von Abschnitt 4.4.3 zu gelangen, muß auf die „späte“ Theologie des Paulus und die noch spätere des Johannesevangeliums und des Hebräerbriefs (um nur die wichtigsten der einschlägigen neutestamentlichen Schriften zu nennen) zurückgegriffen werden. Sie enthalten nicht nur die Äquivalente für die „Wirksamkeit des auferweckten Jesus aus dem Geheimnis Gottes heraus“ und für die „bleibende Realität und Gültigkeit von Person und Sache Jesu“, die wir suchen, sondern erlauben auch Rückschlüsse auf die Implikationen der ursprünglichen Auferweckungserfahrung; sie eröffnen den Weg zu diesen Implikationen, insofern sie deutlich erkennbar das frühe Grundkerygma von Heilstod und heilsbedeutsa-

ἀπαρχή, hat Auferstehung überhaupt begonnen als seither *geschehende* ‚resurrectio continua‘.“ (Gründe dafür, weshalb „im Neuen Testament aus der Verknüpfung von Tod und Auferwekkung bei Jesus niemals auf eine ähnlich unmittelbare Verknüpfung bei den übrigen Gläubigen geschlossen wird“ [*G. Lohfink,* Zeitproblem 141], vgl. bei Lohfink, ebd. 141-145. – Wenn der Ansatz der Eschata im Tod [bzw. in jedem Fall in engster zeitlicher Verbindung mit dem Tod] bei Jesus Christus selbst die Ausrichtung auf die Vollendungsfunktion im Sinne von 1 Kor 15,21-28.45 nicht hindert – warum dann bei den mit ihm Verherrlichten, die ja in Gemeinschaft mit ihm auf die Vollendung von Welt, Menschheit und Geschichte ausgerichtet sind?) *Viertens:* Wenn man (wiederum im Sinn der These vom Ansatz der Eschata im Tod) darauf verzichtet, den auferweckten Jesus von den durch ihren jeweiligen Tod hindurch vollendeten Glaubenden zu isolieren, entspräche das gut dem zweiten „Pol“ des Dogmas von Chalkedon, der uneingeschränkten Betonung der wahren Menschheit Jesu Christi. Vielleicht liegt gerade in *dieser* eschatologischen Konzeption eine notwendige Implikation des wirklichen Menschseins Jesu verborgen. *Fünftens:* Die jetzt skizzierte Konzeption entspricht der theologischen Tradition, nach der Christus und die „Heiligen“ nicht erst in einer apokalyptisch gedachten endgültigen Vollendung, sondern „jetzt schon“ verbunden erscheinen. (Vgl. z. B. die Art, wie *K. Rahner* in seinem Aufsatz „Die ewige Bedeutung der Menschheit Christi...“ diese „Menschheit Christi“ gegenüber dem absoluten Geheimnis Gottes auf einer Linie mit den „Heiligen“ betrachtet.) Ja, die Denkfigur, die dieser dogmatischen Tradition von der eschatologisch-transzendenten communio sanctorum inhärent ist, könnte sich als eine notwendige Denkvoraussetzung für eine legitimierbare Konzeption der Auferweckung Jesu Christi – gerade in der Weise, wie sie in dieser Arbeit vorgelegt wird – erweisen, sowie für eine Soteriologie der Gemeinschaft mit Christus, die in dem Bekenntnis zur Auferweckung Jesu Christi impliziert sein muß.

[39] Hiermit wird den methodischen Erfordernissen des vorliegenden Versuchs – der Notwendigkeit, einen Zirkelschluß zu vermeiden – Rechnung getragen; vgl. vor allem unten 5.1.1 (s. auch 5.1.2, bes. 5.1.2.4); vgl. bereits oben 3.1.

mer Auferweckung Jesu aufnehmen und dieses und nichts anderes durch ihre Neuinterpretation weitergeben wollen. Eine ausreichende Argumentation für diese meine Auffassung ist freilich im Rahmen dieses Kapitels nicht zu leisten. So dürfte auch von hier aus begründet sein, weshalb die folgenden Ausführungen den Charakter eines Exkurses tragen sollen.

Die wichtigste Möglichkeit, die „Wirksamkeit des auferweckten Jesus aus dem Geheimnis Gottes heraus" auszusagen, ist im Neuen Testament die Verbindung bzw. Zusammenschau des auferweckten Jesus mit dem Pneuma Gottes (vgl. oben 4.3.5). Pneuma ist die schöpferische Dynamik Gottes selbst; es ist zugleich die Kraft, durch die Gott die Menschen öffnet für die Kommunikation mit ihm selbst, in der das Heil besteht. Wird dem erhöhten Jesus die Verfügung über diese Dynamik Gottes zugesprochen, so sieht man ihn in Wirkeinheit mit Gott selbst.

Diese theologische Verbindung zwischen dem auferweckten Jesus und dem Pneuma Gottes findet sich bereits in der vorpaulinischen Christologie (man vergleiche die Bekenntnisformel Röm 1,3f und den hymnischen Text 1 Tim 3,16 als Reflexe einer sehr frühen Glaubensüberzeugung); darüber hinaus ist sie m. E. bereits in der ältesten nachösterlichen Christologie mindestens keimhaft angelegt.[40]

Explizit und theologisch reflektiert ist die Verbindung zwischen dem Auferweckten und dem Pneuma vor allem bei Paulus und im Johannesevangelium zu finden.

Für Paulus sei zunächst auf 1 Kor 15,45 verwiesen (eine Stelle, die in Zusammenhang mit dem Gedanken von 1 Kor 15,35-44 steht, daß die Doxa-Existenz der Auferweckung sich zur irdischen Existenz verhält wie der entfaltete Baum zum Samenkorn): Christus als der „letzte Adam" wurde (durch seine Auferweckung!) zum „lebenspendenden Pneuma". Das bedeutet im Kontext von 1 Kor 15: Gott hat ihn mit dem Pneuma als der Kraft ausgestattet, die Toten aufzuerwecken und so den Tod zu besiegen. In 2 Kor 3,17 wird die dynamische Einheit zwischen dem Auferweckten und dem Pneuma – noch prägnanter – so wiedergegeben: „Der Kyrios ist das Pneuma"; das heißt: In seinem Wirken wird das Pneuma Gottes selbst erfahren – und umgekehrt: In den Wirkungen des Pneumas wird Jesus als der Kyrios erfahren.

Hier wie auch im Johannesevangelium wird sowohl der Unterschied als auch die Kontinuität zwischen dem Zustand vor und nach Ostern mit Hilfe von Aussagen ausgedrückt, nach denen der Auferstandene die Fähigkeit zur Geistmitteilung besitzt. Man vergleiche Joh 7,39: „Es gab noch keine Geistspendung, weil Jesus noch nicht verherrlicht war." Hierzu muß aber gleich eine weitere Stelle des Johannesevangeliums über das Verhältnis des Geistes zu Jesus verglichen werden: Joh 14,26 „Der Paraklet, der Geist der *alētheia* (das bedeutet: der sich offenbarenden göttlichen Wirklichkeit), den der Vater in meinem Namen senden wird, *der* wird euch alles lehren und euch an alles *erinnern,* was ich euch gesagt habe." Dieses „Erinnern" ist transformativ-dynamisch: Es ist Gegensatz zu einem bloßen Bewahren des Bildes von Jesus, das die Jünger in seinem Erdenleben gewannen. Eine bloße Bewahrung hätte die Dynamik des „Evangeliums" nicht in Gang bringen können. Sie wäre angesichts der völlig neuen Lage nach Tod, Auferweckungserscheinungen und Geistsendung auch keine sinnvolle Alternative.

Der Begriff „Paraklet" wird in der Theologie des vierten Evangeliums zu einer Art Chiffre für die Wirksamkeit des erhöhten Jesus. Und der Sinn dieser Wirksamkeit ist: genau *das* durchzuführen und zu entfalten, was im irdischen Wort und Werk Jesu

[40] Vgl. *W. Thüsing,* Älteste Christologie 66-70.

grundlegend gegeben ist – dem Menschen Jesus von Nazaret und seiner Funktion also bleibende, lebendige Realität und Effizienz zu verleihen.
Die Anwendung des Pneuma-Gedankens auf den auferweckten Jesus ergibt somit schon ein bedeutsames Äquivalent auch für unsere These, durch die Auferweckung werde die bleibende Gültigkeit und Wirksamkeit *Jesu von Nazaret* realisiert (und niemandes anderen und von nichts, das anders wäre als Jesus). Das Pneuma Gottes (man kann es umschreiben als die Dynamik des Geheimnisses der absoluten Liebe[41]) bringt nicht irgendeine mythische Gott-Kyrios-Figur zur Geltung, sondern den wirklichen Jesus und „alles, was er gesagt hat" (vgl. Joh 14,26). Der Paraklet redet nach Joh 16,13-15, was er von Jesus „hört": Er „nimmt" von dem, was Besitz Jesu ist, und gibt es weiter.
Für die Kontinuität zwischen dem Gekreuzigten und dem Erhöhten ist es bedeutsam, daß der Erhöhte nach Joh 20,20.25.27 und Offb 5,6 die Todeswunden noch an sich trägt. Und zwar sind diese nicht als Narben vorzustellen; vielmehr bewegt der Gedanke sich im Paradox von neuem Leben und bleibender wirksamer Realität des Todes, den die Wunden anzeigen. Der Sache nach dürfte die bleibende Realität und Wirksamkeit sowohl der Hingabe an Gott als auch der Proexistenz für die Menschen gemeint sein, die im Tod Jesu ihre Kulmination erreicht haben.
Der Erhöhte ist und bleibt der Gekreuzigte: Das ist in prägnanter Weise durch den johanneischen „Erhöhungs"-Begriff ausgedrückt, in dem – im Unterschied zum sonstigen Neuen Testament – Kreuzigung und Inthronisation zusammengeschaut werden. Nach Joh 12,32 „zieht" der Erhöhte „alle" an sein Kreuz und dadurch in die Herrlichkeit[42]; das Kreuz ist im johanneischen Denken das Strukturprinzip der nachösterlichen Herrschaft Jesu.[43] Auch der Hebräerbrief enthält den Gedanken, daß die Todeshingabe Jesu in der Erhöhung ihre bleibend-lebendige Realität vor Gott erhält.[44]
Das Problem des Verhältnisses von irdischem und erhöhtem Jesus ist in zwei Schriften des Neuen Testaments auf eine weitere für unsere Frage hilfreiche Formel gebracht: Im Hebräerbrief und im Römerbrief wird vom *hápax (einmal, ein einziges Mal)* und *ephápax (ein für allemal)* des Todes bzw. „Opfers" Christi (das bedeutet: seiner im Tod sich vollendenden Proexistenz) gesprochen (Hebr 7,27; 9,12; 9,26-28; Röm 6,10). Sowohl bei Paulus als auch im Hebräerbrief ist mit dem Tod Jesu (dessen Einmaligkeitscharakter herausgestellt und auf den so gewissermaßen das ganze Scheinwerferlicht gerichtet wird) das Leben und Wirken sowie der Anspruch des historischen Jesus zusammenzunehmen.
Der Hebräerbrief bietet sogar einen allgemein-anthropologischen Ansatz dafür. Er zeigt, daß das Leben und der Tod Jesu von Nazaret als wirklich menschliches Leben und wirklich menschlicher Tod gerade insofern ernst zu nehmen sind, als sie den Charakter der Einmaligkeit und Unwiederbringlichkeit haben, und zwar in Hebr 9,27f („Wie es dem Menschen bestimmt ist, einmal zu sterben, und darauf das Gericht folgt . . ."). Der christologische Analogieschluß hebt an dieser Stelle auf das Gericht und die heilshafte Vollendung im Weltgericht ab. Durch die Einmaligkeit des „Opfers" Jesu ist seine heilschaffende Funktion bestimmt und geprägt – von der Erhöhung bis zum

[41] Diese an K. Rahners Redeweise von Gott als dem absoluten Geheimnis (vgl. unten 4.4.5, Anm. 51) anknüpfende Formulierung dürfte auch neutestamentlich verifizierbar sein, vor allem anhand der paulinischen Pneuma-Theologie.
[42] Vgl. *W. Thüsing*, Erhöhung und Verherrlichung 129-131 (in Modifikation der Interpretation R. Bultmanns zu Joh 12,32 [Evangelium des Johannes 331] und Joh 12,25f [ebd. 325f]).
[43] Vgl. *W. Thüsing*, Erhöhung und Verherrlichung 33.
[44] Vgl. Hebr 7,25; 8,1f; 9,11-14.24 (s. *W. Thüsing*, Zugangswege 149f).

futurischen Eschaton. Steht hier in Hebr 9,27f das Vollendungswirken (als abschließender Akt) für die gesamte Heilswirksamkeit Jesu, so gibt es demgegenüber auch eine Reihe von Aussagen des Hebräerbriefs, die die gleiche Struktur haben (Verbindung des „ein für allemal" mit der universalen Heilsbedeutung): und diese stellen dem „Opfer" (dem irdischen Leben und Tod bzw. der im Tod kulminierenden Pro-Existenz) das Wirken des Erhöhten gegenüber, der „ein für allemal in das Heiligtum eingegangen ist" (Hebr 9,12; vgl. den Gegensatz zu den Opfern der alttestamentlichen Hohenpriester). In diesem Zusammenhang *wird auch das Wirken des Erhöhten als Pro-Existenz beschrieben;* vgl. Hebr 7,25 („... da er immerdar lebt, um *für sie* einzutreten" – für diejenigen, die durch ihn „zu Gott hinzutreten": die durch ihn den Zugang zu Gott suchen).
Die Funktion des „erhöhten" Christus ist also keineswegs darauf beschränkt, Huldigungen entgegenzunehmen, Weisungen zu geben oder etwa nur bereitzustehen für das Weltgericht. Die drei neutestamentlichen Stellen, die vom „Eintreten für..." und damit von der Proexistenz des Erhöhten sprechen (Hebr 7,25; Röm 8,34; 1 Joh 2,1f), sind von einer Bedeutung, die kaum überschätzt werden kann. Es läßt sich meiner Meinung nach aufweisen, daß sie in einer häufiger anzutreffenden Linienführung verankert sind, die die Lebenspendung für die „Vielen" (bzw. die Proexistenz) mit der Hinwendung zum Vater verbindet. Beides ist charakteristisch für Jesus von Nazaret; und es wird auch in nachösterlichen Theologien des Neuen Testaments durchgehalten.[45]

4.4.5 „Auferweckung Jesu" als theo-logische Aussage: Auferweckung als Aufnahme Jesu in das gegenwärtige Geheimnis Gottes

Dieser Abschnitt fügt der These über „Auferweckung und Erhöhung als Transformation" (oben 4.4.3) nichts Neues hinzu, das in ihr nicht schon offen oder verborgen enthalten wäre; jene These ist bereits durch und durch theo-logisch konzipiert.[46] Trotzdem scheint es mir notwendig zu sein, diesen theo-logischen Charakter des Auferweckungsglaubens noch einmal eigens hervorzuheben. Es muß unmißverständlich werden, daß hier die letztgültige Begründung eines Auferweckungsverständnisses liegt, das in den biblischen Glauben integriert werden kann.
Die Frage, ob man den urchristlichen Auferweckungs- und Erhöhungsglauben bejahen kann, hängt letztlich vom Gottesbegriff ab bzw. richtiger vom Gottesglauben: davon, ob man Gott in der radikalen Weise als den je Größeren anzuerkennen bereit ist, wie die neutestamentlichen Zeugnisse das fordern. Die gesamte vorgetragene Deutung hängt von der Frage ab, ob Gott

[45] Vgl. *W. Thüsing,* Zugangswege 144-150.162f (zur Terminologie vgl. 118-120); speziell zur paulinischen Theologie: Per Christum in Deum 40f.52.68-84 und passim. Die Einheit von Proexistenz und Theozentrik auch des erhöhten Jesus, die durch die „aufsteigende Linie" (von Jesus zum Vater hin) bedingt ist, wurde in der früher gängigen Auffassung von Christologie fast geflissentlich ausgelassen – weil die Fixierung auf die in der klassischen Deszendenzchristologie einseitig betonte „absteigende Linie" zu stark war. Vgl. unten 5.2.2.2 und vor allem 6.2.2.3.3.
[46] S. auch schon oben 4.3.1 die Bestimmung des Begriffs „Erhöhungsglaube".

den Menschen Jesus durch den Tod hindurch nicht nur persönlich zu retten vermag, sondern ihn *so* in sein (Gottes) eigenes „Geheimnis" aufnehmen kann, daß seine Wirksamkeit und die Wirksamkeit dieses Menschen von jetzt an zusammengehören. Will man dem urchristlichen Kerygma folgen, so muß man Gott also eine Tat der Neuschaffung zutrauen, die etwas qualitativ Neues ist gegenüber der ersten Schöpfung und sie transzendiert. Dieses Zutrauen zum lebendigen Gott ist notwendig, auch wenn das, was hier als neue Schöpfung bezeichnet wurde, nämlich die Hineinnahme des Menschen Jesus in Gottes eigenes Leben und universales Wirken – anders gesagt: die Verleihung von universaler, heilschaffender Kommunikationsfähigkeit an den durch den Tod hindurchgegangenen Menschen Jesus –, für uns im Verhältnis zur Anschaulichkeit der sichtbaren Schöpfung etwas ganz Unanschauliches bleibt.[47]

Um das Erschreckend-Unbegreifliche und zugleich in den weiten freien Raum des Glaubens an die Liebe[48] Führende solcher Gottesverkündigung zu ahnen, ist es vielleicht nicht überflüssig, an nichtchristliche Entwürfe des Gottesgedankens zu erinnern, die als *Kontrastparallelen* dienen können[49]. Mit dem Gottesbegriff des Aristoteles – in dem Gott als der erste, unbewegte Beweger gesehen wird – wäre die Aufnahme eines Menschen in das Leben dieses Gottes unvereinbar. Ebensowenig dürfte es vom Begriff des Göttlichen im Buddhismus und vom buddhistischen Nirwana-Gedanken einen Zugang zu der Verkündigung geben, daß der Mensch Jesus Christus in seiner Individualität durch den Tod hindurch so gerettet wird, daß sein ganzes irdisch-personales Leben mitsamt der Intentionalität des Wirkens in seiner Identität gewahrt und neu in Kraft und Dynamik eingesetzt wird. Die Vergleiche könnten weitergeführt werden; doch das dürfte sich erübrigen. „Auferweckung Jesu" – diese Aussage setzt einen Gottesglauben voraus, wie er in der Offenbarung des Alten Bundes grundgelegt ist. Der Glaube an den Gott, der Jesus Christus von den Toten auferweckt hat (vgl. Röm 4,24), ist eine letzte, vom Menschen her unausdenkbare Aufgipfelung des Glaubens an den absolut souveränen Schöpfer, eine Aufgipfelung des Glaubens an den

[47] Vgl. *G. Ebeling*, Wesen 66: „Was heißt ‚Auferstehung von den Toten'? Die beste Verständnishilfe dafür ist der Rat: alle *Vorstellungen*, was denn das eigentlich heiße, ‚Auferstehung von den Toten', völlig abzulegen." Vgl. ferner vor allem *K. Rahner*, Menschheit Jesu (Schriften III) 47-60, vor allem 48.55f. S. hierzu auch *W. Thüsing*, Zugangswege 170.

[48] Vgl. 1 Joh 4,16.

[49] Gemeint sind dabei Kontrastparallelen, die als solche dazu helfen können, die neutestamentlich-christliche Gottesverkündigung in ihrer spezifischen Eigenart herauszuheben – ohne daß die beiden jetzt zu nennenden Konzeptionen abgewertet oder die Anregungen, die sie für christliche Theologie enthalten können, geleugnet werden sollen. (Vgl. zum letzteren Punkt die Erklärung des II. Vatikanums über das Verhältnis der Kirche zu den nichtchristlichen Religionen, Art. 1-2, sowie den Exkurs zum Konzilstext über den Buddhismus von *H. Dumoulin* [Das Zweite Vatikanische Konzil: LThK, Ergänzungsband II, 1967, 482-485].)

Gott, der nicht in absoluter majestätischer Einsamkeit verharren, sondern sich mitteilen will, der auf seine Menschen hin sein will, der helfend, rettend nahe sein will – der „Jahwe" sein will im Sinn des Alten Testaments.[50] Wenn der Auferweckungsglaube im paulinischen Sinn als Glaube an die Macht des Schöpfers in ihrer paradoxesten Kulmination verstanden werden darf, wird wiederum erkennbar, wie sehr es in der Jesus- und Christusverkündigung um einen Gottesglauben geht, der zur Destruktion der vom Menschen selbst gemachten Gottesbilder führt – um einen Glauben, in dem man Gott „wider alle Hoffnung auf Hoffnung hin" die Macht und den Sieg über alles zutraut, was dem Sinn menschlichen Lebens entgegensteht, sogar über den Tod und die hinter ihm stehenden Mächte der Sinnlosigkeit und des Hasses.

In den bisherigen Ausführungen ist öfters der Begriff *„Geheimnis Gottes"* verwendet worden: In der Auferweckung wird Jesus in das Geheimnis Gottes aufgenommen, er wirkt aus diesem Geheimnis heraus. Statt „Geheimnis" hätte vielleicht auch gesagt werden können „Verborgenheit Gottes", „vollendete Gemeinschaft mit Gott" o. ä. Aber Gott selbst ist dem Zugriff unseres Forschens nicht erreichbar; er bleibt der ganz Andere. Die Redeweise vom „Geheimnis Gottes" bzw. von dem „absoluten Geheimnis, das wir Gott nennen"[51], ist vielleicht doch die beste Möglichkeit, etwas zu sagen, was nur angedeutet werden kann, was aber auch nicht ohne eine solche Andeutung bleiben darf.

[50] Vgl. *A. Deissler,* Gottes Selbstoffenbarung 226-269, bes. 243f und 244-248 (der Jahwe-Name als Offenbarung des göttlichen Bundeswillens). 247: Im Jahwe-Namen will Gott „jene Selbstverfassung seiner Existenz" offenbaren, „die er als absolut freie Person in Selbstverfügung sich gegeben hat, indem er sich entschloß, den Menschen – hier zuerst Israel – sein Antlitz zuzuwenden und sich ihnen in einem personalen Verhältnis, das die Offenbarung ‚Bund' nennt, zu verbinden." Um den Nachdruck, mit dem hier auf die theo-logische Dimension des Auferwekkungsglaubens hingewiesen werden soll, noch zu verstärken, darf hier schon auf die paulinische Theologie vorgegriffen werden (der übrigens gerade in diesem Punkt eine eminente heuristische Funktion zukommt):
Im 4. Kapitel des Römerbriefs wird die totenerweckende Macht Gottes geradezu als *das* letztlich Charakteristische des paulinischen Gottesbegriffs erkennbar. Es handelt sich um Aussagen des Paulus, in denen der Sachverhalt, der in der ursprünglichen Auferweckungserfahrung impliziert ist, gut wiedergegeben wird. Nach Röm 4,17 glaubt Abraham an Gott, der die Toten lebendig macht und das Nichtseiende als Seiendes ruft. Das ist die äußerste Zuspitzung des „rechtfertigenden" Glaubens, der ein Glaube „wider alle Hoffnung auf Hoffnung hin" ist (Röm 4,18): ein Glaube von der Art, daß alle falsche *kaúchēsis* (alles „Rühmen") ausgeschlossen ist und die *kaúchēsis* des Glaubenden (das, wodurch der Glaubende sein Selbstverständnis gewinnt und aussprechen kann) nur „im Kyrios", im auferweckten Jesus, möglich ist (vgl. 1Kor 1,29-31; Phil 3,3).

[51] Vgl. *K. Rahner,* Grundkurs 63. Diese und ähnliche bei K. Rahner öfter wiederkehrende Formulierungen sind grundlegend erschlossen durch den Artikel „Über den Begriff des Geheimnisses in der katholischen Theologie" (Schriften IV 51-99, bes. 83); vgl. ders., Grundkurs 54-75.

Es dürfte schwer, ja unmöglich sein, einen Zugang zum Kerygma von der Auferweckungstat Gottes an Jesus zu gewinnen, wenn der Gott, dessen Sprecher die Propheten sind und den Jesus als seinen Vater liebt und verkündet, nicht bejaht – oder, bescheidener in der Sprache der Psalmen ausgedrückt, gesucht wird[52], gesucht wird *mit allem, was der glaubende Mensch ist und hat.* Vielleicht müßten wir auch mehr von der christlichen Mystik vergangener Jahrhunderte lernen, um einen Zugang zu dem zu finden, was der scheinbar so abstrakten Umschreibung von Auferweckung und Erhöhung als der „Aufnahme in das wirkmächtige Geheimnis Gottes" zugrunde liegt.

4.5 Die Auferweckung Jesu als Grund für die Transformation von Verkündigungsinhalten: Die Neuheitsaspekte der nachösterlichen Transformation

4.5.1 Vorbemerkung

In diesem letzten Abschnitt des 4. Kapitels ist abschließend deutlich zu machen, inwiefern die Auferweckung Jesu als „Transformationsvorgang" Grund einer zweiten Reihe von Kriterien ist: Sie ist es, weil sie die „Neuheitsaspekte der nachösterlichen Transformation" bedingt, die nur in einer zweiten, der jesuanischen entsprechenden Reihe von Strukturkomponenten zur Geltung gebracht werden können.[53]

Die in der Auferweckung grundlegend vollzogene „Transformation von Person und Funktion Jesu" prägt die theologische Struktur der nachösterlichen

[52] Vgl. Ps 24,6; 27,8; 34,5.11; 77,3; 105,3 f.

[53] *W. Trilling* (Die Botschaft Jesu 116, Anm. 42) schreibt (mit Blick auf die Beziehung zwischen der vorösterlichen Jüngergemeinschaft und der nachösterlichen Kirche): „Kritisch sollen wir wohl gegenüber dem häufig verwendeten Begriff einer ‚Transformation' sein, da er zu undeutlich ist und da in jedem Einzelfall gezeigt werden müßte, in welchem Sinn die ‚transformierte' Sache wirklich noch die ‚alte' aus der Jesus-Zeit ist." Dem ist zuzustimmen. Freilich geht die Aufgabe noch über die gesonderte Beurteilung in jedem Einzelfall hinaus. Bevor eine solche Einzel-Überprüfung sinnvoll sein kann, muß erst eine aufgrund des Erhöhungsglaubens notwendige Vorarbeit geleistet werden, um die es in dem jetzigen Abschnitt 4.5 und im folgenden Kap. 5 geht: Es muß soweit wie möglich schon aufgezeigt werden, in welche Richtung (bzw. besser: in welche Richtungen) die grundlegende (und grundlegend bleibende) „Kompetenz" Jesu von Nazaret durch die Neuheit des Österlich-Nachösterlichen (eben durch die neue Einheit und Wirkeinheit Jesu mit Gott) so „transformiert" wird (und dabei doch wesentlich dieselbe bleibt), daß jetzt, nachösterlich, die zu generierenden Performanzen anders lauten dürfen und teilweise müssen als bei Jesus von Nazaret selbst.

Christologie und bestimmt ihren Unterschied gegenüber der vorösterlichen Verkündigung Jesu, der trotz aller Kontinuität von der Sache her mit Notwendigkeit gegeben ist und anerkannt werden muß. Dieses Neue der nachösterlichen Christologie läßt sich auffächern in die drei elementaren Neuheitsaspekte „Zusammendenken von Gott und Jesus", „Neue Bestimmung des Soteriologischen" und „Das evangelial und ekklesiologisch Neue"[53a]. Im Rahmen der der gesamten Arbeit vorangestellten These[54] wurden sie bereits genannt, freilich mehr vorgestellt als begründet. An der jetzigen Stelle – nach der Erarbeitung des Auferweckungsverständnisses – ist es an der Zeit, ausdrücklich zu fragen, in welcher Weise sie sich aus der theo-logischen Wirklichkeit der Auferweckung ergeben. Diese letztere konnte weiter oben in diesem Kapitel[55] in der Weise dargestellt werden, daß die Ansatzpunkte für die Neuheitsaspekte bereits vorliegen. Trotzdem bleibt für diesen jetzigen Abschnitt die Aufgabe, jene Ansatzpunkte wieder aufzunehmen sowie auf die jetzige Frage hin – auf die Frage nach dem Ursprung der Neuheitsaspekte in der Auferweckungstransformation hin – zu verdeutlichen; dabei darf der jetzige Abschnitt knapp gehalten sein: *erstens,* weil er sich streng auf die Frage nach dem Ursprung der Neuheitsaspekte in der theo-logischen Sicht der Auferweckung Jesu (als dem Kernpunkt der oben herausgearbeiteten Auffassung der Auferweckung Jesu als eines „Transformationsvorgangs") zu beschränken hat, und *zweitens,* weil Näheres zu den drei Neuheitsaspekten im folgenden Kapitel über die Strukturkomponenten der nachösterlichen Christologie (Kap. 5) gesagt werden soll; Gliederung und Gedankenfolge dieses Kapitels werden durch die drei nachösterlichen Neuheitsaspekte bestimmt sein. Ich bitte also zu beachten, daß der jetzige Abschnitt 4.5 nicht erschöpfend über das Thema der Neuheitsaspekte zu handeln hat, sondern die Funktion einer Überleitung vom Auferweckungskapitel 4 zu Kapitel 5 besitzt.

4.5.2 Der Ursprung der nachösterlichen Neuheitsaspekte in der theo-logischen Sicht der Auferweckung Jesu

Meine Auffassung über dieses Thema formuliere ich zunächst in thesenhafter Form, bevor ich sie bezüglich der einzelnen Neuheitsaspekte kurz erläutere:

[53a] Aus dem bisher Gesagten dürfte sich schon ergeben, aus welchem Grund nur diese drei Neuheitsaspekte und nicht auch ein eschatologischer genannt werden: Alle drei Neuheitaspekte ergeben zusammen das nachösterliche Eschatologisch-Neue.

[54] Oben 2.3.

[55] 4.4.3.

Das nachösterlich-neue Zusammendenken von Gott und Jesus, das theologisch notwendig geworden ist infolge des Glaubens an die Erhöhung Jesu – das heißt: an die Aufnahme des gekreuzigten Jesus von Nazaret in das wirksame Geheimnis Gottes –, konstituiert nicht nur den ersten Neuheitsaspekt (die Verbindung des Jesusglaubens mit dem Gottesglauben), sondern auch den zweiten (soteriologischen) und – vermittelt über den zweiten – auch den dritten (ekklesiologischen):
Denn die Reflexion der Heilsbedeutung Jesu und seines Todes gewinnt erst dadurch ihren spezifischen soteriologischen Neuheitscharakter, daß sie eingespannt ist in das nachösterlich-neue Zusammendenken des Wirkens Jesu Christi mit dem Wirken Gottes; und die Reflexion über die Gemeinde und ihre Aufgabe der universalen Evangeliumsverkündigung erhält ihre spezifische nachösterlich-transformatorische Eigenart ebenfalls dadurch, daß Evangelium wie Gemeinde von der Einheit des Wirkens bestimmt sind, die ihren Kyrios mit Gott zusammenschließt.

4.5.3 Das nachösterlich-neue Zusammendenken von Jesus und Gott

Gerade an dieser Stelle sei die These wieder betont vorangestellt: Die nachösterliche Relation Gottes zu Jesus und Jesu zu Gott ist der primäre Aspekt des Nachösterlich-Neuen; sie ist derjenige Aspekt, der vom Verständnis der Auferweckung als Erhöhung bzw. als „Transformationsvorgang“ als erster in den Blick kommt und aus dem – wie unten in Abschnitt 4.5.4-5 zu erläutern sein wird – die beiden anderen Neuheitsaspekte sich der Sache nach ergeben.
Diese Priorität des nachösterlichen Zusammendenkens von Gott und Jesus ergibt sich zwingend, wenn die Auferweckung Jesu oben (4.3) zutreffend als Geschehen im Zuge der Erhöhung bestimmt worden ist – in dem Sinn, daß der gekreuzigte Jesus von Nazaret in der Weise in das Geheimnis Gottes aufgenommen ist, daß er jetzt in diesem Geheimnis lebt und aus ihm heraus wirksam ist. Jene Priorität wird erst recht gestützt, wenn die Auferweckung Jesu wie oben in 4.4.3 als „Transformationsvorgang“ erfaßt wird, als Erhebung Jesu von Nazaret, seiner Intention und der Relationen, in denen er lebte, zu bleibender Gültigkeit und Wirksamkeit; denn bei Jesus von Nazaret ist die Gottesbeziehung eindeutig das Primäre[56] – und *diese* theologische Struktur des Jesuanischen kann durch die Auferweckungstransformation in keiner Weise beeinträchtigt werden, sondern muß im Gegenteil durch sie neu in Geltung gesetzt sein. Vollends wird aus der theo-logischen Sicht der

[56] S. oben Kap. 3, bes. 3.6.2.1 zu Strukturkomponente 7(J); auch schon 3.5.2 zu 2 (J) bis 6 (J).

Auferweckung (oben 4.4.5) deutlich, wie unausweichlich nach Ostern die Priorität dieses – die Christologie recht eigentlich konstituierenden – Zusammendenkens von Gott und Jesus ist. Die neue Weise der Einheit Jesu mit Gott hat die Priorität gegenüber allem anderen, was über die Auferweckung gesagt werden kann – sonst dürfte man überhaupt nicht von einer theo-logischen Sicht der Auferweckung Jesu reden.
Dann muß aber die nachösterliche Relation zwischen Gott und Jesus auch in der theologischen Reflexion das Primäre sein. Diese Einheit von Jesus und Gott als wechselseitige Relation muß als solche bedacht werden: als etwas, was von der Sache her vorgängig ist selbst gegenüber der soteriologischen Auswirkung dieser neuen Weise der Einheit[57] – auch wenn im Neuen Testament auf der letzteren (aufgrund der Sinnrichtung des Kerygmas) der Akzent liegt.[58]

4.5.4 Die nachösterlich-neue Bestimmung des Soteriologischen

Auch das im nachösterlichen Kerygma verkündete Soteriologisch-Neue hat seinen eigentlichen Grund in der neuen Einheit von Christusglaube und Gottesglaube: und zwar deshalb, weil nicht nur Jesus und Gott zusammenzudenken sind, *sondern auch das Wirken Jesu und das Wirken Gottes.* Aus der theo-logisch-christologischen Sicht der Auferweckung (der zufolge der gekreuzigte Jesus in das Geheimnis *Gottes* aufgenommen ist, wobei der Blick zunächst nur auf Gott und Jesus gerichtet ist) folgt die soteriologische Sicht, in der auch das *Wirken* Gottes und Jesu jetzt untrennbar zusammengehören. Denn das Wirken Gottes, aus dem das Wirken des erhöhten Jesus jetzt hervorgeht, ist nach der biblischen Botschaft primär heilshaft, *ist also Thema der Soteriologie.*
Nun ist dieses Zusammendenken des Wirkens Jesu mit dem Wirken Gottes – als der grundlegende nachösterlich-soteriologische Sachverhalt – vielleicht

[57] Um es noch einmal zu betonen: Das ergibt sich aus der absoluten Priorität Gottes selbst, in dessen Geheimnis Jesus jetzt aufgenommen ist. In dem Gebet, das Jesus den Jüngern übergab, prägt sich das aus in der Vorordnung der ersten (und am reinsten theozentrischen), auf Gott, seine Heiligkeit und Ehre bezogenen Bitte – selbst noch vor der das Heil der Menschheit einschließenden Basileia-Bitte (Lk 11,2 par Mt 6,9f); vgl. *H. Schürmann,* Gebet des Herrn 26-36.

[58] Das ist freilich ebenfalls vom Jahweglauben und vom Gottesglauben Jesu her vorgegeben: Der Gott der biblischen Verkündigung ist der sich selbst mitteilende Gott; und gerade vom Handeln Gottes in Jesus und von Jesus selbst kann in gar keiner Weise unter Ausklammerung der Dimension des Soteriologischen und der Proexistenz gesprochen werden. Trotzdem wäre der biblische Gottesglaube verzeichnet, wenn man Gott in seinem Handeln für die Menschen aufgehen ließe und nicht mehr in der Lage wäre, ihn um seiner selbst, um seiner Größe willen, zu preisen und damit die Priorität des Theo-logischen (bzw. die Priorität Gottes als des Ursprungs und des Ziels) vor dem Soteriologischen anzuerkennen.

noch nicht einmal dasjenige, was bei einem Vergleich der nachösterlich-neutestamentlichen Soteriologie mit der jesuanischen schon sozusagen auf den ersten Blick als etwas Neues in die Augen fällt; das ist vielmehr die notwendig stark hervortretende Reflexion des Todes Jesu und seiner Heilsbedeutung sowie die Notwendigkeit, Tod und Auferweckung gerade hinsichtlich der Heilsbedeutung als zusammengehörig zu begreifen. Aber diese nachösterlich-neue Reflexion der Heilsbedeutung von Tod und Auferweckung muß integriert gesehen werden in die Grundgegebenheit des nachösterlichen Miteinanders von Wirken Jesu und Wirken Gottes.

So ergibt sich das nachösterliche Soteriologisch-Neue in seiner vollen Dimension dann, wenn das soteriologisch relevante Leben Jesu – in Einheit mit seiner Kulmination im Kreuzestod, und in dieser Einheit von Gott bestätigt und „transformiert" in der Auferweckung – *eingespannt gesehen wird in das, was die Auferweckung Jesu in ihrer theo-logischen Tiefendimension bedeutet:* in die durch die nachösterliche Transformation erforderte, theo-logisch primäre Zusammenschau von Wirken Gottes und Wirken Jesu Christi.[59]

Mit dem nachösterlich-neuen Miteinander des Wirkens Jesu und des Wirkens Gottes ist – das muß abschließend betont werden – prinzipiell der Universalismus des Heils gegeben, der die Grenzen des altbundlichen Gottesvolkes Israel sprengen mußte. Das Zusammendenken des auferweckten Jesus mit dem die Menschheit universal angehenden Schöpfer mußte – von innen heraus – die Universalität des Heils (und damit auch den universalistischen Aspekt des Ekklesiologischen) aus sich hervortreiben.[60] In dieser Sicht leitet der Aspekt des Soteriologisch-Neuen über zu dem Aspekt des evangelial und ekklesial bestimmten universalen Neuen, das im jetzt folgenden Abschnitt 4.5.5 anzusprechen ist.

4.5.5 Das nachösterlich-neue Evangeliale und Ekklesiologische

Auch das Ekklesiologisch-Neue ist bestimmt durch das Zusammendenken von Gott und Jesus: Die Gemeinde bzw. Kirche ist keine gegenüber Gott und Jesus verselbständigte Größe; sie dient vielmehr dem Werk Gottes und Jesu. Daß die Gemeinde in dienender Beziehung zu diesem Werk Gottes und Jesu steht, tritt wohl am deutlichsten hervor, wenn wir das Werk Gottes mit dem neutestamentlichen, in die vor- und nachösterlichen Anfänge zu-

[59] Hierbei darf jedoch das Moment der Glaubens- bzw. Geisterfahrung nicht außer acht gelassen werden; darauf ist unten in 5.1.3 noch zurückzukommen.

[60] Auf dieses Moment des nachösterlich-neuen, theo-logisch und soteriologisch bedingten *Universalismus,* das seinerseits wieder dem Ekklesiologischen zugrunde liegt, ist unten in 5.3.7 näher einzugehen.

rückgehenden, später von Paulus mitgeprägten und verdeutlichten Begriff *euangélion* – im Sinne der Dynamik[61] der die Menschen zu ihrer Rettung anrufenden Liebe Gottes – bezeichnen. Wenn also das Evangeliale dem Ekklesiologischen vorgeordnet ist (wenn die Ekklesia wegen ihrer Funktion für das evangeliale und rettende Werk Gottes da ist), wenn schließlich die Dynamis Gottes und Jesu Christi als in der Ekklesia wirksam geglaubt wird – dann ist der Schluß notwendig: Von hier aus sind sowohl die Universalität des Evangelialen als auch das ihr dienende Ekklesiologische rückgebunden an den österlichen Transformations-Vorgang, an die theo-logisch grundlegende Aufnahme des gekreuzigten Jesus in das wirksame Geheimnis Gottes. Anders ausgedrückt: Auch das Evangelial-Ekklesiologische ergibt sich aus dem nachösterlichen Zusammendenken von *Wirken* Gottes und *Wirken* des auferweckten Jesus, sofern man nur die auf Universalität offene Konkretion mitdenkt, die in der nachösterlichen Gemeinschaft der an Jesus Glaubenden und sonst nirgendwo gesucht werden kann.[62]

[61] Vgl. Röm 1,16f, wo vom *euangélion* als der „*dýnamis* Gottes zur Rettung" gesprochen wird. *Euangélion* ist also nicht als Komplex von mitzuteilenden Sätzen aufgefaßt, sondern als der dynamische Vorgang, in dem Gott seine das Heil in sich schließende Dikaiosyne (= Verheißungstreue) enthüllt.

[62] Hierfür wird bei der Behandlung der Neuheitsaspekte in Kap. 5 der Pneumabegriff berücksichtigt werden müssen; er ist in diesem Zusammenhang bedeutsam aufgrund der von Anfang an gegebenen Realisierungsstruktur der nachösterlichen Christusverkündigung. S. unten 5.1.3.

5. Zweite Reihe von Kriterien: Strukturen von Christologie und Soteriologie in nachösterlicher Transformation

Konklusionen und Postulate

Vorbemerkung zum Stellenwert dieses Kapitels

Das jetzt beginnende Kapitel ist wegen seiner Aufgabenstellung und der dadurch notwendigen Methodik vielleicht für die Lektüre das schwierigste des Buchs. Die Durcharbeitung auch dieses Kapitels scheint mir jedoch für das Verständnis des Ganzen unumgänglich zu sein; es ist in gleicher Weise wie Kapitel 3 ein Kernstück der Arbeit. Es ist zudem die Voraussetzung für spätere Teile des Gesamtwerks (schon in diesem Band vor allem für Kapitel 6 [besonders für 6.2-3]; auch noch für Kapitel 7). Ob der zweite, für die Beurteilung konkreter neutestamentlicher Theologien unverzichtbare Teil der Doppeltabelle von Kriterien hier sachgerecht entwickelt wird, daran entscheidet sich weitgehend die Schlüssigkeit des ganzen Entwurfs.
Die im folgenden entwickelten „Grundlinien nachösterlicher Transformation“ können in ihrer Bedeutung – und Relevanz – erst dann recht plastisch und anschaulich werden, wenn man sie als jeweiligen Ausdruck der „Spannungseinheit“ sehen lernt, die durch einseitige Akzentsetzungen aufgelöst oder gefährdet werden kann und deren Durchhalten für die Konformität späterer Theologien mit den Ursprungsstrukturen unabdingbar ist.[1]

5.1 Grundsätzliches und Methodisches zur Ermittlung der nachösterlichen Transformation des Jesuanischen

(Die nachösterlichen Strukturen von Christologie und Soteriologie als Ergebnis einer Zusammenschau der jesuanischen Strukturkomponenten mit den Neuheitsaspekten der nachösterlichen Verkündigung)

5.1.1 Das Prinzip

Wer in diesem Kapitel Belegstellen aus dem uns konkret vorliegenden nachösterlichen Neuen Testament erwarten würde, müßte enttäuscht werden.

[1] Vgl. unten 6.1, bes. 6.1.2.

Denn wollten wir hier die Strukturkomponenten der „nachösterlichen Transformation“ (die den jesuanischen entsprechen sollen!) als eine Art Querschnitt aus den faktisch vorliegenden Theologien des Neuen Testaments zu ermitteln suchen, so müßte der Vorwurf laut werden, hier werde ein unerlaubter Zirkelschluß versucht; theologische Strukturkomponenten, die aus den faktisch vorliegenden neutestamentlichen Schriften und ihren Theologien gewonnen würden, könnten ja sicher nicht ohne weiteres als Legitimationskriterien für ebendiese christologisch-soterologischen Konzeptionen verwendet werden.
Eine Reihe von 18 nachösterlichen Strukturkomponenten von Christologie und Soteriologie, die geeignet sind, die „Transformation“ der 18 Komponenten der „theologischen Struktur von Botschaft, Wirken und Leben Jesu von Nazaret“[2] darzustellen und die somit als Ergebnis dieses jetzigen Kapitels anzustreben sind,[3] muß also auf andere Weise ermittelt werden – in einer Weise, daß ihre Vorgängigkeit gegenüber den innerhalb des Neuen Testaments vorliegenden Ausdrucksformen und Gestaltungsweisen von Theologie gewährleistet ist – bzw. anders gesagt: ihre prinzipielle Unabhängigkeit von den Texten des (gegenüber den Ursprüngen „späteren“) Neuen Testaments.
Die einzige Möglichkeit hierfür sehe ich darin, die bisher in den Kapiteln 3 und 4 erarbeiteten Ausgangspunkte – nämlich die 18 jesuanischen Strukturkomponenten (Kap. 3) und die drei im Kapitel über die Auferweckung Jesu (4.5) entwickelten Neuheitsaspekte nachösterlicher Transformation (als Konkretionen und Implikationen der ursprünglichen Auferweckungserfahrung) – zusammenzuschauen *und aus dieser Zusammenschau den Richtungssinn der nachösterlichen Strukturkomponenten zu erschließen.*
Die Kriterienreihe „T“ (die Kriterienreihe der nachösterlichen Transformation) ist also der Versuch einer Umgestaltung der jesuanischen Kriterienreihe „J“ im Hinblick auf den grundlegenden neuen Sachverhalt, der in der Erhöhung Jesu besteht, und zwar näherhin im Hinblick auf die drei Neuheitsaspekte der Transformation: Zusammendenken von Gott und Jesus, neue Bestimmung des Soteriologischen, In-Erscheinung-Treten des Ekklesiologischen.
Die 18 nachösterlich-christologischen Strukturkomponenten, die auf diesem Weg – durch Zusammenschau und Konklusionen – zustande kommen, tragen demnach notwendig den Charakter von postulatorischen Linienführungen[4] bzw. Richtungsangaben.

[2] S. die Tabelle oben 3.3.2.
[3] S. die Tabelle unten 5.5.1.
[4] Diese Linienführungen werden Auffächerungen der drei Grundlinien sein müssen, die bezüglich eines jeden der drei Neuheitsaspekte als Richtungsangaben für die konkrete Durchführung

Dieses Prinzip muß im Hinblick auf das methodische Vorgehen noch konkretisiert und verdeutlicht werden.

5.1.2 Zum methodischen Vorgehen – Verdeutlichungen und Ergänzungen

5.1.2.1 Die drei Neuheitsaspekte nachösterlicher Transformation als Ausgangs- und damit Gliederungsprinzip des 5. Kapitels

Was das methodische Vorgehen anbelangt, könnte man versucht sein, in ähnlicher Weise vorzugehen wie in Kapitel 3: die 18 jesuanischen Strukturkomponenten der Reihe nach durchzugehen und bei jeder einzelnen zu fragen, ob und wie sie in nachösterlicher Transformation etwa anders formuliert werden müßte. Nun wäre das zwar sicherlich die letztlich anzuzielende Frage, da die neue Reihe der 18 nachösterlichen Strukturkomponenten ja das Ergebnis dieses Kapitels bilden soll. Aber im Unterschied zu der jesuanischen Reihe (J), die durch Texte oder wenigstens theologische Intentionen aus der frühen Jesustradition veranschaulicht werden konnte, dürfen wir ja die nachösterliche Kriterienreihe „T" nicht durch konkrete Aussagen des späteren Neuen Testaments begründen. Die Darstellung würde also notwendig allzu schematisch, ja monoton werden und könnte außerdem kaum bei jeder der 18 Strukturkomponenten die Komplexität der nachösterlich einwirkenden Zusammenhänge entfalten.
Wir beschreiten also besser einen anderen Weg, der nicht von den 18 Strukturkomponenten, sondern von den drei Neuheitsaspekten nachösterlicher Transformation ausgeht. Dieses methodische Vorgehen hat jedoch nicht nur den bislang genannten mehr formalen Grund, sondern vor allem den inhaltlich gewichtigeren, *daß die nachösterlich-neuen Bedingungen für die Transformation der Strukturkomponenten nur so im Zusammenhang – und zwar in dem ihnen einzig gemäßen Zusammenhang – entfaltet werden können,* da diese Neuheitsaspekte ja von der Sache her den theologischen „Raster" für die Neuformulierung der Strukturkomponenten ergeben.

5.1.2.2 Die Erarbeitung von Grundlinien, die den drei Neuheitsaspekten entsprechen, als Ziel dieses Kapitels

Ziel der Hinführung zur neuen Tabelle der 18 nachösterlichen Strukturkomponenten soll nicht schon unmittelbar die Neuformulierung der einzel-

der nachösterlichen Transformation von Verkündigungsinhalten in den Abschnitten 5.2-4 dieses Kapitels entwickelt werden sollen.

nen Kriterien sein; das wäre schon deshalb unzweckmäßig, weil die drei Neuheitsaspekte – sie seien noch einmal genannt: das Zusammendenken von Gott und Jesus, das Soteriologisch-Neue, das Ekklesiologisch-Neue – einander in den einzelnen 18 Strukturkomponenten überschneiden müssen. Vielmehr besteht das Ziel dieser Hinführung darin, daß in den drei den Neuheitsaspekten gewidmeten Abschnitten jeweils eine Grundlinie herausgearbeitet wird, die die Richtung der konkreten Transformation bestimmen muß. Tabelle „T" ergibt sich dann aus der Einwirkung dieser Grundlinien (die ihrerseits die Sinn- und Stoßrichtung der Neuheitsaspekte angeben) auf die gesamte Reihe der jesuanischen Strukturkomponenten.

5.1.2.3 Zur Notwendigkeit des Rückbezugs auf die jesuanischen Strukturkomponenten

Inhaltlich und demzufolge auch methodisch ist noch folgendes zu beachten: Bei den Strukturkomponenten der Reihe „T" handelt es sich keineswegs um andere, völlig neue Sachverhalte gegenüber den jesuanischen Strukturkomponenten, sondern um jeweils dieselben Strukturkomponenten (bzw. Kriterien) in einem neuen Koordinatensystem. Durch Auferweckung und Erhöhung werden Jesus von Nazaret und seine Intention nicht abgetan oder abgelöst, sondern zu bleibender Gültigkeit und neuer, universaler Wirksamkeit geführt.[5] *Das Jesuanische muß in der Reihe der T-Kriterien also einerseits in seiner bleibenden Gültigkeit und andererseits in seiner durch Auferweckung und Erhöhung neu gewonnenen universalen Wirksamkeit ausgesagt werden.*

Die als Ergebnis dieser Hinführung angezielte Reihe der nachösterlich-theologischen Kriterien ist also nicht dazu bestimmt, für sich, isoliert, gelesen zu werden; sie ist vielmehr auf ständigen Rückbezug auf die Spalte der jesuanischen Strukturkomponenten angelegt. Spalte „T" ist nur als „Transformation" von Spalte „J" verständlich, die nach wie vor die Grundlage und die Leitlinie bildet.

5.1.2.4 Zum Verzicht auf Formulierungshilfen aus dem faktischen (den Ursprüngen gegenüber „späteren") Neuen Testament

Wegen der Notwendigkeit, einem Zirkelschluß zu entgehen, muß vermieden werden, Begriffe oder theologische Aussagen des nachösterlichen Neuen Te-

[5] Vgl. oben 4.4.3.

staments als unmittelbare Formulierungshilfen zu verwenden.[6] Es ist auch gar nicht notwendig, daß sich für jede der für die Reihe „T“ gefundenen Formulierungen Belegstellen in den Schriften des Neuen Testaments finden. Es ist ja an sich durchaus denkbar, daß die eine oder andere zu postulierende Transformations-Strukturkomponente in keiner nachösterlichen neutestamentlichen Schrift adäquat vorhanden wäre. Die „Konklusionen und Postulate“ aus Reihe „J“ und aus den Neuheitsaspekten der nachösterlichen Transformation weisen ihrer Natur nach in die gesamte Zukunft der Kirche – bzw. sie stellen eine Aufgabe dar, mit der die Kirche als Gemeinschaft der Glaubenden niemals zu Ende kommen wird.
Die faktischen nachösterlichen christologischen Konzeptionen und Formulierungen haben für die Kriterienreihe „T“ also keinerlei konstitutive Funktion. Es ist jedoch nicht auszuschließen – und braucht für die Erarbeitung des Wortlauts der T-Strukturkomponenten auch gar nicht unbedingt ausgeklammert zu werden –, daß sie hier und da eine heuristische Funktion besitzen. Es kann im Einzelfall durchaus zugegeben werden, daß Konklusionen aus einer jesuanischen Strukturkomponente und der grundlegenden nachösterlichen Transformation ohne die heuristische Hilfe dieser oder jener (oder mehrerer) faktisch vorliegender Schriften des späteren Neuen Testaments nicht oder jedenfalls nicht in der vorliegenden Weise gezogen worden wären.

In diesem Sinn könnte man – cum grano salis – von einem *hermeneutischen Zirkel* sprechen: *Einerseits* ist das eben skizzierte Konklusionsverfahren methodisch prinzipiell notwendig (eben weil sonst keine *Kriterien* zustande kämen), und es ist, wie wir sahen, auch sachlich-theologisch gerechtfertigt – insofern die ursprüngliche Auferweckungserfahrung ja die drei Neuheitsaspekte impliziert, die die Grundlage aller Neuformulierung bilden. Der grundlegende und auf Zukunft hin offene Charakter der nachösterlich-theologischen Strukturkomponenten muß gewährleistet sein – analog zu der Tatsache, daß auch die älteste nachösterliche Gemeinde nicht wissen konnte, welche Formen die „Transformation der Verkündigungsinhalte“ weiterhin annehmen würde. *Andererseits* ist es nicht von vornherein verdächtig, wenn die durch das Konklusionsverfahren gewonnenen Ergebnisse sich auf der Linie späterer neutestamentlicher Konzeptionen bewegen, wenn sie also durch die heuristische Hilfe vor allem derjenigen nachösterlichen Autoren abgestützt werden können (mindestens in dem Sinn, daß eine Richtung bestätigt wird), bei denen ausreichender Grund zu der Annahme besteht, daß sie die Zusammenhänge, um die es bei der Transformation geht, in den Blick gefaßt haben.[7]

[6] Eine Ausnahme macht in einer bestimmten Hinsicht der Pneumabegriff, s. unten 5.1.3.

[7] In dieser Hinsicht dürfen die Autoren des Neuen Testaments kaum nivelliert werden; es besteht kein Zweifel, daß Paulus und Johannes, aber auch die synoptischen Evangelisten und der Hebräerbrief hier besondere Beiträge leisten können (freilich auch bei den genannten Autoren schon von abgestufter Relevanz).

Prinzipiell muß die Berechtigung und Schlüssigkeit der in der Reihe „T“ vorgelegten „theologischen Strukturkomponenten in nachösterlicher Transformation“ jedoch – insofern sie Schlußfolgerungen aus Reihe „J“ und der grundlegenden Auferweckungs- und Erhöhungserfahrung sind – auch für sich allein, ohne den Blick auf spätere konkrete neutestamentliche Ausformungen, überprüfbar sein.

5.1.3 Ein zusätzlicher Aspekt für die Bestimmung nachösterlich-theologischer Strukturkomponenten: Die Pneuma-Erfahrung als „Rahmen“ der Auferweckungserfahrung

5.1.3.1 In diesem Abschnitt geht es um die Frage, ob es berechtigt und sinnvoll sein kann, in die Formulierung nachösterlich-theologischer Strukturkomponenten den Begriff „Pneuma“ einfließen zu lassen.[8]
Aber geraten wir damit nicht schon zu stark von den konstitutiven Anfängen des Christusglaubens weg in die späteren, zeitbedingten Artikulationen („Performanzen“) hinein? Doch dazu muß gleich die Gegenfrage gestellt werden: Wenn die Pneumaerfahrung schon in den ersten Anfängen des Christusglaubens verankert ist, kann der Pneumabegriff dann nicht angesichts der notwendigen Abstraktheit unserer „Postulate“ vielleicht zu einer durchaus erwünschten *relativen* Konkretisierung beitragen – bzw. zu einer Auffüllung durch eine von Anfang an mit dem Christusglauben verbundene (und in manchen Strängen des Neuen Testaments auch tatsächlich weiterwirkende) Grunderfahrung mit einem auf die konkrete konstitutive Anfangszeit bezogenen Kolorit?

5.1.3.2 Wie schon im Rahmen des Kapitels über die Auferweckung Jesu (4.3.5) herausgestellt wurde, haben die (gewiß mit den Auferweckungserfahrungen nicht einfachhin zu verwechselnden) Pneuma-Erfahrungen von Anfang an ihre entscheidende Rolle für das Wirksamwerden der Auferweckungserfahrung besessen. Ich erinnere an eine dort ausgedrückte Überzeugung: „Es gäbe im Urchristentum nicht den sieghaften Auferweckungsglauben, wenn die Martyría der berufenen ersten Zeugen nicht eingebettet wäre in die Gesamtheit der urchristlichen Erfahrungen des Pneumas und somit in die Erfahrung des jetzt bei Gott lebenden Jesus selbst.“[9] Wenn die Auf-

[8] Es geht nicht um die Frage, ob dieser Begriff verwendet werden *muß;* denn eine unbedingte Notwendigkeit dafür besteht bei unserem Prinzip des Ausgehens von den recht abstrakt gefaßten drei nachösterlichen Neuheitsaspekten nicht.
[9] Oben 4.3.5.

erweckung „im Zuge der Erhöhung“ geschieht,[10] dann gehören schon von daher Auferweckungserfahrung und Geisterfahrung untrennbar zusammen. Anders gesagt: Die Pneuma-Erfahrungen bilden den „Rahmen“ der Auferweckungserfahrung, obschon sie – im Unterschied zu den Erfahrungen der Auferweckungszeugen – über den Anfang hinaus fortdauern. Der Grundzug dieser ursprünglichen Pneumaerfahrung ist erkennbar: Gott bestätigt den Gekreuzigten durch die Kraft *(dýnamis)* seines wirkkräftigen Pneumas. In diesem Zusammenhang von Auferweckungserfahrung und Geisterfahrung zeigt sich, daß die Auferweckungserfahrung der Zeugen von vornherein auf den Glauben einer Gemeinschaft hingeordnet war.

5.1.3.3 In der Folgezeit – bzw. in den Ansätzen ebenfalls von Anfang an – mußte die mit der Pneuma-Erfahrung verbundene Auferweckungserfahrung sich auffächern und konkretisieren in gemeinschaftsbezogenen Artikulationen, primär im gottesdienstlichen Lobpreis bzw. Gebet und im gottesdienstlichen Bekenntnis. Es gibt die ursprüngliche Auferweckungserfahrung also nicht ohne solche gemeinschaftsbezogenen Artikulationen; diese gehören hinzu, weil die Geisterfahrung, die die Kommunikation der Mitglieder der ersten Gemeinden als Kommunikation *von Glaubenden* ermöglicht, mit der Auferweckungserfahrung eine Einheit bildet.
Der Begriff „Pneuma“ darf also (in dem Sinn, wie er bereits in 4.3.5 herausgearbeitet wurde) auch in den Strukturkomponenten der nachösterlich-christologischen Transformation auftreten, da er prinzipiell nicht erst der Ebene des uns faktisch vorliegenden Neuen Testaments, sondern bereits der Ebene der ursprünglichen Auferweckungserfahrung und ihrer ursprünglichen Artikulation zugehört. (Bei dieser Verwendung des Pneuma-Begriffs geht es nicht um die Alternative eines „Später“ oder „Früher“, sondern darum, daß das, was später in vielfacher Weise expliziert wurde, von Anfang an implizit vorhanden ist.)
In diesen Artikulationen der Auferweckungserfahrung geht es demnach um allererste konkrete Ausdrucksmöglichkeiten und Ausdrucksweisen der Grunderfahrung, die so eng mit der Grunderfahrung der Auferweckung Jesu Christi selbst zusammenhängen, daß sie den späteren Artikulationen im faktisch vorliegenden Neuen Testament auch sachlich voraufgehen.
Das hat zur Folge, daß – wie beim jesuanischen Befund – auch hier die nachösterlich-theologischen Strukturkomponenten nicht gewissermaßen nur „christologie-immanent“ bestimmt werden dürfen (bzw. nicht nur in einem enggeführten Verständnis von Christologie), sondern von der Sicht der an den Erhöhten glaubenden Gemeinde aus. Da diese Gemeinde sich für Jesus

[10] S. oben 4.3.3.

Christus als den Vermittler des *Heils* interessiert und engagiert,[11] müssen in unseren Formulierungen der „Transformations"-Strukturkomponenten die soteriologischen und ekklesiologischen Aspekte an manchen Stellen stärker ins Gewicht fallen als die im engeren Sinne christologischen.
Die mit der ursprünglichen Auferweckungserfahrung verbundenen primären ekklesiologischen Gegebenheiten müssen also als Komponenten der „Richtung" der Transformation auch des Christologischen und Soteriologischen berücksichtigt werden.

5.1.3.4 Diese Einbeziehung der grundlegenden Pneuma-Erfahrung paßt sich übrigens durchaus der Intention dieses Kapitels ein. Es ist ja das Ziel dieses Kapitels 5, nachösterlich-theologische Strukturen herauszuarbeiten, die bereits in der ursprünglichen Auferweckungserfahrung angelegt sind, auch wenn sie den ältesten nachösterlichen Gemeinden noch nicht explizit bewußt waren. Dieses Impliziertsein der nachösterlich-theologischen Strukturkomponenten in der ursprünglichen Auferweckungserfahrung ist ja auch eine conditio sine qua non, wenn sie eine Kriterienfunktion übernehmen sollen. Sicherlich wird jede nachösterlich-theologische Strukturkomponente, die durch solche Transformation zustande kommt, nur eine Richtung angeben können, die (eben postulatorisch) aus der Zusammenschau der jesuanischen Strukturkomponenten mit den nachösterlichen Neuheitsaspekten resultiert – eine Richtung, in der spätere legitime Konkretionen zu suchen wären; es dürfte ja kaum möglich sein, durch knappe Formulierungen, wie sie für die Tabelle der 18 Strukturkomponenten erforderlich sind, den „transformierten" Verkündigungsinhalt in seiner Offenheit auf vielgestaltige und unterschiedliche Konkretisierungen in der Folgezeit hin voll abzudekken.
Dabei sollte aber das Folgende nicht außer acht gelassen werden, das für eine Mitberücksichtigung der Pneuma-Erfahrungen spricht: Wir haben auch bisher nicht nur Abstraktionen ohne Bezug auf Historisches zur Grundlage gemacht, sondern haben durch diese Abstraktionen (eben die drei nachösterlichen Neuheitsaspekte) etwas historisch Greifbares in seiner theologischen Struktur zu erkennen versucht. Analog dürfen wir jetzt bei dem verfahren, was historisch gesehen meiner Überzeugung nach von Anfang an zur Auferweckungserfahrung hinzugehört – bei dem Phänomen der Pneuma-Erfahrungen; dieser ursprüngliche Konkretisierungsansatz kann in manchen Fällen für die Angabe der Richtung von Nutzen sein, in der die Konkretionen der grundlegenden nachösterlichen Transformation zu suchen sind.

[11] Entsprechend der inneren Struktur der Christologie: Wie Jesus von Nazaret der Bote der Basileia Gottes und der Vermittler ihrer heilshaften Kräfte ist, so ist die Christologie auch nachösterlich von vornherein mit dem Heil zusammenzudenken.

5.1.3.5 Fassen wir zum Schluß noch einmal die Beziehung der Pneuma-Erfahrung (als der „zusätzlichen Komponente" für die Bestimmung nachösterlicher Strukturkomponenten) *zu den einzelnen Neuheitsaspekten* ins Auge! Diese Beziehung läßt sich kurz in folgender Weise charakterisieren: Die Pneuma-Erfahrungen sind primär verankert im soteriologischen Bereich und haben ihre deutlichen, tragenden Auswirkungen im ekklesiologischen Bereich. Ihre Relevanz für den theo-logischen Bereich – das Zusammendenken von Gott und Jesus – darf jedoch nicht außer acht gelassen werden; der Rückschluß auf diesen theo-logischen Bereich war auf die Dauer nicht zu umgehen, weil die Bedeutung der Pneuma-Erfahrungen für ihn von Anfang an – implizit – angelegt war.

5.1.4 Zum Aufbau der drei folgenden Abschnitte 5.2 bis 5.4

Diese drei Abschnitte sind – verständlicherweise mit den jeweils notwendigen Variationen (besonders bei Abschnitt 5.3) – nach dem folgenden Schema aufgebaut: Zunächst werden die Ausgangspunkte für die Transformation des Jesuanischen angegeben – unter Zitierung der bereits in Kapitel 3 gewonnenen jesuanischen Strukturkomponenten. An zweiter Stelle wird die Grundlinie erarbeitet, die von dem jeweiligen nachösterlichen Neuheitsaspekt aus die Richtung weisen kann für die Neuformulierung der J-Strukturkomponenten; in diesem Arbeitsgang ist der Schwerpunkt des jeweiligen Abschnitts zu sehen. (Hier und da können die vorösterlichen Ausgangspunkte ergänzt und eventuell verstärkt werden durch Beobachtungen im Bereich der ursprünglichen, mit der Auferweckungserfahrung eng zusammenhängenden Artikulationen des Christusglaubens [vgl. oben Abschnitt 5.1.3].) Schließlich können – mehr anhangsweise – von den erarbeiteten Grundlinien aus Hinweise gegeben werden für die Formulierung der T-Kriterien.
Die Kriterien der nachösterlichen Transformation werden also grundsätzlich noch nicht zum Schluß eines jeden, einem der Neuheitsaspekte gewidmeten Abschnitts im Wortlaut gebracht. Vielleicht widerspricht das der Erwartung des Lesers; dieser könnte zunächst der Meinung sein, daß der Zitierung der jesuanischen Strukturkomponenten zu Beginn jedes der drei Abschnitte das Fazit in Gestalt der nachösterlichen Neuformulierung entsprechen solle. Das wäre jedoch nicht sachgerecht, und zwar vor allem aus dem folgenden Grund: weil die T-Strukturkomponenten dann ganz aufgrund des nachösterlichen Einteilungsschemas der drei Neuheitsaspekte entworfen werden müßten, also die Priorität des Jesuanischen nicht mehr gewahrt werden könnte. Die jesuanischen Strukturkomponenten sollen in der nachösterlichen Transformation ja nicht abgetan oder auch nur entsprechend

den nachösterlichen Gegebenheiten zurechtgebogen werden, sondern in ihrer – durch die Erhöhung Jesu gegebenen – bleibenden Gültigkeit und universalen Wirksamkeit aufgezeigt werden. Sie mußten in Kapitel 3, methodisch gesehen, ohne Rücksicht auf die nachösterlichen Strukturen mitsamt deren Neuheitsaspekten entwickelt werden. Dieser methodische Grundansatz darf auch jetzt nicht in Frage gestellt werden.
Die Liste der T-Strukturkomponenten kann also erst zum Schluß dieses Kapitels erstellt werden, und zwar grundsätzlich von dem primären Richtungssinn der J-Strukturkomponenten aus. Die drei Grundlinien nachösterlicher Transformation, die im folgenden (in den Abschnitten 5.2-5.4) erarbeitet werden, bilden – wie bereits gesagt – Richtungsangaben, die mit dem Richtungssinn der einzelnen J-Strukturkomponenten zusammengeschaut werden müssen, so daß sich von dieser Zusammenschau der Richtungsangaben aus die Reihe der 18 nachösterlichen Strukturkomponenten ergibt. Dabei ist es unvermeidbar und im übrigen auch völlig sachgerecht, daß die drei nachösterlichen Neuheitsaspekte einander in den einzelnen T-Strukturkomponenten mehrfach überschneiden.[12]

5.2 Das nachösterlich-neue Zusammendenken von Jesus und Gott als Voraussetzung für die Transformation jesuanischer Strukturkomponenten. Eine erste – und tragende – Grundlinie als Richtungsangabe

5.2.1 Die jesuanischen Ausgangspunkte

In diesem Abschnitt 5.2.1 sollen ausschließlich die Ausgangspunkte im jesuanischen Befund – im Anschluß an die in Kapitel 3 bereits formulierten J-Strukturkomponenten – in Erinnerung gebracht und so akzentuiert werden, daß ihre Relevanz für das Thema „Zusammendenken von Jesus und

[12] Zum Beispiel sind für die Transformation von Strukturkomponente 9 (J) („Jesus als der prophetisch-charismatische Bote des Eschatologisch-Neuen“) alle drei Neuheitsaspekte zu berücksichtigen (dazu auch noch das Moment des Universalismus): Der erhöhte Jesus Christus wirkt – in Einheit mit dem heilshaften Wirken Gottes (womit die Neuheitsaspekte „Zusammendenken von Gott und Jesus“ und „Das Soteriologisch-Neue“ angesprochen sind) – in der Welt („nachösterlich-neuer Universalismus“) und in der Gemeinde („Das nachösterlich-neue Ekklesiologische“); dem Wirken der Gemeinde vermittelt er die charismatische und prophetische („Das nachösterlich-neue Evangeliale“) Struktur seines eigenen Wirkens.

Gott“ erkennbar wird. Die Durcharbeitung im Hinblick auf die nachösterliche Transformation ist dem Abschnitt 5.2.2 vorbehalten.
Wenn im folgenden einige jesuanische Strukturkomponenten als Ausgangspunkte für das „nachösterliche Zusammendenken von Jesus und Gott“ zitiert werden, kann es sich freilich nur um eine Auswahl der schwerpunktmäßig bedeutsamsten handeln. Diese Auswahl ergibt sich durch die Frage: Wo werden in den jesuanischen Strukturkomponenten *explizit* Gott und Jesus in Beziehung gesetzt? Das ist vor allem in den jesuanischen Strukturkomponenten 2; 4; 6 und 7 der Fall.

2 (J): Verankerung des Jesusgeschehens in der Geschichte Jahwes mit Israel: Jesus als jahwegläubiger Jude

Schon von diesem alttestamentlich-jüdischen Fundament aus ergibt sich ein *eindeutiges Gegenüber* von Gott und Jesus – zwischen dem Gott Israels und dem Menschen Jesus von Nazaret, der von ihm gesendet und glaubend-vertrauend auf ihn hingeordnet ist –, das sich auch sonst in der alten Jesustradition (und darüber hinaus durchweg im Neuen Testament) durchhält.

4 (J): Die Ankündigung der andrängend „nahe herbeigekommenen“ Basileia: Gegenwärtiges Heilsangebot und gegenwärtige Befreiung vom Bösen durch Jesus – gegenwärtiger Anspruch Gottes durch Jesus

In dieser Strukturkomponente ist das *Wirken Jesu als Manifestation des Wirkens Gottes* gesehen, wie besonders eindrücklich aus Lk 11,20 zu erkennen ist.[13] In diesem präsentisch-eschatologischen Aspekt des Basileia-Wirkens Jesu ist der Keim des Zusammendenkens von Gott und Jesus am deutlichsten; grundsätzlich gilt das Miteinander des Wirkens Jesu und des Wirkens Gottes jedoch auch für den futurisch-eschatologischen Aspekt dieses Wirkens (Strukturkomponente 3 [J]); die Strukturkomponenten 3 und 4 sind in dieser Hinsicht zusammengehörig.

6 (J): Basileia-Verkündigung *als Verkündigung Gottes* – und zwar als des Vaters. Destruktion der falschen Gottesbilder

Jesus will die Menschen vor den biblischen Gott des wirkenden Geheimnisses stellen, vor den wirklichen, je größeren Gott. Von da aus ist wieder das Gegenüber von Gott und Jesus zu erkennen, vor allem jedoch die unbedingte Theozentrik Jesu als Öffnung auf das absolute Geheimnis hin.

7 (J): [Der Mensch für Gott:] Relation Jesu zu Gott als seinem Vater (singuläre dialogische Theozentrik). Bejahung der Sendung: Gehorsam, Vertrauen, „Glaube“

Während das Miteinander von Gott und Jesus in den Strukturkomponenten

[13] Vgl. oben 3.5.2.3 zu Strukturkomponente 4 (J).

4 und 6 vom Wirken Gottes und von seiner unbedingten Initiative aus gesehen wird, artikuliert Strukturkomponente 7 die „Antwort" Jesu als des einzigartigen Boten der Basileia. Die in der alten Jesustradition verankerte singuläre Beziehung Jesu zu Gott als seinem Vater wird hier deutlich. Wir erkennen wiederum das Gegenüber von Gott und Jesus; hier wird die Einzigartigkeit *dieses* Gegenübers thematisiert, zusammen mit der im Leben verwirklichten Relation Jesu zu Gott.[14]

5.2.2 Die zu postulierende Grundlinie des glaubenden Zusammendenkens von Gott und Jesus

(als Richtungsangabe für die Ermittlung nachösterlich-christologischer Strukturkomponenten)

5.2.2.1 Vorbemerkung und These

– Von vornherein muß betont werden: Bei der jetzt zu postulierenden Grundlinie handelt es sich im Unterschied zu dem noch folgenden Abschnitt 5.3 (Die nachösterlich-neue Bestimmung des Soteriologischen) um die

[14] Im Zusammenhang des Themas „Das nachösterlich-neue Zusammendenken von Jesus und Gott" sollte die folgende Möglichkeit nicht unerwähnt bleiben: In den frühesten erkennbaren Artikulationen der Auferweckungserfahrung dürften Hinweise auf den Richtungssinn der nachösterlichen Transformation des Miteinanders von Gott und Jesus enthalten sein. Zwar haben sie für unseren Argumentationsgang keine tragende Funktion zu beanspruchen. Sie lassen aber doch wohl einen den jesuanischen Ausgangspunkten recht deutlich entsprechenden Ansatz für die Richtung der nachösterlichen Transformation erkennen.
Schon oben in 5.1.3 sahen wir, daß die ursprünglichen nachösterlichen Artikulationen der Auferweckungserfahrung nicht ohne Interesse für unsere Frage sind; zudem können wir auf das Kapitel über die Auferweckung Jesu zurückgreifen, in dem schon Grundzüge der aller Wahrscheinlichkeit nach ältesten nachösterlichen Christologie skizziert sind (4.3.2).
Bei den Artikulationen der Glaubenserfahrung der ältesten Gemeinden geht es um Lebensvollzüge, die so eng mit dem Urdatum der Auferweckungserfahrung selbst verknüpft sind, daß sie diesem Urdatum unvergleichlich näher stehen als den theologischen Reflexionen des Jahrzehnte später entstehenden und uns jetzt vorliegenden Neuen Testaments. Für unser jetziges Thema „Zusammendenken von Gott und Jesus" ist es sinnvoll, von den *gottesdienstlichen* Äußerungen des Auferweckungs- und Erhöhungsglaubens auszugehen, soweit sie mit hinreichender Wahrscheinlichkeit zu erschließen sind. Die Gemeinde beruft sich offenbar schon in frühester nachösterlicher Zeit auf den Jesus, der jetzt bei Gott ist. Sie ruft in dieser alten nachösterlichen Zeit den zur Parusie bereitstehenden Jesus an – deutlicher und unbestreitbarer Beleg dürfte der Gebetsruf *maranathā* sein (vgl. *W. Thüsing,* Älteste Christologie 46-48.53f). Sie sieht Jesus als den, der das Gericht Gottes durchführen und das endgültige Heil Gottes bringen wird. Für apokalyptisch denkende Menschen ist diese Auffassung von Jesus integrierender Bestandteil der Grunderfahrung seiner Auferweckung. Der Menschensohn-Weltrichter Jesus steht gerade in dieser futurischen Blickweise in engster Wirkeinheit mit Gott.
Schon in diesen ursprünglichen Gegebenheiten der Artikulation des Auferweckungsglaubens wirkt sich also die von Ostern her gegebene Notwendigkeit aus, das jesuanische Gegenüber von Gott und Jesus aufrechtzuerhalten und trotzdem Jesus und Gott – wegen der Aufnahme Jesu in das Geheimnis Gottes – zusammenzudenken.

Grundlinie *glaubenden* Zusammendenkens Jesu Christi selbst – also seiner Person als solcher – mit Gott und nicht unmittelbar um das soteriologische Zusammendenken des Wirkens Jesu Christi mit dem Wirken Gottes. Sicherlich sind Glaube und Heil nicht trennbar (wie ja dementsprechend auch Christologie und Soteriologie untrennbar sind); das „glaubende Zusammendenken von Gott und Jesus" ist bereits ein Aspekt des Heils. Theologisch ist jedoch trotzdem die Unterscheidung sinnvoll zwischen dem glaubenden – und auf das *Bekenntnis* ausgerichteten – Zusammendenken von Gott und Jesus einerseits und andererseits dem Soteriologisch-Neuen, das Gott durch die Aufnahme des Gekreuzigten in sein Geheimnis geschaffen hat. Die Tatsache, daß Gott und Jesus jetzt im Glauben zusammengedacht werden können und müssen (eben weil Jesus und Gott – durch die Aufnahme Jesu in das Geheimnis Gottes – in einer einzigartig-unüberholbaren Weise verbunden sind), ist die Grundlage für jede Reflexion auf das nachösterliche Soteriologisch-Neue.
– Für dieses glaubende Zusammendenken gibt es zwei (aufeinander und auseinander folgende) Wege, die beide beschritten werden müssen:
(erstens) die Betrachtung der Relation zwischen Jesus und dem Vater innerhalb des Zusammendenkens bzw. (richtiger: „objektivierend") innerhalb des absoluten Geheimnisses der Liebe, in dem Jesus mit Gott verbunden ist; denn das „Zusammendenken" kann von den Ursprungsstrukturen her ja nicht bedeuten, daß der Dialog zwischen Jesus und dem Vater aufhörte, daß Jesus also etwa in Gott aufgehen würde;
(zweitens) vom Glaubensvollzug bzw. von der Glaubenserfahrung der Christen aus: Das Miteinander von Gott und Jesus spiegelt sich jetzt im Miteinander von Gottesglauben und Christusglauben.
– Um diese beiden Wege bzw. Stufen des Zusammendenkens von Gott und Jesus schon vorweg *thesenartig* zu charakterisieren, seien zwei Kurzformeln gewählt:
für die erste Stufe die Formulierung *„dialogische Theozentrik des erhöhten Jesus Christus selbst";*
für die zweite Stufe die Formulierung *„Theozentrik durch Christozentrik"* (bzw.: „Gottesglaube durch Christusglaube").

5.2.2.2 *„Dialogische Theozentrik des erhöhten Jesus Christus selbst"* als Kurzformel für die erste („objektivierend"-grundlegende) Stufe des Zusammendenkens von Gott und Jesus

Was in dieser knappen Formulierung ausgesagt ist, ergibt sich als Transformation von Strukturkomponente 2 („Jesus als jahwegläubiger Jude") und Strukturkomponente 7 („Relation Jesu zu Gott als seinem Vater"); denn die

Richtung, in der eine theologisch sachgerechte Bestimmung des „glaubenden Zusammendenkens von Gott und Jesus" gefunden werden muß, ist vor allem durch diese beiden (im vorhergehenden Abschnitt 5.2.1 genannten) jesuanischen Ausgangspunkte vorgegeben. Die vorösterliche dialogische Hinordnung Jesu von Nazaret auf den Vater kann zufolge dem Prinzip der nachösterlichen Transformation[15] durch die Auferweckung nicht beseitigt oder neutralisiert worden sein; vielmehr muß gerade diese Dialogik zu bleibender Gültigkeit erhoben sein: *Jesus Christus lebt auch als der Auferweckte-Erhöhte „theozentrisch" von Gott her und auf Gott hin.* Das nachösterliche Zusammendenken von Gott und Jesus – das ja bis in die spätere Trinitätstheologie hineinreicht – kann also von den Ursprungsstrukturen aus nur dann legitim sein, wenn die Beziehung Jesu zu Gott nicht aus den Augen verloren wird; anders gesagt: Entscheidend für die Sachgerechtheit des nachösterlichen „Zusammendenkens" ist es, ob das Verhältnis von Jesus und Gott so gesehen wird, daß es als die bleibende Realität und Wirksamkeit der dialogischen Gottesbeziehung Jesu von Nazaret verstanden werden kann.

Theoretisch sind verschiedene Formen des Zusammendenkens von Jesus und Gott möglich – und je nach der wechselnden religionsgeschichtlichen und rezeptionsgeschichtlichen Situation denkbar und realisierbar. Aber als Tendenz des Zusammendenkens von Gott und Jesus muß sowohl vom jesuanischen Ansatz her als auch von dem Kern des ursprünglichen Auferweckungsglaubens her die „Theozentrik des erhöhten Jesus Christus selbst" postuliert werden – und damit also die Einbindung der Verkündigung vom erhöhten Christus in die im Alten Testament und vor allem bei Jesus von Nazaret selbst grundgelegten Linien des Empfangens und Antwortens gegenüber Jahwe als dem Vater.

5.2.2.3 *„Theozentrik durch Christozentrik" (bzw. „Gottesglaube durch Christusglaube")* als Kurzformel für die zweite, aus der ersten folgende Stufe des *glaubenden* Zusammendenkens von Gott und Jesus Christus

Wird als Ausgangspunkt für dieses Zusammendenken nicht die Relation zwischen Jesus selbst und Gott gewählt, sondern der Glaubensvollzug des Christen, so gewinnt die erste Stufe der Grundlinie die Form der zweiten: „Theozentrik durch Christozentrik" – bzw. „Gottesglaube durch Christusglaube". Die Christozentrik – hier als Christusglaube gefaßt – muß der Theozentrik – im jetzigen Zusammenhang: dem Gottesglauben – dienen; nur so kann das Zusammendenken von Jesus und Gott in das absolute Geheimnis der Liebe, das wir Gott nennen, hineinführen und damit legitimes „glaubendes Zusammendenken" sein.
In dieser Sicht ist – für die Sachgerechtheit des nachösterlichen Zusammendenkens von Gott und Jesus – die Art und Weise entscheidend, wie darin das

[15] Vgl. oben 4.4.3.

Verhältnis der Christozentrik (der notwendig starken Bezogenheit des Glaubenden auf den Kyrios Jesus) und der Theozentrik (der bleibend und unbedingt gültigen Bezogenheit auf Gott im alttestamentlichen und jesuanischen Sinn) bestimmt wird. Hierfür sind die Ausgangspunkte die oben zitierte Strukturkomponente 4 („Gegenwärtiges Heilsangebot und gegenwärtiger Anspruch Gottes durch Jesus") sowie die Strukturkomponenten 15 und 16 (die in der Reihe der jesuanischen Strukturkomponenten für „Christozentrik" stehen können) – im Zusammenhang mit Strukturkomponente 11 („Die von Jesus gewiesene Grundhaltung des Menschen vor Gott") (und wiederum mit Strukturkomponente 2). Strukturkomponente 4 muß Jesus auch in der nachösterlichen Transformation als den Vermittler von Anspruch und Angebot der heilshaften Gemeinschaft mit Gott zeigen, und zwar unter den Vorzeichen der Strukturkomponente 2, der zufolge auch für den nachösterlichen Christen die Kontinuität mit der Glaubensstruktur des Jahwebundes gefordert werden muß, und der Strukturkomponente 11, welche die von Jesus gewiesene Grundhaltung des Menschen vor Gott beinhaltet.

Wenn Jesus Christus als der Auferweckte auf den Vater hingeordnet ist, *hat auch die Bindung an den erhöhten Jesus Christus, die Christozentrik, ihr Ziel in der Herstellung der Theozentrik,* da sie ja die „bleibende Realität und Wirksamkeit" nicht nur der vorösterlichen Nachfolgebindung, sondern auch der für alle von Jesus und seinen Boten Angerufenen geltenden Solidaritätsbindung an Jesus darstellt.[16] Die *nach*österliche Christozentrik muß (sofern, wie es in dieser Arbeit geschieht, der Erhöhungsglaube zur Voraussetzung christlicher Theologie gemacht wird) im Rahmen des ganzen, den Alten und den Neuen Bund umspannenden Heilswirkens Gottes ein Mittel sein – nein, *das* Mittel sein, um die Theozentrik des Glaubens in der von Gott intendierten radikal-neuen Weise zu ermöglichen.

In der Form der „zweiten Stufe" – *„Theozentrik durch Christozentrik"* – ist die theo-logisch-christologische Grundlinie auch diejenige, aus der sich die in den beiden anderen nachösterlichen Neuheitsaspekten implizierten Grundlinien ableiten lassen – kann doch diese Grundlinie nicht auf den Glauben an Gott und Jesus (also den theo-logischen und christo-logischen Glauben) im engeren Sinn beschränkt bleiben, sondern muß Grundprinzip auch des Soteriologischen sein (und des im Soteriologischen implizierten Ekklesiologischen).

[16] Die Konsequenz dieser zweiten Stufe der Grundlinie für das Beten der Gemeinde und des einzelnen ist die urchristliche, in der römischen Liturgie bewahrte beherrschende Linie des Gebets „durch Jesus Christus zum Vater". – Zur Legitimität und Sinnhaftigkeit des Betens zum erhöhten Jesus Christus vgl. unten 5.3.3.3, Anm. 33.

5.2.2.4 Abschließend soll jetzt noch durch drei *Beispiele* verdeutlicht werden, welche Konsequenzen diese doppelte Grundlinie des „Zusammendenkens von Jesus und Gott“ für die konkrete Transformation und Neuformulierung jesuanischer Strukturkomponenten beanspruchen kann, und zwar anhand der Strukturkomponenten 7 (für die „erste Stufe“) sowie 2 und 11 (für die „zweite Stufe“).
Entsprechend dem Prinzip der nachösterlichen Transformation muß in der Neuformulierung enthalten bzw. mindestens angedeutet sein, daß die jesuanischen theologischen Sachstrukturen kraft der Auferweckungs-Transformation „radikalisiert“ werden, das heißt: von der Wurzel auf neu „konzipiert“ sind – in Analogie zu neutestamentlich-objektivierender Sprache könnte man sagen: von Gott schöpferisch neu gedacht sind; ebendadurch sind sie neu ermöglicht und können in die Linie „Theozentrik des erhöhten Jesus Christus selbst“ integriert werden (bzw. umgekehrt kann diese Grundlinie wieder auf das Verständnis des Jesuanischen einwirken). Als Beispiel hierfür sei Strukturkomponente 7 angegeben: Während es in der jesuanischen Fassung dieser Strukturkomponente heißt, daß Jesus von Nazaret in Relation zu Gott als seinem Vater steht, in dem „Dialog“ von Sendung und Bejahung der Sendung, muß in der nachösterlichen Transformation dieser Strukturkomponente der bisher schon erschlossene, aber doch wohl ungewohnte und keineswegs von vornherein selbstverständliche Gedanke herausgestellt werden, daß auch der auferweckte Jesus in einer durch sein jetzt vollendetes Sein beim Vater neu ermöglichten dialogischen Theozentrik mit dem Vater steht; von hier aus kann sich dann (noch über den Ansatz in 7 [J] hinaus) der Keim einer Sohnes-Christologie ergeben.
Entsprechend demselben Grundprinzip der Transformation muß das, was in den genannten jesuanischen Strukturkomponenten ausgedrückt ist, auch in Beziehung zur „zweiten Stufe“ der Grundlinie – „Theozentrik durch Christozentrik“ – ohne jeden Abstrich durchgehalten werden. Hierfür mag Strukturkomponente 2 als Beispiel dienen: In der Formulierung der entsprechenden T-Strukturkomponente muß betont werden, daß die Glaubensstruktur des Jahwebundes bekräftigt – und keinesfalls beseitigt – wird.
Am deutlichsten prägt die zweite Stufe der Grundlinie sich aus, wenn man von Strukturkomponente 11 (J) ausgeht („Die von Jesus gewiesene Grundhaltung des Menschen vor Gott“). In nachösterlicher Transformation muß bei dieser Strukturkomponente die durch Auferweckung und Erhöhung Jesu Christi eröffnete Gottesbeziehung betont werden, die in der „Gemeinschaft“ mit dem erhöhten Jesus zustande kommt und das Heil bedeutet. Die Formulierung sollte hier schon den Gedanken enthalten, daß „Theozentrik durch Christozentrik“ Grundlage für die soteriologische Linienführung ist. Wir haben hier ein Beispiel dafür, daß die Soteriologie – „Gemeinschaft mit

Gott" bzw. Gottesbeziehung ist ja eine (bzw. sogar *die*) soteriologische Kategorie – die Formulierung auch einer zunächst im engeren Sinne christologisch gemeinten Strukturkomponente sinnvollerweise beherrschen kann. Infolge dieses Sachverhaltes dürfte es schon anhand des Beispiels von Strukturkomponente 11 verständlich sein, daß in der Formulierung der T-Strukturkomponenten oft nur oder doch vorwiegend der soteriologische Akzent artikuliert wird.[17]

5.3 Die nachösterlich-neue Bestimmung des Soteriologischen als Voraussetzung für die Transformation jesuanischer Strukturkomponenten. Eine zweite Grundlinie als Richtungsangabe

5.3.1 Vorbemerkung zur Komplexität von jesuanischen Ausgangspunkten und nachösterlicher Transformation des Soteriologischen

Im Unterschied zum soeben behandelten theo-logisch-christologischen Neuheitsaspekt ist hier beim Thema der Soteriologie ein erheblich komplexerer Sachverhalt ins Auge zu fassen. Das zeigt sich schon bei der Frage nach den jesuanischen Strukturkomponenten, die als Ausgangspunkte dienen können. Wir dürfen uns hier nicht wie im voraufgehenden Abschnitt auf relativ wenige einander benachbarte Strukturkomponenten beschränken; die Auffächerung ist bei diesem die gesamte neutestamentliche Christologie und überhaupt die gesamte urchristliche Verkündigung durchziehenden Thema „Soteria = Heil" beträchtlich breiter als bei dem grundlegend-tragenden Aspekt des Zusammendenkens von Gott und Jesus.

Für den jetzt zu behandelnden Aspekt des Soteriologisch-Neuen sind vier Themenkomplexe – und dementsprechend vier Komplexe von jesuanischen Ansatzpunkten – zu berücksichtigen:
(erstens) der soteriologische Aspekt des Basileia-Wirkens Jesu,[18]

[17] Mit der Transformation von Strukturkomponente 11 ist auch die der Strukturkomponenten 12-14 (Verkündigung und Forderung der Agape, Befreiung vom Legalismus, Offenheit für die Randexistenzen) zusammenzusehen; jedoch ist das schwerpunktmäßig ein Thema des Abschnitts 5.3.6.

[18] Wegen der leitenden Bedeutung des Basileia-Themas wird die zu ermittelnde nachösterliche Grundlinie des Soteriologisch-Neuen noch eigens innerhalb des eschatologischen Spannungsfeldes betrachtet werden müssen, das in seiner theologischen Struktur durch die Basileia-Botschaft Jesu grundgelegt ist (unten 5.3.5).

(zweitens) die soteriologische Bedeutung des Todes Jesu,
(drittens) die Beziehung des religiös-ethischen Verhaltens der Christen zu Christologie und Soteriologie, und
(viertens) die nachösterlich-neue universale Mitteilbarkeit der Soteria, des Heils.

Die Notwendigkeit, auf vier Komplexe von J-Strukturkomponenten zurückzugreifen, ist bedingt durch die grundlegende Struktur der nachösterlichen Soteriologie.[19] Dabei sind das erste und das zweite der vier angegebenen Themen für unser Ziel, eine „Grundlinie als Richtungsangabe" zu entwerfen, die entscheidenden. Jedoch gehören auch das dritte und in anderer, spezifischer Weise das vierte Thema unverzichtbar hinzu, wenn das nachösterliche Soteriologisch-Neue so sachgerecht wie möglich in den Blick kommen soll.
Daß diese Themen bzw. Themenkomplexe nicht von vornherein zusammen, in Verbindung miteinander, behandelt werden sollten, sondern zunächst je für sich zu betrachten sind, dürfte schon jetzt naheliegend erscheinen. Vor allem gilt das für das erste Thema, die soteriologischen Aspekte des Wirkens Jesu für die Basileia Gottes (also die das Heil verheißenden und vermittelnden Aspekte des Lebens und Wirkens Jesu, noch ohne ausdrückliche Berücksichtigung seines Todes); diese Aspekte des Basileia-Wirkens Jesu sollen unten in Abschnitt 5.3.2 resümiert und akzentuiert werden. Die Frage nach der soteriologischen Bedeutung des Todes Jesu soll (in Abschnitt 5.3.4) für sich gestellt werden. Dieses differenzierende Vorgehen ist in folgendem begründet: Die Betrachtung des das gesamte Wirken Jesu von Nazaret durchziehenden Komplexes der Basileia-Verkündigung und seiner Transformation ist notwendig, weil von hier und nur von hier aus die primäre Grundlinie des Nachösterlich-Soteriologischen zu gewinnen ist. Die Erarbeitung dieser Grundlinie soll unten in Abschnitt 5.3.3 (im Anschluß an die jesuanischen Ausgangspunkte in 5.3.2) geschehen; Abschnitt 5.3.3 bildet damit den Kern der Ausführungen über den soteriologischen Neuheitsaspekt.
Daß wir von dem gesamten Komplex des Basileia-Wirkens Jesu und seiner Transformation ausgehen, ist notwendig, weil nur so der Rahmen gewonnen

[19] Während die soteriologischen Aspekte des Wirkens Jesu von Nazaret in seiner Basileia-Verkündigung bzw. seinem Basileia-Wirken ihr Zentrum besitzen (was auch für die von Jesus geforderten und gelebten religiös-ethischen Grundhaltungen zutrifft), kommen außer diesen Sachkomplexen *nachösterlich* – in integrierender Weise – noch vor allem die vor Ostern nicht im Blickfeld stehende soteriologische Bedeutung seines Todes hinzu, sodann der Universalismus der nachösterlichen Soteriologie. Diese gegenüber der „Soteriologie" Jesu von Nazaret komplexer erscheinende Struktur ist vor allem durch die Art und Weise bedingt, wie die grundlegende Auferweckungs-Transformation (s. oben 4.4.3) die Neuheitsaspekte als miteinander verwobene Sachverhalte aus sich entläßt (s. oben 4.5).

werden kann, innerhalb dessen es möglich ist, eine soteriologische Betrachtung des Todes Jesu vor theologischer Isolation zu schützen. Im Anschluß ist die soteriologische Grundlinie (in 5.3.5, nachdem die Grundlinie auch schon auf die soteriologische Bedeutung des Todes Jesu ausgeweitet ist) noch ausdrücklich in das durch Basileia-Botschaft und -Wirken Jesu grundgelegte eschatologische Spannungsfeld hineinzustellen; auch dadurch kann verdeutlicht werden, in welchem Maß die Grundlinie von der theologischen Struktur der Basileia-Botschaft umfangen ist.

Die in Abschnitt 5.3.2 vorzubereitende und in 5.3.3 zu erarbeitende Grundlinie des nachösterlichen Soteriologisch-Neuen wäre unvollständig, wenn die oben an dritter und vierter Stelle genannten Themen nicht noch hinzutreten würden:
Das dritte Thema, die Verankerung des religiös-ethischen Verhaltens der Christen in Christologie und Soteriologie – es wird unten in Abschnitt 5.3.6 behandelt –, gehört integrierend zur Grundlinie hinzu, weil das in der neutestamentlichen Verkündigung gemeinte Heil ohne dieses neu motivierte und ermöglichte Verhalten der Christen nicht zureichend beschrieben werden könnte.
Das vierte Thema „Universalismus des Heils" (s. unten Abschnitt 5.3.7) bezeichnet einerseits ein notwendig und durchgehend gegebenes Charakteristikum nachösterlicher Soteriologie, so daß das – gegenüber dem Alten Bund – Neue der (in 5.3.3 herauszuarbeitenden) Grundlinie ohne diesen soteriologischen Universalismus nicht in der notwendigen Schärfe hervortreten könnte; andererseits handelt es sich bei der hier gemeinten „universalen Mitteilbarkeit des Heils" um einen – gegenüber den anderen, das Heil inhaltlich bestimmenden Punkten dieses Soteriologie-Abschnitts – mehr formalen Grundzug nachösterlichen Heils, der als solcher die Voraussetzung des nachösterlichen „Evangelialen und Ekklesiologischen" bildet, also auch die gemäße Überleitung zur Betrachtung des evangelial-ekklesiologischen Neuheitsaspekts in Abschnitt 5.4 dieses Kapitels an die Hand gibt.

Zum Abschluß dieser Vorbemerkung soll vorausgreifend schon jetzt ein weiterer Grund für die relativ umfangreiche Behandlung des soteriologischen Neuheitsaspekts genannt werden, der erst im folgenden, vor allem in Abschnitt 5.3.3, deutlicher werden kann. Die Ausgangspunkte für das nachösterliche Soteriologisch-Neue sind, wie wir sahen, schon wegen des durchgehenden soteriologischen Charakters der jesuanisch-theologischen Strukturkomponenten naturgemäß besonders breit gestreut; aber nicht nur diese Tatsache bedingt die relative Ausführlichkeit dieses Abschnitts: Die Grundlinie der Transformation, die hier zu entfalten ist, ist in der Jesustradition mehr implizit vorhanden, ist mehr in Ansätzen zu erkennen, und ist auch im späteren Neuen Testament keineswegs immer an der Oberfläche zu sehen.

5.3.2 Die Ausgangspunkte in Basileia-Verkündigung und Basileia-Wirken Jesu

Innerhalb der bereits in Kapitel 3 formulierten jesuanischen Strukturkomponenten muß an drei Stellen angesetzt werden, wenn nach den Ausgangspunkten nachösterlicher Transformation im Basileia-Wirken Jesu gefragt wird: zuerst bei der Basileia-Verkündigung selbst, sodann bei der heilvermittelnden Proexistenz Jesu, die das Hineinwirken der Basileia in den jetzigen Äon bestimmt und das auf die Basileia hingeordnete Leben und Wirken Jesu beherrscht, und an dritter Stelle bei der Heilsbedeutung der von Jesus geforderten Solidarisierung mit ihm.

5.3.2.1 Die Basileia-Verkündigung Jesu

3 (J): Eschatologische Zukunft der Basileia Gottes (und eschatologische Zukunft Jesu) – Heil und Gericht

4 (J): Die Ankündigung der andrängend „nahe herbeigekommenen" Basileia: Gegenwärtiges Heilsangebot und gegenwärtige Befreiung vom Bösen durch Jesus – gegenwärtiger Anspruch Gottes durch Jesus

Der Inhalt der Basileia-Verkündigung, das „Herrschen" Gottes, ist Inbegriff des Heils schlechthin, sowohl in der Zukunft als auch in der Gegenwart. Mit dem nachösterlich verkündeten Heil kann und darf nichts anderes, Verschiedenes gemeint sein gegenüber diesem in der Bitte Jesu um die Heiligung des Namens des Vaters und um das Kommen der Basileia angezielten Heil.

6 (J): Basileia-Verkündigung *als Verkündigung Gottes* – und zwar als des Vaters. Destruktion der falschen Gottesbilder

Wenn Jesus Gott als den Vater erschließt, so erhellt er die Heilskraft des Herrschens Gottes; es ist ja das „Herrschen" des Vaters, das „Herrschen" der Liebe.[20] Die unbedingte Geschenkhaftigkeit dieses Heils der Gottesgemeinschaft ist integrierender Bestandteil der Basileia-Botschaft Jesu.[21]

[20] Außer der Erläuterung zu Strukturkomponente 6 (J) (oben 3.5.2.5) vgl. einen durchgängigen Zug einer Reihe von Gleichnissen Jesu, u. a. bes. des Gleichnisses von der Liebe des Vaters (Lk 15,11-32). Vgl. ferner *W. Thüsing,* Zugangswege 185f.209-211; außerdem unten 6.3.3.1.2.

[21] Auch hier sind Gleichnisse Jesu heranzuziehen, beispielsweise außer dem eben schon erwähnten von der Liebe des Vaters das von den unnützen Knechten (Lk 17,7-10). Vgl. auch den Angebotscharakter bzw. die „Begegnungsdimension" der Basileia in der Logienquelle (s. *A. Polag,* Christologie 50f). Vgl. ferner oben 3.2.1 zum Gegensatz zwischen Jesus und den Phariäsern.

5.3.2.2 Die heilvermittelnde Proexistenz Jesu, in der die Basileia in diese Weltzeit hineinwirkt

8 (J): [Der Mensch für die anderen:] Proexistenz Jesu

In der Proexistenz des Boten der Basileia manifestiert sich der heilshafte Selbstmitteilungswille Jahwes. Die Proexistenz ist grundlegend bereits enthalten in der Ankündigung der heilshaften Basileia durch Jesus und durch deren im Handeln Jesu bereits wirksame Dynamik – in seinen Heilungstaten und seinen Worten; vor allem aber verwirklicht Jesus anfanghaftes Heil dadurch, daß er den Verachteten und Sündern Solidarität und Gemeinschaft gewährt. Auch im Gesamtzusammenhang des Lebens und der Intention Jesu vermittelt diese seine – Gemeinschaft gewährende – Proexistenz schon in der Gegenwart, der Zeit seines irdischen Wirkens, Gemeinschaft mit Gott. Die Zuwendung zu Zöllnern und Sündern (bis hin zur Tischgemeinschaft) spricht ihnen die wiederhergestellte Gemeinschaft mit Gott zu. Im irdischen Wirken Jesu ereignet sich also anfanghaftes Heil durch seine Proexistenz – bzw. durch die von ihm angebotene Gemeinschaft mit seinem „Glauben“[22].
Strukturkomponente 8 (J), die die Proexistenz Jesu zum Inhalt hat, ist jedoch im Zusammenhang zu sehen mit den Strukturkomponenten 9 und 10:

9 (J): Jesus als der prophetisch-charismatische Bote des Eschatologisch-Neuen
10 (J): Exusia (Sendungsvollmacht) bzw. Sendungsanspruch Jesu

Diese beiden Strukturkomponenten sind in die Betrachtung einzubeziehen, weil die Proexistenz Jesu von Nazaret nur insofern heilshaft ist, als sie die Proexistenz des in Vollmacht handelnden Boten der Basileia ist.

5.3.2.3 Die soteriologische Relevanz der Solidarisierung mit Jesus

15 (J): Heilsentscheidende Bedeutung der Solidarisierung mit Jesus

Die Solidarisierung mit Jesus (und den von ihm ausgesendeten Jüngern) ist schon vorösterlich Grundbedingung der Rettung; von daher muß sie es auch nachösterlich sein.[23] Es geht bei der Rettung durch Jesus nicht in erster Linie

[22] Vgl. oben 3.6.2.1 zu Strukturkomponente 7 (J).
[23] Auch nachösterlich ist *ausdrückliche* Solidarisierung mit Jesus – und um eine solche geht es ja vorösterlich –,wenn sie effektiv sein soll, nicht ohne die Solidarisierung mit der nachösterlichen Jüngergemeinschaft möglich (auch wenn es sich dabei oft um eine kritische Solidarität handeln muß). Zur Frage, wie sich diese nachösterliche Strukturkomponente zum Universalismus des Heils verhält, vgl. unten 5.3.7.

um das Befolgen von Lehren, nicht einmal in erster Linie um Nachahmung des Verhaltens Jesu, sondern um gemeinschaftsbezogene Konformität, eben um die Solidarisierung mit ihm.

5.3.3 Die Grundlinie der nachösterlichen Transformation des Soteriologischen: Heil als Gemeinschaft mit Gott durch Gemeinschaft mit Jesus Christus

Gerade bei diesem zentralen Abschnitt[24] ist noch einmal auf die methodischen Vorbemerkungen (oben 5.1) hinzuweisen: Gedanken der Autoren des Neuen Testaments können zwar faktisch durchaus eine heuristische Funktion haben; trotzdem muß diese Grundlinie jedoch auch abgesehen von den Konkretisierungen der späteren neutestamentlichen Texte verifizierbar sein. Diese Grundlinie wird zunächst ausschließlich im Hinblick auf die thesenhafte Erstellung von „transformierten" Neufassungen der Strukturkomponenten der Reihe J entwickelt; die folgende Darstellung soll in keiner Weise den Anspruch erheben, daß es sich um eine überall im Neuen Testament phänomenologisch nachweisbare Linie handele. Trotzdem darf behauptet werden, daß hierbei wenigstens in Umrissem die Linie zutage tritt, die oft nur implizit, gewissermaßen insgeheim die gesamte theologische Struktur der urchristlichen und damit auch neutestamentlichen Soteriologie beherrscht.

5.3.3.1 Die These

Wie im Auferweckungskapitel (4.5.4) bereits dargelegt werden konnte, geht das Soteriologisch-Neue aus der nachösterlich-neuen Einheit von Christusglaube und Gottesglaube („Zusammendenken von Gott und Jesus") hervor; das ergibt sich, wenn man beachtet, daß nicht nur Jesus und Gott (ohne Rücksicht auf ihr Wirken) zusammenzudenken sind, *sondern auch und vor allem das heilshafte Wirken Gottes und das Wirken des erhöhten Jesus.* Auferweckung Jesu bedeutet zentral die Aufnahme des Gekreuzigten in das Geheimnis Gottes in der Weise, daß er aus diesem Geheimnis heraus und in der Kraft dieses Geheimnisses auf Welt und Gemeinde hin wirksam sein kann.

[24] Der Inhalt dieses Abschnitts wird auch im weiteren Verlauf der Untersuchungen seine Bedeutung erweisen, vor allem da, wo es um die Problematik der konkreten Durchführung der nachösterlichen Transformation geht, so bereits unten in 6.1.2 und vor allem in dem geplanten II. Band.

Von hierher ergibt sich die *These*: Heil vollzieht sich nachösterlich durch die Verbindung des Wirkens des auferweckten Jesus Christus mit dem Wirken Gottes selbst; anders gesagt: *Heil als Gemeinschaft mit dem sich selbst mitteilenden Gott realisiert sich nachösterlich durch die Gemeinschaft mit dem auferweckten Jesus Christus* – durch die heilshafte Relation zu Jesus Christus und Gott, in die der aus dem Geheimnis Gottes heraus wirkende erhöhte Gekreuzigte die Glaubenden hineinzieht.[25]
Diese nachösterlich-soteriologische Grundlinie „Gemeinschaft mit Gott durch Gemeinschaft mit dem erhöhten Jesus" ist nichts anderes als die von den jesuanischen und den nachösterlichen Ansatzpunkten aus notwendige, auf die Soteriologie hin akzentuierte Version der oben in Abschnitt 5.2.2.3 herausgestellten (dort primär auf das glaubende Zusammenschauen als solches bezogenen) Grundlinie „Theozentrik durch Christozentrik". Jesus Christus selbst ist auf Gott hingeordnet und will die Seinen auf Gott hinordnen; deshalb ist auch die Christozentrik hingeordnet auf die – das Heil in sich schließende – Theozentrik.

Zur Erläuterung der These betrachten wir nacheinander ihre beiden Zentralbegriffe „Wirken Gottes" und „Wirken des erhöhten Jesus", und zwar beide im Hinblick auf das Ziel der heilshaften Gemeinschaft mit Jesus und dadurch mit Gott.

5.3.3.2 Zum Begriff „heilshaftes Wirken *Gottes*"

Von der alttestamentlichen Grundlage der jesuanischen *und* nachösterlichen Verkündigung her ist Gott „Jahwe", der Gott, der sich gegenüber seinen Menschen als derjenige erweist, als der er sich erweisen will – der Gott, der heilshaft seinem Volk nahe sein will, der sich selbst mitteilen will. Diese Theologie des Jahwenamens als Kern alttestamentlicher Theologie[26] konkretisiert sich in der *Theologie der bᵉrīt*[27] (mißverständlich „Bundestheologie" genannt) zur Soteriologie einer spezifischen „Gemeinschaft" mit Gott – einer Gemeinschaft freilich, die nicht verwechselt werden darf mit Partnerschaft (im Sinne gegenseitiger Verpflichtung), sondern souveräne Setzung Jahwes ist und bleibt. Aber auch unter dieser Voraussetzung kann meiner Auffassung nach doch gesagt werden, daß die *bᵉrīt* die „Gemeinschafts-"

[25] Vgl. zur Formulierung dieser Grundlinie Titel und Intention des Buches von *W. Breuning* „Gemeinschaft mit Gott in Jesu Tod und Auferweckung"; im Text des Buches vgl. u. a. 163.

[26] Vgl. *E. Zenger*, Die Mitte der alttestamentlichen Glaubensgeschichte.

[27] Vgl. *E. Kutsch,* bᵉrīt 346f (bzw. 346-351): Der Begriff meint in theologischem Kontext die Selbstverpflichtung (bzw. Zusage) Jahwes und/oder „die Verpflichtung, die Jahwe dem Menschen auferlegt", „nicht dagegen eine gegenseitige Verpflichtung".

bzw. Kommunikationsrelation nicht nur Gottes zu seinen Menschen, sondern auch dieser Menschen zu Gott mindestens impliziert – Relationen, die nicht nur die von souveräner Verfügung und Gehorsam sind, sondern ebendarin und darüber hinaus die von heilshafter Zuwendung und glaubend-vertrauender Antwort[27a]. Die Gewährung der „Selbstverpflichtung" *(b^{e}rīt)* durch Jahwe, die als seine „rechte Relation" zu den Menschen bezeichnet werden kann, welche die rechte Relation der Menschen zu ihm hervorrufen und tragen will, *ist* heilshafte Gewährung der „Gemeinschaft" mit Gott. Diese vom Alten „Bund" herkommende Linie ist in die Basileia-Botschaft Jesu eingegangen. Der jesuanische Basileia-Begriff trifft sich zwar zunächst und vor allem in seiner theozentrischen Konzeption (in der das Kommen der Basileia bedeutet, daß *Gott* seine heilshafte Herrschaft ergreift) mit der theozentrischen Konzeption von *b^{e}rīt* als der Selbstverpflichtung Jahwes, aus der die den Israeliten auferlegte Verpflichtung durch Jahwe folgt; doch darüber hinaus bedeutet „Basileia Gottes" nicht nur heilshafte „Herrschaft" Gottes, sondern ebendarin heilshafte, wenn auch durch und durch geschenkte und verdankte Kommunikation, „Gemeinschaft" der zum „Reich" gehörenden Menschen mit dem lebendigen Gott[28].

5.3.3.3 Zum Wirken *des erhöhten Jesus* und zu seiner *Proexistenz*[29]

Das Wirken des auferweckten und erhöhten Jesus aus dem Geheimnis Gottes heraus muß konform sein mit diesem auf Selbstmitteilung, „Bund", heilshafte Gemeinschaft mit Gott hingeordneten Wirken Gottes selbst. Dieses Wirken des Auferweckten muß als Ziel den „Neuen Bund" haben; man kann es (wiederum: unter Voraussetzung des neutestamentlichen Glaubens

[27a] Vgl. Jer 31,31-34: Wenn Jahwe nach dieser Stelle eine „neue Verpflichtung" (b^{e}rīt) ankündigt, wobei er „seine Weisung in das Herz der Israeliten legen wird, um ihre Befolgung zu erreichen und so das Gott-Volk-Verhältnis sicherzustellen" *(E. Kutsch,* a.a.O. 350), dann ist ebendarin (dadurch, daß die Verpflichtung dem Menschen nicht äußerlich aufgezwungen, sondern in das Herz als das Zentrum der personalen Kommunikation gelegt wird, so daß er Jahwe „erkennen" kann) eine der Grundlagen für den Begriff „Gemeinschaft mit Gott" gegeben; der Richtungssinn von Jer 31,31-34 läuft in dieser Hinsicht schon auf das Neue Testament zu. Die mindestens implizit relationale Bedeutung von *b^{e}rīt* (bei der beide Relationen von Gott und ihm allein gesetzt sind und bleiben) dürfte in den Jahrhunderten bis hin zum Auftreten Jesu schon wachsend deutlicher geworden sein als zur Entstehungszeit der älteren Schichten des Alten Testaments; auch dafür könnte Jer 31,31-34 ein Hinweis sein.

[28] Zu den Ansätzen, die die Logienquelle für diese Sicht der Basileia bietet, vgl. *A. Polag,* Christologie 48-52, bes. 49. Sie ist zu verbinden mit der Botschaft der Gleichnisse vom Vater-Sein Gottes. (Auch hier ist das Gleichnis von der Liebe des Vaters, der den verlorenen Sohn wieder in seine Gemeinschaft aufnimmt, besonders instruktiv.)

[29] Den Begriff Proexistenz verwende ich durchgängig für die heilshafte Zuwendung Jesu Christi zu den Menschen, vgl. 3.6.2.2, Anm. 73; s. auch unten 5.3.4.7 (im Zusammenhang von 5.3.4.1-8).

an die Erhöhung und damit an die einzigartige soteriologische Funktion Jesu Christi – und übrigens unabhängig von dem konkreten Vorkommen des theologischen Topos „Bund“ in späteren neutestamentlichen Schriften) geradezu als Ziel der Sendung, des Wirkens und der Erhöhung Jesu auffassen, daß durch ihn die neue heilshafte Gottesgemeinschaft realisiert wird, auf die alttestamentliche Propheten hofften[30]. Diese „Intention“ des Erhöhten muß postuliert werden als Transformation der Intention Jesu von Nazaret, die ja implizit auf den „Neuen Bund“ ging, indem sie auf Gottes Basileia hingeordnet war.[31]

Das Wirken des erhöhten Jesus auf die neue, endgültig heilshafte Gottesgemeinschaft hin kann aber nur in Verbindung mit seiner *Proexistenz* verstanden werden. Wirken in Proexistenz ist von der Sache her auf Schaffung von Gemeinschaft hingeordnet. Wenn wir für den irdischen Jesus das Wirken in Proexistenz feststellten, so muß entsprechend dem zentralen Prinzip der österlichen Transformation – daß Erhöhung und Wirken des Erhöhten nicht etwas Fremdes, Zusätzliches sind gegenüber dem Wirken Jesu von Nazaret, sondern die bleibende Gültigkeit und Wirksamkeit von Person und Sache Jesu – die Schlußfolgerung gezogen werden (wiederum schon unabhängig von späteren neutestamentlichen Texten): Auch der auferweckte Jesus lebt in Proexistenz – er lebt bei Gott und auf Gott hin, aber *ebendarin* lebt er für die Menschen, die er retten will; sein Leben in der Erhöhung bei Gott ist die bleibende Gültigkeit und Wirksamkeit seiner irdischen Proexistenz. Und diese Proexistenz des Erhöhten schafft jetzt in neuer („transformierter“) Weise die rettende Gemeinschaft mit Jesus und dadurch mit Gott selbst, in dessen „Geheimnis“ Jesus aufgenommen ist. Heil als Gemeinschaft mit Gott durch die gemeinschaftgewährende Proexistenz des erhöhten Jesus: das ist also das Postulat, das sich aus der (auf die Ankündigung und das beginnende dynamische Wirken der Basileia hingeordneten) Proexistenz Jesu ergeben muß.

In diese Schlußfolgerung ist jetzt der Begriff der „universalen Kommunikationsfähigkeit des auferweckten Jesus“ einzubeziehen, wie er bereits oben im Kapitel über die Auferweckung Jesu[32] eingeführt worden ist. Das Heil ist auch nachösterlich Partizipation an der spezifischen Relation Jesu zu seinem Vater. Diese Partizipation muß vom Wesen nachösterlicher Transformation her Angebot und Geschenk einer Vollendung sein, die die alttestamentliche Selbstmitteilung Gottes transzendiert. Voraussetzung dafür ist,

[30] Ihre ausdrücklichste Form erhält diese Hoffnung in der Verheißung des Neuen Bundes: Jer 31,31-34 (vgl. auch Ez 16,60-62;37,26f). S. dazu oben Anm. 27a.

[31] Vgl. das für Jesus bedeutsame Motiv der Sammlung Israels; s. oben 3.2.1; vgl. *A. Polag*, Christologie 119f.

[32] 4.4.3.

daß Jesus in der Auferweckung universale Kommunikationsfähigkeit erhält. Glaube kann sich aus der Gemeinschaft mit einem glaubenden Menschen ergeben; Menschen können andere Menschen zu Gott und zur mitmenschlichen Liebe führen. In der Zusammenschau der jesuanischen Strukturkomponenten mit der grundlegenden Transformation muß demgegenüber der auferweckte Jesus als der singuläre, einzigartige, weil universal aus dem Geheimnis Gottes heraus wirksame „Fall" dieser *Hinführung zu Gott durch Kommunikation mit einem Menschen* aufgefaßt werden.[33]

5.3.3.4 Dieser Begriff der „Gemeinschaft mit Jesus", wie er für den Irdischen *und* für den Erhöhten jetzt angewendet worden ist, schließt auch die Transformation dessen in sich, was in Strukturkomponente 15 (J) als *„heilsentscheidende Bedeutung der Solidarisierung mit Jesus"* bezeichnet wurde. Der gemeinschaftstheologische Aspekt, der die Voraussetzung der unten in Abschnitt 5.4 zu entfaltenden ekklesiologischen Grundlinie bildet, muß schon hier mitbedacht werden. Er ist gerade für die soteriologische Linie notwendig. Die Transformation von Strukturkomponente 15 bildet also eine weitere Abstützung der soteriologischen Grundlinie „heilshafte Gemeinschaft mit Gott durch Gemeinschaft mit dem erhöhten Jesus".

5.3.4 Heilsbedeutung des Todes Jesu: Die Integration der nachösterlichen soteriologischen Reflexion des Todes Jesu in die primäre soteriologische Grundlinie, die sich aus den jesuanischen Strukturkomponenten und der ursprünglichen Auferweckungserfahrung ergibt

5.3.4.1 Die jesuanischen Ausgangspunkte, um deren Transformation es jetzt geht, sind enthalten in den Strukturkomponenten 17 und 18.

17 (J): Kreuzesnachfolgeforderung und eigene Bereitschaft Jesu zum Prophetenschicksal

18 (J): Durchhalten der Proexistenz (in der Weise des Durchhaltens der Spannungseinheit von „Anspruch Gottes" und „Geschenk der Freiheit") bis zum Tod

Im Kapitel über die theologischen Strukturen von Botschaft, Wirken und Leben Jesu von Nazaret (3.9) sahen wir, daß die innere Logik des Basileia-

[33] Vgl. *W. Thüsing,* Zugangswege 228; *ders.,* Per Christum in Deum 260f. Innerhalb der Gemeinschaft mit dem erhöhten Jesus Christus muß auch das Gebet zu ihm als legitim angesehen werden, weil diese Gemeinschaft nur als personal-dialogische ihre soteriologische Funktion zu erfüllen vermag. Das entspricht der Tatsache, daß die Gemeinschaft mit dem erhöhten Jesus Christus die Liebe zu ihm impliziert (vgl. 1 Kor 16,22; 1 Petr 1,8; der Sache nach u. a. auch Gal 2,20; Röm 14,8f; Phil 3,7-12); diese Liebe verlangt nach einem *auch* expliziten (hörenden und antwortenden) Ausdruck. Vgl. die ausführlichere Stellungnahme in: *W. Thüsing,* Zugangswege 177-182.

Wirkens Jesus dazu drängen mußte, den drohenden Tod eingefügt zu sehen in das Leben für die Basileia und in das Leben in Proexistenz. Von diesem Ausgangspunkt aus haben wir zu fragen: Welche Bedeutung mußte der Kreuzestod Jesu nachösterlich erhalten? Was für eine explizite Funktion des Todes Jesu für die Basileia konnte (und eventuell mußte) man aufgrund der Auferweckungserfahrung erkennen, wenn Jesus diesen Tod im Gehorsam eingeordnet sah in seine Botenfunktion für die Basileia?
Da Basileia-Wirken und Proexistenz von innen heraus miteinander verbunden sind, ist hiermit auch schon die Frage nach dem „Für" des Todes Jesu gestellt. Sie muß aber noch differenzierter herausgearbeitet werden.

5.3.4.2 Die Frage nach dem „Für" des Todes Jesu

Nachösterlich mußte man nicht nur postulieren, sondern zu der Erkenntnis kommen, daß der Tod Jesu – wie sein Leben – „für die Vielen" war[34]. Aber was könnte das „Für" nachösterlich *näherhin* bedeuten? Auch bei dieser Frage ist zu betonen, daß wir uns in diesem Punkt unserer Überlegungen noch nicht von den späteren konkreten (zum Teil problematischen) Versuchen einer Antwort abhängig machen dürfen.[35] Die unmittelbar nachösterliche Entwicklung gibt uns kaum einen brauchbaren Anhaltspunkt; man vermochte dieses „Für" zunächst wohl theologisch kaum zu bewältigen.
Von den jesuanischen Strukturkomponenten aus konnten wir in Kapitel 3 als Momente, die zum Tod Jesu und zur Bejahung dieses Todes durch Jesus selbst trieben, die Faktoren „Proexistenz" und „Spannungseinheit" erkennen.[36]
Die Frage, *inwiefern* der Tod Jesu „für" die Vielen ist, konnte sich vorösterlich kaum stellen.[37] Aber für die Sinnhaftigkeit nachösterlicher Kreuzestheologie ist diese Frage nach dem Inwiefern – inwiefern dieser Tod für die Menschen ist bzw. heilsbedeutsam für sie ist – eine, wenn nicht *die* entscheidende Frage gegenüber der neutestamentlichen Soteriologie und erst recht gegenüber der Soteriologie in der späteren Theologiegeschichte.

5.3.4.3 Das entscheidende Stichwort, das hier weiterhilft, lautet *„Überwindung des Todes"*. Die neutestamentliche Verkündigung von der Auferweckung Jesu und der Auferweckung der Toten – und zwar bereits die ursprüng-

[34] Vgl. die Herrenmahlsworte (Mk14,24 par Mt).
[35] Vgl. unten 6.1.2.4 mit Anm. 102; auch schon unten 5.3.4.3, Anm. 43.
[36] Oben 3.9; vor allem 3.9.3 zu Strukturkomponente 18 („Durchhalten der Proexistenz [in der Weise des Durchhaltens der Spannungseinheit von ‚Anpruch Gottes' und ‚Geschenk der Freiheit'] bis zum Tod").
[37] Vgl. 3.9: Aus den dortigen Überlegungen ging nur hervor, *daß* Jesus seinen drohenden Tod als von Gott mit der Basileia verbundene Notwendigkeit zu erkennen vermochte.

liche Auferweckungserfahrung und -verkündigung – trifft auf einen Horizont von Glaubenserfahrung, in dem die so glaubenden und verkündenden Menschen sich mit dem Tod des einzelnen und der Menschheit nicht mehr wie ältere Schichten des Alten Testaments abzufinden vermögen,[38] sondern den Tod darüber hinaus als größtes Problem, ja geradezu als widergöttliche Macht empfunden haben.[39] Das Kerygma des Neuen Testaments dürfte diesen Verstehenshorizont geradezu voraussetzen. Die Frage nach der Überwindbarkeit des Todes muß wohl eine der größten Fragen oder sogar die größte Frage gewesen sein, die diese Menschen hatten – und zwar nicht nur wegen der inzwischen vollzogenen religionsgeschichtlichen Entwicklungen, sondern ebendarin *und* darüber hinaus vor allem wegen ihres reifer und „radikaler" gewordenen Glaubens an den lebendigen Gott.
Die neutestamentliche Verkündigung von der Auferweckung Jesu besagt nun, daß der Tod für ihn nicht das Ende ist, sondern daß er durch den Tod hindurch zur Erhöhung gelangt – und damit zu neuem, machtvollerem Leben. Die Bedeutung des Erhöhtseins Jesu für die vom irdischen Jesus verkündete Basileia ist aber erkennbar; im theologischen Kontext der Basileia-Verkündigung muß die Erhöhung vor allem den Inhalt haben, daß der bei Gott lebende Jesus jetzt auf das Kommen der Basileia hinwirkt. Wir sahen schon, daß die älteste, den Ursprüngen von Auferweckungserfahrung und Auferweckungsglauben sehr nahe stehende christologische Deutung der Auferweckung Jesu ihn als den „Menschensohn" sieht, als denjenigen, der das Gericht Gottes durchführt,[40] dessen eigene Auferweckung aber (eben in Hinordnung auf diese endzeitliche Funktion) zur Initialzündung für die Überwindung des Todes der Menschheit in der Auferweckung der Toten wird. Die Auferweckung Jesu mußte in eben*diesem* Sinn als der Beginn der Eschata verstanden werden. Die Basileia-Verkündigung impliziert im Sinn Jesu von Nazaret auf jeden Fall die Überwindung des Todes durch die Auferweckung der Toten.[41]

[38] Die nachösterlichen Urgemeinden sind offenbar von dieser apokalyptischen Sicht geprägt. Die Frage nach dem Geschick der Toten (zunächst der gemarterten Gerechten) ist ein Problem der durch die seleukidische Religionspolitik verursachten Notzeit, aus der die Apokalyptik hervorging. Das Vorhandensein früherer alttestamentlicher Gedanken über das Weiterleben nach dem Tod ändert nichts daran, daß diese Verschärfung des Todesproblems durch die Apokalyptik zustande gekommen ist.

[39] Die apokalyptische Denkweise dürfte ebenfalls die Voraussetzung für die Auffassung vom Tod als einer widergöttlichen Macht sein. Die Reflexe dieser Auffassung im späteren Neuen Testament sind deutlich; vgl. 1 Kor 15,26.54-56 (der Sache nach auch sonst bei Paulus, vor allem in Röm 5; s. Röm 5,17.21); Apk 6,8; 20,13f; auch Hebr 2,14.

[40] S. oben 4.3.2. Vgl. *W. Thüsing,* Älteste Christologie 83-95, bes. 90f. 94f. Vgl. zum Menschensohnbegriff auch oben 3.6.1, Anm. 59.

[41] Jesus teilt die apokalyptische (und pharisäische) Erwartung der eschatologischen Totenauferweckung gegen die sadduzäischen Auferweckungsleugner; Mk 12,18-27 (vgl. Lk 14,14) dürfte

Aber wieso hat auch der Tod Jesu eine Bedeutung für die Basileia, und zwar nicht nur als bloßer Durchgang zur Erhöhung, der nach erfolgter Verherrlichung vergessen werden könnte? Wir müssen diese Frage stellen, weil dem Tod Jesu als solchem offenbar in frühester nachösterlicher Zeit Heilsbedeutung zuerkannt wurde[42] – und weil wir darauf achten müssen, daß die T-Strukturkomponenten so geformt werden, daß eine „Begegnung" zwischen ihnen und dem – den Hauptteil des Neuen Testaments von frühesten Zeiten an durchziehenden – Topos von der Heilsbedeutsamkeit des Todes Jesu möglich wird. Und gleichzeitig ist wieder zu beachten: Von allen im Vergleich mit den Ursprüngen „späteren" neutestamentlichen Interpretationen und Interpretamenten[43] haben wir noch zu abstrahieren.
Resümieren wir noch einmal: Der Tod Jesu gewinnt seine grundlegende Heilsbedeutung von der durch ihn initiierten Überwindung des Todes der Menschheit her; von hier aus kann erstmals und in singulärer Weise grundlegend das Problem des Todes der Menschen angegangen werden – und zwar nicht nur des Todes, sondern mit ihm zusammen auch der Leidensgeschichte der Menschheit. Sieg über den Tod ist der Tod Jesu von Nazaret zwar sicherlich nur zusammen mit der Bestätigung Jesu durch Gott in der Auferweckungstat; aber diese Feststellung trifft den Sachverhalt noch nicht ausreichend – ein unerläßlicher neuer Gedankenschritt muß jetzt hinzukommen:

5.3.4.4 Das *Durchleiden dieses Todes* durch Jesus als den eschatologischen Boten Gottes gehört unlöslich zur Überwindung des Todes als solchen hinzu.

Bereits im jesuanischen Befund dürfte ein Ansatz für diese neue Komponente der Antwort zu erkennen sein, und zwar im Zusammenhang mit der unter 5.3.4.3 bereits gegebenen Antwort – daß der Tod Jesu ein Mittel Gottes zur Überwindung des Todes der Menschen und nicht nur zur Erkenntnis irgendwelcher partieller Sinnhaftigkeit ist,[44] bei der der Tod für den Menschen und letztlich für die Menschheit doch noch das Ende aller Hoffnung wäre. Vom vorösterlichen Bereich her kann man vielleicht zunächst (in einer noch allgemeinen und relativ abstrakten Weise) den Zugang zu einer Antwort su-

hierin mindestens die ipsissima intentio Jesu reflektieren. Wenn er die Basileia (auch) als das zukünftige, letztlich transzendente Heil der Vollendung ankündigt, muß die Totenauferweckung impliziert sein.

[42] Vgl. 1 Kor 15,3 („für unsere Sünden") und die Tradierung der Herrenmahlsworte.

[43] Das heißt: von den Motiven des Opfers, des Loskaufs und der Stellvertretung (auch in der Frage einer frühen nachösterlichen Verwendung von Jes 53 dürfte Zurückhaltung am Platz sein); ferner vom Motiv der Sühne, soweit es über das einfache „für die Sünden" hinausgeht.

[44] Wie etwa der Tod von Zeloten für ihr religiös-nationales Ziel als sinnvoll angesehen werden konnte – oder selbst der Tod zur Rettung des Lebens anderer.

chen (wieder mit Hilfe einer Konklusion): Das gehorsame Durchleiden dieses letzten Scheiterns und damit das vor Gott gültige Bestehen dieses Todes durch Jesus – durch den Jesus, der lebend und sterbend in einer singulären und absoluten Weise mit der Basileia verknüpft ist – geht wegen der universalen Geltung der Basileia die gesamte dem Tod verfallene Menschheit und jeden einzelnen dem Tod verfallenen Menschen an. Bereits auf der jesuanischen Ebene ist zu erkennen, daß der Tod Jesu – als solches letztes Durchleiden – in einer *auf dieser Ebene* noch rätselhaften Weise eingefügt ist in den Vorgang, in dem Gott seine von Jesus angekündigte Basileia in Kraft setzt.

5.3.4.5 *Von hierher kann die nachösterlich-neue Theologie des Todes Jesu in die „allgemeine" nachösterlich-soteriologische Grundlinie „Gemeinschaft mit Gott durch Gemeinschaft mit dem auferweckten Jesus"*[45] *eingefügt werden.*

Der Tod Jesu ist in die soteriologische Linie „Gemeinschaft mit Gott durch Gemeinschaft mit Jesus" eingeordnet, insofern er sie gegenüber der letzten und radikalen Bedrohung dieses von Gott intendierten Heils (= der Gemeinschaft mit Gott) durch den Tod ermöglicht – so daß gerade in diesem Punkt der Bedrohung, der die soteriologische Linie „Gemeinschaft mit Gott durch Gemeinschaft mit Jesus" sinnlos zu machen droht, eben das mit dieser Linie gemeinte Heilsprinzip als Mittelpunkt des Sinns der Basileia am schärfsten hervortreten kann.

Die dem Kerygma immanente Tendenz mußte dahin gehen, daß das Durchleiden dieses Todes *von der Auferweckung her und mit der Auferweckung zusammen* als Überwindung des Todes der Menschen überhaupt – insofern dieser die letzte und eigentliche Bedrohung der Hoffnung auf die Tragfähigkeit und die Vollendung heilshafter Gemeinschaft mit Gott ist – geglaubt werden konnte.
Die nachösterliche soteriologische Linie „Gemeinschaft mit Gott durch Gemeinschaft mit Jesus Christus" mußte zu der Erkenntnis hinführen, daß das neue Leben dieser „Gemeinschaft mit Gott durch Gemeinschaft mit dem erhöhten Jesus" von dem Sieg Gottes über den Tod abhängig ist und daß dieser Sieg nicht in einer äußerlich angehängten Auferweckung bestehen konnte; vielmehr mußte er darin bestehen, daß Gott diesen Tod in einer äußersten Weise ernst nahm und aus diesem völligen Ernstnehmen heraus das Leben *und den Tod* des Menschen Jesus von Nazaret zu bleibender Gültigkeit und Wirksamkeit erhob. Im Zusammenhang damit war eine Reflexion über

[45] Das heißt in die Grundlinie, die oben in 5.3.3 entfaltet wurde.

die Art der Hinrichtung, den Sklaven- und Verbrechertod am Galgen des Kreuzes, unausweichlich und mußte den letzten, im Durchleiden äußerster Schmach und Verlassenheit auferlegten Ernst dieses Todes um so nachdrücklicher ins Bewußtsein rücken.
Heil durch den Tod Jesu – eine solche Konsequenz bzw. ein solches Postulat[46] ist dem Glauben dann zumutbar, wenn im Tod Jesu von Nazaret eine hintergründigste Möglichkeit von Theozentrik, ja die letztgültige, im Scheitern und im Wegnehmen jeder Sicherheit gegebene Theozentrik, ein letztmögliches Ernstnehmen Gottes, ja Durchleiden Gottes sich ereignet. „Heil durch den Tod Jesu" – das schließt ein, daß die Gemeinschaft mit Jesus Christus, die den Glaubenden zur Gemeinschaft mit Gott führt, zu diesem Letzten nur durchdringen kann als Gemeinschaft mit dem den Tod durchleidenden Jesus, dessen Durchstehen des Todes in der Erhöhungs-Transformation bleibend aufgehoben ist.[47]
Wenn Gott seinen Christus nicht den Weg der Entrückung ohne Leiden, sondern den Weg durch alle Sinnlosigkeit des ganz-menschlichen Todes hindurchgehen ließ, dann mußte das reflektiert werden und zur Erkenntnis der Heilsbedeutung dieses Todes – integriert und eingebettet in die Heilsbedeutung des irdischen Lebens mit dem Erhöhungsleben zusammen – führen.

5.3.4.6 Schon in der frühesten uns bekannten nachösterlichen Verkündigungsformel wird der Tod Jesu als Tod *„für die Sünden"* angesehen (1 Kor 15,3), und wir haben Grund zu der Annahme, daß diese soteriologische Sicht des Todes Jesu – mindestens in einem Großteil der frühen Gemeinden – in die älteste Zeit nach Ostern zurückreicht. Dieser den ältesten Gemeinden offenbar zentrale Gedanke ist in unserem Versuch, eine Heilsbedeutung des Todes Jesu innerhalb der von uns erschlossenen soteriologischen Grundlinie zu ermitteln, bisher noch nicht deutlich geworden. Aber gibt es nicht vielleicht doch eine Brücke, die von unseren Ausgangspunkten – von den jesuanischen Strukturkomponenten und den nachösterlichen Neuheitsaspekten – zu ihm hinführt? Um es noch einmal zu betonen: Wir dürfen für diese Überlegung nur Konklusionen aus den jesuanischen Strukturkomponenten und der österlichen Transformation anwenden, ohne theologische Topoi, die sich möglicherweise aus religionsgeschichtlich bedingten

[46] Gegenüber einem sich vielleicht meldenden Bedenken darf daran erinnert werden, daß der mit dem Begriff „Heil durch den Tod Jesu" bezeichnete Sachverhalt hier entsprechend unserem methodischen Vorgehen noch nicht als Verkündigungsinhalt des „späteren" Neuen Testaments betrachtet wird, sondern unter einem anderen, zeitlich und logisch früheren Aspekt: inwiefern solches „Heil durch den Tod Jesu" sich als Konsequenz bzw. Postulat aus einer Zusammenschau des jesuanischen Befunds mit dem theologischen Kern des Auferweckungsglaubens ergibt.

[47] Vgl. oben 4.4.3; ferner *K. Rahner,* Grundlinien 36 (bzw. Grundkurs 261f).

anderen Linien ergeben, hineinzubringen. Wir müssen das Gegensatz-Verhältnis zwischen „Sünde" und „Tod Jesu" so abstrakt wie möglich zu fassen versuchen.
Zum Sieg über den Tod und über alles, was zu diesem Tod gedrängt hatte, ist der Kreuzestod Jesu durch die Auferweckungstat Gottes geworden; er ist jetzt Sieg über alles, was sich der Basileia Gottes entgegenstellt, was der Metanoia, die ja Abkehr von den Sünden ist und mit einem ausdrücklichen Sündenbekenntnis verbunden sein kann[48], widerspricht – er ist Sieg über alles, was den Forderungen widerspricht, die Jesus in den Sprüchen vom „Eingehen in die Basileia" aufgestellt hat[49], was einen Gegensatz bildet zu dem Sich-Öffnen für das Erbarmen Gottes, das ein Sich-Öffnen für die Basileia Gottes ist. In diesem Sinn mußte nachösterlich die Erkenntnis aufkommen, daß der Tod Jesu prinzipieller Sieg über das ist, was später[50] die „Sünde der Welt" genannt wird.
Die treffendste Antwort dürfte sich aber wieder von dem Gedanken aus ergeben, daß das Heil die Gemeinschaft mit Gott ist. Wie wir in Kapitel 3 sahen,[51] ist der Zusammenhang zwischen Sündenvergebung und Gewährung dieser Gemeinschaft bereits bei Jesus von Nazaret erkennbar. Jesus hat Menschen wieder in diese heilshafte Gemeinschaft hineingestellt – und zwar betont Menschen, die als Sünder galten –, indem er ihnen Gemeinschaft mit sich selbst gewährte; mindestens der Sache und der Intention nach hat er ihnen dadurch die Vergebung der Sünden zugesprochen.
Für die Intention Jesu und auch für die unmittelbar nachösterliche Transformation muß außerdem folgendes bedacht werden: Sowohl Jesus als auch die unmittelbar nachösterlichen Zeugen redeten Menschen im Judentum bzw. in der Urchristenheit an, die offenbar gewohnt waren, die Ermöglichung von Gottesgemeinschaft gewissermaßen von der negativen Seite her zu artikulieren: dadurch, daß sie die Überwindung dessen, was der Gottesgemeinschaft entgegenstand, eben der Sünde, zum Ausdruck brachten.
Wenn nun der Tod Jesu vorösterlich von Jesus selbst als gehorsame Bejahung seines auf die Ermöglichung von Gottesgemeinschaft gerichteten Le-

[48] Vgl. die Praxis Johannes des Täufers (vgl. Mk 1,5 par Mt).
[49] Vor allem Mt 18,3 par Mk 10,15; ferner (in der Reihenfolge der Schriften im Neuen Testament, ohne traditionsgeschichtliche Differenzierung) Mt 5,20; 7,21; 19,23f parr; 21,31; 22,12f; 23,13 par; 25,10.30; Mk 9,47. Dazu sind von der Sache her auch die konträren Jesusworte vom „Hinauswerfen" hinzuzunehmen (vgl. *R. Schnackenburg,* Gottes Herrschaft 111): Mt 8,12 par Lk 13,28; Mt 13,42.50; 22,13; 25,30; vgl. 24,51; 25,11f. (Vor allem die matthäischen Texte dürften zum Teil redaktionelle Rezeptionen der Intention sein, die Jesus mit der Redeweise vom „Eingehen in die Basileia" verbunden hat.)
[50] Joh 1,29.
[51] Oben 3.2.1; auch 3.7.2.

bens verstanden werden konnte,[52] dann mußte er nachösterlich von den Seinen als Kulmination dieses theozentrischen, gehorsamen, der Sünde entgegengesetzten Lebens „für die (Nachlassung der) Sünden“ aufgefaßt werden. Wenn das nicht magisch mißverstanden werden soll, ist freilich die Ermöglichung von heilshafter, der Sünde entgegengesetzter Gottesgemeinschaft durch den *auferweckten* Gekreuzigten hinzuzudenken; oder anschließend an einen schon in ältester nachösterlicher Verkündigung vorhandenen Topos gesagt: Die Kraft des Pneumas Gottes ist hinzuzudenken.[53] Vor allem haben wir entsprechend unserer These über die theologische Bedeutung der Auferweckung Jesu zu bedenken, *daß dieser Tod jetzt zusammen mit der ganzen lebendigen, personalen Wirklichkeit „Jesus von Nazaret“ bleibend in Gott aufgehoben ist; das Zusammendenken von Gott und Jesus mußte sich auch auf den Tod Jesu erstrecken – nicht nur und nicht in erster Linie gewissermaßen rückwirkend, sondern vor allem im Sinn jenes Aufgehoben-Seins und Geborgen-Seins des durch den Tod hindurchgegangenen Jesus im wirkenden, alles Entgegenstehende überwindenden Geheimnis Gottes.*[54]

5.3.4.7 Was hiermit gesagt wurde, soll jetzt noch einmal unter Verwendung *des Proexistenzgedankens* – des Gedankens, daß Leben und Tod Jesu „für“ die Menschen sind, zu denen der Vater ihn sendet – artikuliert werden. Mag das der Sache nach eine Variation des soeben in 5.3.4.6 Gesagten sein – als unterstreichende und vielleicht weiter erhellende Variation dürfte es kaum überflüssig sein. Zugleich kann in dieser Weise abschließend zu der Frage nach dem „Für“ des Todes Jesu zurückgelenkt werden.

[52] Vgl. oben 3.9.1 und 3.9.2.

[53] Das gilt, obwohl die älteste nachösterliche Verkündigung das Pneuma nicht *unmittelbar* (wie Paulus es später tat) als Ermöglichung der Gottesgemeinschaft artikulierte.

[54] Diese Einbeziehung des Todes Jesu in das nachösterliche Zusammendenken von Gott und Jesus sollte nicht so formuliert werden, daß der Tod Jesu jetzt der Tod Gottes werde oder daß von Jesus als dem „gekreuzigten Gott“ (vgl. den Buchtitel von J. Moltmann) gesprochen wird. Ich sehe nicht, wie solche Formulierungen mit der Relation Jesu zum lebendigen Gott als seinem Vater vereinbar wären. Sie denken nicht von Jesus und vom theologischen Kern der Auferweckungserfahrung, sondern vom Dogma von Nikaia aus (in einer unsachgemäßen Weise, insofern dieses Dogma nicht in seinem Interpretationscharakter ernstgenommen wird). Das *Anliegen* jener Formulierungen muß aber bejaht werden, wenn das den Tod Jesu einbeziehende nachösterliche Zusammendenken von Jesus und Gott wirklich bejaht wird. Gott darf dann in keiner Weise mehr wie der unbewegte Beweger des Aristoteles diesen Tod Jesu gewissermaßen von außen betrachten. Der vom Alten und Neuen Testament verkündete Gott, der auf Selbstmitteilung hin ist und den das Leiden seiner Erwählten nicht gleichgültig läßt, muß a fortiori und in singulärer (sowie sein Verhältnis zum Tod der Menschen verändernder) Weise von dem Tod Jesu affiziert sein; dieser Jesus ist ja nicht nur sein singulärer Bote, sondern Gott vereinigt ihn mit sich selbst als *den* „Sohn“. Wenn sein Tod jetzt bleibend in Gott aufgehoben ist, dann ist von daher (und von der Sendungsinitiative Gottes her, die zu diesem Tod führte) ein anderes, neues Verhältnis Gottes zum Tod des Menschen gegeben – durch Gottes liebendes, sich in Jesus den Menschen zuwendendes Handeln.

Der Proexistenzgedanke ist die Voraussetzung der oben[55] erfragten „Brükke“ zwischen den jesuanischen und österlichen Ursprüngen und der frühen nachösterlichen Verkündigung, der Tod Jesu sei „für die Sünden“. Es sei noch einmal betont: Aufgrund der Prämissen, die bis jetzt erarbeitet wurden, besteht die Möglichkeit – mir erscheint es als eine Notwendigkeit –, eine theologische Verbindung des „Für die Vielen“ des Todes Jesu mit dem communicatio-Gedanken – dem Gedanken der „Gemeinschaft mit Gott durch Gemeinschaft mit Jesus“ – zu postulieren, zumal diese Verbindung für die Proexistenz des irdischen Jesus schon recht deutlich ist[56]. Was unsere jetzige Frage angeht, so wird durch die Auferweckung nicht eine Proexistenz des irdischen Lebens Jesu, die von der letzten Radikalisierung durch den Tod absehen würde, sondern die im Tod kulminierende, sich aufgipfelnde Proexistenz dieses Lebens (und ebendarin auch in vollgültigem Maß das irdische Basileia-Wirken selbst) zu bleibender Gültigkeit und Wirksamkeit erhoben.[57]
Das Leben Jesu von Nazaret mitsamt der Proexistenz, die es kennzeichnet, ist also nicht „vergangen“; diese Proexistenz ist Gegenwart, kann gegenwärtig wirksam werden aus dem Geheimnis Gottes heraus. Dieses Wirksamwerden der Proexistenz durch den erhöhten Jesus ist in einem ganz zentralen Sinn Heil, insofern es Gottesgemeinschaft für die Menschen schafft, insofern es alle Relationen der Menschen untereinander und mit Gott heil werden und in Ordnung kommen läßt *selbst über den Tod hinaus.*
Eine Antwort auf die Frage nach dem theologischen Inhalt des „Für“ wird also vom vorösterlichen Befund aus wieder in die Richtung gedrängt, daß das Heil als Gemeinschaft mit Gott durch die proexistente, Gemeinschaft gewährende Haltung Jesu herbeigeführt wird und daß der Tod Jesu als Höhepunkt und irdischer Schlußpunkt der Proexistenz für eine solche inhaltliche Füllung des „Für“ eine spezifische, zentrale Bedeutung haben muß.[58]

[55] Zu Anfang von 5.3.4.6.

[56] Hierfür müssen wir uns noch einmal an die Zuwendung von Vergebung – also Wiederherstellung von Gottesgemeinschaft – durch die Kommunikation Jesu mit den „Zöllnern und Sündern“ erinnern; vgl. oben 3.2.1 und 3.7.2.

[57] Wenn wir über die Proexistenz Jesu als von Gott her rettend sprechen, dann ist das ein Gedanke, der zwar von Anfang an im Jesus- und Auferweckungsglauben impliziert ist, der aber erst im späten Neuen Testament, im 1. Johannesbrief, in unüberbietbarer theologischer Prägnanz auf den Begriff gebracht wurde: „Gott ist Liebe“ (1 Joh 4,8.16); er teilt seine Liebe – sich selbst als die Liebe – dadurch mit, daß er Jesus sie bis zum Kreuzestod durchtragen und dann durch ihn als den Auferweckten (bzw. durch das Pneuma) mitteilen läßt, so daß sich daraus der Imperativ der Agape an die Glaubenden ergibt.
Vgl. bei Paulus den bedeutsamen Text Röm 8,31-39.

[58] Vgl. zur Heilsbedeutung des Todes Jesu insgesamt – in enger Verbindung mit dem Proexistenzgedanken – *W. Breuning,* Gemeinschaft mit Gott in Jesu Tod und Auferweckung, bes. 165 (Verständnis der Proexistenz Jesu Christi und seines Todes von Ostern her); 166 (Abgrenzung

5.3.4.8 Die Bedeutung der – den Tod Jesu in sich aufnehmenden – soteriologischen Grundlinie für das Bestehen des eigenen Lebens und des eigenen Todes des Jüngers

Im Anschluß an die Erarbeitung dieser Grundlinie soll noch die weitere Frage gestellt werden: Was muß der Tod Jesu nachösterlich für den glaubenden Jünger bedeuten? Ermöglicht er vielleicht Gemeinschaft mit Jesus in einem neuen Sinn – im Sinn einer Transformation vorösterlicher Solidarisierung und Nachfolge[59]?

Kann man vielleicht schon innerhalb unseres jetzigen Versuchs, Konklusionen aus dem vorösterlichen Befund und der grundlegenden Transformation zu ziehen, sagen: Der Tod Jesu eröffnet mit der Auferweckung zusammen für den Glaubenden die Chance, dieses Leben und den Tod zu bestehen und ihm einen Sinn (nicht zu geben, sondern:) geben zu lassen – und zwar durch Solidarität mit dem gekreuzigten und auferweckten Jesus? Eröffnet der Tod Jesu dem Jünger die Chance, in Weiterführung der Proexistenz Jesu und in Gemeinschaft mit dem erhöhten Jesus (zunächst noch abgesehen davon, was das bedeuten kann und was das in der Vorstellung späterer neutestamentlicher Autoren bedeutet) selbst proexistent zu sein? Das müßte in der Tat die Konsequenz sein. Wenn die Jüngergemeinschaft als ganze in dieser Weise solidarisch wird mit dem Tod ihres Herrn, kann sie – in der Kraft des bei Gott lebenden Jesus – damit eine notwendige Funktion für die dem Tod verfallene Welt erfüllen, eine sinnerschließende und letztlich Heil ermöglichende Funktion, die durchaus auf der Linie des „Für" des Todes Jesu liegen müßte.

Was damit gemeint ist, soll in der folgenden Reflexion *über einen möglichen Zusammenhang der nachösterlichen „Kreuzesnachfolge" und der Proexistenz des Jüngers* verdeutlicht werden.

Der Tod des Jüngers in seiner Beziehung zur Erringung des Lebens der Basileia ist in Mk 8,35 angesprochen (par Mt 10,39): „... wer sein Leben retten will, wird es verlieren; wer aber sein Leben um meinetwillen... verliert, wird es retten." Das Wort steht ganz im theologischen Kontext der Konfliktsitua-

gegenüber den Konzeptionen der scholastischen Soteriologie, die die Heilsbedeutung des Todes Jesu zu isoliert sieht); 169-185 (zum „Für" in 1 Kor 15,3 und in den Abendmahlstexten); s. auch *ders.,* Aktive Proexistenz, bes. 211-213.

[59] Der Begriff „Nachfolge" hat nachösterlich die Tendenz, Synonym für „Leben im Glauben an Christus" zu werden (vgl. *A. Schulz,* Nachfolgen 180-195, der von „urchristlichen Ersatzvorstellungen" für die jesuanische Nachfolge spricht), also eine Bedeutung anzunehmen, die nicht mehr nur auf der spezifischen Bindung der „Nachfolgenden" an Jesus im Sinn von Strukturkomponente 16 (J) aufruht. Ich ziehe es demgegenüber vor, in diesem Zusammenhang von „Solidarisierung und Nachfolge" zu sprechen, um auch für die nachösterliche Situation die Komponente des spezifischen, auf dem ursprünglichen Nachfolgebegriff basierenden Engagements für Jesus (bzw. mit Jesus) anklingen zu lassen. Vgl. auch unten 7.2.1.3.2.

tion, die durch den Entscheidungsruf Jesu veranlaßt ist; es entspricht so mindestens der „ipsissima intentio“ Jesu. Der in ihm faktisch verborgene anthropologisch grundsätzlich gültige Gedanke[60] ist durch diese Situation und durch die charakteristisch apokalyptische Färbung akzentuiert und mindestens auf den ersten Blick eingeengt – bzw. richtiger: durch solche Einengung zugespitzt.
Von hier aus mußte es nachösterlich zunächst zum Gedanken einer Schicksalsgemeinschaft kommen, die auch den ergreift, der sich im Glauben dem *erhöhten* Jesus Christus übereignet. (Diese Schicksalsgemeinschaft kann gerade nach Ostern als „Kreuzesnachfolge“ – im Sinn eines prägnanten Ausdrucks – bezeichnet werden.) Von da aus war der Schritt naheliegend und letztlich notwendig, als Sinngebung dieser Schicksalsgemeinschaft *Proexistenz* (wie bei Jesus – und mit Jesus) zu erkennen. Wenn Jesus den Jünger nach dem deutlichen Ausweis anderer Jesusworte[61] als den Dienenden und damit als den Proexistenten gewollt hat: mußte dann die nachösterliche Konsequenz nicht dazu drängen, vom Tod Jesu her auch in dem (in Schicksalsgemeinschaft mit Jesus erlittenen) Tod des Jüngers einen für sein, des Jüngers, eigenes Heil relevanten Sinn zu erkennen – insofern der Tod des Jüngers von Gott her einen Sinn hat innerhalb des Heilswirkens Gottes an diesem Jünger selbst: im Kontext seines Dienstes für die Basileia?[62]

5.3.5 Die nachösterlich-soteriologische Grundlinie im eschatologischen Spannungsfeld

Die soteriologische Grundlinie („Heil als Gemeinschaft mit Gott durch Gemeinschaft mit Jesus Christus“) muß jetzt – entsprechend der Struktur der Basileia-Botschaft Jesu – ergänzt werden, *indem sie sowohl auf die futurische als auch auf die präsentische nachösterliche Eschatologie bezogen wird,* auch angesichts der in der nachösterlichen Transformation angelegten Tendenz, das präsentische Heil zu betonen.
Erinnern wir uns noch einmal an Strukturkomponente 5 (J):

[60] Das heißt der Gedanke, daß übersteigertes (materielles) Sicherungsstreben (und sogar das Streben nach Absicherung der Sinnhaftigkeit des eigenen Lebens) auf der einen Seite und nach der anderen Seite hin übersteigertes Streben nach Ausschöpfung alles scheinbar erreichbaren Lebensgenusses, die beide das Leben „retten“ sollen, in Wirklichkeit schon auf der irdischen Ebene zu seiner Entwertung oder sogar seinem Verlust führen.

[61] Vgl. oben 3.6.2.2; auch 3.9.3.

[62] Das ist eine Konsequenz aus der Schicksalsgemeinschaft des Jüngers mit Jesus, die prinzipiell auch Sendungsgemeinschaft ist – gleich, ob sich die letztere in äußerem Engagement für die Basileia niederschlägt oder, je nach dem Charisma des Einzelnen, im „inneren“ Engagement des Gebets, der Solidarisierung und des Zeugnisses im engeren Kreis.

Die Basileia-Verkündigung Jesu im Verhältnis zur alttestamentlichen Verheißung: Das Verkündigungswirken Jesu als zeichenhafte Vor-Realisierung und damit letztgültige Zusage der alttestamentlichen Verheißungen (die im Sinne Jesu auf die in der Zukunft vollendete Basileia zielen). Trotz der eschatologisch-neuen Vor-Realisierung keineswegs Voll-Erfüllung: deshalb „Verheißungsüberschuß"

Bei der Transformation dieser Strukturkomponente ist zu beachten, daß die Grundlinie „Gemeinschaft mit Gott durch Gemeinschaft mit Jesus Christus" in derselben Eindeutigkeit wie im jesuanischen Befund auch nachösterlich sowohl für das Präsens als auch für das futurische Eschaton in Geltung bleiben muß.
Die hierin enthaltene zweifache Konsequenz sei noch weiter verdeutlicht: (Erstens) ist eine starke Akzentuierung des präsentischen Aspekts – auf die die Transformation von ihrer Sinnrichtung her offen ist (und die in einer Reihe von neutestamentlichen Schriften tatsächlich eine beherrschende Rolle spielt[63]) – von der Sache her gerechtfertigt, soweit sie *einen* Akzent bildet, der zur Geltung kommen muß. Der futurische Akzent ist wegen der auf die Vollendung der Basileia gerichteten Dynamik Gottes freilich genauso notwendig. Aber es bleibt bestehen: Die bei Jesus schon deutlich vorhandene Akzentuierung des Präsens kann in der Zeit nach Ostern auch dann nicht illegitim sein, wenn nachösterliche Faktoren noch verstärkend hinzutreten[64]. (Zweitens:) In der Transformation von Strukturkomponente 5 muß trotzdem – bzw. angesichts der Tendenz zum präsentischen Akzent um so nach-

[63] Beispiele dafür sind vor allem der Kolosserbrief, der Epheserbrief und das Johannesevangelium. Die Tendenz eines Teils der im Zuge der nachösterlichen Transformation entwickelten Konzeptionen geht also (den entsprechenden religions- und geistesgeschichtlichen Kontext vorausgesetzt) dahin – gegenläufig zur unmittelbar nachösterlichen Entwicklung von Glaube und Verkündigung –, das präsentische nachösterliche Heil in einer (durchaus im jesuanischen Sinn verstehbaren Weise) herauszustellen, in einer Intensität, die ebenso stark ist wie die in der frühesten nachösterlichen Christologie so deutlich akzentuierte Betonung des futurischen Heils.

[64] Diese Tendenz zur Akzentuierung des präsentischen Heils scheint sich mir aus den folgenden Faktoren zu ergeben. Sicherlich ist die mit der Zeit wachsende Erfahrung nicht ohne Bedeutung, daß die apokalyptisch vorgestellte und verkündete futurische Vollendung noch nicht in der Zeit der ersten christlichen Generationen eingetreten ist. Aber diese Erfahrung dürfte nicht das allein Entscheidende und wohl noch nicht einmal das Wichtigste für die Begründung jener Tendenz sein. Das Wirken des erhöhten Jesus aus dem Geheimnis Gottes heraus (oder anders gesagt: das Wirken des Gottes, in dessen wirkendes Geheimnis jetzt der gekreuzigte und auferweckte Jesus aufgenommen ist) wird ja von den urchristlichen Gemeinden offenbar durchweg als Wirken des Pneumas erfahren – und das heißt: als gegenwärtige Gabe. Je mehr die Funktion dieser Pneuma-Gabe für die Konstituierung der (Einzel-)Gemeinde und schließlich *der* Ekklesia überhaupt begriffen wurde – also der Gemeinschaft, deren Bedeutung für das Werk Jesu wie auch für die Glaubensmöglichkeit der einzelnen Christen immer stärker hervortrat –, mußte sich auch die Akzentsetzung auf das Präsens stärker aufdrängen. In diesem Zusammenhang spielt auch der nachösterliche Universalismus des Heils eine Rolle. Durch Ostern wird eine Entwicklung möglich, in der die universale Ausbreitung des Evangeliums als beeindruckende Erfahrbarkeit schon gegenwärtiger Vor-Erfüllung der Verheißungen erscheint.

drücklicher – das Prinzip des „Verheißungsüberschusses"[65] festgehalten werden. Es muß darauf verzichtet werden, das nachösterlich oft sehr stark ins Bewußtsein tretende gegenwärtige christologische Heil auf Kosten der futurischen Heilserwartung absolutzusetzen.[66] In Strukturkomponente 5 (T), die schon vom Jesuanischen her das spannungsvolle Verhältnis von Verheißung und Vor-Realisierung zum Inhalt hat – und die hier auch als Beispiel für die Richtung dienen mag, die die Konkretisierung der Transformation zu nehmen hat –, sollte also folgendes formuliert sein: Das Nachösterlich-Neue macht einerseits die Vor-Realisierung (die ich in nachösterlichem Zusammenhang „Vor-Erfüllung" nennen werde) irreversibel und universal mitteilbar – das betrifft ihren präsentischen Aspekt –; andererseits ist es Kraft der Hoffnung und muß auch in der durch den auferweckten Jesus Christus bestimmten Zeit Kraft der Hoffnung auf die futurische Vollendung bleiben.[67]

Zum Begriff „*Vor-Erfüllung*": Dieser Begriff darf auf keinen Fall mit „Vorweg-Erfüllung" verwechselt werden. Die von Gott für die Seinen letztlich bestimmte Erfüllung steht nach wie vor noch aus.

Greifen wir noch einmal zurück auf die Formulierung der jesuanischen Strukturkomponente 5: Auf Jesus von Nazaret bezogen, kann von einer zei-

[65] Vgl. oben 3.5.2.4.

[66] Wenn die Relevanz des jetzigen Themas (5.3.5) erkannt werden soll, dürfte es hilfreich sein, im Vorgriff auf den geplanten II. Band die *Gefährdungen* aufzuzeigen, die sich aus einer *einseitigen Akzentsetzung auf das Präsens des Heils* ergeben. Sie seien hier nur in Stichworten angegeben:
- Verlust der Kontinuität von Altem und Neuem Bund;
- Gefährdung der Hinordnung der neutestamentlich-christologischen Soteriologie auf die theozentrische Soteriologie der gesamtbiblischen Offenbarung;
- gegebenenfalls Verlust der Dimension der Zeit und der Geschichte und damit auch Gefährdung des Rückbezugs auf Jesus von Nazaret.
Insgesamt kann sich aus einer Überakzentuierung der Heilsgegenwart die Tendenz ergeben, die Christologie/Soteriologie von ihren theo-logischen und offenbarungsgeschichtlichen Zusammenhängen zu isolieren. Der gegenwärtige erhöhte Herr kann leicht immer mehr zur absoluten Mitte werden – mit der Tendenz zu häretischen Übersteigerungen, ferner der Tendenz zu einer einseitigen Verlagerung des Soteriologischen in den Kult, vielleicht sogar in einen ausgesprochenen Christuskult von der Art, daß die Theozentrik Jesu Christi selbst außer acht gelassen wird; die Gefahr besteht also in der Tendenz zu einer Christozentrik, die (bei aller an sich legitimen Intensität) nicht mehr (mindestens für das Bewußtsein vieler Christen nicht mehr) voll auf die Theozentrik ausgerichtet ist.

[67] Auch wenn der Akzent *einseitig* auf die Heils*zukunft* gelegt wird, sind Engführungen kaum vermeidbar. (Das gilt, auch wenn der starke futurische Akzent der frühen nachösterlichen Menschensohn-Christologie – in der Situation der ältesten palästinensischen Gemeinden – legitim gewesen ist.) Auch hier seien die Gefährdungen stichwortartig signalisiert:
– Ausblendung, Minderung oder Verlust der schon durch Jesus von Nazaret verkündeten und vor-verwirklichten Gegenwart des Heils;
– Verlust des Eschatologisch-Neuen der Jesusoffenbarung und vor allem ihrer Grundlage in der einzigartigen Exusia Jesu von Nazaret;
– von daher kann es allzuleicht zum Verlust des spezifisch Christlichen kommen, das unlösbar mit der eschatologischen Spannung von „schon" und „noch nicht" verknüpft ist.

chenhaften Vor-Realisierung gesprochen werden, insofern die Basileia in ihrem Boten in diese Zeit hinein vorstößt; dieses „Vorstoßen der Kräfte der Basileia“ verbindet sich in seinem zeichenhaften Charakter mit der worthaften Ankündigung der Basileia; es bekräftigt durch die Realität seiner helfenden und befreienden Dynamik die Basileia-Verkündigung Jesu in singulärer Weise.
Trotz der Einzigartigkeit dieser (auch durch die Auferweckungs-Transformation hindurch bleibenden) dynamischen Präsenz des Heils schon im Wirken und in der Person Jesu von Nazaret scheint es mir sachgerecht zu sein, das Nachösterlich-Neue durch die Wahl des Terminus Vor-Erfüllung anzudeuten. In der nachösterlich-transformierten Heilswirklichkeit sehen wir die Voll-Erfüllung bereits beim auferweckt-erhöhten Jesus Christus selbst; den nachösterlichen Jüngern wird eine Vor-Erfüllung des verheißenen Heils geschenkt, insofern ihnen schon jetzt, inmitten des jetzigen Äons, „im voraus“ die verborgene, aber dynamische Partizipation an *seinem* Leben mitgeteilt wird.[67a] Diese Partizipation ist trotzdem keine Vorweg-Erfüllung, sondern die im voraus geschenkte Kraft der Hoffnung auf die zukünftige Voll-Erfüllung der „Gemeinschaft mit Gott durch Gemeinschaft mit dem erhöhten Jesus Christus“ *und* Kraft des Lebens in der Agape als des Lebens auf die Vollendung hin. Die Vor-Erfüllung ist Keim der Voll-Erfüllung.

5.3.6 Zur nachösterlichen Verankerung des religiös-ethischen Verhaltens der Christen in Christologie und Soteriologie

5.3.6.1 Die jesuanischen Ausgangspunkte hierfür sind in den Strukturkomponenten 11-14 (J) enthalten. Es muß wiederum die Basis für alle Überlegungen zur nachösterlichen Geltung der von Jesus geforderten Verhaltensweisen sein, daß wir uns an diese Strukturkomponenten erinnern sowie an ihre Verbindung mit dem Kern der keimhaften Christologie Jesu von Nazaret.

11 (J): Die von Jesus gewiesene Grundhaltung des Menschen vor Gott (und Grundbedingung für das Eingehen in die Basileia): Metanoia, „Kind-Werden“, „Glaube“; unbedingte Priorität für den Anspruch Gottes („zuerst die Basileia Gottes“)
12 (J): Prophetisch-radikale Verkündigung und Forderung der Agape
13 (J): Befreiung vom Legalismus
14 (J): Offenheit für die „Randexistenzen“, die „Sünder“. Verzicht auf die abgesonderte „reine Gemeinde“

[67a] In dem oben in 5.1.3 ausgeführten Sinne kann gesagt werden, daß diese Partizipation am Leben des erhöhten Jesus Christus mittels des Pneumas geschenkt wird.

Auch in dem Abschnitt des Jesuskapitels, in dem diese Strukturkomponenten besprochen wurden (3.7), mußte schon gefragt werden, wieso diese Forderungen Jesu christologisch relevant sein können. Ich rekapituliere stichwortartig die Antwort, die dort gegeben wurde:

- Das stärkste Argument war die schon jesuanisch erkennbar werdende Einheit von Person und Sache Jesu. Für seine Funktion, in seiner Person und seinem Leben Begegnungszeichen für die Basileia Gottes zu sein, mußte eine solche Einheit von Person und Sache postuliert werden.
- Die keimhafte Christologie Jesu selbst (Strukturkomponenten 7-10 [J]) kann zum Teil nur von den durch Jesus geforderten religiös-ethischen Grundhaltungen her inhaltlich ausreichend gefüllt werden; in 3.7 konnte eine Reihe von Querverbindungen zwischen diesen beiden Strukturkomponenten-Gruppen (B und C) festgestellt werden.
- Schon aufgrund des jesuanischen Befunds konnte erkannt werden, daß der Beitrag der Jünger zu einer auf die Basileia Gottes hingeordneten und damit auch humaneren Welt letztlich nicht einfach durch das Beispiel Jesu zu motivieren ist, sondern daß ein viel engerer, personaler und relationaler Zusammenhang zwischen diesem Beitrag – der in den von Jesus geforderten Verhaltensweisen besteht – und Jesus selbst postuliert werden muß; anders gesagt: eine enge Zusammengehörigkeit dieser Grundhaltungen mit der Christologie als solcher.

5.3.6.2 Aber tritt hier wirklich „Transformation" in Kraft – oder werden in diesem Fall nicht doch einfach die jesuanischen Forderungen – ohne Transformation – in das Leben der nachösterlichen Jüngergemeinschaft übernommen? Die Forderungen der Hinwendung zu Gott (Metanoia, Glaube), der Agape, des Antilegalismus und der Hinwendung selbst zu den Verachteten unter den Mitmenschen bleiben doch als solche unverändert, auch wenn sie auf neue Situationen angewendet werden. Geht in diesem Punkt die Sache Jesu nicht doch einfach „weiter", ohne daß auf „Transformation" zu achten wäre?

So sicher es jedoch ist, daß die Kraft und Brisanz der jesuanischen Forderungen nach Ostern ungebrochen bleiben muß, ist trotzdem die Frage nach der Transformation zu stellen; nur dann könnte auf sie verzichtet werden, wenn die Weisungen Jesu ablösbar wären von seiner Person und seinem Werk, wenn ihre Befolgung also nicht in den vielschichtigen, komplexen Vollzug des Heils integriert wäre. Was wird nun eigentlich „nachösterlich-neu" bezüglich dieser religiös-ethischen Verhaltensweisen? Hierfür dürfen wir nicht nur auf die Ergebnisse von 3.7 zurückgreifen, sondern müssen sie auch mit dem nachösterlich grundlegenden „Zusammendenken von Gott und Jesus" sowie mit der „Grundlinie des Soteriologisch-Neuen", die soeben erarbeitet wurde, zu verbinden suchen.

5.3.6.3 Ein erster Leitsatz: Nachösterlich-neu („transformiert") wird hinsichtlich dieser religiös-ethischen Verhaltensweisen die Art und Weise, wie sie von Jesus abhängig sind; „neu" wird die Beziehung dieser christlichen Verhaltensweisen zu der transformierten „Einheit von Person und Sache" Jesu Christi, das heißt: zu der durch die Auferweckung vollendeten und jetzt aus dem Geheimnis Gottes heraus wirksamen Einheit von Person und Sache.

Der mit „Einheit von Person und Sache" gemeinte Sachverhalt war vor Ostern zwar schon recht deutlich, aber doch erst gewissermaßen in Umrissen erkennbar – und noch nicht einmal so, daß jemand, der von vornherein vom Osterglauben völlig absehen würde, zur Zustimmung *gezwungen* wäre. Ein solcher Beobachter könnte dazu kommen, eine weitgehende Kongruenz von Verhalten und Forderung Jesu zu konstatieren, würde aber kaum – als im Verhältnis zum Christusglauben Außenstehender – die Formulierung von der *„Einheit* von Person und Sache Jesu" akzeptieren. Nach Ostern ist die „Einheit von Person und Sache Jesu Christi" demgegenüber – für denjenigen, der dem Auferweckungskerygma Glauben schenkt – *unausweichliche Konsequenz des „Zusammendenkens von Jesus und Gott";* und von daher ist sie für das Verhalten des Christen maß-gebend.

Schon vom alttestamentlichen Gottesgedanken bzw. vom alttestamentlichen Gedanken des Verhältnisses zwischen Gott und Mensch her ist die integrierende Zugehörigkeit der religiös-ethischen Grundhaltungen zum Gottesverhältnis – zur heilshaften Gottesgemeinschaft – gesichert; für die Gottesgemeinschaft – den „Bund" – ist das religiös-ethische Recht-Sein von seiten des Menschen bzw. des Volkes konstitutiv.[68] Diese Implikation des alttestamentlichen Gottesglaubens ist jetzt, nach Ostern, im Zuge des „Zusammendenkens von Gott und Jesus" auch auf die Zusammengehörigkeit jener Verhaltensweisen mit der Christologie anzuwenden.

Nachösterlich ist das Folgende noch von besonderer Bedeutung: Waren die von Jesus geforderten Grundhaltungen schon auf der jesuanischen Ebene verbunden mit den Haltungen, die er selbst lebte, korrespondierten sie also seinen eigenen Grundhaltungen (und waren die Jünger durch die Solidarisierung mit Jesus *und seinen Haltungen* verbunden), so tritt auch in diesem Punkt das Prinzip der Auferweckungs-Transformation in Kraft: Diese Haltungen Jesu selbst erlangen bleibende Gültigkeit und Wirksamkeit durch die Auferweckung – wie Jesus selbst in seiner Person, seinem Wirken *und seiner Intention.* Es gehört unverzichtbar zur Auferweckungsbotschaft hinzu, daß auch der auferweckte Jesus dialogisch, empfangend und antwortend auf Gott hingeordnet ist; ebendarin ist die religiös-ethische Komponente bereits impliziert. Die Theozentrik darf also auch, was die Bindung der Christen an

[68] Vgl. *A. Deissler*, Grundbotschaft 85 („Das Ethos wird ... hineingezogen in den Kern der ‚Religion' "); *J. Schreiner*, Zehn Gebote, bes. 27-29; *W. Zimmerli*, Grundriß 39-48.

die „Haltungen" des erhöhten Jesus angeht, nicht aus ihrem primären Recht verdrängt werden. Würden die religiös-ethischen Grundhaltungen Jesu und seiner Weisung nicht auch nachösterlich-transformiert ihre entscheidende Rolle spielen, so würde in dem Grundprinzip „Theozentrik durch Christozentrik" die zum rechten Handeln drängende Theozentrik *Jesu* faktisch ausfallen, verzerrt oder verstümmelt werden; die Gefahr wäre akut, daß nur eine zu kultischer Selbstgenügsamkeit neigende Christozentrik zurückbliebe.

In einer ersten, vorläufigen Zusammenfassung kann gesagt werden: Dieser Unterabschnitt 5.3.6.3 stellt einen Versuch dar, die jesuanischen religiös-ethischen Grundhaltungen in die oben (in 5.2.2 und 5.3.3) erarbeiteten Grundlinien einzufügen – in die Grundlinie des Zusammendenkens von Gott und Jesus („Theozentrik durch Christozentrik") und in die Grundlinie der nachösterlichen Transformation des Soteriologischen („Heil als Gemeinschaft mit Gott durch Gemeinschaft mit Jesus Christus"). Die von Jesus geforderten und gelebten Grundhaltungen stehen jetzt, nachösterlich, im Gesamtzusammenhang des Wirkens Jesu Christi aus dem Geheimnis Gottes heraus, sind Akzeptation und Realisierung der heilshaften nachösterlichen „Gemeinschaft mit Jesus Christus". So ist das religiös-ethische Verhalten der nachösterlichen Christen (ihr „Wandel") ein integrierendes Moment ihres gegenwärtigen Heils und Vorbedingung des zukünftigen. Eingefügt in den Zusammenhang des Wirkens Jesu Christi, transzendieren die religiös-ethischen Verhaltensweisen der nachösterlichen Jünger den gewiß primären und grundlegenden individuellen Vollzug: auf Gemeinde und Welt hin.

5.3.6.4 Darüber hinaus sind die jesuanischen Grundhaltungen mit dem Kernpunkt nachösterlicher Soteriologie verbunden, der in der – über den Tod Jesu hinaus und *durch diesen Tod hindurch* – bleibenden Gültigkeit und Wirksamkeit seiner Proexistenz besteht (s. oben 5.3.4). Gerade von hierher kommt das nachösterlich motivkräftigste und hilfreichste neue Charakteristikum für ihren Vollzug.
Stehen die jesuanischen Grundhaltungen jetzt im Rahmen der „Gemeinschaft mit Gott durch Gemeinschaft mit Jesus Christus", so sind sie also für ihren Teil auch *bejahte* Schicksalsgemeinschaft mit dem gekreuzigten Jesus Christus. „Bejahte Schicksalsgemeinschaft" – das will sagen, daß es nicht einfach um das passive Erleiden des Geschicks Jesu geht, sondern um die Solidarisierung mit ihm und damit die Akzeptation seines Geschicks, gerade insofern es das Geschick des bis zum Letzten Proexistenten war. Ohne das Ja zur eigenen Übernahme des Geschicks Jesu sind gerade nachösterlich die jesuanischen Grundhaltungen der Gottesbeziehung, der proexistenten Of-

fenheit für die Mitmenschen und der Freiheit vom gesetzlichen Absicherungswillen nicht adäquat zu verstehen.
Ist das Leben schon vorchristlich-anthropologisch das Zugehen auf das eigene Sterben und sind darin schon anthropologisch die ethischen Lebensvollzüge integriert zu sehen, so ist das Leben des Christen als Zugehen auf das eigene Sterben nachösterlich in einer neuen Weise zu sehen: „in Gemeinschaft mit Jesus Christus".
Im Zusammenhang hiermit kann auch ein weiterer Aspekt genannt werden, der schon zur „allgemeinen" Grundlinie „Gemeinschaft mit Gott durch Gemeinschaft mit Jesus Christus" gehört, hier aber, im theologischen Kontext von Tod Jesu und Schicksalsgemeinschaft des Jüngers, a fortiori einen Platz zu beanspruchen hat: Nachösterlich sind die jesuanischen religiös-ethischen Grundhaltungen auch Akzeptation der Gemeinschaft mit dem Jesus, der das Böse endgültig überwunden hat und dessen Tod „für die Sünden" geschieht[69]. Der nachösterliche Jünger bejaht die Partizipation an dem Kampf und Sieg Jesu über alles, was dem Heilswillen Gottes und der Proexistenz Jesu entgegensteht[70], also (prägnant ausgedrückt) über den Haß, der der Agape entgegensteht[70a]; in der nachösterlichen Realisierung der jesuanischen Grundhaltungen strebt er diese Partizipation an. Noch mehr: Wenn das durch Jesus vermittelte Heil „Sieg über die Sünde" – über die Schuldverflochtenheit und den Unheilszusammenhang – sein soll, dann ist die nachösterlich-neue Motivation und Kraft für die Verwirklichung der jesuanischen Grundhaltungen ein geradezu notwendiges Postulat.
Daß das „Kreuz" nachösterlich neue Motivation und die Gemeinschaft mit dem Gekreuzigten neue Kraft der jesuanischen religiös-ethischen Grundhaltungen ist, wird – wenn wir jetzt einmal die einzelnen (in den Strukturkomponenten 11-14 genannten) Auffächerungen in den Blick fassen – besonders deutlich bei der *Forderung der Agape* als der Solidarisierung mit der Proexistenz Jesu selbst. Die Proexistenz des Jüngers kann jetzt, nachösterlich, deutlicher als in den schon jesuanisch zu erschließenden „keimhaften" Ansätzen motiviert werden.
Auch auf die Solidarisierung mit dem *Antilegalismus Jesu* wirkt jetzt die durch das Kreuz „radikalisierte" (hinsichtlich ihrer Unbedingtheit zum Höhepunkt geführte) Agape-Forderung ein: Der Christ läßt sich – in Kommunikation mit der Proexistenz und der legalismuskritischen Freiheit dessen, der dafür den Weg zum Kreuz ging – nicht nur selbst auf das Risiko eines

[69] Vgl. oben 5.3.4.6.
[70] Vgl. oben 5.3.4.6; auch 7.2.2.1.
[70a] Der Gegensatz von Agape und Haß ist in dieser prägnant-stilisierenden Form im späteren Neuen Testament am deutlichsten durch den 1. Johannesbrief herausgearbeitet; im Bereich der synoptischen Jesustradition vgl. die 6. Antithese der Bergpredigt (Mt 5,43-48).

gesetzlich nicht verrechenbaren und abgesicherten Verhaltens zu den Menschen und zu Gott ein, sondern ist mit Jesus offen für die Freiheit der anderen. Gerade die in diesem Sinn aufgefaßte „Kreuzesnachfolge“ ermöglicht „keimhaft“, aber durchaus prinzipiell Freiheit in den gesellschaftlichen Verhältnissen der Umwelt des Christen – und über sie hinaus.
Wenn der Christ eingespannt ist in die soteriologische Grundlinie „Gemeinschaft mit Gott durch Gemeinschaft mit Jesus Christus“, dann ist die auf die *Grundhaltung des Menschen vor Gott* abzielende Weisung Jesu (Strukturkomponente 11) in einer neuen Weise ermöglicht; und zwar ist auch sie letztlich und am tiefsten und stärksten neu eröffnet durch die Partizipation am Kreuz Jesu Christi. Hier handelt es sich um eine Konsequenz aus Sachverhalten, die oben[71] bereits angesprochen wurden: Gerade infolge der Gemeinschaft mit dem Gekreuzigten, der Partizipation an der bis ins Scheitern hinein durchgehaltenen Gottesbeziehung des Gekreuzigten, muß die Brisanz der Gottesverkündigung Jesu verstärkt zum Zuge kommen.
Auch der nachösterliche Universalismus, der in der Schrankenlosigkeit der *Zuwendung Jesu auch zu den als Sünder Geltenden* seinen Keim hat (Strukturkomponente 14 [J]), wird nachösterlich zur Gabe und Aufgabe für den Jünger; „in Gemeinschaft mit Jesus Christus“, in Partizipation an seiner Intention, gewinnt auch die Sorge um die von innen heraus universale Wirksamkeit Jesu Christi neue Kraft aus der kreuzestheologisch „radikalisierten“ Agape – aus der Solidarisierung mit der Proexistenz Jesu Christi selbst.

5.3.6.5 Das Nachösterlich-Neue hinsichtlich der – inhaltlich sicherlich ohne Änderung in Kraft bleibenden – religiös-ethischen Forderungen Jesu kann jetzt zusammengefaßt werden durch die Stichworte „Einheit von Person und Sache Jesu“ sowie „neue Motivation und Kraft“.
Die Unablösbarkeit der „Sache“ und damit auch der Weisungen von der Person Jesu ist erst durch das nachösterliche, durch den Auferweckungsglauben notwendig gewordene Zusammendenken von Gott und Jesus zur völlig unausweichlichen Konsequenz geworden – gegenüber der durchaus grundlegenden, aber erst in umrißhaften Zügen als „Einheit“ erkennbaren jesuanischen Zusammengehörigkeit von Person und Intention Jesu. Dadurch, daß die von Jesus geforderten und gelebten religiös-ethischen Grundhaltungen jetzt eingefügt sind in die soteriologische Linie „Gemeinschaft mit Gott durch Gemeinschaft mit Jesus Christus“, gewinnen sie neue Motivationskraft und neuen Tiefgang durch die Solidarisierung mit dem Gekreuzigten; es gibt für sie – so muß ferner aus den gewonnenen Prämissen postuliert werden – eine neue Kraft zur Realisierung: die Kraft Gottes selbst, in

[71] Vgl. bes. 3.9.3; 5.3.4.6-8.

der der erhöhte Jesus in neuer Weise – in seine „Gemeinschaft" heilshaft einbeziehend – wirksam ist.

Von der Sache bzw. der durch sie notwendigen Argumentationsweise her ruft die in dieser Zusammenfassung enthaltene These nach einer Gegenprobe. Es ist vor allem auf der jesuanischen Ebene nicht leicht, die Einheit von Person und Sache Jesu und damit die innere Zusammengehörigkeit der jesuanischen religiös-ethischen Grundhaltungen mit Christologie und Soteriologie darzutun; und auch auf der nachösterlichen Ebene ist es nicht gerade selbstverständlich. Was jetzt vorgelegt worden ist, wird vielleicht (wiederum: vor allem auf der jesuanischen Ebene) mehr als Aufweis denn als Beweis bezeichnet werden müssen. So ist es sinnvoll, die These auch durch den Blick auf die weitere kirchengeschichtliche Entwicklung abzustützen: Die Berechtigung dieser These – daß die von Jesus gelebten und geforderten Grundhaltungen so sehr zu jeder legitimen Christologie hinzugehören, daß sie bei den Kriterien keinesfalls fehlen dürfen – läßt sich wohl am augenfälligsten und deutlichsten an den Folgen ablesen, die ihre Vernachlässigung oder ihr Fehlen hervorgerufen hat und weiter hervorrufen müßte;[72] diese Folgen bestanden bzw. bestünden ja in einem einseitigen und gefährlichen, letztlich gegen die Intention Jesu gerichteten Übergewicht der Orthodoxie über die Orthopraxis.
Vielleicht ist es nicht überflüssig, wenn auch im Rahmen dieser Zusammenfassung noch einmal die Gegenfrage zu Wort kommt: Genügt es zur Vermeidung dieser Folgen nicht auch, wenn die Weisungen Jesu ernstgenommen und befolgt werden, *obschon* sie dann als Weisungen von der Person Jesu (die in diesem Fall für sich allein als das traditionelle Objekt der Christologie aufgefaßt würde) abgelöst wären? Oder – eine andere Frage in der gleichen Richtung – würde das Schema „Vorbild – Nachahmung" nicht in ähnlicher Weise genügen? Vom Befund der Jesusüberlieferung und erst recht von der nachösterlichen Transformation und ihrer kreuzestheologischen Vertiefung her muß die Anwort eindeutig „Nein" lauten:
– weil die Grundhaltungen Jesu zu seiner Funktion, Begegnungszeichen der Basileia zu sein, hinzugehören, weil Jesus gewissermaßen darin aufgeht, Begegnungszeichen der Basileia zu sein – erst recht im Rahmen des nachösterlichen Zusammendenkens von Gott und Jesus;
– weil der spezifisch christliche Beitrag zur Humanisierung der Welt dann kaum effizient werden könnte – die Lauterkeit der Agape, die in der jesuanisch verstandenen Metanoia, dem „Kind-Werden" und letztlich im Kreuz gründet;[73]
– und weil sonst der Gefahr der Vernachlässigung der jesuanischen Grundhaltungen nicht ausreichend entgegengewirkt ist: nämlich dann nicht, wenn diese Grundhaltungen nicht schon in der keimhaften Christologie Jesu sowie auf deren Grundlage in der nachösterlichen Christologie verankert sind und aus ihr in einer Weise hervorgehen, die weder durch das Denkmodell des Ergehens und Befolgens von Weisungen noch selbst durch das von Vorbildhaftigkeit und Nachahmung adäquat erfaßt werden kann.

Bei der Frage, wie die jesuanischen religiös-ethischen Grundforderungen nachösterlich einzuordnen seien, stoßen wir also auf das für die nachösterliche, vom Jesusglauben (vom glaubenden „Zusammendenken von Gott

[72] Vgl. oben 3.7.3.
[73] Vgl. oben 3.7.3 und vor allem unten 7.2.2.1-2; 7.2.2.4-5.

und Jesus“) bestimmte Zeit typische Problem der Spannung von Orthodoxie und Orthopraxis, die als anzuzielende Spannungs*einheit* und damit als Aufgabe gesehen und bewältigt werden muß. Gerade an der nachösterlichen Integration der von Jesus geforderten und gelebten Grundhaltungen entscheidet es sich, ob das Jesuanische insgesamt durchgehalten wird; und dafür ist es gerade in der nachösterlichen Zeit, in der Jesus selbst nicht mehr im unmittelbar-menschlichen Gegenüber erfahren wird, notwendig, daß die religiös-ethische Finalität des Lebens der Glaubenden neu gesichert und angestrebt wird. Orthodoxie als „rechter Glaube“ ist nur dann wirklich „recht“, wenn sie in der Spannungseinheit mit der durch die Metanoia geformten „rechten Praxis“ steht und ebendarin fruchtbar wird.

5.3.7 Der nachösterliche Universalismus des Heils

(Das durch die Auferweckung Jesu geschaffene Soteriologisch-Neue als Voraussetzung des Evangelialen und Ekklesiologischen)

5.3.7.1 *Vorbemerkung:* Der Universalismus ist für die nachösterliche Evangeliumsverkündigung und von daher für die Kirche – nach anfänglichem Ringen um sein Verständnis – so bezeichnend und unabdingbar, daß es naheliegen könnte, ihn nur in Verbindung mit dem nachösterlich-neuen Evangelialen und Ekklesiologischen zu besprechen. Ich ziehe es jedoch vor, ihn an dieser Stelle als letzten Punkt des Themas „Das nachösterliche Soteriologisch-Neue“ zu behandeln; denn der nachösterliche Universalismus hat seine Wurzeln durchaus in der vor- und nachösterlichen Christologie und Soteriologie selbst, ja, er ist primär ein Moment des Nachösterlich-Soteriologischen, bevor er Charakteristikum des Ekklesiologischen werden kann. In der nachösterlichen Soteriologie geht es um das der ganzen Welt angebotene Heil, das freilich im Zuge der Ausbreitung des Evangeliums und durch die auf das Evangelium ausgerichtete Ekklesia vermittelt werden soll. Durch die Einordnung des Punkts „Universalismus“ möchte ich also einerseits seine Zugehörigkeit zum nachösterlichen Soteriologisch-Neuen und andererseits seine Funktion der Überleitung zum Neuheitsaspekt des nachösterlichen Evangelialen und Ekklesiologischen deutlich machen. In der Überschrift wird übrigens nicht einfach vom Universalismus, sondern von der neuen „universalen Mitteilbarkeit des Heils“ gesprochen; denn es handelt sich um eine „zentrifugale“, vom Zentrum der Heilstat Gottes in die zu rettende Welt hineinstrebende Bewegung.

5.3.7.2 Als jesuanische Ausgangspunkte nehmen wir zunächst die Strukturkomponenten 13 und 14, die freilich für die hier ins Auge zu fassende nachösterliche Transformation noch durch andere jesuanische Ansätze ergänzt werden müssen.

13 (J): Befreiung vom Legalismus
14 (J): Offenheit für die „Randexistenzen", die „Sünder". Verzicht auf die abgesonderte „reine Gemeinde".

Wieso können diese beiden jesuanischen Sachverhalte, so muß zunächst gefragt werden, Ausgangspunkte eines Transformationsvorgangs sein, der zum nachösterlichen Universalismus führt? Jesus selbst hat sich doch fast ganz auf Israel beschränkt; und auch die „Randexistenzen", denen er sich zuwandte, waren abstammungsmäßig Juden, wenn sie den Frommen in Israel auch als ausgeschlossen aus dem Gottesvolk galten.
Hier gilt es jedoch zu beachten, wie prinzipiell die jesuanische Entgrenzung gegenüber den Sündern und den Randexistenzen in Israel war, welchen grundsätzlichen Charakter der Verzicht Jesu auf die abgesonderte reine Gemeinde hatte. Es ging ihm nicht um Nachsicht und Dispensen in Ausnahmefällen, die an der theologischen Struktur des Systems nichts geändert hätten. Es ging ihm um die Offenheit der Liebe des Vaters für den verlorenen Sohn schlechthin; die prinzipielle Entgrenzung ist also in seiner Gottesverkündigung begründet.[74] Vor allem die Durchbrechung und Transzendierung des pharisäisch-rabbinischen Legalismus mußte sich – in Verbindung mit der von Jesus praktizierten Offenheit für die nicht mehr zum Gottesvolk gezählten (doch immerhin zahlreichen) „Randexistenzen" – nachösterlich auswirken in einem universalistischen Verhältnis der Jesusbewegung zu denen, die auch abstammungsmäßig nicht zum Volk Israel gehörten, den „Heiden". Wenn Jesus einem Angehörigen des Mischvolks der Samariter im Gleichnis die Rolle desjenigen zuweisen kann, dem nachzueifern ist,[75] wenn er den Glauben einzelner Heiden gewürdigt zu haben scheint,[76] wenn er Wanderungen in heidnischem Gebiet nicht gescheut und dort offenbar keinesweg grundsätzlich auf ein Wirken verzichtet hat,[77] dann sind auch das Hinweise auf seinen – trotz aller faktischen Ausrichtung seiner Wirksamkeit auf Israel[78] – von innen heraus gegebenen keimhaften Universalismus. Vor

[74] Vgl. oben 3.5.2.5 zu Strukturkomponente 6 (J) („Basileia-Verkündigung *als Verkündigung Gottes*, und zwar als des Vaters. Destruktion der falschen Gottesbilder"); auch schon 3.2.1.
[75] Lk 10,25-37.
[76] Vgl. Mk 7,24-30 par Mt; Lk 7,1-10 par Mt 8,5-13.
[77] Vgl. *F. Hahn*, Mission 19-36.
[78] *F. Hahn*, Mission 31. Nach Mt 15,24 ist Jesus diese Beschränkung auf Israel durch seine spezifische Sendung auferlegt. Diese Stelle wird zusammen mit Mt 10,5b-6 und 10,23b meist einer palästinensisch-judenchristlichen Traditionsschicht zugewiesen (vgl. *H. Frankemölle*, Jahwe-

allem konnte die Forderung nach radikaler Agape bis hin zur Feindesliebe nachösterlich nicht ohne die Konsequenz der universalen Öffnung bleiben. Der bedeutsamste Ansatzpunkt bleibt auch von hier aus die prinzipielle Entgrenzung der Proexistenz Jesu – in Verbindung mit dem auf Universalismus tendierenden Gesamt der jesuanischen Basileia-Verkündigung.

5.3.7.3 Was vorösterlich angelegt war, wurde hinsichtlich der theologischen Strukturen nachösterlicher Heilsverkündigung und -vermittlung zur Notwendigkeit. Zwar hat der Auferweckungsglaube diese Konsequenz offenbar nicht sofort und nicht ohne schwierige Auseinandersetzungen gezogen. Die ältesten aramäischsprechenden palästinensischen Gemeinden werden nicht im späteren urchristlichen Sinn universalistisch gedacht haben.[79] Jedoch erwies sich die universalistische Konsequenz als unausweichlich: vom „Zusammendenken von Gott und Jesus" her (wieso sollte die Wirksamkeit Jesu einen geringeren Bereich haben als die Gottes?) – und von der neuen Bestimmung des Soteriologischen her (wieso sollte „Gottesgemeinschaft durch Gemeinschaft mit Jesus" einem einzigen Volk vorbehalten bleiben?). Aus dem Zusammendenken der Wirksamkeit Jesu Christi mit der Wirksamkeit Gottes mußte nicht nur der faktische urchristliche Universalismus folgen, sondern prinzipiell die universale Mitteilbarkeit des Heils. Die Unausweichlichkeit dieser Konsequenz mußte sich übrigens um so mehr auswirken, je mehr der auferweckte Jesus nicht nur als Messias Israels, sondern als Kyrios über die gesamte Schöpfung erkannt wurde.
Das nachösterliche Neuheitsmoment des Universalismus betrifft nicht in derselben Weise wie die bisher immer als grundlegend dargestellten drei Neuheitsaspekte (Zusammendenken von Gott und Jesus, das Soteriologische, das Ekklesiologische) das Inhaltliche der christlichen Botschaft und des christlichen Lebensvollzugs; es bezieht sich zunächst auf die Adressaten in dem Sinn, daß es den Kreis der Empfänger der Botschaft universal ausweitet. Freilich beschränkt sich der nachösterliche Universalismus nicht auf diesen nach außen gerichteten missionstheologischen Aspekt; er setzt, wie oben aufgezeigt wurde, die von Jesus geforderten und gelebten Verhaltensweisen voraus. Er ist eine Konsequenz aus den jesuanischen Haltungen der Proexi-

bund 124, Anm. 211); aber auch wenn Mt 15,24 redaktionelle Arbeit des Matthäus sein sollte (so mit beachtlichen Gründen *Frankemölle*, a. a. O. 135-137), ist die Stelle Reflex eines jesuanischen Sachverhalts (nämlich der faktischen Beschränkung auf Israel, die nach dem Sendungsverständnis Jesu im Auftrag des Vaters begründet sein mußte) – wenn auch in zuspitzender Stilisierung aufgrund der matthäischen redaktionellen Anliegen.

[79] Vgl. jedoch das Auftreten der „Hellenisten", bei denen sich der Durchbruch des spezifischen nachösterlich-transformatorischen Universalismus bereits in frühester Zeit vorbereitet haben wird, und zwar kaum ohne jeden Zusammenhang mit der bzw. den aramäischsprechenden Gemeinden.

stenz und Agape, so daß er in seiner Weise das nachösterliche Heil auch inhaltlich kennzeichnet; nur dann steht er ja in einem legitimen Zusammenhang mit seinem jesuanischen Ausgangspunkt, wenn die Hinwendung Jesu zum sendenden Vater, die Metanoia, die Befreiung von dem (der Metanoia entgegenstehenden) Legalismus, die Offenheit der Agape für die Armen und die Verachteten in ihm leben und ihn von innen heraus bestimmen.

5.3.7.4 Nun beziehen schon bedeutsame Stellen des Alten Testaments die Heidenvölker in das Heil Israels ein, freilich in grundlegend anderer Vorstellungsweise: Die Völker empfangen das Heil, indem sie zum Zion ziehen und ebendadurch die Vorrangstellung und Priorität Israels anerkennen.[80] Die ältesten aramäischsprechenden palästinensischen Urgemeinden werden diese Vorstellung eines „zentripetalen" Heilsuniversalismus noch geteilt haben.[81] Sehr früh ist jedoch das Umschlagen der zentripetalen Richtung des alttestamentlich-frühjüdischen Universalismus in die im Urchristentum seither bestimmende zentrifugale Richtung erfolgt – genauer: in die aufgrund der Sendungsgemeinschaft mit Jesus von der Gemeinde in die Welt hineinstrebende Dynamik des Evangeliums. Nun müssen wir uns im Rahmen dieses Kapitels Überlegungen zu der Frage versagen, wie und wodurch sich der Umschwung in den frühen urchristlichen Gemeinden historisch-konkret vollzogen hat. Hier ist nur nach seiner theologischen Sachgerechtheit zu fragen, das heißt: nach seiner grundsätzlichen Ermöglichung durch die theologischen Strukturen der jesuanischen Ansätze und vor allem der nachösterlichen Transformation.
Schon auf der jesuanischen Ebene dürfte eine Weichenstellung für das Umschlagen der zentripetalen in die zentrifugale Richtung erfolgt sein, und zwar

[80] Vgl. Jes 2,1-4 sowie die Parallele Mich 4,1-4; Jes 18,7; Jer 3,17; 16,19; Mich 7,12; Jes 45, 18-25; 60, 1-22; 25,6-8 (nachexilisch wie Jes 60); ferner Hag 2,6-9; Sach 2,14f; 8,20-23; 14,16; auch 2 Chr 6,32f. Jedoch „fehlt jeglicher Gedanke an ein Hinausgehen zu den Völkern" (*F. Hahn*, Mission 13; dort auch 12-14 weitere Überlegungen zum Thema sowie Literatur). Dagegen sprechen auch nicht diejenigen relativ seltenen universalistischen Stellen des Alten Testaments, die nicht dem zentripetalen Modell der Völkerwallfahrt zuzuordnen sind; vgl. Jes 19,18-25; Zef 2,11; 1 Chr 16,28-31. Auch Jes 49,6 (der Gottesknecht als Licht der Völker) dürfte kaum eine Ausnahme darstellen; vgl. *F. Hahn*, a. a. O. 13.

[81] Das Frühjudentum, das die Auffassung dieser ältesten Gemeinde(n) stark bestimmt haben wird, verändert zwar das Bild gegenüber dem Alten Testament, jedoch nicht in den theologisch grundlegenden Zügen. *F. Hahn* (Mission 15-18, hier 18) betont zu Recht, daß das Bemühen des Frühjudentums um die Heiden in hohem Maß der Mission des Urchristentums den Weg gebahnt hat, daß dieses Bemühen aber „von einer Mission im eigentlichen Sinne zu unterscheiden" ist; vor allem liegt keine Analogie zu der für das Urchristentum konstitutiven Bewegung der Sendung vor. Insofern es bei Bemühungen des Frühjudentums um vollen Übertritt von Heiden darum ging, daß diese Juden werden sollten, liegt letztlich also auch hier wieder, wenn auch in ganz anderer Weise als in der Vorstellung von der Völkerwallfahrt, das „zentripetale" Denkmodell vor.

in Zusammenhang mit der Ablehnung, die Jesus von den führenden Schichten und weiten Teilen seines Volkes erfuhr.[82] Nachösterlich ist der innere Grund für diesen Umschwung vor allem in der Gottes- und Heilsverkündigung Jesu zusammen mit ihrer Transformation zu suchen: Es wird Ernst damit gemacht, daß Gottes Wirken (mit dem das des erhöhten Jesus jetzt verbunden ist) sich verströmende Liebe und deshalb von innen heraus „zentrifugal" ist, mit anderen Worten: Es wird Ernst gemacht mit dem schon in der Jahweoffenbarung erkennbaren Selbstmitteilungswillen Gottes. Die Dynamik der Basileia-Verkündigung als Strukturmoment des Jesuanischen ist im Zusammenhang damit gleichermaßen prinzipiell zentrifugal; es ist kein Grund zu finden, weshalb diese zentrifugale Dynamik an den religiös-nationalen Grenzen haltmachen sollte, die bei aller Anerkennung der Erwählung Israels bereits von innen heraus durch Jesus relativiert waren. Vor allem aber haben wir daran zu denken, daß die *ekklesía* des nachösterlichen Urchristentums (auf der Grundlage der Jüngergemeinschaft Jesu!) grundsätzlich andersartig ist gegenüber Zion-Jerusalem als dem Zielpunkt der alttestamentlichen „Völkerwallfahrt". Was diese Bedeutung Zions als des Zielpunktes der eschatologischen Völkerwallfahrt angeht, wird sie – vermutlich schon durch Jesus selbst[83] – transzendiert auf die Basileia als den Zielpunkt jesuanischer Verkündigung hin. Die urchristliche *ekklesía* (bzw. zunächst die *ekklesíai,* die Gemeinden) können zwar in spätneutestamentlicher Zeit in Versuchung sein, sich als *das* Volk Gottes, als das wahre Israel nach der Art des alten zu verstehen, das sie ablösen wollen, können jedoch vom jesuanischen und unmittelbar nachösterlichen Ansatz her nicht in dem Sinn wie Zion-Jerusalem Ziel einer „Wallfahrt" sein, in der die Völker ihr, der Kirche, zu huldigen und zu dienen hätten. Vielmehr ist die christliche *ekklesía* genau umgekehrt – in Solidarisierung mit der Proexistenz Jesu selbst – zur Dienstgemeinschaft für die Außenstehenden bestimmt. Sie hat der durch Ostern gegebenen universalen *Mitteilbarkeit* des Heils zur Realisierung zu verhelfen.

5.3.7.5 Während der nachösterliche Universalismus aus den beiden schon behandelten inhaltlichen Neuheitsaspekten nachösterlicher Transformation, dem theo-logisch-christologischen und dem soteriologischen, hervorgeht und sie umgekehrt wieder durchdringt, ist er (wie schon in der Vorbemerkung angedeutet wurde) in besonderer Weise *Voraussetzung* für den ekklesiologischen Neuheitsaspekt. Das universal-soteriologisch Neue bedarf

[82] Vgl. *F. Hahn* , Mission 31; *A. Polag*, Christologie 172.

[83] In Lk 13,28f par Mt 8,11f wird das Motiv der Völkerwallfahrt zum Zion umgeformt zu einem Zug der „Vielen von Osten und Westen" zum eschatologischen Mahl der transzendenten Basileia Gottes (und zwar im Kontext der Ansage des Unheils für Israel, vgl. *A. Polag*, Christologie 92, Anm. 291).

der Konkretion in den Raum und in die Geschichte hinein, wirkt sich also vor allem auf den dritten, den ekklesiologischen Neuheitsaspekt aus. Davon ist im folgenden Abschnitt zu handeln.[84]

5.4 Das nachösterlich-neue Evangeliale und Ekklesiologische als Voraussetzung für die Transformation jesuanisch-theologischer Strukturkomponenten. Eine dritte Grundlinie als Richtungsangabe

5.4.1 Vorbemerkung

Schon vorweg sei eine knappe, thesenhafte Antwort auf die Frage gegeben, wieso hier das „Evangeliale und Ekklesiologische" zum Schwerpunktthema dieser Arbeit, „Christologie und Soteriologie", hinzugenommen wird.
Das *Evangeliale* gehört zum Christologischen und Soteriologischen: weil Jesus von Nazaret der Verkünder der Basileia ist und weil Ostern diese seine Funktion zu bleibender Gültigkeit und Wirksamkeit bringt;
das *Ekklesiologische:* wegen der entscheidenden Bedeutung, die die Frage besitzt, ob Jesus als der auch nachösterlich Maßgebende und Wirkende gesehen wird und die Kirche dementsprechend in instrumentaler Funktion für *sein* Wirken erscheint.
Eine zweite Frage, die sich dem Leser aufdrängen mag, verlangt ebenfalls nach einer vorweggegebenen Beantwortung: Weshalb ist hier dem Ekklesiologischen – das bisher öfter[85] für sich als der dritte nachösterliche Neuheitsaspekt angesprochen wurde – das „Evangeliale" vorgeschaltet?
Das „Evangelium" – im weitesten Sinn, der auch die Botschaft der Taten und des Lebens des bzw. der Verkündenden einschließt – kann prägnanter Begriff sein für das sich selbst mitteilende und rettende Werk Gottes und Jesu Christi. Dann ist aber einer Isolierung der Kirche von ihrem theo-logisch-christologischen und soteriologischen Ursprung am besten gewehrt, wenn sie konsequent als eine Gemeinschaft aufgezeigt werden kann, die von vornherein (von der sie konstituierenden Berufung und Sendung her) die-

[84] Die nachösterliche Neufassung auch anderer Strukturkomponenten ist nicht sachgerecht möglich ohne ausreichende Berücksichtigung des (wenn auch in etwa „formalen") universalistischen Aspekts der nachösterlichen Transformation; das gilt vor allem für die Strukturkomponenten 5.9.10.16; auch 15 und 18.

[85] Freilich überall nur im Sinn einer Kurzform; vgl. für den hier gemeinten vollen (das Evangeliale als Voraussetzung mitumgreifenden) Sinn des „Ekklesiologischen" schon oben 2.3 und 4.5.5.

nend in das Werk Gottes einbezogen ist.[86] Diesem Anliegen will die Gliederungsanordnung dienen.

5.4.2 Das Evangeliale

5.4.2.1 Jesuanischer Ausgangspunkt für die konkretere Bestimmung der nachösterlichen Transformation des schon vor Ostern bedeutsamen evangelialen Aspekts ist Strukturkomponente 9 (J):

> Jesus als der prophetisch-charismatische Bote des Eschatologisch-Neuen;

und zwar in Verbindung mit dem *Inhalt* der evangelialen Botschaft Jesu, wie er in den Strukturkomponenten 3-6 (J) angegeben ist: Jesus verkündet die Basileia Gottes in ihrer eschatologischen Zukunft, die ihn zur Seligpreisung der Armen als der Erben der Basileia veranlaßt, und in ihrem schon gegenwärtigen Heilsangebot, das sich in seiner Zuwendung zu den Leidenden und Verachteten zeichenhaft-machtvoll verdichtet; seine Verkündigung Gottes als des Vaters zerstört die falschen Gottesbilder und ruft den Menschen, der dem liebenden und fordernden Gott ausweichen will, in die Metanoia als die Bedingung seines Heils.

5.4.2.2 In der nachösterlichen Transformation mußte zur Basileia Gottes als dem Inhalt der Botschaft Jesu die neue Weise ihrer Verwirklichung hinzukommen, die sich durch das Handeln Gottes in Leben, Tod und Auferwekkung Jesu sowie in der universalen Ermöglichung des Heils ereignet.[87] So stellt sich die Frage, inwiefern *dieses* Evangelium, das bekanntlich in zahlreichen nachösterlichen Versionen die Basileia gar nicht mehr ausdrücklich thematisiert und das etwa als „Evangelium vom Sohn Gottes"[88] erscheinen kann[89], noch befreiende Botschaft des Heils ist. Das nachösterliche Kerygma/Evangelium könnte solche Befreiung sicher nicht vermitteln, wenn es von seinem jesuanischen Ursprung abgelöst wäre. Die Transformation des evangelialen Aspekts der Wirksamkeit Jesu kann nur dann legitim sein, wenn nichts von der evangelialen Intention und der charismatischen Dynamik Jesu selbst als des singulären, nicht nivellierbaren Boten des Eschatologisch-Neuen verlorengeht, vielmehr alles in der nachösterlich-universalen Ermöglichung und Ausweitung zu bleibender Gültigkeit gelangt. Nichts von

[86] Vgl. oben 4.5.5.
[87] Das Hineinnehmen des christologischen Bekenntnisses in den Verkündigungsinhalt darf jedoch nicht dazu verleiten, den theozentrischen Skopus der Basileia-Verkündigung Jesu selbst an die zweite Stelle zu rücken oder überhaupt zu übersehen.
[88] Vgl. Röm 1,3.9.
[89] Vgl. auch unten 6.1.2.4 mit Anm. 100.

den mit der Basileia-Botschaft Jesu so eng verknüpften Grundhaltungen der Metanoia und Proexistenz sowie seiner antilegalistischen Offenheit darf seine Effizienz verlieren; das alles muß im Gegenteil neue Motivierung und neue Kraft gewinnen[90]: neue Kraft durch das Wirken des erhöhten Jesus in seiner Jüngergemeinschaft, die nur dann seiner eigenen Botenfunktion dienen kann, wenn sie an der prophetisch-charismatischen Kraft ihres Herrn partizipiert. Nur so kann das nachösterliche „Evangelium Jesu Christi und von Jesus Christus" noch die Dynamik der Botschaft vom Eschatologisch-Neuen entfalten.

5.4.3 Zur Vorordnung des Evangelialen vor dem Ekklesiologischen

Das Evangeliale ist dem Ekklesiologischen vorgeordnet, und das Ekklesiologische ist primär von seiner Funktion für das (im weitesten Sinn aufgefaßte) Evangeliale zu verstehen – das wurde schon in der Vorbemerkung als These ausgesprochen. Diese These ist jetzt weiter zu entfalten und abzustützen.

Fragen wir also ausdrücklich: *Wodurch ist das „Prae" des Evangelialen bedingt? Und wodurch ist es als theologisch sachgerecht zu erweisen, daß das Ekklesiologische in dieser Arbeit grundsätzlich mit dem Evangelialen zusammen – und unter Vorordnung des Evangelialen – genannt wird?*

Eine erste Antwort, die den komplexen Sachverhalt noch nicht ganz zu erfassen vermag, aber schon den Kernpunkt trifft, lautet: Das Evangeliale ist dem Ekklesiologischen vorgeordnet, weil der Jesus, der in seiner ganzen Existenz der Bote der Basileia ist – in Wort und Tat bis zum Tod und durch den Tod hindurch neu in seiner Erhöhung –, die Priorität gegenüber seiner Jüngergemeinschaft und ihrem Wirken besitzt: Sie ist dazu da, *sein* Werk weiterzuführen bzw. richtiger: es als sein „Werkzeug" durchzuführen. Wir müssen jedoch noch weiter zurückgehen: Das Evangelium ist der Kirche vorgeordnet, weil diese eingefügt ist in das evangeliale und rettende Werk Gottes selbst, der Jesus als *den* eschatologisch-entscheidenden Boten gesandt hat. Deshalb ist es unerläßlich, die Jüngergemeinschaft Jesu in diese Sendungslinie eingespannt zu sehen. Theozentrische Rückbindung des Ekklesiologischen an Gott ist notwendig, weil schon Jesus als der Herr seiner Jüngergemeinschaft in der Sendung seines Vaters steht, sein Werk also theozentrisch rückgebunden ist an Gott. Wenn die Kirche ihre Aufgabe für die Welt erfüllen will, dann muß dieser Vollzug ihres Dienstes in den großen, dynamischen Strom des Werkes Gottes selbst eingeordnet gesehen werden, des Werkes, das Gott schon durch seine Sprecher im Alten Bund begann und dessen

[90] Vgl. oben 5.3.5.

Heilsverheißung er in Jesus Christus unüberbietbar und unumkehrbar machte.
Diese Sicht des Verhältnisses zwischen dem Evangelialen und dem Ekklesiologischen setzt voraus, daß „evangelial" nicht eingeengt wird auf einen engeren Wortsinn; das würde schon mit der das ganze Leben Jesu selbst erfassenden Botenfunktion für die Basileia nicht in Einklang zu bringen sein. „Evangelium" meint hier das Werk Gottes, in dem die Verheißungen des Alten Bundes vor-erfüllt, endgültig in Kraft gesetzt werden und so Hoffnung schenken auf die endgültige, vollendende Erfüllung der Verheißungen. In abstrakterer theologischer Redeweise könnte „Evangelium" in diesem weiten Sinn sogar durch den Begriff der Selbstmitteilung Gottes wiedergegeben werden, die als solche die Sendung Jesu Christi und die seiner Jüngergemeinschaft umgreift. „Evangelium" als Aufgabe *der Kirche* ist dann ihr gesamter Lebensvollzug im Dienst der Selbstmitteilung Gottes, nicht nur das verkündigende Wort im engeren Sinn, sondern in Einheit mit ihm das Zeugnis der Agape und das Raumgeben für das Pneuma. Auch auf dieses umfassende Verständnis will der in dieser Arbeit verwendete Begriff des „Evangelialen" aufmerksam machen, der alles in sich einschließt, was dem Evangelium zugrunde liegt und was zu seinem Vollzug gehört.
Was bis jetzt über die christozentrisch-theozentrische Einordnung des Ekklesiologischen und damit das *Prae* des „Evangelialen" gesagt wurde, muß sich jedoch noch einem Einwand stellen[91]: Ist das *Prae* des Evangelialen wirklich in diesem strengen Sinn notwendig für den nachösterlichen Glaubensvollzug der Kirche? Könnte das Eigengewicht der Kirche und des ihr geschenkten Geistes nicht doch, selbst dem Evangelium gegenüber, stärker zur Geltung gebracht werden?[92]

[91] Dieser Einwand wird hier nicht ohne Grund zur Sprache gebracht, vor allem im Hinblick auf Diskussionen zur Theologie der Dogmenentwicklung (in der Neuzeit bis zum II. Vaticanum und darüber hinaus; vgl. *K. Rahner*, Art. Dogmenentwicklung, in: LThK III 457-463, bes. die Übersicht über die Theorien, 459f). Das II. Vaticanum hat zwar in Art. 10 der Offenbarungskonstitution festgestellt, daß das kirchliche Lehramt nicht über dem Wort Gottes steht, sondern ihm dient; es hat vor allem das Voranschreiten des Wortes in der Zeit der Kirche „nicht einfach als eine Funktion der Hierarchie angesehen", es erscheint vielmehr „ im gesamten Lebensvollzug der Kirche verankert" (*J. Ratzinger*, Kommentar zur Offenbarungskonstitution 520). Jedoch dürfte die Diskussion dadurch noch nicht abgeschlossen sein, zumal im Konzil das traditionskritische Moment – „die ausdrückliche Nennung der Möglichkeit entstellender Tradition und die Herausstellung der Schrift als eines *auch* traditionskritischen Elements im Innern der Kirche ... und ... damit eine nach dem Ausweis der Kirchengeschichte höchst wichtige Seite des Traditionsproblems, vielleicht der eigentliche Ansatzpunkt der Frage nach der ecclesia semper reformanda" – übergangen worden ist (*J. Ratzinger*, a. a. O. 524). Eine Vermittlung zwischen dem in meiner Arbeit vorgelegten Konzept mit dem in dem Kommentar von Ratzinger skizzierten sehe ich als Problem, das noch aufzuarbeiten ist; ein Versuch hierzu ist für den II. Band vorgesehen.

[92] Das heißt: Könnte das Wirken des Geistes nicht doch vielleicht so eng mit dem faktischen Wirken der Kirche verbunden sein, daß eine traditionskritische Hinterfragung nicht mehr möglich

Das entscheidende Argument in dieser Frage ergibt sich aus der unerläßlichen Rückbindung der Kirche an ihren gestaltgebenden Ursprung, aus der Notwendigkeit, daß die nachösterlichen christologisch-soteriologischen Strukturen den jesuanischen konform sind, also eine legitime Transformation darstellen. Jener Einwand könnte nur dann recht haben, wenn der erhöhte Christus als Herr der Kirche vom irdischen Jesus getrennt würde. Aber es geht gerade im Lebensvollzug der Kirche darum, daß die Intentionen Jesu von Nazaret zur Geltung gebracht werden; es geht um das Heilsangebot der „Gemeinschaft mit Gott durch Gemeinschaft mit Jesus" – mit dem Jesus, der der Gekreuzigte und Auferweckte in Identität ist. Der Geist Jesu von Nazaret und der des erhöhten Jesus Christus sowie seiner Kirche können nicht in Gegensatz zueinander stehen und dürfen nicht in Gegensatz zueinander gebracht werden, auch nicht durch ein starres Festhalten am Buchstaben der Tradition, das keineswegs dasselbe ist wie Treue zur Tradition. (Und sicherlich darf auch umgekehrt bei dem Versuch, die uns aus der synoptischen Tradition bekannte Intention Jesu durchzuhalten, nicht dasjenige Wirken des Geistes beeinträchtigt werden, das der Gemeinde in ihrer jeweiligen geschichtlichen Situation zuteilt, was ihrem Erfahrungshorizont, ihren Nöten und ihrer Hoffnung entspricht.)
Wenn die eschatologische Botenfunktion Jesu, in der seine heilbringende Funktion beschlossen ist, durch seine Auferweckung und Erhöhung zu bleibender Gültigkeit gelangt und nicht in einem „Weitergehen seiner Sache" *aufgeht,* dann muß jede Institution seiner nachösterlichen Jünger trotz aller ihr gegebenen Vollmacht der Souveränität ihres Herrn und *seines* Evangeliums nach- und untergeordnet sein. Das „Evangelium" ist als Werk des mit Jesus von Nazaret identischen erhöhten Herrn erkennbar, bevor die Kirche als selbständige theologische Größe ins Blickfeld tritt. Und auch nachdem dies geschehen ist, dürfen die Prioritäten nicht umgekehrt werden.[93]
Fassen wir zusammen: Das Evangeliale und das Ekklesiologische sind zusammenzusehen, weil die Kirche innerhalb ihrer Sendungslinie und zusammen mit ihrer Aufgabe gesehen werden muß – weil das Evangelium der Verkündiger bedarf und der Gemeinschaft, die die Verkündigung trägt. Das

wäre – daß ihr Glaubensvollzug und ihre Dogmenentwicklung dem (durchaus im weiten Sinn gefaßten) „Evangelium" nicht eigentlich untergeordnet wären?

[93] Ein Hinweis zur Konkretisierung dieses Gedankens: Bekenntnisformulierungen des Glaubens „an die Kirche", wie sie sich später im Zusammenhang der Glaubensbekenntnisse herausbilden („credo. . .in. . .ecclesiam"), können sicherlich nicht als illegitim bezeichnet werden, gehören jedoch nicht zu den primären jesuanischen und nachösterlichen Strukturen und müssen sich also auf eine Stellung beschränken, die nur in Einordnung in die primären theo-logischen und christologischen Strukturen legitim sein kann. Die Kirche kann von dem Ursprung her, den das Jesuanische zusammen mit dem theologischen Kern der Auferweckungserfahrung bildet, nicht im primären Sinn als Inhalt des Evangeliums, geschweige denn als *der* Inhalt des Evangeliums, angesehen werden.

evangeliale Werk Gottes, das als heilshafte Dynamik verstanden werden muß, ist nicht für die Kirche da, sondern die Kirche für das evangeliale Werk Gottes – bei allem relativen Eigengewicht, das die nachösterliche Jüngergemeinschaft wegen ihrer Verantwortlichkeit als sichtbares Werkzeug des irdisch nicht mehr sichtbaren Herrn hat. Doch damit sind wir beim Thema des nächsten Abschnitts.

5.4.4 Das Ekklesiologische

5.4.4.1 Die jesuanischen Ausgangspunkte für das Nachösterlich-Ekklesiologische sind vor allem in den Strukturkomponenten 15 und 16 (in Verbindung mit 10) enthalten:

15 (J): Heilsentscheidende Bedeutung der Solidarisierung mit Jesus
16 (J): Jesusnachfolge und Sich-Exponieren für Jesus und seine Botschaft

Die jesuanische Basis für das nachösterlich-neue Ekklesiologische liegt also im Verhältnis der Anhänger Jesu zu ihm selbst – *in den beiden Grundformen der Solidarisierungsgemeinschaft und der Nachfolgegemeinschaft.*
Der Ruf zur Solidarisierung mit Jesus als Bedingung der Rettung erging an alle im Gottesvolk Israel; die Nachfolgegemeinschaft bezieht sich auf einen begrenzten Kreis, der sich mit-verkündigend und mit-wirkend (vielleicht auch bei manchen Jüngern in nach außen kaum hervortretendem Dienst) für Jesus engagierte – jedenfalls auf einen Kreis von Menschen, von denen Jesus in spezifischer Weise Engagement für seine Intentionen (und damit auch glaubend-vertrauendes Sich-Einfühlen in diese Intentionen) erwartete.

5.4.4.2 Für die nachösterliche Transformation muß die *bleibende Gültigkeit* des Rufs zur *Solidarisierung mit Jesus* (Strukturkomponente 15 [J]) postuliert werden. Jetzt konstituiert dieser Ruf aber die Gemeinschaft der (wegen ihrer Solidarität mit Jesus) auch untereinander solidarischen Glaubenden. Schon unabhängig von der Frage, wie das Verhältnis dieser neuen Gemeinschaft der an Jesus als den Auferweckten glaubenden Menschen zum alten Israel gedacht wurde – im Zuge der Konfrontation und des bald beginnenden Prozesses der Ablösung –, mußte diese Gemeinschaft der Sich-Solidarisierenden (von der in der Auferweckungs-Transformation gemeinten „Sache" her) vom Wirken des erhöhten Jesus erfüllt sein.[94]
Die *Jesusnachfolge* (Strukturkomponente 16 [J]) wird nachösterlich in verschiedene Einzelzüge des Komplexes „Ekklesiologie" hinein transformiert

[94] Das wird unten – in den Unterabschnitten 5.4.4.3 bis 5.4.4.5 – noch weiter ausgeführt werden.

werden müssen. Sicherlich geht sie auch in die umfassende Solidaritätsgemeinschaft aller glaubenden und sich zu Jesus bekennenden Menschen (Strukturkomponente 15 [J]) ein, von der soeben die Rede war. Von der jesuanischen Grundbedeutung der Nachfolgegemeinschaft als eines engeren Kreises[95] her gibt es jedoch eine Transformationslinie, die wohl sogar als die Hauptlinie der Transformation der Nachfolgemeinschaft angesehen werden muß: grundlegend schon durch die maßgebenden Zeugen der Auferwekkungserfahrung – und darüber hinaus durch alle, die sich in spezifischer Weise für den Christusglauben und die Gemeinde engagieren; aber auch das Streben nach der Konformität mit den Intentionen Jesu gehört nachösterlich zur Transformation dieser jesuanischen Strukturkomponente „Nachfolge" (wobei diese Konformität von der Sache her nicht als ausschließliches Spezifikum der sich äußerlich sichtbar Engagierenden angesehen werden darf).

Auch nachösterlich ist es also nicht unberechtigt, durch die Transformation der jesuanischen Grundformen „Solidarisierungsgemeinschaft" (Strukturkomponente 15) und „Nachfolgegemeinschaft" (Strukturkomponente 16) einen weiteren Kreis und einen engeren, dem Werk Jesu auch in ausdrücklichem Engagement verpflichteten, zu erschließen. *Diese Differenzierung darf jedoch für die nachösterliche Transformation der jesuanischen Ansätze nicht als die Hauptsache angesehen werden.* Die Transformation der jesuanischen „heilsentscheidenden Solidarisierung mit Jesus" *und* die der jesuanischen Nachfolgegemeinschaft lassen erst *zusammen* die nachösterliche Jüngergemeinschaft als ganze in ihren Konturen erkennen, als brüderliche, insgesamt den Intentionen Jesu verpflichtete Gemeinschaft. Bei der Transformation der Strukturkomponente der „Solidarisierung" und der Strukturkomponente der Nachfolge, die wir zunächst getrennt in den Blick zu bekommen versuchten, dürfen die Überschneidungen und gegenseitigen Verschränkungen auf keinen Fall übersehen werden: Insofern die Jüngergemeinschaft Dienstgemeinschaft für die Welt ist, braucht sie die eigene Bekenntnisgemeinschaft als „Raum" für das Empfangen der Kraft, die vom bei Gott lebenden Jesus Christus kommt;[96] und umgekehrt gilt die Verpflichtung zum Dienst nicht nur dem engeren Kreis, sondern allen, die sich mit Jesus und seiner Jüngergemeinschaft solidarisieren.

5.4.4.3 Wenn wir jetzt auf eine Grundlinie des Nachösterlich-Ekklesiologischen hinarbeiten wollen, so ist dafür – in Aufnahme und Weiterführung des

[95] Mit dem auf die theologische Größe „Jüngergemeinschaft" sich beziehenden Singular „eines engeren Kreises" soll jedoch nicht zu der Frage Stellung genommen werden, ob bzw. in welcher Weise dieser engere Kreis historisch gesehen in sich differenziert gewesen sein könnte.

[96] Das kann schon hier im Vorgriff auf die Abschnitte 5.4.4.3 bis 5.4.4.5 gesagt werden.

Ansatzes, der durch die jesuanischen Ausgangspunkte und ihre zu postulierende Transformation gewonnen wurde – das Folgende festzuhalten.
Erstens: Für die zu gewinnende ekklesiologische Grundlinie muß die Konsequenz aus der Tatsache gezogen werden, daß der erhöhte Jesus nicht mehr irdisch-sichtbar wirkt, daß also die Gemeinschaft seiner Jünger eine unersetzbare instrumentale Funktion erlangt;
zweitens muß der Kernpunkt der nachösterlichen Transformation – daß der erhöhte Jesus aus dem Geheimnis Gottes heraus auf heilshafte Kommunikation hin wirkt – die entscheidende Vorbedingung der anzustrebenden ekklesiologischen Grundlinie bilden und gleichzeitig ihre theologische Struktur bestimmen.
Außerdem ist für die Grundlinie als weitere, gleichgewichtige Komponente noch das Ergebnis zu berücksichtigen, das bereits der Abschnitt 5.4.3 erbracht hat: Das Ekklesiologische ist eingespannt in das evangeliale Werk Gottes.

Zum ersten Punkt:
Das Nachösterlich-Ekklesiologische ist, wie wir schon sahen[97], eng mit dem Soteriologischen verknüpft und von ihm abhängig. Aber es bietet über die allgemeinen Grundlinien nachösterlicher Soteriologie hinaus eine notwendige Konkretion: Das anfanghafte Heil, das in der Jesuszeit an die sichtbare Kommunikation mit Jesus selbst gebunden war, muß jetzt, da er nicht mehr irdisch sichtbar ist, seinen theologischen Ort wesentlich in der nachösterlichen Gemeinschaft seiner Jünger haben. Das Heilswerk, das auf dem Selbstmitteilungswillen Gottes beruht, ist durch und durch von einer prinzipiellen Kommunikationsstruktur geprägt, die den Dienst der nachösterlichen Glaubenden unumgänglich notwendig macht.
Das Heil Jesu, das in Gottesgemeinschaft durch die Gemeinschaft mit ihm, Jesus, selbst besteht, ist weiterhin auch bezüglich der an ihn Glaubenden theologisch-strukturell auf Gemeinschaft hin angelegt und niemals nur individualistisch-privatistisch zu verstehen. Dieser zwischenmenschliche Gemeinschaftsaspekt des nachösterlichen Heils geht von der Sache her über den Rahmen der Jüngergemeinschaft Jesu hinaus, da die Jünger wie Jesus selbst auf die ganze Welt hin geöffnet sein müssen; aber die Jüngergemeinschaft ist und bleibt als Ort der mit Jesus und untereinander verbindenden „Erinnerung an Jesus“ und als Werkzeug des Wirkens des erhöhten Jesus doch der primäre theologische „Ort“ bzw. „Raum“ für die Wirksamkeit des bei Gott lebenden Jesus. Diese Gemeinschaft ist der „Ort“, an dem das Heil den Menschen im „Regelfall“ ergreift; denn entsprechend den anthropolo-

[97] Oben 4.5.5. In dem jetzigen Kapitel 5 können die Abschnitte 5.3.7 und 5.4.1 verglichen werden.

gischen und vor allem auch offenbarungsgeschichtlich (alttestamentlich und jesuanisch) notwendigen Voraussetzungen braucht es den „Raum“ einer Gemeinschaft als Wirk-Raum. Insofern kann man die Kirche den nachösterlich durchgängig notwendigen „Wirk-Raum des Heils“ nennen.

Zum zweiten Punkt – bzw. zum zweiten Schritt für die Vorbereitung der Grundlinie, der noch ausdrücklicher christologische Züge trägt:
Von dem Kernpunkt der nachösterlichen Transformation her, demzufolge der auferweckte Jesus jetzt aus dem Geheimnis Gottes heraus heilshaft wirksam ist, mußte die gesamte Gemeinschaft der sich mit Jesus und untereinander solidarisierenden Glaubenden der Wirk-Raum *Jesu Christi* werden, in dem die Seinen die Vor-Erfüllung des Heils[98] empfangen; sie ist der „Raum“, in dem sie darüber hinaus die Kraft des Pneumas und brüderliche Hilfe für das immer neue Suchen nach der durch Jesus Christus grundlegend ermöglichten Gottesgemeinschaft erhalten, Hilfe und Kraft nicht zuletzt auch für das Durchhalten der Hoffnung auf die Vollendung des Heils (und, wie wir hinzusagen müssen, der Hoffnung und des Vertrauens auf die von Gott her kommende Kraft, den Menschen außerhalb der Jüngergemeinschaft schon jetzt dienen und helfen zu können).

So ist die nachösterliche Gemeinde bzw. die Kirche als eine Gemeinschaft zu erschließen, die mit dem erhöhten Jesus Christus lebendig verbunden ist und in der er wirksam ist; dabei ist es zunächst nicht von entscheidender Bedeutung, ob diese Wirksamkeit mehr implizit im Christusglauben verborgen ist oder wieweit sie (wie es im weiteren Verlauf in steigendem Maße der Fall ist) explizit erfaßt wird bzw. welche Ausdrucksmittel für sie vorhanden sind und angewendet werden. Es ist ja durch die historisch wechselnden Gemeindesituationen und Problemzusammenhänge vorgegeben, daß nachösterlich neue Formen der Solidarisierung mit dem Evangelium, der Jüngergemeinschaft und dadurch mit Jesus Christus selbst notwendig werden. Für die Legitimität der nachösterlichen Transformation des jesuanischen gemeinschaftstheologischen und damit keimhaft „ekklesiologischen“ Ansatzes ist es freilich entscheidend, daß die nachösterliche Jüngergemeinschaft, die Gemeinde bzw. „Kirche“ *genauso theozentrisch bestimmt* (und damit der Intention Jesu selbst verpflichtet) bleibt, wie es die vorösterliche Anhänger-

[98] Vgl. die Strukturkomponente 5 (J) (oben 3.5.2.4) „Das Verkündigungswirken Jesu als... Vor-Realisierung... der Verheißungen“. Auch in der nachösterlich-ekklesiologischen Transformation ist die bleibende Gültigkeit dieser jesuanischen Strukturkomponente festzuhalten und durchzuhalten. Die alttestamentlichen Verheißungen sind zwar auch durch das Wirken des erhöhten Jesus in seiner Kirche noch nicht im Sinn der eschatologischen Vollendung erfüllt; es kann aber von einer Vor-Erfüllung gesprochen werden: s. oben 5.3.5.

schaft Jesu aufgrund seines Wortes und der Solidarität mit seinem Werk und mit seiner eigenen Ausrichtung auf den Vater gewesen ist.[99]

5.4.4.4 *Die Grundlinie der Transformation jesuanischer Sachverhalte zum nachösterlich-expliziten Ekklesiologischen* ergibt sich jetzt als Zusammenfassung. Sie muß eine Konsequenz aus der soteriologischen Grundlinie „Gemeinschaft mit Gott durch Gemeinschaft mit Jesus" darstellen: Angebot und Wirksamwerden des „Heils als Gemeinschaft mit Gott durch Gemeinschaft mit dem erhöhten Jesus Christus" können sich nachösterlich (so muß für diese Grundlinie postuliert werden) nicht ohne die Gemeinschaft der Jünger Jesu realisieren; *diese „Kirche" genannte Jüngergemeinschaft ist eingespannt in jene Grundlinie des evangelialen Werkes Gottes; sie hat nach innen und nach außen eine unersetzbare instrumentale Funktion für das Angebot und die Vor-Erfüllung des in der Gottesgemeinschaft bestehenden verheißenen Heils* und für die lebendige Hoffnung auf ihre Vollendung. Die Kirche kann sich nicht auf ihr eigenes Innenleben beschränken, *vielmehr ist der Dienst am Universalismus des nachösterlichen Heils integrierender Bestandteil ihrer Aufgabe.* Im Vollzug ihrer instrumentalen Funktion für das Heilswirken des bei Gott lebenden Jesus muß die Kirche – das gehört zur Grundlinie des nachösterlich-neuen Ekklesiologischen notwendig hinzu – *in der Weise in Entsprechung zu Jesus stehen, daß die Christologie nicht verzerrt, sondern daß Jesus Christus selbst zusammen mit seinen Intentionen transparent wird.* Nur so kann Jesus Christus in ihr und durch sie wirken. Diese Grundlinie kann also zusammenfassend in der folgenden Weise – wiederum in einer Kurzformel – ausgedrückt werden:

Die nachösterliche Jüngergemeinschaft ist Wirk-Raum und (lebendiges) Werkzeug Jesu Christi – dienend eingespannt in das evangeliale Heilswerk Gottes.

5.4.4.5 Ein bereits in der ersten Umschreibung der „Grundlinie" enthaltener Aspekt soll jetzt noch weiter verdeutlicht werden, nämlich das Miteinander der Richtungsangaben „nach innen" und „nach außen" für die Funktion der Kirche. Im Zusammenhang damit ist ihre in der „Grundlinie" implizierte charismatische Struktur noch eigens hervorzuheben.
Die nachösterliche Jüngergemeinschaft bzw. die Kirche muß zufolge der Grundlinie als Gemeinschaft der mit Jesus und seinen Intentionen solidarischen Menschen verstanden werden, die sich öffnen für den aus dem Ge-

[99] Der Gegenpol wäre eine von vornherein verfehlte Ekklesiozentrik oder wohl eher eine einseitige Christozentrik, die dann zu einer verdeckten Ekklesiozentrik führt. – Der Problemkontext wird in Band II ausführlicher skizziert werden müssen.

heimnis Gottes heraus wirkenden Jesus. Wenn die Kirche in dieser Weise als „Raum" für das Wirken Gottes und Christi in ihrer eigenen Mitte – also innerhalb des von Gott geschaffenen neuen „Volkes" aus Glaubenden, das sie darstellt – verstanden werden kann, so lenkt das den Blick nachdrücklich auf den Innenraum der Gemeinde: legitimerweise, jedoch so stark, daß diese Sicht der Kirche als des „Wirkraums" Jesu Christi vor dem Mißverständnis geschützt werden muß, sie sei eine sich selbst genügende, nach außen mehr oder weniger abgeschlossene oder gar abgekapselte Heilsgemeinschaft. Trotz aller Kontinuität mit Israel darf also ihre gegenüber dem alten Gottesvolk neue und andersartige Struktur nicht übersehen werden,[100] vor allem nicht die Proexistenz für die Welt, durch die sie infolge der Sendungsgemeinschaft und der Kommunikation mit dem proexistenten Jesus ganz bestimmt ist. So darf die Sicht der Kirche als des Wirk-Raums Jesu Christi für die Glaubenden selbst (die aufgrund unseres Verständnisses der Auferweckung als der „Aufnahme Jesu in das wirkmächtige Geheimnis Gottes" sowie aufgrund der Transformation der Strukturkomponente „Solidarisierung mit Jesus" [Nr. 15] gewonnen wurde) nicht ohne das Korrektiv bleiben, das sich aus der Transformation der Nachfolgebindung an Jesus (Strukturkomponente 16) ergibt: Der Begriff „Wirk-Raum Jesu Christi" bedarf der Korrelat- und Korrektivbegriffe „Jüngergemeinschaft" sowie „Sendungs- und Dienstgemeinschaft mit Jesus für die Welt"; anders gesagt: Die Sicht der Kirche als des „Wirk-Raums Jesu Christi für die Glaubenden selbst" braucht die Ergänzung durch den schon in der Grundlinie mit ihr verknüpften instrumentalen Charakter – die Kirche ist Wirk-Raum *und lebendiges „Werkzeug"* Jesu Christi als des Heilbringers für die Welt. Das evangeliale Wirken Gottes realisiert sich zwar grundlegend bereits im Innenraum der Gemeinde. Aber es bleibt nicht bei ihr stehen, sondern will aus ihr, der durch das Wirken Gottes und Jesu Christi lebendigen Jüngergemeinschaft, nach außen ausstrahlen.[101]

Die nachösterliche Gemeinde lebt (bzw. in noch mehr gefüllter Bedeutung: „ist lebendig") durch das Wirken Gottes und Jesu Christi – damit ist schon ihre charismatische Struktur angesprochen. Sie soll jetzt noch ausdrücklich ins Auge gefaßt werden. Auch diese charismatische Struktur ist im Zuge der Transformation einer jesuanischen Strukturkomponente zu postulieren, und zwar der Auffassung Jesu *als des „prophetisch-charismatischen Boten des Eschatologisch-Neuen"*. Wir sahen schon (oben in 5.4.2), daß die in die-

[100] Vgl. oben 5.3.7 zum Thema des nachösterlich-neuen Universalismus. – Hiermit soll der vor allem seit dem II. Vaticanum geläufigen Kennzeichnung der Kirche als des „Volkes Gottes" (das im Sinn des Konzils durchaus missionarisch für die Welt geöffnet ist) keineswegs ihre Berechtigung bestritten werden.

[101] Vgl. *W. Thüsing*, Aufgabe der Kirche 66-73; *ders.*, Zugangswege 283-287, bes. 285f.

ser Strukturkomponente ausgesagte eschatologische Botenfunktion Jesu den Ausgangspunkt für das nachösterlich-neue evangeliale Werk Gottes und Jesu Christi bildet; in unserem jetzigen Zusammenhang haben wir zu beachten, daß (wiederum: entsprechend dem Prinzip der nachösterlichen Transformation) auch der charismatische Charakter der grundlegenden und alles bestimmenden Botenfunktion Jesu sich in der nachösterlichen Jüngergemeinschaft widerspiegeln und ausprägen muß: Der charismatische Charakter der Funktion Jesu für die Basileia transformiert sich in die Charismen der Gemeinde hinein. Diese Charismen sind zum Glauben und zum Dienst geschenkte Gnaden*gaben* und schon dadurch Ausdruck dafür, daß die Gemeinde sich ingesamt dem souveränen Wirken Gottes durch Jesus Christus verdankt. Der erhöhte Jesus schafft sich die Kirche als sein „Werkzeug", indem er ihr die Lebendigkeit des Pneumas schenkt, deren sie für ihren Glauben und ihren Dienst bedarf. Die Transformation der „gemeinschaftstheologischen Aspekte der vorösterlichen Jesusbewegung" muß offen sein für die Ausdrucksweisen des Pneumawirkens, das der Gemeinde einerseits die Präsenz des Kyrios Jesus in ihrer Mitte erfahrbar macht[102] und andererseits ihre zeugnisgebende und das Heil der „Gemeinschaft mit Gott durch Gemeinschaft mit Jesus" erschließende Ausstrahlung nach außen ermöglicht. Noch etwas ist hinzuzusagen: Der charismatische Charakter der Kirche betrifft sowohl die Gemeinde als ganze als auch den engeren Kreis der sich für das

[102] Das *Sakramentale* in der Kirche (im engeren Sinn), wie es von den neutestamentlichen Schriften an als Ausdruck der heilshaften Gegenwart des erhöhten Jesus Christus erkennbar ist, kann von unserem methodischen Ansatz aus (der durch die jesuanischen theologischen Strukturen und ihre „nachösterliche Transformation" bestimmt ist) nicht postuliert, wohl aber kann der Raum dafür offengehalten werden. Für die Kirche *als ganze* kann freilich das erschlossen werden, was man später als ihre sakramentale Dimension (im weiteren Sinn) verdeutlicht, insofern sie durch das „Zusammenwirken von Jesus und Gott" – durch das Pneuma-Wirken Gottes und Jesu Christi – bestimmt bzw. in dieses Wirken einbezogen ist. Sakramente im engeren Sinn des Wortes müssen dann von der theo-logischen bzw. christologisch-soteriologischen Wirklichkeit der Gemeinde her verstanden werden. Sie sind Höhepunkte oder auch „Knotenpunkte" des Pneuma-Wirkens innerhalb der Kirche und eingebunden in ihre anderen ebenfalls vom Pneuma bestimmten Lebensäußerungen. In den gottesdienstlichen Vollzügen der Gemeinde geht es nicht um etwas von ihrem sonstigen Leben Isoliertes, sondern gerade umgekehrt um zentrale Lebensäußerungen, in denen das Pneuma wirksam ist auf das „Gesamtopfer" (Röm 12,1) hin. Die Strukturkomponenten 15 und 16, von denen in diesem Abschnitt ausgegangen wurde, sind Ansatzpunkte für ein solches Offenhalten der theologischen Möglichkeit und Legitimität des Sakramentalen im engeren Sinn, und zwar im Zusammenhang der Strukturkomponenten 4 (T) und vor allem 9 (T).
Zu den vom Pneuma gewirkten Ausdrucksweisen für die Präsenz des erhöhten Jesus ist andererseits aber auch *das Zur-Geltung-Bringen der Exusia Jesu Christi innerhalb der Gemeinde* zu rechnen, das sich aus der Transformation von Strukturkomponente 10 ergibt: denn auch die Transformation der Exusia Jesu von Nazaret kann nicht ohne das nachösterlich-neue Ekklesiologische gedacht werden.

evangeliale Werk Gottes und Jesu spezifisch Engagierenden, den wir oben[103] erschließen konnten.[104]

5.4.4.6 Abschließend muß noch auf einen Aspekt hingewiesen werden, der keinesfalls vernachlässigt werden darf: auf eine durchgängige Grundbedingung des nachösterlich-neuen Ekklesiologischen, die sich schon aus der Grundlinie ergibt, die aber jetzt gewissermaßen als Vorzeichen über alle weitere ekklesiologische Reflexion gesetzt werden muß: *die gegenseitige Entsprechung, ja Interdependenz von Ekklesiologie und Christologie.* Diese Interdependenz hat bereits – offen oder verborgen – alles durchzogen, was bislang über das Ekklesiologische gesagt werden konnte (wie sie ja auch schon den vorigen Abschnitt über das Verhältnis des Evangelialen und des Ekklesiologischen bestimmte); sie ist auch weiterhin notwendig, da das Ekklesiologische grundsätzlich in seiner Relevanz für Christologie und Soteriologie zu betrachten ist. Es muß erkannt werden, daß eine bestimmte Ausprägung von Ekklesiologie auf die zugrundeliegende Christologie zurückschließen läßt und umgekehrt. Ekklesiologie bildet ein notwendiges Korrelat jeder Christologie, die durch den Glauben an Auferweckung und Erhöhung *des* Jesus bestimmt ist, der jetzt aus dem Geheimnis Gottes heraus in neuer Weise in die Welt hineinwirkt;[105] mehr noch: Sie bildet mit einer so verstandenen Christologie letztlich eine untrennbare Einheit, in der die Christologie freilich immer die Priorität behalten muß.[106]

[103] Zum Schluß von Unterabschnitt 5.4.4.2.

[104] Außer den Strukturkomponenten 15 und 16, von denen wir ausgingen, ist jetzt auch die ekklesiologische Relevanz von 9 und 10 (T) erkennbar geworden. Darüber hinaus wurde die von Strukturkomponente 14 (T) (nachösterlicher Universalismus) und die von 17 (T) (nachösterliche Schicksalsgemeinschaft mit dem Gekreuzigten) bereits eingebracht.

[105] Nur in einem exklusiv „jesulogischen" Denkmodell, das den Auferweckungsglauben ausklammert oder sogar eliminiert, könnte das Ekklesiologische vielleicht entbehrt werden – und auch dort wird es noch Ersatzmodelle für Ekklesiologie geben.

[106] Zur Interdependenz von Christologie und Ekklesiologie sei hier nur – zunächst ohne kritische Wertung – eines der signifikantesten Beispiele genannt: Eine Deszendenz-Christologie – das heißt: eine Christologie, in der vorwiegend die Linie der von Gott ausgehenden Sendung betont wird, die dem Sohn Gottes seine göttliche Würde und Macht verleiht, die er seinerseits dann an die Kirche weitergibt (es handelt sich hierbei um die Grundgestalt der klassischen dogmatisch-christologischen Tradition) – ruft notwendig eine ausgesprochene Deszendenz-Ekklesiologie hervor; in dieser wird die Weitergabe des von Gott kommenden Anspruchs und der von Gott kommenden Gnade stärker betont als die antwortend-dienende Dynamik der Kirche als der Jüngergemeinschaft Jesu; umgekehrt werden Vertreter einer solchen Deszendenz-Ekklesiologie kaum eine Christologie entwickeln, die bei Jesus selbst die antwortende Hinwendung zu Gott gleichwertig herausarbeitet.

5.5 *Achtzehn Strukturkomponenten von Christologie und*

5.5.1 Tabelle der zweiten Reihe von Strukturkomponenten bzw. Kriterien (in

---

Erste Reihe von Kriterien: Theologische Strukturen von Botschaft, Wirken und Leben Jesu von Nazaret

---

1 (J) Ein durchgängig wirksames Strukturprinzip:
Spannungseinheit von eschatologisch-charismatischem Zur-Geltung-Bringen des Anspruchs Gottes und eschatologisch-charismatischem „Schenken von Freiheit" – im Zusammenhang des Eschatologisch-Neuen der Sendung Jesu

–

A. Eschatologie und Theozentrik Jesu

---

2 (J) Verankerung des Jesusgeschehens in der Geschichte Jahwes mit Israel: Jesus als jahwegläubiger Jude

3 (J) Eschatologische Zukunft der Basileia Gottes (und eschatologische Zukunft Jesu) – Heil und Gericht

4 (J) Die Ankündigung der andrängend „nahe herbeigekommenen" Basileia: gegenwärtiges Heilsangebot und gegenwärtige Befreiung vom Bösen durch Jesus – gegenwärtiger Anspruch Gottes durch Jesus (vgl. Nr. 9 im Zusammenhang von 7-10)

5 (J) Die Basileia-Verkündigung Jesu im Verhältnis zur alttestamentlichen Verheißung: Das Verkündigungswirken Jesu als zeichenhafte Vor-Realisierung und damit letztgültige Zusage der alttestamentlichen Verheißungen (die im Sinne Jesu auf die in der Zukunft vollendete Basileia zielen). Trotz der eschatologisch-neuen Vor-Realisierung keineswegs Voll-Erfüllung: deshalb „Verheißungsüberschuß"

6 (J) Basileia-Verkündigung *als Verkündigung Gottes* – und zwar als des Vaters. Destruktion der falschen Gottesbilder

---

B. Die keimhafte Christologie Jesu von Nazaret

---

7 (J) [Der Mensch für Gott:] Relation Jesu zu Gott als seinem Vater (singuläre dialogische Theozentrik). Bejahung der Sendung: Gehorsam, Vertrauen, „Glaube" –

Zweite Reihe von Kriterien: Strukturen von Christologie und Soteriologie in nachösterlicher Transformation

1 (T) Das durchgängig wirksame Strukturprinzip – nachösterlich:
[I. *Christologisch:*] Bleibende Gültigkeit und Wirksamkeit der polaren Einheit von Bejahung Gottes und Bejahung des Menschen beim erhöhten Jesus Christus selbst: Vollendung der Theozentrik – Vollendung der Proexistenz (in der Spannungseinheit gründend, die sich durch die Aufnahme des Menschen Jesus in das Innerste des Geheimnisses Gottes ergibt).
[II. *Nachfolgetheologisch und ekklesiologisch:*] Gabe und Aufgabe für die Christen und die Kirche, die jesuanische Spannungseinheit in der Gemeinschaft mit dem erhöhten Jesus Christus und in seiner Kraft durchzuhalten (in Glaube *und* praktizierter Freiheit der Agape, im Ja zum Kreuz Jesu *und* zur Schöpfungswirklichkeit). Funktion der Kirche für das evangeliale Heilswerk Gottes und Jesu Christi – in der Spannung von Exusia *und* Diakonia

A. Nachösterliche Eschatologie und Theozentrik (zugleich die Basis der nachösterlichen Soteriologie)

2 (T) Christologische Transformation und Bekräftigung (nicht Beseitigung!) der Glaubensstruktur des Jahwebundes (vgl. Nr. 7 und 11); christlicher Glaube als Emunā; Bekenntnis der Gemeinde Jesu zu dem *einen* sich selbst mitteilenden Gott; Bemühung um die Kontinuität von Altem und Neuem Testament

3 (T) Festhalten der Hoffnung auf das zukünftig-eschatologische Heil Gottes, dabei aber Qualifizierung dieses *zukünftigen* Heils (und Gerichts) durch das Zusammendenken von Gott und Jesus: durch die „Gemeinschaft mit Jesus" als Heilsprinzip auch für die Vollendung (aber auch durch die Funktion Jesu Christi als des Richters)

4 (T) Gegenwärtiges Heil = gegenwärtige Gottesgemeinschaft durch Gemeinschaft mit dem erhöhten Jesus bzw. durch sein Pneuma. Festhalten des Anspruchscharakters und des Angebotscharakters dieses gegenwärtigen Heils

5 (T) Festhalten des Prinzips des „Verheißungsüberschusses"; deshalb Verzicht darauf, das stark ins Bewußtsein getretene *gegenwärtige* christologische Heil auf Kosten der futurischen Heilserwartung absolutzusetzen. Das in Leben und Erhöhung Jesu geschehene Eschatologisch-Neue macht einerseits die Vor-Erfüllung irreversibel und universal mitteilbar; andererseits ist es Kraft der Hoffnung.

6 (T) Verkündigung Gottes als des Vaters Jesu Christi und als dessen, der Jesus von den Toten auferweckt hat – und *darin* als des Gottes der Basileia-Verkündigung Jesu; neues Freisetzen der Brisanz dieser Gottesverkündigung

B. Der Kern einer auf die Person Jesu bezogenen nachösterlichen Christologie (bzw. christologischen Soteriologie)

7 (T) Dialogische Theozentrik des auferweckten Jesus: Bleibende Gültigkeit und Wirksamkeit seiner dialogischen Beziehung zum Vater (auch seiner Hinwendung zum Vater!) in der Weise, daß sie jetzt auf die glaubenden Menschen ausgeweitet werden kann. (Zusammen mit 7 [J] und 10 [J]: Ansatzpunkt einer Sohneschristologie)

8 (J) [Der Mensch für die anderen:] Proexistenz Jesu

9 (J) Jesus als der prophetisch-charismatische Bote des Eschatologisch-Neuen

10 (J) Exusia (Sendungsvollmacht) bzw. Sendungsanspruch Jesu

C. Die von Jesus geforderten und gelebten religiös-ethischen Grundhaltungen

---

11 (J) Die von Jesus gewiesene Grundhaltung des Menschen vor Gott (und Grundbedingung für das Eingehen in die Basileia): Metanoia, „Kind-Werden", „Glaube"; unbedingte Priorität für den Anspruch Gottes („zuerst die Basileia Gottes") (vgl. Nr. 7)

12 (J) Prophetisch-radikale Verkündigung und Forderung der Agape (vgl. Nr. 8)

13 (J) Befreiung vom Legalismus (vgl. Nr. 8, 9 und 10)

14 (J) Offenheit für die „Randexistenzen", die „Sünder". Verzicht auf die abgesonderte „reine Gemeinde" (vgl. Nr. 8 und 9)

D. Gemeinschaftstheologische Aspekte der vorösterlichen Jesusbewegung

---

15 (J) Heilsentscheidende Bedeutung der Solidarisierung mit Jesus

16 (J) Jesusnachfolge und Sich-Exponieren für Jesus und seine Botschaft

---

E. Die Stellung Jesu zu seinem Tod (Die keimhafte Passionstheologie Jesu von Nazaret)

---

17 (J) Kreuzesnachfolgeforderung und eigene Bereitschaft Jesu zum Prophetenschicksal

18 (J) Durchhalten der Proexistenz (in der Weise des Durchhaltens der Spannungseinheit von „Anspruch Gottes" und „Geschenk der Freiheit") bis zum Tod

8 (T) (mit Nr. 18 zusammen:) Proexistenz des auferweckten Jesus (zugleich als Kraft für die Proexistenz seiner Jünger, vgl. Nr. 12); Funktion Jesu Christi, die heilshafte *unmittelbare* Gemeinschaft mit Gott zu ermöglichen

9 (T) Nachösterliche Dynamik des Evangeliums vom Eschatologisch-Neuen: Wirken des erhöhten Jesus (bzw. des Pneumas) im Kerygma und in den Charismen der Gemeinde – auf die Welt hin

10 (T) Der bei Gott lebende Jesus als Kyrios seiner Gemeinde und der Welt. Neue Dimension der schon gegenwärtig wirksamen Herrschaft Gottes (vgl. Nr. 6) durch die Proexistenz des Kyrios Jesus (vgl. Nr. 8) bzw. die eschatologische Gabe des Pneumas (vgl. Nr. 9)

C. Nachösterliche Verankerung des religiös-ethischen Verhaltens der Christen in Christologie und Soteriologie

---

11 (T) Die durch Auferweckung und Erhöhung (bzw. das Pneuma) eröffnete dialogische Gottesbeziehung in der Gemeinschaft mit dem erhöhten Jesus; Metanoia, Glaube an Gott als den Vater Jesu Christi und unbedingte Priorität für seinen Willen – *durch Jesus Christus*

12 (T) Neue Motivierung und Kraft für die unbedingte („radikale") Agape im Zusammenhang des Kreuzes und der Gemeinschaft mit dem erhöhten proexistenten Jesus (bzw. im Zusammenhang mit dem Pneuma) (vgl. Nr. 17)

13 (T) Leben der Christen in der Freiheit des Pneumas und Offenheit für die Freiheit der anderen

14 (T) Universalismus der nachösterlichen Gemeinde Jesu

D. Christologie/Soteriologie und Ekklesiologie
(Primat der Christologie bei gleichzeitiger voller Bejahung der Ekklesia als des Wirk-Raums und Werkzeugs Jesu Christi)

---

15 (T) Solidarisierung im Bekenntnis zu Jesus, das die Gemeinschaft der Bekennenden voraussetzt; diese Gemeinschaft ist „Raum" für das Empfangen der Vor-Erfüllung des Heils – und vor allem für das immer neue Suchen nach der heilshaften „Theozentrik durch Christozentrik" und für die Hoffnung auf ihre Vollendung.

16 (T) Ein zweites ekklesiologisches Kernprinzip: Gemeinschaft mit Jesus als Gemeinschaft des Dienens am Werk Jesu – für die Welt. Die Jüngergemeinschaft als „Raum" und Ausgangsbasis für die Verwirklichung der Intention Jesu – und damit für das Anstreben der Spannungseinheit zwischen der Weitergabe des Anspruchs Gottes und dem Dienst an der Freiheit des Menschen. (Vgl. Strukturkomponente 17, die ebenfalls zur Transformation von 16 [J] hinzugehört.)

E. Kreuzestheologie (als Theologie vom auferweckten Gekreuzigten) und ihre Auswirkung auf die Begründung christlichen Lebens

---

17 (T) Nachösterlicher Glaube als Bejahung der Schicksalsgemeinschaft mit dem Gekreuzigten

18 (T) Proexistenz des auferweckten Gekreuzigten (Heilsbedeutung des Todes Jesu „für die Vielen" – im Licht der Auferweckung) – Die Kreuzes-Agape als einheitschaffende Kraft in der polaren Spannung von Bejahung Gottes und Bejahung des Menschen

5.5.2 Ergänzende Erläuterungen und Hinweise zu den einzelnen Strukturkomponenten der nachösterlich-transformatorischen Reihe

Der ausführlichen Entfaltung der drei Grundlinien, die (den nachösterlichen Neuheitsaspekten des „Zusammendenkens von Jesus und Gott", des Soteriologischen und des Ekklesiologischen entsprechend) zu den „Strukturkomponenten in nachösterlicher Transformation" hinführen (5.2-4), brauchen jetzt nur noch ergänzende Erläuterungen zu den für die Tabelle gewählten Formulierungen zu folgen, ferner Verweise auf die Abschnitte des 5. Kapitels, in denen ausführlichere Begründungen zu finden sind.

Vorweg möchte ich jedoch noch einmal betonen, daß es sich bei den Formulierungen der T-Strukturkomponenten nicht um Ergebnisse historisch-kritischer Detailforschung handeln kann, sondern um *„Konklusionen und Postulate"*. Wenn *diese* Kennzeichnung dessen, was ich anstrebe, bereits im Untertitel über alle Gedankengänge des 5. Kapitels gestellt wurde, so gilt sie a fortiori für die knappen Formulierungen dieser Tabelle. Diese sind (entsprechend dem oben in Abschnitt 5.1 dargelegten methodischen Vorgehen) *Konklusionen* aus der Reihe der jesuanischen Strukturkomponenten und den Neuheitsaspekten der nachösterlichen Transformation; *postulatorischen Charakter* haben sie insofern, als sie sich nicht unmittelbar auf Texte des Neuen Testaments stützen dürfen, sondern die Richtung abzustecken haben, in die nach unserem methodischen Prinzip die nachösterliche Transformation der jesuanischen Strukturkomponenten verlaufen müßte.

Zu Strukturprinzip 1 (T): Da das Thema dieses durchgängig wirksamen Strukturprinzips 1 einen Kernpunkt meines ganzen Versuchs bildet, soll ihm der *Dritte Teil* dieses Buchs („Die Kriterien als Ganzheit", Kap. 6-7) gewidmet werden. Ich kann mich hier also auf einige Verstehensvoraussetzungen, auf Erläuterungen, die unmittelbar auf die Formulierung von 1 (T) bezogen sind, und auf Hinweise zur Weiterführung in den Kapiteln 6 und 7 beschränken.

Eine Vorbemerkung zum präsentisch-eschatologischen Zusammenhang dieses Strukturprinzips 1 (T): Im jesuanischen Ausgangspunkt (Strukturprinzip 1 [J]) ist die Spannungseinheit von Bejahung Gottes und Bejahung des Menschen in den Zusammenhang des Eschatologisch-Neuen der Sendung Jesu gestellt worden – des „neuen Weins", der die alten Schläuche zerstören würde und neue Schläuche erfordert (vgl. Mk 2,22 parr). Dieses Eschatologisch-Neue bleibt auch in der nachösterlichen Transformation ihr Kontext – das ist in der Formulierung von 1 (T) nicht verbal, aber doch inhaltlich ausgedrückt. Und zwar bleibt es wie bei Jesus bestimmend, insofern es in die Gegenwart (jetzt die nachösterliche Gegenwart) hineinwirkt; „Durchhalten der Spannungseinheit. . . " bezieht sich ja von der Sache her nicht auf die Vollendung, sondern auf die Gegenwart christlichen Lebens; jesuanisch: es gilt denjenigen, die von den bereits aus der Zukunft in die Gegenwart hineinwirkenden Kräften der Basileia Gottes getroffen werden. Nachösterlich muß nun die christologisch-soteriologisch-ekklesiologische Transformation dieses gegenwärtigen dynamischen „Vorstoßens des Eschatologisch-Neuen in unsere Weltzeit hinein" berücksichtigt werden.

Was die Erläuterung *des Wortlauts von Strukturprinzip 1 (T)* angeht, muß zunächst die Differenzierung „christologisch" – „nachfolgetheologisch[107] und ekklesiologisch" begründet werden. Sie ergibt sich aus der Zweistufigkeit der die Basis von allem anderen bildenden ersten Grundlinie, der des nachösterlich-neuen Zusammendenkens

[107] Vgl. unten 6.2.2.3.5, Anm. 138.

von Jesus und Gott (s. oben 5.2.2): Das „Zusammendenken von Jesus und Gott" führt zuerst *christologisch* zu dem Prinzip „Theozentrik des erhöhten Jesus Christus selbst" und *von da aus* zu dem Prinzip „Theozentrik durch Christozentrik", das über das Christologische und Soteriologische hinaus *(nachfolgetheologisch und ekklesiologisch)* eine zentrale Aufgabe für die glaubenden Menschen in sich schließt.
Daß die jesuanische Spannungseinheit von theozentrischem Anspruch und „Geschenk der Freiheit an die Menschen" nachösterlich „durchgehalten" werden muß, folgt aus meinem Verständnis der Auferweckung als des Vorgangs, durch den das Jesuanische zu neuer Gültigkeit und Wirksamkeit gelangt. Entsprechend der eben wiederaufgenommenen Differenzierung muß dieses Durchhalten der „Spannungseinheit..." also *grundlegend* christologisch/soteriologisch erfolgen und dann, aufgrund und in der Kraft dieses christologisch-soteriologischen Weiterwirkens der Spannungseinheit, den Christen und der Kirche als Aufgabe gestellt sein.
An erster Stelle muß in der Formulierung von Strukturprinzip 1 (T) also gesagt werden, daß auch der erhöhte Jesus Christus diese Spannungseinheit Jesu von Nazaret durchhält – jetzt nicht mehr wie der irdische Jesus als *Spannungs*einheit (insofern dieser die Spannung der „Versuchungen" durchlebt hat, vgl. Lk 22,28), sondern als polare Einheit von „Vollendung der Theozentrik (als der Hinwendung zu Gott)" und „Vollendung der Proexistenz für die Menschen" (s. dazu unten 6.2.2). Diese polare Einheit gründet in der „Paradoxie" – richtiger: der durch Gott zur vollkommenen Einheit zusammengehaltenen Spannung, die sich daraus ergibt, daß in Jesus ein *Mensch* in das absolute Geheimnis *Gottes* aufgenommen wird (vgl. hierzu wiederum unten 6.2.2, bes. 6.2.2.2 sowie 6.2.2.3.2-5).
Nachfolgetheologisch und ekklesiologisch ergibt sich daraus, daß der Erhöhte den Glaubenden seine Gemeinschaft und damit die Konformität auch mit *seinem* Durchhalten der Spannungseinheit als Chance anbietet und die Kraft dazu gibt. Die Haltung der nachösterlichen Jünger, in der dieses „Durchhalten der jesuanischen Spannungseinheit" allein erfolgen kann, ist durch weitere T-Strukturkomponenten bestimmt, zunächst durch 11-14 (T). Zu dem Stichwort „in Glaube und praktizierter Freiheit der Agape", das als erstes Beispiel in die Formulierung des Strukturprinzips aufgenommen ist, vgl. (außer den bisherigen Ausführungen zu den Strukturkomponenten 11-14 in 3.7 und 5.3.6) unten 7.1 und 7.3. Zum Stichwort „Freiheit" vgl. vor allem auch die Bestimmung des Begriffs „Geschenk der Freiheit" unten in 6.3.3.3.2; zu „Freiheit in der Agape" vgl. auch unten 7.2.2.4-5. Zu dem Stichwort „im Ja zum Kreuz Jesu und zur Schöpfungswirklichkeit" vgl. Strukturkomponente 17 („Kreuzesnachfolgeforderung"), dazu 3.9.2 und 5.3.4.8 (im Zusammenhang von 5.3.4.1-7); vor allem aber (zur eigentlich hier angesprochenen Frage nach dem Verhältnis von Schöpfungsbejahung und Jesusnachfolge) 7.2.2. Das Durchhalten der Spannungseinheit von „Anspruch Gottes" und „Geschenk der Freiheit für den Menschen" mag nachösterlich nicht so offenkundig mit dem Kreuz verbunden erscheinen, wie das in Strukturkomponente 18 (J) ausgesagt ist; aber auch in der nachösterlichen Transformation darf dieser Aspekt nicht vernachlässigt werden.[108]
Über die Funktion der Kirche für das „evangeliale" Werk Gottes und Jesu Christi ist oben in 5.4.4 (im Zusammenhang mit 5.4.2-3) gesprochen worden; zur Spannung zwi-

[108] Vielleicht kann man den Sachverhalt auch so ausdrücken: Vorösterlich führt das Durchhalten dieser Spannungseinheit Jesus selbst auf den Weg zum Kreuz; nachösterlich geht für seine Jünger die Kraft, diese Spannungseinheit anzustreben, von der Gemeinschaft mit dem auferweckten Gekreuzigten aus (vgl. die Strukturkomponenten 17 [T] und 18 [T]).

schen der Exusia der Kirche, in der sie sowohl den Anspruch Gottes als auch die Heilsvollmacht Jesu Christi weiterzugeben hat, und ihrer Diakonia, in der sie („schwerpunktmäßig") dem „Schenken von Freiheit" durch Jesus Christus dienen soll, vgl. oben 5.4.4.4 (und Strukturkomponente 16 [T]), vor allem aber unten 7.3.2 (in Zusammenhang mit 7.3.3-4); auch schon 6.3.3.2.2 und 6.3.3.4.2.
Diese ekklesiologische Spannungseinheit von Diakonia und Exusia hat in Strukturkomponente 16 (T) ihren eigentlichen Platz.

Zu Strukturkomponente 2 (T): Hier muß betont werden, daß es sich bei der christologischen Transformation der „Verankerung des Jesusgeschehens in der Geschichte Jahwes mit Israel" um eine Bekräftigung *und keineswegs um eine Beseitigung* der Glaubensstruktur des Jahwebundes handelt; das gilt auch angesichts des nachösterlichen Universalismus der Gemeinde Jesu (Strukturkomponente 14 [T]; dazu oben 5.3.7) und des bei aller Kontinuität spezifischen Charakters der Kirche Jesu Christi gegenüber dem alttestamentlichen Bundesvolk (vgl. oben 5.4.4.5). Es ist hinsichtlich der hier gemeinten „Emunā"-Glaubensstruktur nicht so, daß das Alte weggeräumt werden müßte, um Platz zu schaffen für etwas Andersartig-Neues; vielmehr hat das Christentum die Aufgabe, die universale Erfüllung des Jahweglaubens anzustreben.
Das Stichwort „christlicher Glaube als Emunā" zielt auf das Postulat, daß der christliche Glaube keineswegs nur „Daß-Glaube" (Glaube an Heilstatsachen) sein darf, sondern den Charakter des alttestamentlichen Glaubens als eines „Du-Glaubens" beibehalten, ja sogar vertiefen muß.[109]
Das nachösterliche Durchhalten des Bekenntnisses zu dem *einen* Gott (das heißt: auf gar keinen Fall eine Abschwächung oder Komplizierung des Jahweglaubens durch den Christusglauben) scheint mir eine der Hauptaufgaben für die Konkretisierung der nachösterlichen Transformation dieser jesuanischen Strukturkomponente zu sein. Dieses Postulat baut auf der oben in 5.2.2 aufgezeigten „Grundlinie des nachösterlich-neuen Zusammendenkens von Gott und Jesus" auf.
Wenn zum Schluß der Formulierung dieser Strukturkomponente die „Bemühung um die Kontinuität von Altem und Neuem Testament" gefordert wird, ist das eine notwendige Vorbedingung für eine Jesus von Nazaret konforme christliche (bzw. theologische) Haltung.

Zu Strukturkomponente 3 (T): Hierbei handelt es sich um ein Postulat, das sich aus 5.2.2.3 und 5.3.2-3 ergibt, dort aber in dieser Form noch nicht ausdrücklich artikuliert worden ist. Auch das futurisch-eschatologische Heil, das Jesus verkündet (wobei eine damit verbundene eschatologische Zukunft Jesu selbst auf der jesuanischen Ebene zwar erschlossen werden kann, aber nicht sehr deutlich ist), muß jetzt aufgrund des „Zusammendenkens von Gott und Jesus" christologisch konzipiert werden: Die Gemeinschaft mit dem erhöhten Jesus Christus muß auch futurisch-eschatologisch die Ermöglichung für das endgültig-beglückende Heil sein, die Gottesgemeinschaft der Vollendung.

[109] Dieses Postulat ist angeregt durch die Kritik, die *M. Buber* (Zwei Glaubensweisen) am christlichen Glaubensbegriff übt. Buber erkennt zwar bei Jesus die alttestamentliche Emunā als vertrauenden „Du-Glauben" wieder, vermag jedoch im späteren Neuen Testament, besonders bei Paulus und Johannes, nur die „Pistis" als „Daß-Glauben" (als Anerkennung von Heilstatsachen) zu sehen. Zu M. Bubers These vgl. *W. Thüsing*, Zugangswege 137f. 145f. 211. 222. 230-233. Vgl. ferner *Sch. Ben-Chorin*, Paulus 12-15, der differenzierter urteilt als Buber; S. 15: Paulus „meinte Emunā und sagte Pistis ...". – Vgl. auch unten 7.1.2.

Zu Strukturkomponente 4 (T): Zur Transformation des „gegenwärtigen Heilsangebots durch Jesus“ ist schwerpunktmäßig oben in 5.3.2 und vor allem 5.3.3 („Heil als Gemeinschaft mit Gott durch Gemeinschaft mit Jesus Christus“ als nachösterlich-soteriologische Grundlinie) Stellung genommen worden. (Zur Berechtigung des Zusatzes „Gegenwärtiges Heil... durch sein Pneuma“ [d. h. durch das Pneuma des erhöhten Jesus] vgl. oben 5.1.3.)
Die Formulierung „Festhalten des *Anspruchscharakters* des gegenwärtigen Heils“ beinhaltet ein Postulat, das in der Reihe der T-Strukturkomponenten vor allem in Nr. 11-14, dann aber auch in der durch die nachösterliche Jüngergemeinschaft Jesu gegebenen Konkretisierung (15 und 16 [T]) sowie durch 17 (T) (Bejahung der Schicksalsgemeinschaft mit dem Gekreuzigten) weiter verdeutlicht wird; für das „Festhalten des *Angebotscharakters* des gegenwärtigen Heils“ ist außer der hierfür grundlegenden Strukturkomponente 8 (T) vor allem Strukturkomponente 9 (T) (das Evangelium als Heilsangebot im Zusammenhang mit den Charismen der Gemeinde – bzw. überhaupt dem Inhalt der ekklesiologischen Strukturkomponenten 15 und 16 [T]) zu vergleichen.
Zur Transformation der (in der T-Formulierung nicht eigens genannten) gegenwärtigen *Befreiung vom Bösen durch Jesus* (die unter den Begriff „Angebotscharakter des gegenwärtigen Heils“ subsumiert ist) wurde oben in 5.3.4, bes. 5.3.4.6, Stellung genommen.
Was mit dem gegenwärtigen „Heil als Gemeinschaft mit Gott durch Gemeinschaft mit dem erhöhten Jesus“ gemeint ist, wird innerhalb der Reihe der T-Strukturkomponenten inhaltlich gefüllt durch 7 (T) (Einbeziehung der glaubenden Menschen in die dialogische Beziehung Jesu zum Vater); 8 (T) (Unmittelbarkeit und damit letztgültige Heilshaftigkeit der durch Jesus ermöglichten Gottesbeziehung); vgl. auch 9 (T) und 10 (T).

Zu Strukturkomponente 5 (T): Auch das in der nachösterlichen Zeit durch das „Wirken des auferweckten Jesus aus dem Geheimnis Gottes heraus“ schon gegenwärtige Heil darf nicht als die Vollendung angesehen werden; vielmehr wird die Vor-Realisierung und letztgültige Zusage der alttestamentlichen Verheißungen durch Jesus jetzt „transformiert“ festgehalten. Dieses Transformatorisch-Neue ist durch den Satz ausgedrückt, daß durch Ostern die *Vor*-Erfüllung, um die allein es sich handeln kann, „irreversibel und universal mitteilbar“ gemacht wird (und daß es andererseits Kraft der Hoffnung ist). Hierzu kann oben 5.3.7 (zum nachösterlichen Universalismus des Heils, Strukturkomponente 14 [T]) und vor allem 5.3.5 verglichen werden. Zur Problematik einer Überbetonung oder sogar Absolutsetzung des gegenwärtigen nachösterlichen Heils vgl. oben 5.3.5, Anm. 66.

Zu Strukturkomponente 6 (T): Die in der Basileia-Verkündigung Jesu gegebene Gottesverkündigung muß jetzt – so lautet das Postulat dieser T-Strukturkomponente – notwendig verbunden werden mit der Verkündigung Gottes als dessen, der Jesus die einzigartige *Relation zu sich selbst als dem Vater* gegeben hat, und als dessen, der ihn durch die Auferweckung in sein wirkmächtiges Geheimnis aufgenommen und der so – in der Überwindung des Todes – seine Basileia manifestiert hat.
Wird das nachösterliche „Zusammendenken von Gott und Jesus“ überhaupt ernstgenommen, dann muß diese Konsequenz gezogen werden. Andererseits muß die nachösterliche Gottesverkündigung voll identisch bleiben mit der Gottesverkündigung Jesu selbst. Die Brisanz, die Jesu Gottesverhältnis und -verkündigung gegenüber den falschen Gottesbildern (und Menschenbildern!) enthält, darf – so muß für eine voll legi-

timierte nachösterliche Gottesverkündigung postuliert werden – auf keinen Fall abgeschwächt werden; sie muß im Gegenteil neue Kraft erhalten.

Zu Strukturkomponente 7 (T): Das Thema „Transformation der Gottesbeziehung Jesu" ist im Zusammenhang der Entwicklung der „Grundlinie des nachösterlich-neuen Zusammendenkens von Jesus und Gott" in 5.2.2 besprochen worden. Zu dieser Transformation der Gottesbeziehung Jesu gehört notwendig das soteriologische Moment: Sie kann jetzt auf die glaubenden Menschen ausgeweitet werden und ihnen dadurch das Heil vermitteln (s. 5.3.3). Der Begriff „Sohneschristologie" hat zwar an sich in diesem Zusammenhang der Konklusionen und Postulate noch keinen Platz; jedoch ist in dieser Strukturkomponente der Ansatz für eine Sohneschristologie zu erkennen, die Jesus sowohl in seiner Sendung durch den Vater und in der ihm vom Vater verliehenen Exusia (vgl. die Strukturkomponente 10 [J]) als auch in seiner antwortenden Hinwendung zum Vater sehen lehrt.

Zu Strukturkomponente 8 (T): In dieser Strukturkomponente ist ein Schwerpunktthema des Kapitels 5 enthalten, das schon in Strukturkomponente 4 (T) zur Sprache kam: „Gemeinschaft mit Gott durch Gemeinschaft mit Jesus Christus" als nachösterlich-soteriologisches Grundprinzip. Das Spezifikum dieser Strukturkomponente 8 (T) besteht über Nr. 4 hinaus zunächst darin, daß auch der erhöhte Jesus in personaler „pro-existenter" Zuwendung zu den Seinen lebt und ihnen dadurch Kraft für ihre eigene Proexistenz gibt. Darüber hinaus ist für die Heilshaftigkeit der Proexistenz des erhöhten Jesus unbedingt zu postulieren, daß Jesus Christus trotz und in seiner personalen Relation zu den Glaubenden nicht „zwischen" Gott und den Menschen – den Blick auf Gott gewissermaßen beeinträchtigend – vorgestellt werden darf, sondern daß er in seiner „Mittlerfunktion" (die in diesem zweiten Stichwort von 8 [T] ausgesagt ist) den *unmittelbaren* Zugang zu Gott ermöglicht; das allein kann ja der Intention Jesu von Nazaret entsprechen, weil allein die Unmittelbarkeit zu Gott heilshaft, daß heißt allein Ziel wirklicher Proexistenz des „Mittlers" sein kann.
Strukturkomponente 8 (T) ist mit 18 (T) zu verbinden: Gerade nachösterlich kann von der Proexistenz des auferweckten Jesus nicht ohne die Reflexion auf das „Für uns" des im Licht der Auferweckung gesehenen Kreuzestodes gesprochen werden; hierzu kann die oben 5.3.4 gebotene Erläuterung verglichen werden.

Zu Strukturkomponente 9 (T): Über die hier gemeinte nachösterliche Transformation der singulären eschatologischen Botenfunktion Jesu ist vor allem oben in 5.4.2 („Das Evangeliale") gesprochen worden; zur ekklesiologischen Komponente dieser Transformation vgl. 5.4.4, bes. 5.4.4.5.

Zu Strukturkomponente 10 (T): Mit der Formulierung, daß der bei Gott lebende Jesus „Kyrios seiner Gemeinde und der Welt" sei, wird eine Konsequenz des nachösterlich-neuen Ekklesiologischen (Nr. 15 und 16; vgl. 5.4.4) und vor allem des nachösterlichen Universalismus (Strukturkomponente 14 [T], vgl. 5.3.7) ausgedrückt.
Auch diese Transformation der Exusia Jesu (das Kyrios-Sein Jesu Christi, wie es nachösterlich genannt werden wird) muß – so lautet das Postulat – der Basileia Gottes in ihrem nachösterlich schon gegenwärtigen Aspekt eine neue Dimension verleihen: Gott herrscht als Liebe durch den mit ihm verbundenen Jesus Christus, in dessen Proexistenz er seinen eigenen Selbstmitteilungswillen endgültig manifest macht; die Basileia muß sich auch nachösterlich als heilshafte Herrschaft erweisen. Das nachösterlich-neue Ekklesiologische hat eine dienende Funktion für diese heilshafte und befrei-

ende (vgl. 13 [T]) Herrschaft Gottes; vor allem durch die ihr geschenkten Charismen (vgl. Strukturkomponente 9 [T] und 15 [T], s. 5.4.4.5), aber auch für den Anspruchscharakter der Exusia Jesu, die nachösterlich auch innerhalb der Gemeinde zur Geltung gebracht werden muß.

Zu den Strukturkomponenten 11-14 (T) insgesamt vgl. oben 5.3.6 („Zur nachösterlichen Verankerung des religiös-ethischen Verhaltens der Christen in Christologie und Soteriologie").

Zu Strukturkomponente 11 (T): Die Gottesbeziehung der nachösterlichen Glaubenden ist von den Inhalten der folgenden Strukturkomponenten abhängig und muß also in Entsprechung zu ihnen stehen: zunächst zu 6 (T) (nachösterliche Gottesverkündigung) und 7 (T) (dialogische [empfangende und antwortende] Theozentrik des auferweckten Jesus – mit der soteriologischen Bedeutung, daß die glaubenden Menschen jetzt in diese Gottesbeziehung Jesu Christi einbezogen werden können). In der abschließenden Formulierung „Glaube an Gott... durch Jesus Christus" ist die vermittelnde Funktion der Gemeinschaft mit dem erhöhten Jesus für die nachösterlich-neue Chance des Gottesglaubens (mitsamt seiner jesuanischen, durch die Metanoia bedingten Radikalisierung) angesprochen; vgl. Strukturkomponente 8 (T) (heilshafte Unmittelbarkeit der durch Jesus Christus ermöglichten Gottesbeziehung) im Zusammenhang mit 6 (T) (nachösterliche Verkündigung Gottes als des Vaters Jesu Christi).

Zu Strukturkomponente 12 (T): Vgl. hierzu oben 5.3.6: Die neue Motivierung und Kraft durch die Gemeinschaft mit dem Gekreuzigten (vgl. die Strukturkomponenten 17 und 18 [T]) ist hier von ausschlaggebender Bedeutung. Im Verlauf von Kapitel 5 konnte wiederholt gezeigt werden, wie sehr gerade diese Transformation der jesuanischen Agape-Forderung (die Ausdrucksform der Gemeinschaft mit dem proexistenten Jesus ist) die Grundlage auch für die Transformation anderer jesuanischer Strukturkomponenten bildet, so für 13 (T) und 14 (T), aber auch 16 (T).

Zu Strukturkomponente 13 (T): Insofern es sich hier um eine Transformation von Strukturkomponente 13 (J) handelt, muß der Akzent zunächst auf der Befreiung von versklavender Gesetzlichkeit liegen. Damit ist die Relevanz der „Befreiung durch Jesus" jedoch in keiner Weise auf etwas Partielles eingeengt, geht es doch um die Befreiung zu einer Gottesbeziehung, zu der der Weg durch die Destruktion des vom Menschen aus konstruierten Denkmodells seines Verhältnisses zu Gott führt. Von stärkster negativer Ausdruckskraft für das, was durch die jesuanische Befreiung von falschen Gottesbildern (und damit von falscher und verhängnisvoller Sinngebung des Lebens) überwunden werden muß, ist die legalistische Verzerrung des Willens Gottes bzw. des vertrauenden Gehorsams des Menschen und damit der Metanoia.
Aber im Zusammenhang mit der Proexistenz des Jüngers (vgl. Strukturkomponente 12 [T]) und dem von innen heraus erwachsenden nachösterlichen Universalismus ergeben sich Konsequenzen, die über diesen zunächst in den Blick fallenden Transformations-Sinn hinausgehen: Befreiung des Menschen zu sich selbst, indem er zur Liebe befreit wird; in der weiteren Konsequenz: Sorge für die Freiheit der anderen auch im gesellschaftlichen Raum.

Zu Strukturkomponente 14 (T): Die Erläuterung hierzu ist in 5.3.7 gegeben worden (dort als Moment des Soteriologisch-Neuen dargestellt); es konnte gezeigt werden, daß dieser Universalismus von anderer Struktur ist als die universalistischen Ansätze im

Alten Testament, und vor allem, daß er nicht nur auf das äußere Wachstum der Kirche als der nachösterlichen Jüngergemeinschaft zielt, sondern „von innen heraus" eine tiefere, jedem äußeren Universalismus zugrundeliegende Dimension gewinnt.

Zu den Strukturkomponenten 15 (T) und 16 (T): Zu diesen beiden ekklesiologischen Strukturkomponenten wurde die Erläuterung in 5.4.4 geboten. Die dort enwickelte Grundlinie des nachösterlich-neuen Ekklesiologischen ergibt sich aus der Verbindung der beiden Strukturkomponenten 15 (T) und 16 (T); auch der erläuternde Untertitel, der dieser Strukturkomponentengruppe D beigegeben ist („Primat der Christologie bei gleichzeitiger voller Bejahung der Ekklesia als des Wirk-Raums und Werkzeugs Jesu Christi"), reflektiert die in 5.4.4 entwickelte Grundlinie. In der bewußt ausführlichen Fassung von Strukturkomponente 16 (T) ist die Jüngergemeinschaft zum Schluß noch betont herausgestellt als solidarisch mit den Intentionen Jesu – und damit als nachösterliche Ausgangsbasis für deren Verwirklichung. Die Voraussetzung dafür, daß die Kirche diese Funktion für die Intentionen Jesu redlicherweise anstreben kann, ist ebenfalls genannt: daß sie sich darum bemüht, die auseinanderstrebenden Spannungspole „Weitergabe des Anspruchs Gottes" und „Dienst an der Freiheit des Menschen" zur Einheit zusammenzubringen – durch Hineinwachsen in die Konformität mit ihrem Herrn.
In der Parenthese zum Schluß von 16 (T) ist darauf hingewiesen, daß die Transformation der jesuanischen Nachfolgegemeinschaft nicht im Ekklesiologischen als solchem aufgeht, sondern dieses mit der Bereitschaft zur Erfüllung der Kreuzesnachfolgeforderung verbinden muß. Selbstverständlich wären auch noch andere Strukturkomponenten für die Transformation von 16 (J) hinzuzuziehen, vor allem Nr. 11-14.
Zur nachösterlichen Transformation von Strukturkomponente 16 (J) vgl. ferner unten 7.2.1.3.2.[110]

Zu Strukturkomponente 17 (T): Nachösterlicher Glaube – im Sinne des vertrauenden Bejahens der „Gemeinschaft mit Jesus" – muß die Bereitschaft zur Konformität mit *dem* Jesus einschließen, der den Weg an das Kreuz riskierte, der sich zu dem Ja zum Kreuz durchrang und der jetzt der auferweckte Gekreuzigte ist. Vgl. hierzu 5.3.4, bes. 5.3.4.8. Strukturkomponente 17 (T) steht in engstem Zusammenhang mit 11-14 (T) und bildet vor allem für 12 (T) eine Grundlage.

Zu Strukturkomponente 18 (T): Zum Stichwort „Heilsbedeutung des Todes Jesu" ist bereits oben in 5.3.4 eine ausführliche Erläuterung gegeben worden; vgl. auch 5.3.3.3. Zum Stichwort „Die Kreuzes-Agape als einheitschaffende Kraft. . .": Der auferweckte Gekreuzigte schenkt den Seinen die Partizipation an seiner sich bis zum Letzten hingebenden Agape (der „Kreuzes-Agape") – und damit die Kraft, die letztlich allein die polare Spannung von Bejahung Gottes und Bejahung des Menschen zur Spannungs*einheit* zu führen vermag. S. hierzu unten 6.2.1.2; 6.2.2.3.4; 6.3.3.1.2; [6.3.4.4]; 7.2.2.4.4 und 7.2.2.5.

[110] Für das Nachösterlich-Ekklesiologische (vor allem für die Strukturkomponente 15 [T]) gilt auch die Strukturkomponente 2 (J und T: Verankerung des Jesusgeschehens [und damit auch der nachösterlichen Gemeinschaft der Jünger Jesu!] in der Geschichte Jahwes mit Israel). Vgl. zum Verhältnis von Israel und Kirche *F. Mußner,* Traktat, bes. 68-74. 184.

DRITTER TEIL:
DIE KRITERIEN ALS GANZHEIT

6. Die Spannungseinheit von Bejahung Gottes und Bejahung des Menschen – zentrale Perspektive einer auf die neutestamentlichen Ursprünge zurückgehenden Theologie

6.1 Das Ganze des jesuanisch-nachösterlichen Glaubens als Ziel

6.1.1 Das Anliegen des Entwurfs: Die Gesamtschau der gestaltgebenden Ursprünge. Das Ganze als Spannungseinheit

6.1.1.1 Die Intention dieses *Dritten Teils* trifft sich mit dem Ziel neutestamentlich-theologischer Arbeit überhaupt, wie ich sie als meine Aufgabe ansehe: Es besteht darin, eine Gesamtschau der gestaltgebenden Ursprünge des Christusglaubens im Spiegel des Neuen Testaments anzustreben. Vorarbeiten hierfür zu leisten, ist die Absicht nicht nur der weiteren geplanten Bände dieses Werkes, sondern erst recht des hiermit schon vorliegenden programmatisch-kriteriologischen ersten Bandes.[1]
Dieses Ziel, in einer konzentrierenden Gesamtschau das „Ganze" in den Blick zu bekommen, ist nicht selbstverständlich und ist dementsprechend auch keineswegs leicht zu erreichen; das Detail, die Einzeltexte, die Einzelprobleme drängen sich vor. Aber das Ganze anzustreben, ist notwendig – *das Ganze des Jesuanischen, das Ganze aus Jesuanischem und Nachösterlichem, das Ganze jetziger Glaubenswirklichkeit.* Es ist notwendig, weil der Verzicht auf das Ganze, die Eingrenzung auf einen Teil, nicht nur den Verlust der restlichen Teile nach sich zieht, sondern letztlich des spezifisch Jesuanischen und des spezifisch Nachösterlich-Christlichen selbst; weil es um den Glauben geht, der mit Jesus und in der Kraft der Gemeinschaft mit ihm das Wagnis auf sich nimmt, das eigene Leben der absoluten Ganzheit anzuvertrauen, der unerfaßbaren Komplexität, der Unteilbarkeit des Geheimnisses der Macht und Liebe, das wir Gott nennen[2]. Die Alternative ist der verborgene, aber faktische Unglaube, der wenigstens einen Teil *sicher* in der

[1] Vgl. oben 2.6 zum Postulat einer Gesamt-Rezeptionsgeschichte des Glaubens.
[2] Wiederum in Anlehnung an K. Rahner; vgl. schon oben 4.4.5 (bes. S. 138 f; s. dort auch Anm. 51).

Hand zu haben wünscht, dabei aber den ganzen, lebendigen Gott und den ganzen, lebendigen Jesus Christus und damit die Ganzheit und das Eigentliche und Spezifische *seiner* Botschaft und seines Wirkens verfehlt. *Die* Chance gegenüber den Gefährdungen durch Einseitigkeiten und Engführungen ist die Suche nach dem Ganzen, das Erstreben des christlichen *kath'holon.*[3]

6.1.1.2 Diese Chance des Glaubens (und damit der Theologie) besteht näherhin im Anstreben bzw. Durchhalten der jesuanischen Spannungseinheit von „Bejahung Gottes und Bejahung des Menschen", von Anspruch Gottes und Geschenk der Freiheit für den Menschen; denn gerade diese Spannungseinheit konstituiert ja nach unserem bisherigen Ergebnis[4] die Ganzheit sowie das Spezifische seiner Sendung und seiner Person.
Im Kapitel über die theologischen Strukturen von Botschaft und Wirken Jesu von Nazaret ist zwar schon skizziert worden, wie sich das Prinzip der „Spannungseinheit von prophetisch-radikalem Anspruch der Theozentrik und prophetisch-radikaler Freiheitsermöglichung"[5] in dem Ganzen der jesuanischen Strukturkomponenten reflektiert.[6] Für die nachösterliche Transformation konnte das jedoch noch nicht in dem entsprechenden Maß geschehen.[7] Das Jesuanische und seine nachösterliche Transformation sind also noch nicht in der Weise als Einheit in den Blick gefaßt worden, wie es nunmehr angestrebt wird: Es soll jetzt versucht werden, diese Einheit – unter dem zentralen Aspekt „Spannungseinheit von Bejahung Gottes und Bejahung des Menschen" – nicht nur von den jesuanischen Grundlagen, sondern auch von dem im Auferweckungsglauben bejahten Jesuanischen her (und damit von der nachösterlich-neuen Sicht) als Gesamt-Beziehungsgefüge aufzuzeigen.[8]

[3] Diese Bejahung des Ganzen, des *kath' hólon* („dem Ganzen gemäß"), sollte den „Katholizismus" prägen; in der theologischen Tradition der Alten Kirche sowie der mittelalterlichen und nachreformatorischen katholischen Kirche ist es breit verankert. Freilich entspricht ein unkritisch-gegenreformatorischer (und überhaupt ein sich gegenüber wirklichen oder vermeintlichen Häresien auf „sichere" Stellungen zurückziehender) Katholizismus kaum mehr diesem Prinzip des *kath' hólon.* (Der Gedanke wird in Bezug auf Verkündigung und Theologie in 7.4 weitergeführt werden; vgl. auch 7.3 über die „Offenheit der Agape nach außen und innen".)

[4] Vgl. oben 3.4; 3.9.3 u. passim.

[5] Strukturprinzip 1 (J). „Freiheit" ist hier als Kurzausdruck für „kommunikative Selbstverwirklichung des Menschen" verstanden; vgl. unten 6.3.3.3.2.

[6] Vgl. oben 3.4.2 und 3.4.3.

[7] Der Gedankengang von Kapitel 5 ging nicht in der Reihenfolge der jesuanischen Strukturkomponenten vor, sondern orientierte sich an den drei „Neuheitsaspekten der nachösterlichen Transformation". Eine eingehendere Behandlung von Strukturkomponente 1 (T) ist auch in den Erläuterungen der nachösterlich-transformatorischen Reihe von Strukturkomponenten (oben 5.5.2) – im Hinblick auf den jetzigen *Dritten Teil* – bewußt ausgespart worden.

[8] Das wird vor allem in dem Abschnitt 6.3 versucht werden. Im Rahmen eines Buches, das „Strukturkomponenten" als „Kriterien" für Christologie und Soteriologie (auf der Grundlage

Die Bemühung um das Ganze ist also das Ziel, dessentwegen die Kategorie „Spannungseinheit" in unserem Zusammenhang verwendet wird. Spannungseinheit – damit ist die Einheit von Tendenzen und Lebensrichtungen gemeint, die in *unserer* Perspektive auseinanderstreben, bei *Jesus Christus* aber zusammengehalten sind[9], eine Einheit, die letztlich in Gott selbst gründet.[10] Spannungseinheit ist keine Synthese. Ihre beiden Pole werden nicht aufgehoben, sondern jeder von beiden muß in voller Intensität lebendig bleiben. So ist Spannungseinheit für uns niemals handhabbarer Besitz, sondern ein in immer neuen Ansätzen anzustrebendes Ziel.

6.1.1.3 Nun könnte mir vielleicht die Frage entgegengehalten werden, warum ich die Einheit von Bejahung Gottes und Bejahung des Menschen nicht als Harmonie sehe, sondern als *„Spannungseinheit"*, als Einheit von zunächst Auseinanderstrebendem. Eine solche Konzeption jener Einheit als „Spannungseinheit" ist ja keineswegs selbstverständlich: Scheint nicht in der dogmatisch-theologischen Tradition von bestimmten theologiegeschichtlichen Voraussetzungen her[11] eine Neigung zu bestehen, diese Einheit eher im Sinne einer Harmonie zu begreifen? Ist das nicht wenigstens dann der Fall, wenn das Wissen um die Unverfügbarkeit des Geheimnisses nicht mehr wachgehalten wird, wenn in dem theologischen Streben nach Einheit nichts mehr von dem großen Atem des Paradoxes und der Gegensatzspannung (der die Konzeptionen großer Theologen durchweg – in welcher Form auch immer – belebte) spürbar wird – und wenn zudem der Zusammenhang des Themas mit dem Problem „Schuld und Sünde"[12] nicht gesehen wird? *Eine erste Antwort:* Das Verständnis des Zusammenhangs von Bejahung Gottes und Bejahung des Menschen als einer Spannungseinheit drängt sich grundlegend vom jesuanischen Befund her auf. Versöhnendes Handeln (an

der Rückfrage nach Jesus und des Glaubens an seine Auferweckung) entwickeln will, halte ich das Thema dieses Kapitels – „Spannungseinheit von Bejahung Gottes und Bejahung des Menschen" – für notwendig, insofern es sich hier meiner Meinung nach um das übergeordnete und zusammenfassende Kriterium handelt. Auch der Relevanz dieser Bemühung um die in „J" *und* „T" vorgegebene Einheit konnte bisher noch nicht in der Weise nachgegangen werden, wie es jetzt wünschenswert und möglich erscheint; diesem Thema wird das Kapitel 7 gewidmet sein.

[9] Damit ist das in der synoptischen Tradition bezeugte Phänomen der „Versuchungen" Jesu (vgl. Lk 22,28) keineswegs bestritten; diese *peirasmoí* können letztlich als Versuchungen zu einem Ausweichen vor *dieser* Spannungseinheit verstanden werden. Vgl. oben 3.6.2.1 (zu Strukturkomponente 7 [J]); ferner unten 6.2.1 (bes. 6.2.1.3) und 6.2.2.3.4; bes. aber oben 3.9.2.

[10] Das wird unten in 6.3.3.1 thematisch werden.

[11] Vielleicht hängt diese Neigung, die Einheit von Bejahung Gottes und Bejahung des Menschen „harmonisch", unproblematisch zu sehen, damit zusammen, daß die Frage *theologisch*, vom Christusglauben her, durch das Dogma von Chalkedon grundsätzlich gelöst zu sein scheint. Ferner dürfte es auch in diesem Zusammenhang eine Rolle spielen, daß die Zusammenschau des irdischen Jesus mit dem erhöhten in der Tradition außerordentlich stark „harmonisierend" bzw. richtiger: auf dem Weg der Zusammenschau verlaufen ist.

[12] Vgl. unten Anm. 14, vor allem jedoch unten 6.1.2.1, Anm. 92 (dort weitere Querverweise).

den von den Frommen Verachteten) *und* Pharisäismuskritik Jesu (die hier wiederum als theologisch signifikantestes Beispiel aus dem Bereich der Konflikte Jesu herausgestellt sei) machen die Tiefe des Gegensatzes erst eigentlich offenbar, an der der Widerspruch der Gegner sich entzündete. Die jesuanische Einheit von Anspruch Gottes und Geschenk der Freiheit an den Menschen wird deshalb auch – völlig konsequent – von seinen frommen pharisäischen Gegnern abgelehnt. Die Spannungspole der radikalen Bejahung Gottes und der radikalen Bejahung des Menschen (bis hin zur Bejahung der „Randexistenzen", der Ausgestoßenen) stellen für die Zeitgenossen Jesu eben keine selbstverständliche Einheit dar, sondern Spannung bzw. sogar einander ausschließende Gegensätze.
Der hierin begründete Widerspruch gegen Jesus ist jedoch keineswegs ausschließlich situationsbedingt; vielmehr offenbart er ein grundsätzliches Widerstreben des „religiösen", des „frommen" Menschen gegen eine solche Spannungseinheit und damit gegen den Imperativ, die Abkapselung der „Frommen" von den „Unfrommen", der „Gesetzestreuen" von den „Gesetzlosen", „denen, die das Gesetz nicht kennen [und halten]"[13], aufzubrechen.
Was in der Pharisäismuskritik Jesu und insgesamt in seiner Intention und seinem Wirken deutlich wird, beschränkt sich also nicht auf eine eigene zeitgeschichtliche Situation. Bei Jesus wird – gewiß aus seiner Situation heraus – schlaglichtartig etwas erkennbar, was in der gesamten Menschheitsgeschichte wirksam ist: Über die durch die Polemik der Gegner Jesu entstandene Situation hinaus dürfte es möglich sein, die scheinbar gegenläufigen Tendenzen wahrzunehmen, genau diese Einheit nicht wahrhaben bzw. auflösen zu wollen: und zwar einerseits die Tendenz der („emanzipierten") Menschen, sich selbst an die Stelle Gottes zu setzen, und von der anderen Seite her die Tendenz der „religiösen" Menschen, den Menschen durch Gott zu verdrängen – und so wieder am wirklichen, lebendigen Gott, der nicht auf einen von den beiden Polen festzulegen ist, vorbeizuleben und insgeheim die eigene Selbstbestätigung zu suchen.[14]
Ein weiterer Grund: Ich gehe von der Kategorie der Spannungseinheit aus, weil ich meine, daß für mich (und vielleicht außer mir für nicht wenige Chri-

[13] Vgl. den späten, aber sachgerechten Reflex in Joh 7,49; s. die rabbinischen Belege anläßlich dieser Stelle bei Billerbeck II, 494-500.509-515.

[14] Hier sind wir auf einen Punkt gestoßen, an dem das „Auseinanderstreben der Spannungspole" nicht nur theoretisch-theologisch bleibt, an dem vielmehr sein (theoretisch von vornherein möglicher) Schuld-Charakter zur Realität wird. Damit wird der Zusammenhang des ganzen Themenkomplexes „Spannungseinheit von Ausrichtung auf Gott und Bejahung des Menschen" mit dem Problem der Schuld und des Bösen erkennbar. Vgl. hierzu unten [6.1.1.5.1], Anm. 25, und vor allem 6.1.2.1, Anm. 92.

sten) der Glaube in eine Spannung, ja vielleicht in eine Zerreißprobe führt; dadurch ist die Aufgabe gestellt, die Spannungseinheit im Suchen der Kommunikation mit Jesus anzuzielen[15]; denn von ihm her vermag das Problem der Spannung sich mir auf die Chance der Spannungs*einheit* hin zu entschlüsseln.

Ferner: Ich halte die Kategorie der Spannungseinheit für angemessen und notwendig, weil ich die Polarisierung in der Kirche beobachte und zu der Überzeugung komme, daß sie nicht durch Harmonisierung bewältigt werden kann, sondern durch Ernstnehmen der auseinanderstrebenden Tendenzen – durch das Ringen darum, *der* Intention konform zu werden, die von Jesus (von „J“ und „T“, vom Jesuanischen und vom Nachösterlich-Transformatorischen) her vorgegeben ist: jede der beiden divergierenden Tendenzen voll ernst zu nehmen, sie aber trotzdem zur Spannungseinheit zusammenzuführen. Eine Theologie der „Spannungseinheit“ ist dann also eine theoretische Basis, von der aus eine Chance zur Überwindung der Polarisierung in Sicht kommt – genau die Chance, die Jesus selbst anbietet.[16]

6.1.1.4 Die Theologie *dieser* Spannungseinheit von Anspruch Gottes und liebender, freiheitschaffender Zuwendung Gottes ist nicht nur durch das alttestamentliche und jesuanische Zerbrechen der von Menschen gemachten Gottesbilder bedingt, sondern führt wiederum zu diesem Destruieren der falschen Gottesbilder, weitet also den Blick des *Glaubens* auf die Lebens- und Geheimnisfülle des wahren Gottes. (Vielleicht wird es uns jeweils nur für kurze Zeit geschenkt, diesen Horizont in unverstellter Weite zu ahnen; aber von solchen Momenten, in denen der Horizont, und sei es nur um einen Spalt, sich öffnet, leben Glaube, Verkündigung und Theologie letztlich.) Theologie der „Spannungseinheit von Bejahung Gottes und Bejahung des Menschen“ will wirklich „Theo-logie“ sein (das heißt der *Gottes*verkündigung zugrunde liegende Reflexion), keinesfalls bloße Konzession an die modische (und nicht nur modische, sondern heute notwendige, weil allzu lange vernachlässigte) Betonung der „Freiheitsermöglichung“, des „Geschenks der Freiheit“, der „Humanität“. Beides zusammenbringen zu wollen, wie es in Jesus vorgegeben ist, wird für uns letztlich (falls es zu Ende gedacht wird) zu einer – vielleicht bis zum Äußersten gehenden – Belastungsprobe des Glaubens; es ist wirklich Suchen nach dem Antlitz, das hinter all den zerbrochenen Gottesbildern sichtbar werden will: Solche Theologie dient dem Suchen nach dem Antlitz des „Deus semper maior“[17], ihr Thema ist letzt-

[15] Das wird in 7.1 und 7.2 – innerhalb der Überlegungen zur Relevanz des Entwurfs – bedacht werden müssen.

[16] Hiermit ist schon auf das Thema von 7.3 verwiesen.

[17] Vgl. den aufgrund eines Augustinuswortes geprägten Titel des zweibändigen Exerzitienkommentars von *E. Przywara*: Deus semper maior. Theologie der Exerzitien. Vgl. die Vorbemer-

lich das Stehen vor dem je und je unsere Gedanken und Vorstellungsmöglichkeiten transzendierenden Gott – vor dem Gott, dessen Name nach dem Gebetswunsch Jesu „geheiligt“ werden soll[18].
Das Thema „Spannungseinheit von Bejahung Gottes und Bejahung des Menschen“ erweist sich gerade *in dieser theo-logischen Fassung* als Verdeutlichung des Themas dieses ganzen Buches, und zwar seines jesuanischen wie seines „nachösterlich-transformatorischen“ Teils; die nachösterliche „Transformation“ ist ja trotz bzw. in allem Neuen, das die Auferweckungstat Gottes schafft, als Geltendmachen und als bleibende Wirklichkeit des „Jesuanischen“ („J“) zu verstehen.[19] Gerade in dieser typisch jesuanischen Spannungseinheit zeigt sich vor- wie nachösterlich das Infragestellen der Gottesbilder – und ebendarin die Haltung, die allein dem Stehen vor dem „Deus semper maior“ gemäß sein kann.
So wird der dritte, abschließende Hauptteil des vorliegenden Bandes seine Aufgabe, die beiden Kriterienreihen als Ganzheit zu zeigen, nur dann annähernd erfüllen können, wenn er gleichzeitig der *reductio in mysterium* alles bisher Gesagten zu dienen vermag: wenn er hilft, das *eine* Geheimnis der sich schenkenden absoluten Liebe *in seiner Unverfügbarkeit* zu suchen und zu wahren.
Wenn es als Ziel der bisherigen Kapitel verstanden werden kann, in der Doppeltabelle der jesuanischen und nachösterlichen „Strukturkomponenten“ ein kriteriologisches Arbeitsinstrument zu erstellen, so ist die hierdurch bedingte Schematisierung dringend davor zu bewahren, als („geschlossenes“) System mißverstanden zu werden. Sonst würde das eigentliche Ziel – die Intention Jesu Christi zur Geltung zu bringen – in Frage gestellt. Würden die gewonnenen „Kriterien“ von dieser Intention – und damit von ihrer „Spannungseinheit“ – isoliert (würden sie in solcher Isolierung also *schematisch* als Maßstab angelegt werden), wären sie entwertet. Es darf nicht aus dem Blick geraten, daß in den beiden Grundausrichtungen dieser Spannungseinheit (Offenheit für Gott – Offenheit für den Menschen) die Unverfügbarkeit des *absoluten* Geheimnisses wirksam ist.[20]

kung zur ersten Auflage (a.a.O. 3) zur Absicht des Verfassers: „Die innere ‚Logik‘ der Exerzitien soll als... ‚Theo-Logik‘ sich enthüllen: der ‚Deus semper maior‘, der ‚je immer größere Gott‘, als eigentlicher Logos der Exerzitien, – und also ‚Theo-Logie‘.“ Das Motiv findet sich bei Przywara durchgängig; im folgenden beziehe ich mich meist auf die (dem Exerzitienkommentar voraufgehenden) „Religionsphilosophischen Schriften“ (zitiert als „Schriften II“) – vgl. ferner *K. Rahner*, Vom Offensein für den je größeren Gott (Schriften VII 32-53).

[18] Lk 11,2 par Mt 6,9.

[19] Vgl. oben 4.4.3 (s. auch 4.4.5).

[20] Der Begriff „Spannungseinheit von Bejahung Gottes und Bejahung des Menschen“ vermag – *zusätzlich* zu dem Begriff „Wirksamkeit des absoluten Geheimnisses“ – eine spezifische Denkform an die Hand zu geben, die gerade für die Vermittlung des neutestamentlichen Befundes geeignet ist. Die Begriffe „Spannungseinheit...“ und „Geheimnis“ (bzw. Wirksamkeit des ab-

[6.1.1.5] EXKURS:

Zur philosophisch-theologischen Verwendung der Denkform „Polarität" bzw. „Spannungseinheit": Abgrenzungen – Hinweise (vor allem auf die Konzeption E. Przywaras) – theologische Zusammenhänge

Die Konzeption der „Spannungseinheit von Bejahung Gottes und Bejahung des Menschen" in der vorliegenden Arbeit hat sich mir von der jesuanischen Polarität „eschatologisch-charismatischer Anspruch der Theozentrik – eschatologisch-charismatische Freiheitsermöglichung" her ergeben[21] bzw. – nach meinem Eindruck – geradezu aufgedrängt.[22] Soweit es mir bewußt ist, kam sie unabhängig von der in diesem Exkurs zitierten Literatur zustande – auch unabhängig von Przywara, dessen Werk ich erst im nachhinein als das für die philosophisch-theologische Verwendung der Denkform „Polarität" wohl bedeutsamste kennenlernte. (Allerdings muß ich wohl frühe, mittelbar zu einem Denken in der Kategorie „Spannungseinheit" anregende Einflüsse annehmen, die mir nicht mehr bewußt waren.[23]) Bei dieser Sachlage hatte ich mir die Frage zu stellen, wo das Prinzip „Spannungseinheit" schon in vergleichbarer Weise – mit oder ohne Verwendung des Terminus – angewendet worden ist.[24]
Vor allem die nachträgliche Beschäftigung mit E. Przywara ließ die theologischen Implikationen der – schon zuvor auf die neutestamentlichen Ursprünge angewendeten – Denkform der Polarität klarer erkennen und warf Fragen auf, die mir zur Klärung meiner Position wichtig erschienen. Deshalb – und wegen der notwendigen Abgrenzungen – erschien ein ausreichend instruktiver Exkurs sinnvoll.

soluten Geheimnisses – da es bei der von mir gemeinten Polarität ja um durch die Kraft Gottes zur Einheit gebrachten Grundausrichtungen Jesu Christi geht und von daher [in Kommunikation mit Jesus Christus] um eine Aufgabe für die Christen) bieten *zusammen* eine relativ bessere Verständnishilfe als eine Beschränkung auf den Begriff des „Geheimnisses".

[21] Vgl. das Strukturprinzip 1 (J) und seine Erläuterung in 3.4. Die Ausführung E. Schweizers über Jesus als den Mann, der jedes Schema sprengt (bei E. Schweizer: „alle Schemen"; s. oben 3.4.3, Anm. 30), hat vermutlich (unter anderem) eine wichtige Anregung gegeben.

[22] Auch der Kontrast dieser jesuanischen Spannungseinheit zu vielen Realitäten der Kirche früherer Jahrhunderte und unserer Zeit dürfte eingewirkt haben; vgl. auch oben 6.1.1.3.

[23] Aus den Jahren meines Theologiestudiums erinnere ich mich in Dankbarkeit vor allem an die Vorlesungen meines damaligen Dogmatikprofessors Hermann Volk. Er hat sich um das Problem der Einheit bemüht – zwar vom ökumenischen Anliegen ausgehend, aber grundsätzlich-theologisch; vgl. *H. Volk*, Gott alles in allem 175-190 („Einheit als theologisches Problem"); 191-222 („Die Einheit der Kirche und die Spaltung der Christenheit"). Diese Aufsätze H. Volks müssen hier erwähnt werden (obschon ich in ihnen die Denkform „Spannungseinheit" als solche nicht finde); jedes Fragen nach Einheit setzt ja Vielfalt sowie mögliches oder faktisches Auseinanderstreben voraus. Ferner möchte ich die Bemühungen Volks um das „ ‚et' als eine Grundform theologischer Problematik überhaupt" erwähnen (vor allem a.a.O. 149-156; s. auch unten in diesem Exkurs den Abschnitt [6.1.1.5.6]); schließlich – der Bedeutung nach nicht als letztes – seine Überlegungen über die Einheit von „consecratio" (in Zusammenhang stehend mit „Majestät") und „sanctitas" (in Einheit stehend mit „Liebe") in Gott selbst: a.a.O. 92-95.108-111 (bei Volk in trinitarische Zusammenhänge gestellt); s. meine Transposition des Motivs unten 6.3.3.1. Vgl. in diesem Zusammenhang vor allem a.a.O. 95: „Das Wirken des Geistes, Salbung, Gnade hat in Christus und von Christus her Struktur. Struktur heißt, sie enthält als ganze immer zwei und diese zwei Seiten, *sacer* und *sanctus*, Recht und Liebe."

[24] Ein – sehr fragmentarisches – Studium der in Frage kommenden und mir zugänglichen theologischen und philosophischen Literatur ist mir freilich erst möglich geworden, nachdem die Arbeit in der vorliegenden Form fast fertiggestellt war.

[6.1.1.5.1] *Vorbemerkungen zu meiner Position – im Hinblick auf Abgrenzung und Zustimmung*

„Spannungseinheit" in meinem Verständnis ist eine komplexe philosophisch-theologische Denkform; sie ist leicht zu verfehlen, weil sie gleichzeitiges Festhalten von unabgeschwächten Gegensätzen erfordert und weil die Gefahr groß ist, daß entweder der eine oder der andere Spannungspol überbetont und so die Spannung oder die Einheit aufgelöst wird. Doch gerade wegen ihrer Komplexität und Differenzierungsmöglichkeit und vor allem wegen ihrer Eignung, das Zusammenfügen von Gegensätzen auszudrücken, scheint mir diese Denkform „Polarität" (im Sinn von Spannungs*einheit*) für die Erkenntnis des spezifisch Jesuanischen angemessen zu sein wie kaum eine andere.

Für die beabsichtigte „Abgrenzung und Zustimmung" möchte ich auf folgendes aufmerksam machen: zunächst darauf, daß die jesuanische polare Einheit von „Anspruch Gottes" und „Geschenk der Freiheit für den Menschen" nicht nur die Grundlage meiner Konzeption ist, sondern in ihr durchgängig leitend bleibt. Ferner (im Zusammenhang damit): Die in der jesuanischen Spannungseinheit zusammengefügten Pole sehe ich als zwei potentiell und durchgängig auch *faktisch* auseinanderstrebende *Grundausrichtungen* (auf Gott – auf den Menschen[25]). Es handelt sich also in der von mir gemeinten Polarität nicht unmittelbar um die ontologischen Größen „Gott" und „Mensch", sondern um Grundausrichtungen des Menschen auf diese ontologischen Größen hin. *Von daher* gewinnen freilich alle in Philosophie und Theologie angestellten Überlegungen zur fundamentalen Gegensätzlichkeit und zu dem trotzdem gegebenen Miteinander von Gott und Mensch ihre Bedeutung für mein Thema.

Diese Bestimmung der von mir gemeinten Polarität bedingt schließlich (das ist zum Beispiel für die Abgrenzung gegenüber Hegel und den von ihm ausgehenden Geschichtskonzeptionen von Bedeutung), daß sie nicht *unmittelbar* einen geschichtlichen Prozeß bezeichnet, obwohl die beiden genannten Grundausrichtungen auf das engste mit Geschichte verwoben sind; sie sind als solche – trotz geschichtlicher Vermittlungen – nicht im eigentlichen Sinn geschichtlich entstanden, sondern vom Schöpfer (der den Menschen als freie Kreatur gewollt hat) vor-gegeben und auf-gegeben; das Anstreben (bzw. bei Jesus: das Verwirklichen) der Spannungseinheit beider ist freilich wieder ein geschichtlicher Vorgang im Einzelmenschen und in der Gesellschaft.

[6.1.1.5.2] *Abgrenzungen*[26]

Vor allem gegenüber den folgenden Begriffen sind Abgrenzungen im eigentlichen Sinn angebracht: Die von mir gemeinte Spannungseinheit ist nicht identisch mit *Dialektik*, sofern man darunter (im Anschluß an die philosophische Tradition seit der Antike –

[25] Die „Bejahung Gottes" kann so vereinseitigt werden, daß sie am Menschen vorbeigeht; die „Bejahung des Menschen" kann dann, wenn sie nicht in der Spannungseinheit mit „Bejahung Gottes" gehalten wird, zur „Anthropozentrik" in dem theologisch negativen Sinn werden, daß der Mensch sich „auf sich selbst zurückbiegt" und „in einer angemaßten Autonomie verschließt", vgl. *K. Rahner*, Art. Anthropozentrik, in: LThK I, 632. (Rahner hebt dort [632-633] die ebenfalls mögliche positive Bedeutung von „Anthropozentrik" stark hervor, für die ich den Begriff „Bejahung des Menschen" verwende.) – Ich vermeide die Gegenüberstellung „Theozentrik – Anthropozentrik"; zur Begründung s. unten 6.3.3.5.6.

[26] Zur formalen Definition von Polarität, wie sie von *A. Halder* (Art. Polarität, in: LThK VIII 581 f) treffend herausgearbeitet worden ist, und zwar im Hinblick auf verschiedenartigste Spielarten von Polarität, deren Relate „Seiendes, wirkliche Kräfte des Seienden, Seinsprinzipien" sind: Die von mir gemeinte Spannungseinheit von Grundausrichtungen läßt sich zwar unter

und an die Terminologie Hegels) einen geistigen Prozeß versteht, der (als aus dem Widerspruch resultierende Bewegung) durch Thesis und Antithesis hindurch zur Synthesis als Erkenntnisfortschritt führt; in diesem Zusammenhang müßte „Polarität" zu einer „Erscheinung des dialektischen Gegensatzes" werden, „der seine Gegensätze gerade aufhebt und zurücknimmt in die vermittelnde Synthese"[27]; erst recht nicht, wenn man (mit Hegel) den dialektischen Vorgang als Prozeß der Selbstbewußtwerdung des absoluten Geistes ansieht. Auch in anderer Verwendung[28] scheint der Begriff auf eine Methode zum Erkenntnisfortschritt festgelegt zu sein (anstatt wie in meiner Verwendung auf Grundausrichtungen mit potentiell auseinanderstrebender Tendenz). „Spannungseinheit" in meinem Verständnis ist auch nicht mit *Dialogik* in eins zu setzen, die ja innerhalb personaler Relation ihren Ort hat und somit in *jedem* der beiden von mir gemeinten Spannungspole impliziert ist; auch nicht mit dem Gebrauch von „dialektisch" in der „Dialektischen Theologie"[29]. Sie ist ferner nicht zu verwechseln mit *Paradoxalität*[30], obschon der letzteren insofern eine wichtige Funktion für das Konzipieren einer wirklichen *Spannungs*einheit zukommt, als sie auf das schärfste vor Harmonisierungen warnt.[31]

diese formale Bestimmung subsumieren. Jedoch ist das nur bedingt möglich: nur dann, wenn man den Charakter von „Grundausrichtungen" berücksichtigt, die je für sich und in ihrer Einheit verzerrt oder verfehlt werden können – und wenn man vor allem die unendliche qualitative Verschiedenheit der *Bezugspunkte* dieser Grundhaltungen berücksichtigt, die für den Pol „Bejahung Gottes" (aber nicht nur für ihn) ein immer neues Transzendieren erfordern.

[27] *A. Halder*, a.a.O. 581.

[28] Zum Beispiel in der Scholastik und weit darüber hinaus; vgl. zum umfassenden philosophiegeschichtlichen Kontext *H. Radermacher*, Art. Dialektik, in: Handbuch philosophischer Grundbegriffe I, 289-309. – Das Anstreben der Spannungseinheit, wie ich es verstehe, kann jedoch zum „dialektischen" Prozeß der Erkenntnisgewinnung im Glauben werden (und zum dialogischen, geschichtlichen Prozeß der kommunikativen Selbstverwirklichung).

[29] Vgl. *W. Pannenberg*, Art. Dialektische Theologie, in: RGG II 168-174; 169: „Als klassischer Ausdruck der dialektischen Theologie kann die 2. Ausgabe von Barths ‚Römerbrief' (1922)mit ihrem an Kierkegaard orientierten Verständnis der Offenbarung als paradoxer Gegensatzeinheit von Ewigkeit und Zeit gelten." Vgl. unten Anm. 30 und 31. – Brunner und Gogarten legten – im Gegensatz zu Barth – „die personale Ich-Du-Beziehung sowie das zugehörige Wortverständnis ihrer Deutung des Verhältnisses von Gott und Mensch zugrunde" (W. Pannenberg, a.a.O. 173); hier scheint „dialektisch" in die Nähe von „dialogisch" zu rücken.

[30] Zum „Paradox" bei Kierkegaard: Die paradox aneinandergebundenen Gegensätze sind bei Kierkegaard – ganz anders als in meinem Verständnis – keine „Grundausrichtungen"; zudem liegt bei ihm das Denken in einer Spannungseinheit von „Polen" fern. Vielmehr geht die Einführung des Paradoxes als theologischer Grundkategorie durch Kierkegaard nach *H. Fischer* (Die Christologie des Paradoxes, bes. 48-51) letztlich auf Lessings Problemaufriß zurück: „Zufällige Geschichtswahrheiten können der Beweis von notwendigen Vernunftwahrheiten nie werden." (Über den Beweis des Geistes und der Kraft 285.) Christologisch gewendet: Eine unmittelbare Kenntlichkeit des Göttlichen an Jesus kann es nicht geben, weil sonst ein historisches Ereignis „ewige Wahrheit... zu erweisen vermöchte" *(H. Fischer,* a.a.O. 39). Nur der Glaube als Erkenntnisorgan vermag den Zugang zu dem – paradoxen – christlichen Bekenntnis zu gewinnen, das das Ewige in Gestalt des Historischen behauptet. Kierkegaard löst dieses Problem von der Inkarnationstheologie her. (Vor allem in der dritten Schaffensphase Kierkegaards wandelt sich – nach *H. Fischer*, a.a.O. 73-94 – die Paradox-Christologie zum Doketismus, indem Jesus Christus in einer „heiligen Geschichte", außerhalb der realen Geschichte angesiedelt wird.)

[31] Die Spitze des Paradoxbegriffs bei Kierkegaard ist (wie auch in seiner Rezeption durch K. Barth) gegen philosophische Gotteserkenntnis gerichtet; das theologische Paradox wird als Kritik aller Philosophie gesehen (vgl. hierzu *K. P. Fischer*, Der Mensch als Geheimnis 212-214). Kierkegaards „Paradox" ist auf das gerichtet, was ich auf das engste mit der „Spannungseinheit

[6.1.1.5.3] *„Polarität" bei E. Przywara*
In diesem und in den beiden folgenden Abschnitten setze ich den Schwerpunkt auf die Konzeption E. Przywaras: und zwar nicht nur deshalb, weil sich hier die relativ meisten Berührungspunkte mit meinem Entwurf finden, sondern auch, weil Przywara die Denkform der Polarität (soweit ich sehen konnte) am tiefsten religionsphilosophisch durchdacht und zudem die Vorgeschichte dieser Denkform in erstaunlicher Reichweite, Breite – und Intensität der Auseinandersetzung – einbezogen hat; vor allem aber deshalb, weil er diese Denkform in seiner späteren Weiterarbeit in den ihr gemäßen theologischen Kontext transponiert hat (und zwar auch da, wo er die Terminologie der Polarität nicht mehr verwendet).
Was das Verhältnis zwischen der philosophischen und theologischen Konzeption Przywaras und dem von mir in dieser Arbeit vorgelegten Entwurf angeht, muß vorweg schon differenzierend gesagt werden: Die von mir verwendete *Terminologie* (die mir nach wie vor zum Verständnis der neutestamentlichen Ursprungsstrukturen sehr geeignet zu sein scheint) fand ich – nachträglich – weitgehend beim frühen Przywara wieder, während die von mir gemeinte *„Sache"* eher der Analogielehre des späteren Przywara entspricht. (Dazu wird unten in Abschnitt [6.1.1.5.5] weiteres gesagt werden. Vor allem das Koordinatenkreuz der Agape-Analogie beim späteren Przywara steht der in dieser Arbeit herausgestellten „Spannungseinheit von Bejahung Gottes und Bejahung des Menschen" nahe, wie unten in [6.3.3.4] noch gezeigt werden soll.)
Weiterhin soll bereits jetzt gesagt werden: Das Suchen Przywaras in das Geheimnis hinein, sein Bestreben, Gott als den „je immer größeren" erahnbar zu machen – das bereits in der frühen Phase ausgeprägt und in dem „Programm der Polarität" schon mitgemeint war –, scheint mir wie kaum etwas anderes eine Hilfe zum Verständnis der Gottesverkündigung Jesu und *seiner* Polarität zu sein.

von Bejahung Gottes und Bejahung des Menschen" zusammendenke: auf die Destruktion der Gottesbilder.
Wenn nach Kierkegaard die Sündigkeit des Menschen Gott zum Paradox macht (vgl. *S. Kierkegaard*, Abschließende Unwissenschaftliche Nachschrift I, 216.222; s. *K. P. Fischer*, a.a.O. 213 f), so könnte man damit vergleichen, daß nach meiner Konzeption das Auseinanderstreben der von mir gemeinten Spannungspole „Bejahung Gottes und Bejahung des Menschen" in engstem Zusammenhang mit dem Problem der Sünde steht (vgl. unten 6.1.2.1, Anm. 92). – Wenn die Offenbarung Gottes nach K. Barth dialektische Struktur hat, insofern sie das „seinem Wesen nach einander Ausschließende vereint: Gott und Mensch, Ewigkeit und Zeit" (*W. Pannenberg*, a.a.O. 169), so ist das zwar nicht wie bei mir von Grundausrichtungen her gedacht (vgl. jedoch unten 6.2.2.2), der Intention nach aber doch verwandt: „Die Einheit beseitigt den Gegensatz nicht, sondern vereint das Entgegengesetzte als solches. Darum ist sie als Einheit ‚unanschaulich' und nur von dem Gegensatz her, den sie vereint, zu beschreiben" *(W. Pannenberg,* a.a.O.). – Vgl. ferner *K. Schäfer*, Art. Paradox, in: Handbuch philosophischer Grundbegriffe II 1051-1059, nach dem „Paradox" Gegenbegriff gegen (geschlossene) Systeme sein kann, der aber im Gegensatz dazu auch „Systeme" für möglich hält, „für die Stabilität, Konsistenz und Selbstverständlichkeit lebensgefährlich oder strukturell unvollziehbar sind", für die Paradoxien also Chancen sind (a.a.O. 1058). – Wenn der Neutestamentler *H. Braun* (Der Sinn der neutestamentlichen Christologie 248 f) bei Jesus von einer „Paradoxie" von radikalisierter Tora und radikalisierter Gnade spricht, so zielt er damit den von mir ebenfalls gemeinten jesuanischen Sachverhalt an, wenn auch die ungeschützte Verwendung des Begriffs „Paradoxie" auf Unterschiede aufmerksam macht.

Zum „Programm der Polarität" des frühen Przywara:
E. Przywara hat die Konzeption der Polarität in der frühen Periode seines Schaffens ausdrücklich als Programm formuliert[32]: „Was wir brauchen und was wir darum heute als unser Programm aufstellen, ist eine Philosophie des Ausgleichs, eines Ausgleichs nicht ‚heute für immer', eines Ausgleichs vielmehr ‚ins Unendliche weiter': Die *Philosophie der Polarität*, gleichweit entfernt von einer Philosophie ruhlosen Umschlags wie statischer Mitte, die Philosophie *dynamischer* Polarität... die Philosophie einer hin- und zurückflutenden Bewegung zwischen beiden Polen, die Philosophie einer nie gelösten Spannung zwischen beiden Polen, die Philosophie der dynamischen ‚Einheit der Gegensätze', die Philosophie der ‚Spannungseinheit' ..., die entgegen einer öden Vereinerleiung den ‚Wetteifer in Freiheit' betont, und entgegen enger Verketzerung die Gottes- und Christusweite der Kirche..."[33] Die Berührung mit der von mir bislang schon verwendeten Terminologie und wichtigen Punkten auch meines Anliegens ist erkennbar: Dazu gehört sowohl das Ernstnehmen der Gegensätze als auch das Streben nach „dynamischer Einheit" – und nicht zuletzt das Anliegen der Weite und Offenheit, das durch ebendieses Konzept einer lebendigen Spannungseinheit angezielt werden kann. Der Unterschied ist von vornherein entscheidend dadurch gegeben, daß der frühe Przywara als Religionsphilosoph nicht vom jesuanischen Befund und dessen „Grundausrichtungen" ausgeht, sondern von der „horizontalen" Gegensatzspannung des Kreatürlichen und – im Verlauf der Weiterarbeit immer mehr – von der durch den Schöpfer realisierten „vertikalen" Ur-Polarität Gott – Geschöpf. Im Zusammenhang damit und darüber hinaus ist der Unterschied dadurch verstärkt, daß die Polaritätskonzeption des frühen Przywara Philosopheme mit sich trägt und demzufolge Aporien enthält, die bei einer Anwendung der Denkform „Polarität" auf den jesuanischen Befund nicht in das Blickfeld kommen. Die Terminologie und Inhaltlichkeit des frühen „Programms der Polarität" dürfte also wohl nur in der Weise einer „Motivtransposition" verwendbar sein für die Interpretation des Neuen Testaments und erst recht der neutestamentlichen Ursprungsstrukturen.
Jedoch ist bereits in der frühen Phase Przywaras der Ansatzpunkt für die Polarität von Grundausrichtungen zu erkennen: Die Philosophie der Polarität wächst „aus unserer Religiosität der Polarität"[34].

[6.1.1.5.4] *Zu den philosophie- und theologiegeschichtlichen Anregungen für das „Programm der Polarität" Przywaras*
Fragen wir nach den von Przywara aufgenommenen Einflüssen und Anregungen, so können in der Antwort gleichzeitig – wegen der umfassenden Auseinandersetzung Przywaras mit nahezu der gesamten philosophisch-theologischen Tradition – die notwendigsten Hinweise zur philosophie- und theologiegeschichtlichen Verankerung der Denkform „Polarität" gegeben oder mindestens angedeutet werden.[35]

[32] Auf der Herbsttagung des Katholischen Akademikerverbandes im August 1923 (vgl. *B. Gertz*, Glaubenswelt als Analogie 106).
[33] *E. Przywara*, Schriften II 215.
[34] *E. Przywara*, Schriften II 216. Das wird noch deutlicher durch den Rückbezug auf J. H. Newman: „Newman bringt echtes christliches Leben immer wieder auf das Grundschema der opposite virtues" *(E. Przywara*, Newman IV 79; weitere Belege bei *B. Gertz*, a.a.O. 118-121). Das Grundschema der opposite virtues gilt bei Newman im Verhältnis zu Gott (Liebe *und* Furcht) wie auch im Verhältnis zum Nächsten (Liebe und Ehrfurcht); bei Newman findet sich aber auch die Gegensatz-Spannung zwischen Weltflucht und Weltdienst (vgl. *B. Gertz*, a.a.O. 121).
[35] Vgl. die gute Darstellung bei *B. Gertz*, a.a.O. 106-121.136-164 und passim. Die folgende Skizze schließt sich an B. Gertz an.

Der Ausgangspunkt für Przywaras Polaritäts-Konzeption ist nach B. Gertz seine „von einem intensiven Nietzsche-Studium begleitete frühe Beschäftigung mit der deutschen Romantik, besonders mit Görres und Deutinger"[36]; ferner läßt Przywara die Bedeutung erkennen, die Simmel, Troeltsch und Scheler für ihn haben.[37] Eine besondere Rolle spielen für Przywaras Konzeption Augustinus (der Kirchenvater, dem er sich offenbar besonders nahe fühlte), Thomas von Aquin und Newman.[38] Darüber hinaus greift er bis in die Antike zurück: Er spricht (im Zusammenhang einer Beschäftigung mit Leibniz) von „jener Tradition, die, von Pythagoras zu Heraklit zu Augustinus zu Nikolaus von Kues, den universalen Kosmos als Zueinander-Bewegung seiner Gegensätze begreift"[39]. Schärfer abgrenzende Auseinandersetzungen finden sich vor allem gegenüber Hegel sowie Nietzsche,[40] gegenüber Kierkegaard – und nicht zuletzt (in einem besonders ausgeprägten Miteinander von Bejahung und Ablehnung) gegenüber Luther.[41]

Eine beachtliche Parallele zur Polaritäts-Konzeption Przywaras bildet vor allem R. Guardinis philosophisches Werk „Der Gegensatz. Versuche zu einer Philosophie des Lebendig-Konkreten"[42], das ein „System der Gegensätze", Überlegungen zu dessen Verhältnis zum Leben[43], zum Erkenntnisproblem und zur Bedeutung des Gegensatzgedankens enthält und in dem sich auch der Begriff „Spannungseinheit" findet[44]. Als weitere Vergleichsmöglichkeiten sind die Konzeption von P. Wust[45] und in anderer Weise die F. von Hügels[46] zu nennen; außerdem die bei A. Halder a.a.O. des weiteren genannten Autoren.[47]

[36] *B. Gertz*, a.a.O. 107; vgl. die Belege ebd. 107-110.

[37] Vgl. zu G. Simmel die Belege bei *B. Gertz*, a.a.O. 149f, zu E. Troeltsch 150 f, zu M. Scheler 153-158.

[38] Zu Augustinus vgl. *E. Przywara*, Augustinus; weitere zahlreiche Belege bei *B. Gertz*, a.a.O. (vgl. dort das Namenregister). *E. Przywara*, Schriften II 239, bezeichnet Thomas von Aquin und Newman beide als „in gleicher Weise durchseelt vom Geist der Polarität"; weitere Belege bei *B. Gertz*, a.a.O. 115-121.

[39] *E. Przywara*, Mensch I, 178; vgl. 177f.

[40] Zu Hegel vgl. die Belege bei *B. Gertz*, a.a.O. 142f; zu Nietzsche 146.

[41] Zu Kierkegaard s. *B. Gertz*, a.a.O. 146-148; zu Luther bes. 136-140. 372-386.

[42] E. Przywara scheint mit Guardinis Grundansatz übereinzustimmen, vgl. *E. Przywara*, Ringen der Gegenwart 360 f, äußert aber auch Kritik (a.a.O. 360-364); vgl. *B. Gertz*, Glaubenswelt 113 f.

[43] Wie der Untertitel schon sagt, geht es Guardini um die Gegensatzspannung innerhalb des (kreatürlichen) „Lebendig-Konkreten". Eine theologische Auswertung ist trotz Bejahung ihrer Sinnhaftigkeit ausgeklammert. (Vgl. *R. Guardini*, a.a.O. 150f, Anm. 36). (Ausnahmen bilden S. 124-127 mit den Anm. 29-31; S. 150, Anm. 35.) Aber wenn R. Guardini den Gegensatz als „eine eigentümliche Art der Beziehung" bezeichnet, „gebildet durch relative Ausschließung und relative Einschließung zugleich" (a.a.O. 90) – daß Leben sich also in Gegensätzen konstituiert, die Gegensätze und nicht Widersprüche sind –, so leistet auch er damit einen Beitrag zur anthropologischen Basis dessen, was ich als die spezifische Spannungseinheit der neutestamentlichen Ursprungsstrukturen herausstellen möchte.

[44] A.a.O. 90. Der Begriff wird ebd. 90f definiert; Guardini versucht, ihn bildhaft zu veranschaulichen. Vgl. a.a.O. 91: „Leben ist jenes Etwas, das nur in diesen beiden Seiten sein kann, als das so Zwei-Seitige. Selbst aber ein Eines, Eigenes, das mehr ist als jede der Seiten; mehr auch als Summe aus ihnen; das aus ihnen überhaupt nicht abgeleitet werden kann."

[45] Vor allem in seinem Werk „Naivität und Pietät".

[46] Bei ihm geht es um die unaufhebbare Spannung zwischen dem historisch-institutionellen Element der Religion und ihrem mystischen Element; vgl. *P. Neuner*, Erfahrung und Geschichte; vgl. ebd. 4: „Rechte Religion ist für von Hügel ein Ganzes aus verschiedenen Elementen, die

[6.1.1.5.5] *Zum theologischen Kontext (I) – bei E. Przywara selbst: Polarität – analogia entis – analogia fidei*

E. Przywara ist, wie schon angedeutet, nicht bei dem „Programm der Polarität" stehengeblieben. Er hat dessen Anliegen zwar nicht aufgegeben (auch da nicht, wo er die Terminologie seines Programms nicht oder kaum mehr verwendet und dessen philosophische Mängel überwindet); vielmehr hat er dieses Anliegen in größere theologische Zusammenhänge hineinzustellen gesucht. Das erschien notwendig, weil der Begriff – als rein (oder vorwiegend) philosophischer Begriff – zu ungeschützt war.[48] In der frühen Phase war analogia entis (das Verhältnis von Ähnlichkeit und Unähnlichkeit zwischen Schöpfer und Geschöpf) für Przywara „Gleichheit – Unterschiedenheit – Polarität"; diese Formulierung erklärt B. Gertz nicht ohne Grund als unzureichend und „verwirrend".[49] Tatsächlich mußte der Schritt darüber hinaus getan werden, in dessen Folge Przywara den Begriff „analogia entis" „aus einer kleinen scholastischen Spitzfindigkeit zur Grundstruktur des ‚Katholischen' " machte.[50] Przywara entdeckt (1925) die „entscheidende Bedeutung" der Definition des IV. Laterankonzils (1215), daß zwischen dem Schöpfer und dem Geschöpf keine Ähnlichkeit ausgesagt werden könne, die nicht durch die Aussage einer größeren Unähnlichkeit in Frage gestellt würde.[51] Diese „Entdeckung" bewirkte einen Neuansatz seines Denkens, insofern jetzt die unbedingte Prävalenz der Göttlichkeit Gottes als des ganz Anderen (im Sinne des „maior dissimilitudo") neu akzentuiert und unmißverständlich zur Geltung gebracht wird. Es handelt sich um den Beginn einer neuen Phase – wenn man so will, um einen Wendepunkt, aber „nur" in dem Sinn, daß der Kerngedanke bzw. seine eigentliche Motivation, die schon längst bestanden hat, ihre reinere Ausdrucksform erhält. Ebendamit konnte ein zu einseitig von der Philosophie (wohl nicht zuletzt der Lebensphilosophie) herkommendes Verständnis, das in seinen Konsequenzen für die Interpretation des religionsphilosophischen und vor allem theologischen Gesamt-Sachverhalts

... untereinander in unauflöslichem und beständigem Kampf stehen. Jedes will sich absolut setzen und hat damit die Tendenz in sich, Religion zu vereinseitigen und zu verunstalten. Dabei ist jedes von ihnen für das Ganze der Religion unverzichtbar..." – S. 5: „Es gilt..., die Elemente zu möglichst umfassender Fülle zu entwickeln, sie aber immer im Gleichgewicht der anderen, ebenfalls kräftig entfalteten Elemente zu halten." Von den (aus dem Englischen) ins Deutsche übersetzten Werken von Hügels dürfte vor allem die Auswahlübersetzung „Religion als Ganzheit" von Interesse sein. Vgl. auch *P. Neuner,* Religiöse Erfahrung (umfassende Monographie).

[47] Art. Polarität, in: LThK VIII 581f.

[48] Dies vor allem deshalb, weil der Begriff „Polarität" in der „Horizontalen" als innerkreatürliche Polarität verstanden werden konnte, in der das Geschöpf sich dem Schöpfer gegenüber in vermeintlicher Autonomie verschloß. Vgl. darüber hinaus *B. Gertz,* Glaubenswelt 211: „ ‚Polarität' krankte immer daran, daß sie entweder in einer waagerechten Gegensatzeinheit sich vor Gott verschloß oder in einer senkrechten Polarität Gott und Geschöpf als ‚Pole' verstand, was sie doch nicht sind."

[49] Was den ursprünglichen geistesgeschichtlichen Kontext des „Programms" betrifft, so wird das Urteil von B. Gertz zutreffen; das „Programm der Polarität" kann jedoch meiner Ansicht nach durch eine Transposition in den theologischen Zusammenhang der neutestamentlichen Ursprungsstrukturen (innerhalb dessen sie auch das Weiterdenken Przywaras aufzunehmen vermag) eine positive, hilfreiche Funktion gewinnen und so dasjenige, was Przywara von vornherein intendiert haben dürfte, neu (wenn auch in einer anderen Weise als die Weiterarbeit Przywaras selbst) zur Geltung bringen.

[50] *K. Rahner,* Laudatio auf Erich Przywara 270.

[51] DS 806.

der Offenbarung nicht mehr adäquat gewesen wäre, korrigiert werden[52]. Dieser Neuansatz Przywaras und sein Ergebnis dürften auch für die von mir vorgelegte Konzeption Fragen aufwerfen, auf die im letzten Abschnitt dieses Exkurses noch eingegangen werden muß.

Die im Sinne dieses Neuansatzes gefüllte analogia entis hat bereits die Form des „Koordinatenkreuzes" angenommen[53], das durch die kreuzförmige Überlagerung (bzw. deutlicher: Durch-Kreuzung) des horizontal-dynamischen Hin- und Herschwingens („vom je andern zum je andern") durch ein in der Vertikalen schwingendes „Über-hinaus"[54] zustande kommt.[55] So wird die Polarität[56] „durchkreuzt und damit transzendiert . . . durch die je größere Unähnlichkeit des ‚über' "[57]. Die analogia entis erscheint – so verstanden – bereits geöffnet für die „analogia fidei", die das Ziel dieser Denkbewegung Przywaras bildet.[58] Das Koordinatenkreuz der Analogie öffnet sich beim mittleren und späten Przywara immer mehr auf das Kreuz Jesu Christi (und des Christen) hin, vor allem da, wo „Agape" als der „Offenbarungsname der Analogie" verstanden wird[59]. Diese letztere Entwicklung scheint mir von einer solchen Bedeutung zu sein, daß sie an einer anderen Stelle, an der der Vergleich mit meiner Konzeption leichter zugänglich ist, eigens thematisiert werden soll.[60]

[52] Vgl. *B. Gertz*, a. a. O. 238f.

[53] Vgl. *E. Przywara*, Mensch I, 73; dazu *B. Gertz*, a. a. O. 209-211.

[54] Zu der Kurzformel Przywaras „Über-hinaus" vgl. die Belege bei *B. Gertz*, a. a. .O. 201-204. Przywara verwendet auch das einfache „über"; auch die Formel „Je-immer-mehr" (im Anschluß an Ignatius von Loyola); dieses „Je-immer-mehr" zielt letztlich in allen seinen Formen auf Gott. Vgl. ferner *K.P. Fischer*, Der Mensch als Geheimnis 84.88.

[55] Diese Formulierung ist teilweise im Anschluß an *G. Schischkoff*, Philosophisches Wörterbuch, Art. Przywara (S. 541), gewählt, jedoch mit Korrekturen.

[56] Um noch einmal darauf hinzuweisen: In Przywaras frühem „Programm der Polarität" wird der Begriff von seinen philosophischen Grundlagen her zunächst als innergeschöpfliche Gegensatzspannung gedacht (vgl. *B. Gertz*, a. a. O. 106: Bei diesem frühen Lösungsversuch „geht es um die Struktur des kreatürlichen Denkens"); in diesem jetzigen Zusammenhang darf das Wort „Polarität" also nicht im Sinn der von mir für die Interpretation der neutestamentlichen Ursprungsstrukturen verwendeten „Spannungseinheit" der Grundausrichtungen „Bejahung Gottes und Bejahung des Menschen" verstanden werden.

[57] *K.P. Fischer*, Der Mensch als Geheimnis 84.

[58] Primär zielt der Begriff „analogia fidei" die Gesamtheit und Ganzheit des in seiner Tiefendimension erfaßten Glaubens an, und zwar als Richtschnur. Er ist – daß muß hinzugesagt werden – jedoch nicht nur bestimmt von dem neutestamentlichen Text Röm 12,6 und vor allem von dessen Auslegungsgeschichte, sondern umgreift im Sinn Przywaras auch das (zu einem beträchtlichen Teil in zeitbedingter Ausprägung interpretierte, freilich immer wieder vertiefte und geweitete) katholische kirchenamtliche Verständnis der analogia fidei als gehorsamer Übereinstimmung mit dem hierarchischen Lehramt; vgl. *E. Przywara*, Art. Analogia fidei, in: LThK I, 473-476, bes. 475. Vgl. zu dieser Problematik auch unten [6.1.1.5.7], Anm. 78. Jedoch sollte man die Konzeption Przywaras nicht von einzelnen Konkretionen, sondern vom theologischen Grundansatz her beurteilen; vgl. *B. Gertz*, Glaubenswelt, z. B. 317f zum Verhältnis von analogia fidei und analogia entis bei Przywara.

[59] Vgl. *E. Przywara*, Alter und Neuer Bund 531; hierzu *B. Gertz*, a. a. O. 317 f.

[60] Unten [6.3.4.4] – in Kontrastierung mit dem von mir vorgelegten graphischen Schema des Zusammenhangs von Theozentrik und Spannungseinheit.

[6.1.1.5.6] *Zum theologischen Kontext (II):*
Die Begriffe „et" und „sola" als Grundformen theologischer Problematik – und die Spannungseinheit der neutestamentlichen Ursprünge

Im Zuge eines Weiterdenkens des Dogmas von Chalkedon hat sich im (vor- und nachreformatorischen) Raum katholischer Theologie eine Denkform entfaltet, für die die Kopula „et" das Stichwort bildet: „Gott und Kreatur, geschöpfliches Sein und göttliche Immanenz, causa prima und causa secunda, Herrschaft Gottes und geschöpfliche Freiheit, Glaube und natürliche Gotteserkenntnis, Schrift und Tradition... Christus und Kirche... Glaube und Sakrament, Natur und Gnade, Amt und Charisma, Gottesliebe und Nächstenliebe"[61]; diese mit „et" gekennzeichnete Denkform steht in engstem Zusammenhang mit der analogia entis.[62] Diesem „et" steht – zum Beispiel in der gutbegründeten Darstellung H. Volks – das reformatorische Adjektiv „sola" gegenüber: sola gratia, solus Christus, sola fides, sola scriptura.[63]

Angesichts dieser kontrastierenden theologischen Denkweisen möchte ich wieder an die von mir ins Auge gefaßte jesuanische Polarität erinnern. Vielleicht dürfen wir jenen kontroverstheologischen Gegensatz in etwa als eine Variante bzw. andere Ausdrucksform der im Jesuanischen grundgelegten Spannungseinheit ansehen: Das reformatorische „sola gratia", „solus Christus", „sola scriptura" legt den Akzent auf Anspruch[64] und (nicht einfach „Liebe Gottes", sondern:) *Macht* der Liebe Gottes[65]; das „et" der analogia entis in der Grundform „Gott und Mensch" (gewiß im Sinn des IV. Laterankonzils, in dem die „je größere Unähnlichkeit" hinzugedacht werden muß) ist die Grundbedingung dessen, was in dem durchgängig wirksamen Strukturprinzip 1 und weiterhin „Bejahung des Menschen", „Geschenk der Freiheit" o. ä. genannt wird. (Ich begebe mich jetzt also wieder – ohne die dogmengeschichtlich-ökumenische Problematik aus dem Auge zu lassen – auf die Denkebene des Grundansatzes dieser Arbeit, um von da aus das ökumenische Anliegen verstärkt wieder aufnehmen zu können.) Das Grundmodell der von mir gemeinten *jesuanischen* Polarität ist die Spannung von Anspruch Gottes und prophetisch-radikaler „Humanität"; die letztere ist aber nicht vom gegenüber Gott isolierten Menschen her gedacht, sondern von dem für den Gott der Basileia und damit für das absolute Geheimnis und seine absolute eschatologische Zukunft geöffneten Menschen – und das heißt letztlich: von der Schaffung „radikaler" Humanität durch die Selbstmitteilung Gottes.

Von hierher scheint mir eine Aufgabe in den Blick zu gelangen (bzw. vielleicht zunächst ein Postulat): Die von mir gemeinte Polarität nimmt als Spannungs*einheit* das Anliegen des („katholischen") „et" auf, transzendiert es aber gleichzeitig kritisch – von der Theozentrik und Christozentrik des Evangeliums und letztlich vom Durchtragen der Spannungseinheit im Kreuzestod Jesu her –, sucht ebendadurch aber auch das An-

[61] *H. Volk*, Gott alles in allem 150.

[62] Vgl. *H. Volk*, a. a. O. 208f; s. auch unten Anm. 67 zum Analogie-Verständnis K. Barths und E. Przywaras.

[63] Vgl. *H. Volk*, a. a. O. 151.208f. Volk betont, daß man evangelischerseits heute das „sola" nicht mehr als Bekenntnis einer Ausschließlichkeit oder Einzigartigkeit betrachtet, vermutet aber, daß das „sola" doch „die zentralen Anliegen der Reformation zur Aussage brachte und auch heute noch zum Ausdruck bringt" (a. a. O. 208f). Volk betont aber auch (a. a. O. 209), daß das reformatorische „sola" von katholischer Seite nicht mit einem undifferenzierten „et" beantwortet werden könne.

[64] Nach *E. Przywara*, Humanitas 380, betont Luther mit Calvin den Gott der Majestät, des souveränen Willens und des Zornes. (Zum Unterschied gegenüber Calvin vgl. a. a. O. 384.)

[65] Es handelt sich um einen *Akzent;* im reformatorischen Denken sind „Bejahung des Menschen" und erst recht „Freiheit eines Christenmenschen" ja keineswegs ausgeschlossen.

liegen des reformatorischen Adjektivs „sola“ in die polare Einheit hineinzunehmen (durchaus der Aufgipfelung der Spannung, die darin liegt, bewußt). Das Anliegen des „et“ und das des „sola“ werden zwar keineswegs harmonisiert, aber beide bejaht, und für beide wird die Einheit in aller Problematik und Spannungsfülle postuliert.[66] Sowohl „et“ als auch „sola“ können in spannungsvoller Zusammengehörigkeit aufrechterhalten werden, wenn der Ansatz bei den neutestamentlichen Ursprungsstrukturen „radikal“ genug ist.[67]

[6.1.1.5.7] *Zur möglichen Relevanz für eine Begegnung zwischen systematischer und biblisch-neutestamentlicher Theologie:*
E. Przywara – K. Rahner – Die neutestamentlichen Ursprungsstrukturen

Die Analogielehre Przywaras, die den ursprünglichen Problemhorizont des „Programms der Polarität“ integriert und transzendiert und so seine Gefährdungen überwunden hat, eröffnet Horizonte und Fragestellungen, die das für die Theologie als ganze zentrale Problem der Vermittlung zwischen systematischer Theologie und Bibeltheologie betreffen – und von denen aus auch mein Entwurf erneut zu hinterfragen ist.

[66] Das erscheint auch von Przywara aus – als Postulat – sinnvoll, wenn konsequent auf das (im Sinn der „analogia fidei“ Przywaras vertiefte) „Programm der Polarität“ zurückgegriffen wird, und zwar in Transposition auf die ökumenische Ebene. (In diesem Zusammenhang sollte nicht unerwähnt bleiben, daß Przywara – trotz aller noch vorhandenen polemischen Übersteigerungen – einen wirklichen Zugang zu Luthers Kreuzestheologie hatte. Nach *K. Rahner* [Laudatio auf E. Przywara 270] ist Przywara „wohl mehr als alle anderen katholischen Mitdenker seiner Zeit der, der das radikale Pathos einer ‚theologia crucis‘ der Reformation in das katholische Denken einbrachte, ohne aufzuhören, katholisch zu sein.“ – Vgl. auch unten 7.4.3, Anm. 164 zur Position Przywaras hinsichtlich des ökumenischen Dialogs.) Und Voraussetzung ist vor allem, daß das „Programm der Polarität“ konsequent auf die Ebene der jesuanisch-nachösterlichen Ursprungsstrukturen transponiert wird.

[67] Im Zusammenhang dieses Abschnitts kann die scharfe Ablehnung der analogia entis (die, wie gesagt, auf das engste mit dem „et“ zusammengehört) durch K. Barth und überhaupt das Verhältnis zwischen den Konzeptionen K. Barths und E. Przywaras nicht unberücksichtigt bleiben. Im Zuge der Kontroverse zwischen Przywara und Barth hat das ökumenische Anliegen, das auch meine jetzigen Ausführungen bestimmt, eine in etwa vergleichbare Entsprechung gefunden in den Versuchen, zwischen der analogia fidei im Sinne K. Barths und der „katholischen“ analogia entis zu vermitteln (vor allem durch *G. Söhngen*, Analogia fidei, und *H.U. v. Balthasar*, Karl Barth; *ders.*, Analogie und Dialektik [s. auch *B. Gertz*, Glaubenswelt 260-265]). Przywara scheint mir jedoch der Vermittlung mit K. Barth, die Söhngen sich zum Ziel gesetzt hat, *der Sache nach* einen noch größeren Dienst geleistet zu haben als dieser selbst – insofern er das Problem tiefer erfaßt und einer adäquateren Lösung zugeführt hat als Söhngen selbst (vgl. *B. Gertz*, a. a. O. 284f). Sowohl Przywara als auch Barth haben an dem Problem weitergearbeitet. K. Barth ist bei seiner scharfen Verurteilung der analogia entis – *was die Sache (nicht den Ausdruck) angeht* – nicht stehengeblieben, sondern hat eine Konzeption von „analogia fidei“ entwickelt, die der Przywaras mindestens sehr nahe kommt. *B. Gertz* (a. a. O. 259) dürfte darin recht haben, daß bei K. Barth zwar nicht *nur* ein Mißverständnis vorliegt, daß es aber trotzdem keine bessere Antwort geben könne als die Feststellung *H.U. v. Balthasars* (Karl Barth 269): „Von dem Schreckgespenst der analogia entis, das Barth daraus machte, ist bei ihm [Przywara] schlechterdings nichts zu finden“. Vgl. ferner *H.U.v. Balthasar*, Analogie und Dialektik 171f: Beide Gegner verteidigen „offenbar ein gleiches Anliegen: weil beide sich letztlich den gleichen Vorwurf entgegenschleudern“. Nach H.U. v. Balthasar findet sich „die echte Form der analogia entis“ allenthalben bei Barth wieder (ebd. 211; vgl. auch *B. Gertz*, a. .a. O. 251-259). Auch der Vermittlungsversuch H.U. v. Balthasars selbst dürfte – entgegen einer anfänglichen Meinung Przywaras – durchaus das Richtige treffen (vgl. *B. Gertz*, a. a. O. 270-274).

In meiner Formulierung des durchgängigen Strukturprinzips der jesuanisch-nachösterlichen Ursprünge sind die Begriffe „Bejahung Gottes" und „Bejahung des Menschen" formal gleichgeordnet (bzw. in der Gegensatzspannung einander [mindestens formal] gleichgewichtig zugeordnet). Diese Nebenordnung hat sich mir aufgrund der Lektüre Przywaras deutlicher als Problem gestellt: Ist die gleichgewichtige Zuordnung aufrechtzuerhalten angesichts des „maior dissimilitudo" des IV. Laterankonzils und des so scharf akzentuierenden „Über-hinaus" E. Przywaras? Und vor allem: Ist in dem „Über-hinaus" mit seiner immer wieder alles von der Theo-logie her in Frage stellenden kritischen Dynamik nicht doch etwas genuin Jesuanisches (und durch die Auferweckung zu bleibender Gültigkeit Erhobenes) enthalten, aufgrund dessen meine mindestens formal gleichgewichtige Gegenüberstellung *von den neutestamentlichen Ursprüngen selbst her* hinterfragt werden müßte?
Die Frage muß vom jesuanischen Befund her in der folgenden Weise entschieden werden: Die formal und theologisch gleichgewichtige Gegenüberstellung von „Bejahung Gottes" und „Bejahung des Menschen" ist legitim, weil die Grundausrichtungen „Liebe zu Gott" und „Liebe zum Nächsten" von Jesus selbst gleichgewichtig aneinandergebunden werden[68] und weil auch die „Bejahung des Menschen" als Ja zu *Gottes* Ja zum Menschen – wie die „Bejahung Gottes" – von der umfassenden Bewegung der Theozentrik umgriffen wird[69]; durch die gleichgewichtige Verbindung und Gegenüberstellung von Gottes- und Nächstenliebe wird das Anliegen des „Über-hinaus" in keiner Weise geschmälert.[70] Freilich wird das „Über-hinaus" an manchen Stellen zu dem Versuch zwingen, meine Position zu vertiefen.

Doch damit sind die Probleme der Vermittlung von Dogmatik und Exegese noch keineswegs in jeder Hinsicht gelöst. Von den zahlreichen Theologen, die jetzt an sich zu berücksichtigen wären, kann ich in diesem Zusammenhang nur K. Rahner nennen – als einen Theologen, der Przywara in vieler Hinsicht (trotz der – bei Wahrung der Grundanliegen – andersgerichteten Weiterarbeit) nahesteht und dem auch ich persönlich wichtige Anregungen verdanke[71].

Zu K. Rahner:
Infolge der Konzeption Rahners von der Einheit von Nächsten- und Gottesliebe[72], die man in etwa als Ineinanderdenken bezeichnen könnte, legt sich die gleichgewichtige Verbindung von „Bejahung Gottes" und „Bejahung des Menschen" erst recht nahe.

[68] Vgl. unten 6.3.3.5.2. (Insgesamt wird die in den jetzigen Zeilen thesenartig gebotene Antwort in Abschnitt 6.3.3.5 – im Zusammenhang des Themas „Gottes- und Nächstenliebe" – näher begründet werden.)

[69] Vgl. unten 6.3.3.5.6.

[70] S. unten 6.3.3.5.4.

[71] Vor allem seit ich Gelegenheit hatte, mit K. Rahner in einer gemeinsamen Vorlesung zusammenzuarbeiten (vgl. die Quaestio disputata 55 „Christologie – systematisch und exegetisch", in der die von beiden Dozenten herausgegebenen Arbeitsgrundlagen der Vorlesung enthalten sind), habe ich manche Anregungen der Theologie K. Rahners aufgenommen und in meine neutestamentlich-theologische Weiterarbeit zu integrieren versucht – Anregungen, die ich (trotz kritischer Differenzierungen, vgl. meinen Beitrag zu der genannten Quaestio [„Zugangswege"] 104-113 und passim) nicht mehr entbehren möchte. – Leider ist es mir nicht mehr möglich, die Weiterentwicklung von Ansätzen Przywaras durch H.U. v. Balthasar (in dessen späteren Schriften Przywara [nach *B. Gertz*, a. a. O. 273] seinen besten Interpreten gefunden hat) in die Überlegungen einzubeziehen.

[72] Vgl. vor allem Schriften VI 277-298.

Rahner sieht die Einheit von beidem bekanntlich darin grundgelegt, daß der Akt der Nächstenliebe bereits „unthematisch" ein Akt der Gottesliebe ist.[73] Dabei hebt Rahner gewiß die ausdrückliche Liebe zu Gott in ihrer Würde und Bedeutung hervor, sieht also auch in der Einheit von Nächsten- und Gottesliebe – und vor allem in dem Geheimnischarakter beider – das „Über-hinaus".
Für mich erscheint das Problem vor allem deswegen dringlich, weil ich die Konzeption K. Rahners als hilfreich und bedeutsam auch für die Interpretation des Neuen Testaments anzusehen gelernt habe – so daß sich für mich aufgrund der Theologie Przywaras die Frage nach Recht und Grenzen meiner These, daß es vom Neuen Testament zur Rahnerschen Theologie „Zugangswege"[74] gibt, neu stellt – und ebenso die Frage, ob meine (bei aller Zustimmung doch vorhandene) Abgrenzung gegenüber Rahner scharf genug ist: Kann ich die Theologie K. Rahners mit dem Neuen Testament vermitteln, ohne das transzendierende „Über-hinaus" Przywaras (und im letzten Jesu selbst!) zu gefährden?

Nochmals zu E. Przywara:
Przywaras „Programm der Polarität" ist nach meinem Eindruck auch in der Mittel- und Spätphase seines Schaffens nicht eigentlich aufgegeben, sondern auch in der Weiterbildung weitgehend integriert und dadurch in wesentlicher Vertiefung (wenn auch kaum in jeder Hinsicht so effizient, wie es der frühe Przywara offenbar wollte) durchgehalten. Es ist also durch die Weiterarbeit Przywaras selbst und die theologische Entwicklung über Przywara hinaus, wenn ich recht sehe, kaum im eigentlichen Sinn überholt;[75] im Gegenteil verdient es – gerade im Hinblick auf die Vermittlung zwischen systematischer Theologie und heutiger Bibeltheologie (und zwar gerade den neutestamentlichen Ursprungsstrukturen) –, erneut zur Geltung gebracht zu werden. Das gilt vor allem dann, wenn die Polarität nicht (primär ontologisch) auf die „Ähnlichkeit und je größere Unähnlichkeit zwischen Schöpfer und Geschöpf" bezogen wird[76], sondern von den jesuanisch-nachösterlichen Grundlagen her vor allem auf die Grundausrichtungen „Bejahung Gottes" und „Bejahung des Menschen"[77]. Freilich sind vom Neuen Testament her in manchen Punkten durchaus Divergenzen festzustellen und Desiderate anzumelden, vor allem, was die konkrete ekklesiologische Ausformung der

[73] Ebd. 292-295. – In diesem Zusammenhang ist es von Bedeutung, daß K. Rahner den Menschen als Geheimnis sieht, analog und im Zusammenhang mit dem absoluten Geheimnis Gottes; mehr: Mit der Theologie Rahners über den Menschen als Geheimnis „ist eine ‚reductio in mysterium' des Menschenbildes gegeben, die den Menschen in einen unmittelbaren Bezug zum Geheimnis Gottes selbst hineinstellt" (*K.P. Fischer*, Der Mensch als Geheimnis 367; vgl. überhaupt die Zusammenfassung 365-388).

[74] Vgl. meinen gleichnamigen Beitrag in der Quaestio disputata 55; ferner meinen Aufsatz „Strukturen des Christlichen beim Jesus der Geschichte".

[75] Ich halte es insofern nicht für „überwunden" (vgl. *B. Gertz*, a. a. O. 238, der von einer Überwindung der mit dem Polaritätsprogramm verbundenen Analogieauffassung durch Przywara selbst spricht; vgl. auch die richtigen Einsichten von *B. Gertz*, a. a. O. 122.211 [s. auch 360], die mit dem Denken des späteren Przywara übereinstimmen), als es, soweit ich das erkennen kann, nicht auf die Gefährdungen seines philosophischen Substrats beschränkt werden darf, vielmehr seiner eigentlichen Intention nach prinzipiell offen ist und deshalb (um es nochmals zu sagen: unter Berücksichtigung der Vertiefung durch die Analogielehre) aus dem philosophischen Kontext transponierbar ist – im Fall meiner Untersuchung: auf die Ebene der neutestamentlichen Ursprungsstrukturen.

[76] Dabei ist nicht bestritten, daß die lateranensische Formel in ihrer Weise der Botschaft Jesu außerordentlich gut entspricht.

[77] Vgl. oben den Abschnitt [6.1.1.5.1].

analogia fidei beim späteren Przywara angeht.[78] In solcher kritischer Zustimmung und Modifikation angewendet, scheint mir das Programm der Polarität zusammen mit der Analogielehre die Möglichkeit einer Verständnishilfe, ja einer dynamischen Vertiefung dessen zu bieten, was in der vorliegenden Arbeit vom Befund der synoptischen Jesustradition und von der Auferweckungserfahrung her entwickelt werden konnte – vor allem im Zusammenhang mit dem intensiven Bestreben Przywaras, alle Fixierungen auf Systeme aufzubrechen[79].

Zum Verhältnis K. Rahners und E. Przywaras dem Neuen Testament gegenüber: Jeder der beiden Theologen steht in je anderer Weise den Ursprungsstrukturen des Neuen Testaments näher und in je anderer Weise ihnen ferner. Bei *Przywara* scheint mir die Nähe zu den theologischen Strukturen des Neuen Testaments nicht nur durch das Anliegen seines „Programms der Polarität" gegeben zu sein, sondern sicherlich auch durch seine intensive (freilich, um das schon vorweg zu sagen, wegen der Ausklammerung der historisch-kritischen Methode problematische) Beschäftigung mit der Theologie neutestamentlicher (und alttestamentlicher) Schriften. *K. Rahner* hilft zur Vermittelbarkeit des Neuen Testaments für heute, insofern er als glaubender Christ anthropologisch denkt und dadurch objektivistische Mißverständnisse (nicht nur der dogmatischen Tradition, sondern ausdrücklich auch der neutestamentlichen Verkündigung) überwindet, die einem heutigen denkenden Christen nicht mehr möglich wären; ferner vermag er, durch seine anthropologische Grundausrichtung zum Verständnis der jesuanischen „Bejahung des Menschen" beizutragen; und – nicht zuletzt – bedenkt Rahner ausdrücklich die jesuanischen Ursprünge zusammen mit der entscheidenden Grundbedingung auch nachösterlicher Ursprungsstrukturen der Auferwekkungserfahrung.[80] Gerade hierdurch hilft er zur Vermittlung zwischen dem neutestamentlichen Grundkerygma und dem heutigen Glauben, insofern er objektivistische Fehldeutungen *im Zentralpunkt christlichen Glaubens* überwindet.
Schließlich hat K. Rahner die – auch und gerade ekklesiologische – Offenheit, die der

[78] Kritische Solidarität gegenüber der konkreten Kirche von solcher Offenheit und Ausgewogenheit, wie *K. Rahners* Buch „Strukturwandel der Kirche als Aufgabe und Chance" sie aufweist (vgl. dort u. a. 58f.61f und bes. 100-108), wäre zwar prinzipiell vom „Programm der Polarität" Przywaras aus denkbar, kaum jedoch von Przywaras spezifischer Verbindung der analogia fidei mit der Ekklesiologie; vgl. schon oben Anm. 58, ferner *E. Przywara*, Deus semper maior II 365 (dazu *B. Gertz*, a. a. O. 316). S. demgegenüber die Auffassung von der ekklesialen Agape und deren Konsequenzen unten 7.3.3. – Freilich ist auch das Ringen Przywaras um den Sinn von Autorität und Gehorsam in der Kirche zu berücksichtigen (vgl. z. B. Deus semper maior II 287. 347; s. *B. Gertz*, a. a. O. 343-348, der [344] von einem „Zwei-Fronten-Kampf Przywaras um den Sinn des kirchlichen Amtes" spricht).

[79] Vgl. H.U. v. Balthasar in der Einführung zu *L. Zimny*, E. Przywara (S.6); vgl. *B. Gertz*, a. a. O. 122.

[80] Vgl. vor allem *K. Rahner*, Grundlinien 35f (bzw. Grundkurs 261), wo Rahner zwischen „jenem Kern ursprünglicher Erfahrung an Jesus als dem Christus, die die ursprüngliche, unableitbare erste Offenbarung der christlichen Christologie ist", einerseits und der Theologie der neutestamentlichen Autoren (als der „späten" neutestamentlichen Christologie und Soteriologie) andererseits unterscheidet. Zwar habe ich mich seinerzeit (vgl. *W. Thüsing*, Zugangswege 117f) gegen die Formulierung Rahners (a. a. O. 51) gewandt, die Theologie der neutestamentlichen Autoren (also in der Terminologie Rahners: die „späte" neutestamentliche Christologie) könne als in der Darstellung der klassischen kirchlichen Christologie und Soteriologie des 4. und 5. Jahrhunderts „mitbehandelt" betrachtet werden; jedoch halte ich die eben genannte Unterscheidung K. Rahners als solche für so bedeutsam und hilfreich, daß sie für die Konzeption dieser jetzigen Arbeit mitbestimmend geworden ist.

frühe Przywara mit dem Programm der Polarität erreichen wollte, von seinem ganz anderen Ansatz (freilich sicherlich noch im Zusammenhang mit Przywara und vor allem mit dessen Anliegen) weitaus konsequenter und wirkungsvoller erreichen können.[81]
Beide sind in je anderer Weise dem Neuen Testament relativ ferner:
Bei *K. Rahner* ist, soweit ich sehe, die mir so hilfreich erscheinende Denkform der Polarität kaum zu erkennen, da er die Spannungen infolge seiner spezifischen Konzeption stärker in eine Einheitsschau integriert (obschon das Anliegen Przywaras in den Reflexionen über den Begriff des „Geheimnisses" und seiner Unverfügbarkeit durchaus gewahrt bleibt [82]); zudem tritt – trotz hervorragender Beobachtungen zu einzelnen Zentralpunkten – die ausdrückliche Vermittlung seiner Konzeption mit neutestamentlichen Texten und Konzeptionen (so der paulinischen Kreuzestheologie[83]) zurück.
E. Przywara dürfte von den *Ursprungs*strukturen (in dem in dieser Arbeit verwendeten Sinn) vor allem dadurch weiter entfernt sein, daß sein neutestamentlicher Ansatz beim „späten" Neuen Testament liegt: in dem Versuch, Schriften wie das Johannesevangelium zwar nicht historisch-kritisch zu erarbeiten[84], aber im Zusammenhang mit seiner eigenen Gesamtkonzeption gewissermaßen in theologischer Intuition bzw. Tiefenschau zu erfassen[85].

Gehe ich noch einmal von *K. Rahner* aus (dessen Werk ich persönlich früher begegnet bin und das ich, wie schon betont, in Anliegen und zentralen Aussagen nach wie vor für außerordentlich hilfreich halte), so stellt sich mir jetzt immer neu die nicht unproblematische, aber lohnende Aufgabe, die transzendentale Konzeption Rahners mit

[81] Vgl. oben Anm. 78.

[82] Vgl. *K.P. Fischer*, Der Mensch als Geheimnis, 34-36.70-75.89.

[83] Zu der Schwierigkeit, den transzendentalen Ansatz Rahners mit einer – von ihm ohne jeden Zweifel bejahten (und seiner Theologie insgeheim immanenten [vgl. *K.P. Fischer*, a. a. O. 88]) – Theologie des Kreuzes in neutestamentlicher Ausdrücklichkeit zu verbinden, vgl. *W. Thüsing*, Zugangswege 109-111.

[84] Für den Exegeten stellt vor allem diese Tatsache (und nicht nur die Diktion Przywaras) eine Barriere dar, durch die er sich jedoch nicht abschrecken lassen sollte. Die exegetischen Voraussetzungen Przywaras (nach „Christentum gemäß Johannes" [7] will er das Philologische und Historische zwar voraussetzen, aber nicht behandeln) entsprechen selbstverständlich – auch das gehört zu der angedeuteten Barriere – der Entstehungszeit seiner jeweiligen Schriften.

[85] Vgl. *B. Gertz* 297: Die „bibel-theologischen" Werke Przywaras sind von der analogia fidei als Prinzip einer theologischen Methodik zu verstehen. „Die Methode der analogia fidei ist also eine formal unter dem Struktur-Gesetz der Analogie stehende Methode, die material auf die Herausstellung der Struktur der inneren Entsprechung zwischen den Offenbarungsaussagen beider Testamente ausgerichtet ist... Einer solchen Struktur-Methode geht es... um ‚das Letzte' ". B. Gertz möchte deshalb auch besser statt von einer „Bibel-Theologie" von einer „Theologie der religiösen Struktur" sprechen. – Einer solchen „Struktur-Methode" wird man eine mögliche heuristische Funktion nicht aberkennen dürfen, wenn es darum geht, der Tiefendimension des Jesuanisch-Nachösterlichen nachzuspüren. Ansätze dafür könnten in Przywaras Überlegungen zum Verhältnis von Altem und Neuem Bund gegeben sein, ferner etwa in seinen Reflexionen zum Begriff „Kind", in denen er offensichtlich Jesuanisches rezipieren will und so auch die mit dem Stichwort „Kind" bei Jesus verbundenen theologischen Zusammenhänge der Haltung des Menschen vor Gott berührt. Das Jesuanische als solches und als Ganzes, wie es heute zu erkennen ist und in Kapitel 3 dieser Arbeit in seinen Umrissen dargestellt wurde, dürfte Przywara freilich trotz der genannten (vermutlich gewichtigen) impliziten Ansätze kaum in den Blick gekommen sein.

dem Neuen Testament (und das heißt im Zusammenhang des jetzigen Themas zunächst: mit der jesuanischen Spannungseinheit) zusammenzudenken. Hierfür scheint mir – wie ich jetzt, nachträglich, zu sehen meine – das „Programm der Polarität“ Przywaras zusammen mit seiner Analogielehre (vor allem der Offenbarungs-Analogie, deren Name Agape ist[86]) eine Hilfe darzustellen. Vielleicht ist das nicht mehr als ein Postulat oder Desiderat. Ich möchte versuchen, den Weg zu diesem Postulat zu verdeutlichen: Wenn ich das Neue Testament (und das heißt in meinem Verständnis das Neue mit dem Alten Testament zusammen) (erstens) historisch-kritisch verantwortbar verstehen und interpretieren will, wenn ich (zweitens) die jesuanischen Ursprungsstrukturen in ihrer theologischen Tiefendimension wahrnehmen will und das (drittens) unter Wahrung der jesuanischen Spannungseinheit (und darin der durch Przywara in seiner Weise neu interpretierten Theozentrik Jesu) – dann müßte es einen großen Schritt vorwärts bedeuten, wenn es gelänge (so muß jetzt das Postulat bzw. Desiderat lauten), die transzendentale Konzeption Rahners und die auf das „Über-hinaus“ und das Kreuz zentrierte Konzeption Przywaras zusammenzudenken, und zwar unter dem Vorzeichen, das *Terminologie und Anliegen* des frühen „Programms der Polarität“ *zusammen* mit dem Koordinatenkreuz der Agape-Analogie bilden.[87]

Das Thema des diesem Exkurs vorangegangenen Abschnitts 6.1 war es, das „Ganze des jesuanisch-nachösterlichen Glaubens“ als Ziel aufzuzeigen. Die entscheidende Grundlage hierfür ist das Gesamt der jesuanischen und nachösterlich-theologischen Strukturkomponenten zusammen mit dem Versuch, sie mit Hilfe der Denkform „Spannungseinheit von Bejahung Gottes und Bejahung des Menschen“ als Ganzheit zu erfassen – und nicht zuletzt das Bestreben, systematische und biblische Theologie miteinander zu vermitteln[88].
Es ist bekannt, in welchem Maß das umfassende theologische Schaffen K. Rahners von den verschiedensten Ausgangspunkten heutiger theologischer, kirchlicher und menschheitlicher Problematik her zur Einheit und Ganzheit des Glaubens hinführt. Przywara, dem Rahner vieles verdankt[89], hat gerade mit seinem „Programm der Po-

[86] Vgl. unten den Exkurs [6.3.4.4].

[87] Vgl. wiederum [6.3.4.4]. – Es darf freilich nicht übersehen werden, daß die fundamentalen Gemeinsamkeiten zwischen beiden dieses Zusammendenken erleichtern – trotz der Unterschiede. *K. P. Fischer* (a.a.O. 85 f) umschreibt Gemeinsamkeit und Unterschied zwischen Przywara und Rahner in der folgenden Weise: „Przywara liegt an einer möglichst dialektischen Fassung der Analogia entis von Geheimnis des sich offenbarend-rufenden Gottes her... Rahner nimmt dieses Anliegen auf, unternimmt es aber darüber hinaus, den in Przywaras Gedanken latent transzendentalen, philosophischen Gehalt gegen Kant herauszuarbeiten und zu begründen... Durch die transzendental-ontologische Analyse der Möglichkeitsbedingungen von Offenbarung und Theologie erscheint bei Rahner der *Mensch* selbst ... in seinem Grund auf das Geheimnis... Gottes ‚transparent‘... Daher wird der Mensch selber zum transzendental begründeten Geheimnis.“ Zu der der Rahnerschen Theologie immanenten „Kreuzestheologie“ vgl. oben Anm. 83; zur Rezeption des „Über-hinaus“ Przywaras, die bei Rahner ohne Zweifel ebenfalls vorliegt, vgl. *K. P. Fischer*, a.a.O. 70-75. Zum Einfluß Przywaras auf das „Gespür“ K. Rahners für das „absolute Geheimnis“ vgl. *K. P. Fischer*, a.a.O. 87 f.

[88] Diese beiden Disziplinen sind bekanntlich ja nur allzuleicht infolge ihres je verschiedenen Ausgangspunkts und ihrer je verschiedenen Methodik versucht, aneinander vorbeizuarbeiten und dadurch die Einheit und Ganzheit der Theologie zu gefährden. Vgl. hierzu *W. Thüsing*, Zugangswege 82-97.

[89] Vgl. – außer dem in Anm. 87 Gesagten – *K. Rahner* selbst (Laudatio auf Erich Przywara 270).

larität" ebendieses Ganze des Glaubens anzielen wollen und diese Aufgabe auch späterhin nicht aus den Augen verloren.
Blicke ich jetzt auf den Ertrag der in diesem Exkurs angedeuteten nachträglichen (sicher in vielem noch ergänzungs- und korrekturbedürftigen) Studien zurück, so meine ich zu sehen, daß gerade Przywaras „Programm der Polarität" – wiederum: in seinem Anliegen *und* in seiner durch die Terminologie angezeigten Denkform[90] – zusammen mit seiner Weiterarbeit die in der Anlage meines Buches schon enthaltene Grundthese in seiner Weise zu vertiefen vermag (bzw. vor vertiefende Fragen stellt): Die Konzeption der Polarität – meiner Überzeugung nach vor allem, sofern sie von den jesuanisch-theologischen Strukturen und ihrer nachösterlichen Transformation ausgeht – führt zur Ganzheit, und zwar in Offenheit.[91]

6.1.2 Einseitige Akzentsetzungen als Gefährdung – Die Einheit von Spannungspolen als Aufgabe

6.1.2.1 Das „Ganze" anzustreben (wie es in 6.1.1 postuliert wurde), ist faktisch nicht möglich, wenn nicht auch die allzuleicht sich verschleiernden Gefährdungen solcher theologischen Bemühung – und damit überhaupt die Gefährdungen ganzheitlichen Glaubens[92] – ins Auge gefaßt werden: Sie be-

[90] Auch hier sei nochmals betont, daß nicht alle in dem frühen „Programm der Polarität" vorhandenen philosophischen Implikationen mitgemeint sind.

[91] Vgl. – außer 6.1.1.1-4 – unten 7.4.

[92] Im Zusammenhang des jetzigen Abschnitts geht es um das Verfehlen der Spannungseinheit als theologisches Problem; aber dieses Verfehlen kann ja – reflex oder meist unreflektiert – in der Praxis des Christen geschehen, als Verfertigen und Verfestigen von Gottesbildern und Bildnissen von Menschen (vgl. unten 6.3.3.5.6) – und damit als Verfehlen der Agape, die das Aufbrechen der Fixierungen voraussetzt. Nicht die theologisch-theoretische Einseitigkeit wird unmittelbar Sünde sein, so schwerwiegend die Auswirkung falscher theologischer Weichenstellungen auch sein mag. Vielmehr wird „Sünde" da zur Realität, wo der Mensch die Metanoia gegenüber dem absoluten Geheimnis verweigert und sich egoistisch der Agape verschließt (und damit das „Ja zu Gottes Ja zum Menschen" verweigert) – da, wo er dem eigenen Leben und dem Gegenüber die Offenheit nimmt, wo er den Geheimnischarakter des Lebens verkennt: das Geöffnetsein für das absolute Geheimnis und das Geheimnis des Mitmenschen (vgl. ebenfalls unten 6.3.3.5.6).
Zwar kann der äußerst enge Zusammenhang eines „Verfehlens der Spannungseinheit von Bejahung Gottes und Bejahung des Menschen" mit dem Phänomen „Sünde und Schuld" (und mit dem „mysterium mali") nicht mehr als solcher in dieser Arbeit thematisiert werden; er ist jedoch an einer Reihe von Stellen vor allem der beiden letzten Kapitel angesprochen. Vgl. oben 6.1.1.3 mit Anm. 14; [6.1.1.5.1], Anm. 25; unten 6.2.2.3.4; 6.3.3.5.6 mit Anm. 278; 7.1.1, Anm. 3; 7.2.2.4-5 (in positiver Wendung; vgl. schon 7.2.2.1). Oben in Kapitel 3 kann 3.7.3 verglichen werden (im Zusammenhang mit 3.4 und 3.5.2.3). – Zum Problem der Schuld scheint mir in diesem Zusammenhang hilfreich zu sein: *K. Rahner*, Schriften VI 238-261 („Schuld – Verantwortung – Strafe in der Sicht der katholischen Theologie"; s. bes. 253f); ebd. 262-276 („Gerecht und Sünder zugleich"); ferner *ders.*, Art. Sünde, in: LThK IX 1179-81.
Übrigens könnte mit Hilfe der Denkform „Spannungseinheit von Bejahung Gottes und Bejahung des Menschen" auch die (bereits im Neuen Testament artikulierte [vgl. 2 Kor 5,21 und Hebr 4,15] und vorausgesetzte) Überzeugung von der Sündlosigkeit Jesu neues Licht fallen: Die Sündlosigkeit Jesu könnte zentral als Durchtragen und Durchhalten der „Spannungs*einheit*

stehen darin, daß zu starke Akzente auf Teilaspekte gesetzt werden – oder sogar darin, daß Teilaspekte in einer Weise verabsolutiert werden, die den Blick auf das Ganze unmöglich macht. Dieser Gefahr zu begegnen wird um so dringender, je mehr die polare Struktur der Wirklichkeit – und gerade auch der jesuanisch-christlichen Glaubenswirklichkeit – erkannt wird. Gerade das Auseinanderstreben der in Spannung zueinander stehenden Pole muß ja als die strukturell (von der Tiefenstruktur vor allem des grundlegenden Jesuanischen her) vorgegebene Gefährdung des Blicks auf das Ganze erfaßt werden. Die Gefährdungen ganzheitlichen Glaubens und Theologietreibens bestehen also in einseitigen Akzentsetzungen, Fixierungen auf jeweils einen einzigen Spannungspol (bzw. auch auf mehrere Ausdrucksformen nur *eines* Spannungspols), auf Engführungen, die das Anzielen der Spannungs*einheit* erschweren oder blockieren.[93]

6.1.2.2 Es war (und ist) historisch gesehen nicht zu vermeiden, daß sich in Kirche und Theologie Engführungen, Fehlentwicklungen, Unterbetonung oder Ausklammerung des Jesuanischen, insgesamt falsche Weichenstellungen herausbilden konnten bzw. in bestimmten Fällen mußten: und zwar schon deshalb, weil den Verkündigern und Theologen die Aufgabe gestellt war und ist, die Ursprungsgestalt des Christlichen (und damit das „Evangelium") in jeweils verschiedene, in vielfältiger Weise zeitgeschichtlich bedingte Situationen und in jeweils verschiedene geschichtliche Räume zu vermitteln. Und daß gegenüber einer „Häresie" (das heißt: gegenüber einer „Auswahl" aus dem Ganzen) jeweils der andere (von der „Häresie" unterbetonte oder ausgeklammerte) Pol betont werden mußte, ist ebenfalls verständlich.[94]

von Bejahung Gottes und Bejahung des Menschen" verstanden werden, das dem eschatologisch singulären Boten Gottes (trotz und in allen „Versuchungen") gegeben ist. In der Kraft Gottes soll er, Jesus Christus, die anderen Menschen zu dieser „Spannungseinheit" als dem Inbegriff der rechten Relation zu Gott und den Mitmenschen führen, indem er ihnen die Gemeinschaft mit sich selbst und dadurch die heilshafte „Gemeinschaft mit Gott" ermöglicht. Theologischer Erkenntnisgrund auch für die Anwendung der Denkform „Spannungseinheit von Bejahung Gottes und Bejahung des Menschen" auf die Lehre von der Sündlosigkeit Jesu dürfte freilich wiederum – auf der Grundlage des Eindrucks der radikal-lauteren Öffnung Jesu von Nazaret für Gott und für die Menschen – der Auferweckungs- und Erhöhungsglaube sein. Aus dem daraus folgenden „Zusammendenken von Jesus und Gott" ergibt sich die theologische Notwendigkeit, auch das irdische Leben Jesu von seiner dem nachösterlichen Glauben erkennbaren Einheit mit Gott umgriffen zu sehen.

[93] Soll eine Kriteriologie, wie sie hier von *einer* Seite aus – der der Ursprünge – versucht worden ist, wirksam werden, so muß die Aufgabe, solche Engführungen in den Blick zu bekommen, ausdrücklich und konkret genug durchgeführt werden. Die jetzige Fragestellung gibt Möglichkeiten an die Hand, das im Kapitel 5 Erarbeitete (einschließlich der sich daraus für Theologie und Verkündigung ergebenden Aufgaben) zu verdeutlichen, die im Rahmen des Gesamtwerks nicht ungenutzt bleiben sollen. Hierfür ist ein Kapitel des II. Bandes vorgesehen.

[94] Freilich ist schon hier anzumerken: Wenn man eine solche antihäretische Richtigstellung losgelöst von ihrem historischen Kontext verabsolutiert, führt sie in der umgekehrten Richtung in die Gefahr der Einseitigkeit.

Die in Kapitel 5 in ihren Grundzügen erschlossene, auf ihren jesuanischen und österlichen Ursprüngen basierende „nachösterliche Transformation" von Verkündigungsinhalten mußte je und je gegenüber bestimmten Gemeinden, Gemeindegruppen, zeit- und religionsgeschichtlichen Bedingtheiten konkretisiert werden. Schon daraus – und (grundsätzlicher und grundlegender noch) aus der Komplexität der Glaubenswirklichkeit selbst als einer Einheit von Spannungspolen – ergeben sich die Aporien solcher konkreten Durchführung der nachösterlichen Transformation.[95]

6.1.2.3 Wie kann die Gefahr von Engführungen nun konkreter bestimmt werden? Die Antwort auf diese Frage soll in zwei Schritten erfolgen:
– zunächst von den in Kapitel 5 herausgearbeiteten Grundlinien der nachösterlichen Transformation aus;[96]
– sodann vom Verhältnis zwischen der nachösterlichen Transformation und dem Jesuanischen (und damit von der grundlegenden Bedeutung des Jesuanischen) her – also, wie sich zeigen läßt, von dem Punkt aus, dessen Verfehlen letztlich alle anderen Engführungen nach sich zieht.[97]

6.1.2.4 In Kapitel 5 sind drei Grundlinien der „nachösterlichen Transformation von Verkündigungsinhalten" herausgearbeitet worden – entsprechend den drei „Neuheitsaspekten nachösterlichen Glaubens und nachösterlicher Verkündigung"[98]: nämlich (erstens) entsprechend dem „Zusammendenken von Gott und Jesus" – (zweitens) dem „Soteriologisch-Neuen" – (drittens) dem „Evangelial- und Ekklesiologisch-Neuen". Die Versuchung zu einseitiger Akzentsetzung besteht auch und gerade bezüglich dieser drei Grundlinien des Nachösterlich-Neuen. Auch diese drei Grundlinien nachösterlichen Glaubens und nachösterlicher Verkündigung sind nur als Einheit von Spannungspolen realisierbar: insofern in ihnen ja das für Jesus charakteristische „übergreifende Prinzip" der Spannungseinheit nachösterlich durchgehalten werden muß, und vor allem (wenn wir auf das Inhaltliche schauen), insofern sie jeweils das Grundmodell der jesuanischen Spannungseinheit (das spannungsvolle Miteinander von Bejahung Gottes und Bejahung des Menschen) in ihrer spezifischen Weise reflektieren.

[95] Wir dürfen nicht nur die gelungenen Verbindungen von Jesuanischem und Nachösterlich-Transformatorischem (und die Chancen, die im Anstreben dieser Verbindung liegen) ins Auge fassen, sondern müssen auch die Aporien konkreter Durchführung einzelner Verkündigungsinhalte sehen. Würde der sachlich unzutreffende Eindruck einer problemlosen Harmonie der neutestamentlichen Schriftsteller hervorgerufen werden, so wäre der Glaubwürdigkeit des Evangeliums und seiner Vermittlung der denkbar schlechteste Dienst erwiesen.

[96] S. den nächsten Abschnitt 6.1.2.4.

[97] S. unten 6.1.2.5.

[98] Sie sind oben in 4.5 entwickelt worden.

Das ist leicht zu erkennen *bei der ersten Grundlinie* „Theozentrik durch Christozentrik": Hier wird ja die Hinordnung auf das absolute Geheimnis spannungsvoll verknüpft mit der Hinordnung auf einen Menschen. Freilich handelt es sich dabei für neutestamentlichen Glauben um den in einzigartiger Weise erwählten und gesendeten Menschen Jesus. Aber „Gott" und „Mensch" werden trotz der absoluten Einzigartigkeit Jesu nicht miteinander vermischt. Die Spannung bleibt in der Einheit erhalten.[99] Wird nun die Christozentrik, die sich aus dieser einzigartigen Aufnahme Jesu in das absolute Geheimnis Gottes ergibt, enggeführt (insofern der „Scheinwerfer" theologischen Suchens jetzt ausschließlich auf Jesus Christus gerichtet wird und kaum mehr ausdrücklich genug auf den Vater, den Jesus liebt und zu dem er führen will), so kann es zu Fehlformen kommen, bis hin zu der des Monophysitismus, die historisch bekanntlich eine außerordentlich große Rolle gespielt hat und noch immer – mehr oder weniger latent – weiterwirkt.[100]

Da die *soteriologische Grundlinie* „Heil als Gemeinschaft mit Gott durch Gemeinschaft mit Jesus Christus" in ihrer theologischen Struktur der gerade genannten ersten Grundlinie entspricht, der des neuen Zusammendenkens von Jesus und Gott, partizipiert sie an der in jener enthaltenen Spannungseinheit: Vergleichen wir nur die beiden Pole der „Sache Jesu" (bzw. seiner Intention für die Menschen – aber auch für den Anspruch Gottes) und seines göttlichen Geheimnisses[101]. Eine weitere Aporie: Wollte man die Heilsbedeutung des Todes Jesu in nachösterlicher Sicht aussagen, so konnte sich die Gefahr einer Engführung „staurozentrischer" Soteriologie ergeben – bis hin zum Mißverständnis des durch das „Kreuz" erlangten Heils in vielleicht allzu sachhaft verstandenen Kategorien[102]. Ferner: Der an sich durchaus legitime Gedanke der „Nachahmung Jesu Christi" konnte einseitig aufgefaßt werden – bis zur Ausklammerung des Prinzips der Kommunikation (der

[99] S. auch unten 6.2.2.

[100] Es muß einer Verengung entgegengewirkt werden, durch die vielleicht sogar die Möglichkeit verstellt würde, das Vater-unser in der Intention Jesu selbst zu beten. – In diesem Zusammenhang ist der Aufgabe, im Christusglauben die universale Erfüllung des Jahweglaubens anzustreben – und zwar ohne Minderung des Christusglaubens – große Bedeutung beizumessen. Es ist notwendig, auf ein neues Erscheinungsbild von Christentum und Kirche hinzuarbeiten, das einem erneuerten, positiveren Verhältnis zum alttestamentlich-jüdischen Glauben entspricht. Es müßte einem gläubigen Juden möglich sein, das Christentum – trotz seiner Ablehnung des Christusglaubens als solchen – als ernsthaften Versuch zu erkennen, den Jahweglauben des Alten Bundes in Bindung an den Messias Jesus universal zu öffnen (und nicht als heidnische Perversion des Jahweglaubens).

[101] Dieses Geheimnis reflektiert sich auch bezüglich der Intention Jesu schon in der Durchsetzung des Anspruchs Gottes.

[102] Vgl. die neutestamentlichen Formulierungen vom Tod Jesu als einer „Sühne" oder eines „Loskaufs" von gottfeindlichen Mächten.

„Gemeinschaft mit Gott durch Gemeinschaft mit Jesus Christus“).[103] Schließlich: Die Bedeutung des von Jesus Christus angebotenen und schon in der Gegenwart wirksamen Heils für jeden einzelnen Glaubenden konnte enggeführt werden in einer individualistischen Soteriologie.
Für das *Ekklesiologische* (also für den dritten nachösterlichen Neuheitsaspekt) bilden die beiden Pole „Exusia“ (Vollmacht der Kirche) und „Diakonia“ den Reflex der jesuanischen Spannungseinheit. Ekklesiozentrische Engführung kann durch Überakzentuierung der auf die Jüngergemeinschaft in „absteigender Linie“ (in der Sendungslinie[104]) von Gott und Christus übertragenen Vollmacht zustande kommen.

Diese Engführungen hinsichtlich der drei Grundlinien gehen letztlich – das ist eine Überzeugung, die sich mir immer mehr aufdrängt – vor allem darauf zurück, daß die eschatologische Polarität von Heilszukunft und Heilsgegenwart (die für die Strukturen auch der „nachösterlichen Transformation“ wesentlich ist) unterbetont wird oder vielleicht sogar aus dem Blickfeld schwindet: Eine ausgesprochen *präsentische* Eschatologie führt (falls sie ihren futurisch-eschatologischen Gegenpol vernachlässigt) zu einer starken Akzentuierung, eventuell zu einer Überakzentuierung *dessen, was die Glaubenden schon jetzt in Christus besitzen* – und das kann wieder allzuleicht auf Kosten der Theozentrik erfolgen, der Hinwendung zu dem Gott, der auch als der Vater Jesu Christi der Schöpfer und Vollender ist und bleibt. Mit Hilfe dieses Stichworts „polare Zusammengehörigkeit von präsentischer und futurischer Eschatologie“[105] wird vielleicht am deutlichsten, wie sehr alle Engführungen auf einem Verkennen der Ganzheit des *Jesuanischen* beruhen; aus diesem läßt sich weder die Heilszukunft noch die Heilsgegenwart herauslösen.[106] Doch damit sind wir schon beim Thema des nächsten Abschnitts.

6.1.2.5 An dieser Stelle kann der zweite Teil der Antwort auf die Eingangsfrage, wie die Gefahr von Engführungen konkret bestimmt werden könne (oben 6.1.2.3), gegeben werden. Der Kernpunkt sei als These vorausgeschickt: *Allem Verfehlen der Ganzheit liegt ein Verfehlen des Zusammenhangs zwischen der nachösterlichen Transformation und ihrem jesuani-*

[103] Vgl. oben 5.3.3, bes. 5.3.3.3; auch 5.3.6.5. Die Kategorie der „Nachahmung Jesu Christi“ kann für sich allein keineswegs ausreichend sein im Sinn der in den Ursprungsstrukturen grundgelegten Soteriologie; zur jesuanischen Grundlage s. oben 3.7.1 (S. 99) zu Strukturkomponente 11 (J).
[104] Eine nähere Begriffsbestimmung wird unten in 6.3.2.1 geboten.
[105] Gemeint ist die spannungsvolle Zusammengehörigkeit der Dynamik, die vom Gott der Zukunft in die Gegenwart hinein vorstößt (einerseits) und der Ausrichtung von der Gegenwart auf die zukünftige Basileia (andererseits).
[106] Vgl. die Strukturkomponenten 3-5, die untrennbar zur Basileia-Verkündigung Jesu gehören.

schen Ursprung zugrunde – und damit auch ein Verfehlen der Auferweckungsbotschaft als der Verkündigung der bleibenden universalen Gültigkeit und Wirksamkeit Jesu von Nazaret, seines Wirkens und seines Todes. Ich sehe die Einseitigkeiten also zwar zunächst als Folge von Engführungen der „Grundlinien nachösterlicher Transformation"; diese Grundlinien hängen jedoch wieder vom Jesuanischen ab, so daß ich die einseitigen Akzentsetzungen letztlich auf das Verfehlen des Grundlegend-Jesuanischen zurückführen muß.

Eine erste Begründung der These: Das Verfehlen der jesuanischen Ursprünge muß die zutiefst liegende Ursache für nachösterliche Engführungen sein, weil die Ganzheit (im Sinne der Spannungs*einheit)* im Jesuanischen grundlegend *vorgegeben* ist.[107] Das Gesamt der 18 jesuanischen Strukturkomponenten (Botschaft, Leben und Tod Jesu von Nazaret betreffend) ist grundlegend:

weil Jesus auch als der Irdische schon „der Sohn" ist (wenn er auch erst von Ostern her im Vollsinn als solcher erkannt werden kann), weil die theologische Grundstruktur des „Evangeliums" also schon deshalb nicht erst von Ostern an besteht;

weil die inhaltlichen Strukturen der eschatologisch-theologischen Botschaft des Christentums durch das Jesuanische geprägt sind: Die Ganzheit der „nachösterlichen Transformation" ist durch die Ganzheit des Jesuanischen (der „jesuanischen Strukturkomponenten") vorgeprägt. Auch die nachösterlichen Transformations-Strukturkomponenten ergeben sich aus dem jesuanischen Befund, der also auch für die nachösterliche Glaubenswelt („T") den Zusammenhang und die Einheit konstituiert. Dadurch wird noch einmal die Notwendigkeit erhärtet, daß der jesuanische Ursprung selbst in seiner Ganzheit und Einheit zu erfassen ist, daß also das Gesamt der 18 jesuanischen Strukturkomponenten im Blickfeld bleiben muß.[108]

Eine zweite, damit zusammenhängende Begründung der These: Das Ganze des nachösterlich-christlichen Glaubens kann – als Ganzes – nur von seinem Ursprung her *durchgehalten* werden. Würde der jesuanische Ursprung ausgeblendet oder abgeblendet, so gäbe es sonst nichts, was die „Teile" letztlich zusammenhalten könnte. Auch das Wirken des Geistes Gottes in der nachösterlichen Jüngergemeinschaft hält das „Ganze" *nicht isoliert vom Jesuanischen* zusammen, sondern vom Jesuanischen her bzw. mittels der „Erinnerung" an Jesus[109].

[107] Vgl. unten 6.2.1.

[108] Gerade diesem Ziel soll das Arbeitsinstrument dienen, das die Doppeltabelle der jesuanischen und nachösterlich-transformatorischen Strukturkomponenten (oben 5.5.1) darstellt.

[109] Vgl. den spätneutestamentlichen Reflex dieses Sachverhalts in Joh 14,26.

Da das Jesuanische und entsprechend die nachösterliche „Transformation“ unter dem übergreifenden Prinzip der Spannungseinheit stehen[110] – der dynamischen Einheit von Polen, die ohne die zusammenfügende Kraft Gottes und seines Geistes auseinanderstreben würden –, haben sie teil an der jedem Streben nach Ganzheit entgegenstehenden Gefahr: daß der einzelne Christ bzw. Theologe sich doch wieder auf die bequemere Einlinigkeit eines der beiden Spannungspole (der dann freilich kein solcher mehr ist) zurückzieht. Und gerade was den Zusammenhang des Nachösterlichen mit dem Jesuanischen angeht, liegt die Versuchung nahe, die Beschränkung entweder auf den irdischen Jesus oder auf den nachösterlichen Christus als den leichteren, vielleicht den *eigenen* Kräften einzig erreichbaren Weg anzusehen. Gerade hier ist der Punkt, an dem die Gefahr von Engführungen besonders akut wird: eben dann, wenn nicht nur eine einseitige Akzentsetzung erfolgt, sondern außerdem (bzw. faktisch meist in Verbindung damit) das Nachösterliche sich vom Jesuanischen zu lösen beginnt. Wenn die Konsequenzen und Gefahren für die weitere Entwicklung des Glaubensbewußtseins (weit über das Neue Testament hinaus) deutlich werden sollen, die sich aus dem einseitigen Weiterführen eines isolierten Aspekts der theologischen Ursprungsstrukturen ergeben können, dann muß erkannt werden: Solche Gefahren sind vor allem dann gegeben, wenn die theologischen Strukturen der nachösterlichen Transformation (Spalte T) nicht mehr als Transformation und Neuinterpretation der jesuanischen Strukturkomponenten (Spalte J) gesehen werden, wenn also die nachösterliche Verkündigung und Lehre sich wenigstens teilweise gegenüber den jesuanischen Strukturkomponenten verselbständigt.

6.1.2.6 Um das Entscheidende noch einmal zusammenzufassen: Die Gefährdung ist einerseits durch den Charakter der „Grundlinien“ als Einheit von Spannungspolen[110a] gegeben; andererseits (in Zusammenhang damit!) entsteht sie als ausweglose Dilemma in der heutigen theologischen Situation dann und im Grunde nur dann, wenn das durch die grundlegende Transformation (durch das Osterereignis bzw. die Erhöhung Jesu) gekommene Neue losgelöst von dem betrachtet wird, was wir von der Person, der Sendung und der Intention Jesu von Nazaret heute in immerhin zuverlässigen Umrissen erkennen können. Der notwendige Übergang von Jesus zu nachösterlichen Ausdrucksformen der Botschaft stellt Verkündigung und Theologie gewiß in jeder der verschiedenen Verkündigungssituationen vor eine entscheidende und schwere Aufgabe, bei der die „Unterscheidung der

[110] Vgl. Strukturprinzip 1 (J) *und* 1 (T); zur Erläuterung des letzteren s. oben 5.5.2 und unten 6.2.2.
[110a] S. oben 6.1.2.4.

Geister“ zu üben ist. Zu einem Dilemma, einer ausweglosen Problematik – bzw. noch schlimmer: zu nicht durchschauten falschen Weichenstellungen – wird sie jedoch nur dann, wenn die nachösterlichen Neuheitsaspekte ohne das Jesuanische (also ohne die Gesamtheit der jesuanischen Strukturkomponenten) gesehen werden.

6.1.2.7 *Die Aufgabe* von *Theologie und Verkündigung,* angesichts der jetzt ein wenig näher in den Blick gefaßten Gefahr von Engführungen das *Ganze* anzustreben – das Ganze der Botschaft von der verheißenen, aber durch Jesus Christus schon in diese Weltzeit hineinwirkenden Basileia Gottes –, sei jetzt in einigen Fragen umrissen:

– Wie kann das Jesuanische (vor allem die Intention Jesu selbst) angesichts der drei nachösterlichen Neuheitsaspekte voll und „radikal“ (von der Wurzel her) durchgehalten sowie universal ermöglicht werden?

– Eine zweite Frage ergibt sich aus der Beobachtung, daß sich theologiegeschichtlich von den frühesten Zeiten an Weichenstellungen ereignen[111] – Weichenstellungen, die zu Engführungen hinleiten können und oft hingeführt haben, aber (mindestens bei den konkret im Neuen Testament vorfindlichen Formen solcher „Weichenstellung“) nicht zwangsläufig diese negative Folge haben müssen: Wie können solche Weichenstellungen auf ihr positives Ziel (die Betonung eines sonst vielleicht vernachlässigten Akzents) konzentriert werden[112] – so, daß sie zum Ganzen des Glaubens (und das bedeutet ja grundlegend: zu den gestaltgebenden Ursprüngen und letztlich zu Jesus) hinführen?

– Eine letzte Frage, auf die auch in diesem Abschnitt die Linien hinführen müssen: Wie kann durch solches Durchhalten der Spannungseinheit die (jesuanisch vorgegebene und österlich-nachösterlich bleibend gültige und wirksame) Einheit und Ganzheit von Bejahung Gottes und Bejahung des Menschen – und damit das Geheimnis des „Deus incomprehensibilis“, des un-begreifbaren, unverfügbaren Gottes – gesucht werden?

[111] Und zwar durch die je andere Verkündigungssituation (das Hineinsprechen der Botschaft in jeweils in anderer Weise religionsgeschichtlich geprägte Vorstellungswelten), durch die – u. a. aus der unerwartet raschen und umfassenden missionarischen Ausbreitung des Evangeliums erwachsende – Tendenz zu einer präsentischen Eschatologie, durch das christologische Weiterdenken alttestamentlich-frühjüdischer Weisheitsspekulation, letztlich durch jede in einer bestimmten Frontstellung erfolgende Neuinterpretation.

[112] Als Beispiel sei die Weichenstellung zur Präexistenzchristologie genannt, die bereits in frühesten Zeiten des jüdisch-hellenistischen Urchristentums erfolgt sein dürfte; ferner die Weichenstellung zu einer stark präsentisch betonten Eschatologie und Christologie. Beide wirken auf die Entwicklung von der vorpaulinischen Christologie zur Theologie des Kolosser- und des Epheserbriefes sowie des Johannesevangeliums ein.

6.2 „Polaritätseinheit von Bejahung Gottes und Bejahung des Menschen" nicht nur beim irdischen, sondern auch beim erhöhten Jesus Christus (als Voraussetzung der Zusammenschau der jesuanischen und nachösterlichen Kriterien)

Vorbemerkung

Das Thema dieses Abschnitts ist (unbeschadet seines Eigengewichts) hier vor allem auf den abschließenden Versuch einer Zusammenschau (unten 6.3) hingeordnet. Sollen die beiden Kriterienreihen nämlich unter dem Aspekt der „Spannungseinheit von Bejahung Gottes und Bejahung des Menschen" zusammengeschaut werden können, dann muß diese auch nachösterlich für die Soteriologie wie für die Ekklesiologie „durchgängig wirksames Strukturprinzip" bleiben. Nachösterliches Heil und nachösterliche Jüngergemeinschaft sind aber so sehr vom erhöhten Jesus Christus bestimmt, daß dieses Weiterwirken des jesuanischen Strukturprinzips der „Spannungseinheit von Bejahung Gottes und Bejahung des Menschen" nur möglich erscheint, wenn auch christologisch – beim erhöhten Jesus Christus selbst – von einer solchen Spannungseinheit bzw. (besser:) Polaritätseinheit gesprochen werden darf[112a].

6.2.1 Die grundlegende jesuanische Spannungseinheit von eschatologisch-charismatischem Geltendmachen des Anspruchs Gottes und eschatologisch-charismatischem „Schenken von Freiheit" für den Menschen

6.2.1.1 Im 3. Kapitel dieser Arbeit[113] wurde erstmals und für die weiteren Überlegungen grundlegend aufgewiesen, daß sich das Wirken Jesu nicht erfassen läßt, wenn man es nicht als Spannungseinheit von radikaler Forderung und radikaler Liebe sieht. Die Dimension, zu der eine Weiterführung der dortigen Erkenntnisse vorstoßen müßte, dürfte deutlicher werden, wenn ich auch hier noch einmal von einer Frage ausgehe, die schon oben[114] – in

[112a] Vgl. unten 6.3.3.1.2; dort wird ausgeführt, daß man bezüglich Gottes selbst weder von „Spannung" noch von „Spannungseinheit" reden sollte, sondern von „polarer Einheit" bzw. „Polaritätseinheit". Für den in das Geheimnis Gottes aufgenommenen erhöhten Jesus legt sich von daher ebenfalls der Begriff „Polaritätseinheit" nahe.

[113] „Strukturen von Botschaft, Wirken und Leben Jesu von Nazaret"; näherhin in 3.4.

[114] In 6.1.1.3.

anderem Kontext – anvisiert wurde: Wieso sind „Weitergabe des Anspruchs Gottes“ und „Geschenk der Freiheit“ überhaupt „Spannungspole“? Anders gefragt: Wieso können diese beiden Pole *uns* als gegensätzlich und im Widerstreit miteinander liegend erscheinen? Eine Antwort dürfte sich schon aus der Gegenfrage ergeben: Sind die Entscheidungsforderung und die Gerichtspredigt Jesu in unserem Verständnis des Wortes „human“? Nehmen wir nicht Anstoß daran, sobald wir die Aussagen darüber nicht einfach wie unreflektierte Formeln weitersagen? Können wir wirklich ohne weiteres damit die Öffnung für die „Zöllner und Sünder“ zusammendenken, die wir heute meist ohne Schwierigkeiten und mit aller Bereitwilligkeit bejahen? Können das die Christen, die sich den Weisungen Jesu[115] verpflichtet wissen?

6.2.1.2 Oben in 6.1.1.3 wurde schon davon gesprochen, daß die jesuanische Einheit von „Anspruch Gottes“ und „Geschenk der Freiheit“ von den pharisäischen Gegnern Jesu (im Rahmen *ihres* theologischen Systems logisch zwingend) abgelehnt wurde. Das kann jetzt ergänzt werden: Was Jesus bei seinen Gegnern vermißt und was er von seinen Jüngern fordert, ist die Grundhaltung der Metanoia, die durch die „Haltung“ des Kindes veranschaulicht wird[116] – die Grundhaltung, die den eigentlichen Gegensatz zum offenen oder verborgenen Leistungsstolz Gott gegenüber bildet.
Jesus will zur Metanoia führen, um den Menschen, die „umkehren“, die Freiheit zu ermöglichen: durch die Radikalisierung der Jahweoffenbarung, die in der Vater-Offenbarung Jesu beschlossen ist; denn die Offenbarung des lebendigen, in absoluter Macht herrschenden Gottes als des Vaters ist in sich das, was uns als Spannung und Gegensatz erscheint, bei Jesus aber zur Einheit zusammengeführt ist. Auf die Frage, wodurch diese Spannungs*einheit* bei Jesus zustande kommt, soll an dieser jetzigen Stelle nur stichwortartig eine Antwort versucht werden: durch die „radikale“ Agape („Proexistenz“) Jesu, seine „radikale“ Einheit von Gottes- und Nächstenliebe (bei ihm selbst und in seiner Weisung).[117]

6.2.1.3 In diesem Zusammenhang ist wiederum das Verständnis des „Glaubens“ Jesu[118] von Bedeutung: Der „Glaube“ Jesu ist Durchhalten des Vertrauens in der Krise, und diese Krise ist durch das Durchtragen der Span-

[115] Vgl. vor allem die Strukturkomponenten 11-14.
[116] Vgl. Mt 18,3; Mk 10,15; vgl. oben 3.7.2, Anm. 99.
[117] Diese „Radikalität“ (der Wurzelgrund der Spannungseinheit bei Jesus selbst) ist bedingt durch seine vorbehaltlose Antwort auf seine Sendung; deshalb ist seine „radikale“ Gottes- und Nächstenliebe in keiner Weise dem Begriff „Leistung“ zuzuordnen, sondern der ihm „geschenkweise“ gegebenen singulären Relation zum Vater (in Sendung und Antwort).
[118] Vgl. oben 3.6.2.1 zu Strukturkomponente 7 (J).

nungseinheit von „Anspruch des souveränen Gottes" und pharisäismuskritischem (bzw. legalismuskritischem) „Geschenk der Freiheit" bedingt. So schließt der Glaube Jesu – als vertrauende Antwort auf die fordernde Macht *und* die schenkende Liebe in Gott – das Durchhalten der Spannungseinheit ein – ja, man kann ihn in bestimmter Hinsicht als mit diesem Durchhalten der Spannungseinheit identisch ansehen.
Ist dieser „Glaube" Jesu die Kraft für das Durchhalten der Spannungseinheit und damit des Auftrags, so ist er auch die Kraft zum Zerbrechen der falschen Gottesbilder – sowohl der Überbetonung des Gottes des Gesetzes und des Gerichts als auch des Zerrbildes eines permissiven Gottes, der nur noch eine Funktion für das Selbstverständnis des Menschen hätte und nicht mehr der lebendige Gott der Liebe und Macht wäre.[119]

6.2.2 Die Spannungseinheit von Bejahung Gottes und Bejahung des Menschen im Kontext der nachösterlichen Transformation

6.2.2.1 Das Postulat

Die jesuanische Spannungseinheit muß entsprechend dem Prinzip der „nachösterlichen Transformation" durch die Auferweckungs- und Erhöhungstat Gottes zu bleibender Gültigkeit und Wirksamkeit gelangen,[120] und zwar im Rahmen der drei Grundlinien des Nachösterlich-Neuen: des Zusammendenkens von Gott und Jesus, des Soteriologisch-Neuen und des Ekklesiologisch-Neuen. Aufgabe für die Christen und ihre Gemeinschaft ist also nicht nur der Glaube an den Gott, der so schenkt und fordert, daß er selbst heilshaft der Mittelpunkt ist (also selbst „theozentrisch" handelt und die Menschen auf sich bezieht), sondern in unlöslicher Verschränkung damit die Bejahung des Menschen. Die letztere können wir auch in diesem jetzigen Zusammenhang vielleicht wiederum am besten mit „Freiheitsermöglichung" bzw. „Geschenk der Freiheit" wiedergeben – wenn „Freiheit" nur umfassend und „radikal" genug gedacht (und mit „Heil" und „Rettung" radikal genug zusammengedacht) wird. Wenn die Spannungseinheit von Be-

[119] Das „Durchhalten der Spannungseinheit" ist im Sinn Jesu übrigens keineswegs nur Aufgabe der Theologen und Amtsträger, sondern auch der „Unmündigen"; gerade den „Unmündigen" ist es geschenkt (vgl. den „Jubelruf" Lk 10,21 par Mt). Die von Jesus geforderte Metanoia ist die Haltung der offenen Hände gegenüber dem liebenden *und* fordernden Gott – und ebendamit schon das grundlegende Bejahen der Spannungseinheit. Auch diese Wertung der „Unmündigen" ist verankert im Sohn- bzw. Kindsein Jesu selbst und damit in seiner spezifischen Relation zu seinem Vater.

[120] Vgl. oben 4.4.3 und die „Konklusionen und Postulate" in Kapitel 5.

jahung Gottes und Bejahung des Menschen (gründend in Macht und Selbstmitteilungswillen Gottes selbst) den zentralen Punkt von Botschaft, Leben und Tod Jesu bildet, dann muß gerade dafür die im Auferweckungs- und Erhöhungskerygma beschlossene singuläre, einzigartig-grundlegende Aufnahme eines Menschen in das Geheimnis Gottes von einer Bedeutung sein, die mit nichts anderem auf eine Stufe gestellt werden kann; gerade darin muß die Spannungseinheit von Bejahung Gottes und Bejahung des Menschen am deutlichsten und grundsätzlichsten – irreversibel – realisiert sein.[121]

6.2.2.2 Das nachösterliche Zusammendenken von Gott und Jesus als „Paradox" bzw. Spannungseinheit

Auch nachösterlich vollziehen sich Glaube wie Theologietreiben – wenn die Rede vom Geheimnis Gottes im vorangestellten Postulat (6.2.2.1) ernstgenommen wird – im Blick auf den „Deus semper maior": auf den Gott, der nicht in souveräner Leidensunfähigkeit über seiner Schöpfung schwebt, sondern der sich für sie engagiert und sie in sein eigenstes Leben hineinnimmt (und der dieses sein Leben und damit sich selbst ganz auf die von ihm geschaffene und geliebte Menschheit hin, ja in sie hinein und in ihr Leiden hinein „investiert") – auf den Gott, der ebendadurch immer wieder die vom Menschen gemachten Gottesbilder sprengt, daß er sich selbst mitteilt, ohne in dieser Selbstmitteilung aufzugehen. Gerade dieses scheinbare Paradox ist durch die Aufnahme Jesu in das Geheimnis Gottes nicht im geringsten beseitigt, sondern in unvorstellbarer Weise intensiviert und „radikalisiert".

Im Glauben an die Erhöhung Jesu finden wir also von der „Sache" her eine einzigartige, von Gott geschaffene Einheit von zwei sonst unvereinbar erscheinenden, durch eine unendliche Kluft getrennten „Spannungspolen" vor. Von „Spannungspolen": Der Begriff setzt schon ein mögliches Zusammenspiel der beiden an sich völlig unvergleichbaren Größen „Gott" und „der Mensch Jesus" voraus – ein die Maße des von uns aus denkbaren Verhältnisses von Schöpfer und Kreatur sprengendes „Zusammenspiel", das nur durch die souverän den Menschen Jesus erhebende Schöpfungs- und Rettungstat Gottes möglich ist –, er setzt ein Miteinander voraus, das unter bestimmten Denkvoraussetzungen als Paradox erscheinen kann.[122]
Um es noch einmal zu unterstreichen: Durch die Aufnahme des gekreuzigten Menschen Jesus in das unendliche und universal wirkende Geheimnis

[121] Vgl. die Erläuterung zur Formulierung von Strukturprinzip 1 (T) (oben 5.5.2).
[122] Vgl. den Exkurs oben [6.1.1.5.2], Anm. 30 und 31.

Gottes ist bereits eine ganz fundamentale Polaritäts*einheit* gegeben, deren grundlegender Bedeutung auch für das Weiterwirken der phänomenologisch erfaßbaren jesuanischen Spannungseinheit von Bejahung Gottes und Bejahung des Menschen wir nun nachzuspüren haben.

6.2.2.3 Heilshafte Vollendung der „Bejahung des Menschen" und der „Bejahung Gottes" durch den in das Geheimnis Gottes aufgenommenen Menschen Jesus

6.2.2.3.1 Vorbemerkung zur Fragestellung und zum methodischen Vorgehen

Das Ziel, die jesuanische Spannungseinheit von Anspruch Gottes und Geschenk der Freiheit für den Menschen im Kontext der nachösterlichen Transformation zu sehen, ist mit der eben getroffenen Feststellung, daß die Auferweckung-Erhöhung (als Aufnahme Jesu in das Geheimnis Gottes) eine paradox erscheinende Polaritätseinheit Gottes und des Menschen Jesus konstituiert, noch nicht erreicht; damit ist zunächst eine theo-logisch-christologische Aussage im engeren Sinn gemacht, während die jesuanische Spannungseinheit auch in ihrer nachösterlichen Transformation eher dem Bereich der Soteriologie zuzurechnen ist – liegt doch gerade sie der in Jesus Christus erfolgenden heilshaften Zuwendung des lebendigen Gottes, der Macht und Liebe ist, zugrunde.
Wir haben also weiterzufragen: In welcher Beziehung steht das Erhöhungsdasein Jesu Christi selbst (das heißt: sein Leben innerhalb der polaren Einheit, die durch seine Aufnahme in das absolute Geheimnis zustande gekommen ist) zu der „Bejahung Gottes" durch die Menschen und der „Bejahung des Menschen" durch Gott?
Hierfür müssen wir auf die Überlegungen zu den „Strukuren von Christologie und Soteriologie in nachösterlicher Transformation"[123] zurückgreifen. Dort ergab sich schon eine Erkenntnis, die beides (die christologisch verstandene Aufnahme des Menschen Jesus in das Geheimnis Gottes einerseits und die soteriologisch relevante Spannungseinheit von Bejahung Gottes und Bejahung des Menschen andererseits) miteinander vermittelt – eine Erkenntnis, die nicht nur einen Zwischengedanken darstellt, sondern den entscheidenden, zentralen Gedanken: die Einsicht, daß auch der erhöhte Jesus nicht

[123] Kapitel 5.

nur proexistent für die Menschen lebt,[124] sondern (logisch bzw. theo-logisch vorgeordnet) theozentrisch, in Hinordnung auf Gott.[125]
Was in diesem Abschnitt 6.2.2.3 gesagt werden muß, ist im Rahmen der Arbeit also nicht etwas völlig Neues; vielmehr muß hier das, was bereits im 5. Kapitel über die Grundlinie nachösterlicher Soteriologie[126] und die Grundlinie des nachösterlich-neuen Zusammendenkens von Gott und Jesus[127] gesagt wurde, auf die Frage nach der Spannungseinheit von Bejahung Gottes und Bejahung des Menschen (und zwar ebenfalls auf der Ebene der nachösterlichen Transformation) angewendet werden. Die Antwort, die wir jetzt suchen, wird also nur zu finden sein, wenn wir sowohl die soteriologische als auch die christologische Grundlinie streng unter dem Vorzeichen des Kerngedankens betrachten, der eben (im vorhergehenden Abschnitt 6.2.2.2) gefunden wurde: Das scheinbare Paradox, daß Gott sich selbst ganzheitlich mitteilt, ohne in dieser Selbstmitteilung aufzugehen, ist durch die Erhöhung des Gekreuzigten zu Gott in unvorstellbarer Weise „radikalisiert".Unter diesem Vorzeichen muß die Aufnahme Jesu in das absolute Geheimnis Gottes auch die beiden Pole der jesuanischen Spannungseinheit (die Bejahung Gottes und die Bejahung des Menschen) nicht nur zu ihrer bleibenden und universalen Wirksamkeit, sondern schlechthin zu ihrer Kulmination und Vollendung führen – wenn der Begriff „Aufnahme in das Geheimnis Gottes" nur „radikal" genug gedacht wird.[128]

6.2.2.3.2 Vollendung der Proexistenz Jesu

Leben und Tod Jesu von Nazaret sind für die Menschen geschehen, denen er die rettende Gemeinschaft mit Gott zugesprochen hat. Diese „aktive Proexistenz"[129] bleibt nicht nur bestehen, sondern kann durch die Auferwekkung bzw. durch seine Aufnahme in das Geheimnis Gottes universal und vollendend wirksam werden. Hat Jahwe schon im Alten Bund sein Ja zu den Menschen gesprochen und hat er dieses Ja in Jesus von Nazaret letztgültig

[124] Oben 5.3.3.3. Den Begriff „Proexistenz" behalte ich der Zuwendung Jesu Christi zu den Menschen vor, vgl. oben 3.6.2.2, Anm. 73; ferner 5.3.3.3, Anm. 29; auch 5.3.4.7 (im Zusammenhang von 5.3.4.1-8).

[125] Oben 5.2.2.2.

[126] Oben 5.3.3.

[127] Oben 5.2.2.

[128] Ich setze im folgenden an bei der Vollendung der Proexistenz Jesu „für die Vielen" (das heißt: für alle Menschen), weil damit der von der Linienführung des neutestamentlichen Kerygmas zunächst in das Blickfeld tretende Sachverhalt angesprochen wird.

[129] Vgl. *H. Schürmann*, Tod, vor allem 48 f (vgl. 138-149); *W. Breuning*, Aktive Proexistenz, bes. 211f. (Breuning bezieht das Wort „Proexistenz" nach Ausweis des Kontextes auch auf den erhöhten Jesus Christus.)

gesagt, so hat er es durch die Erhöhung des Gekreuzigten zum unumkehrbaren Höhepunkt geführt – ja, der im Geheimnis Gottes lebende auferweckte Jesus ist selbst, in seiner Person, das unüberbietbare Ja Gottes zum Menschen geworden. Durch den erhöhten Jesus vollendet Gott seine Bejahung des Menschen, weil er durch Jesus Christus seine Selbstmitteilung an die Menschen universal und irreversibel macht[130] und auf ihre Erfüllung in seiner Basileia zustreben läßt: Der Mensch Jesus ist (in der Weise der Wirkeinheit mit Gott!) in das Geheimnis Gottes aufgenommen worden, nachdem und weil seine Funktion, die abschließende Selbstmitteilung Gottes zu sein, schon in seinem irdischen Leben grundlegend realisiert ist – und zwar so realisiert ist, daß sein nachösterliches Leben im Geheimnis Gottes die bleibende Gültigkeit und Wirksamkeit dieser irdisch grundgelegten Selbstmitteilung Gottes ist und damit auch der Grund der Hoffnung auf die eschatologische Vollendung dieser Selbstmitteilung.[131]

6.2.2.3.3 Vollendung der Theozentrik Jesu und der „Theozentrik der Christozentrik"

Die Aufnahme des Menschen Jesus in das Geheimnis Gottes führt nicht nur das „Ja Gottes zum Menschen" zu seinem Höhepunkt (was dem geläufigen Duktus des neutestamentlichen Kerygmas entspricht und deshalb am leichtesten zugänglich ist), sondern auch das „Ja zur Gottheit Gottes". Dieses letztere wird im Neuen Testament viel seltener explizit und ist zudem oft durch die (mißverstandenen) kirchlichen Aussagen über die Gottheit Jesu Christi blockiert; deshalb dürfte es kaum von vornherein selbstverständlich und eingängig sein.

Aber auch hier läßt sich die Konsequenz aufweisen, daß der auferweckte Jesus die „Bejahung Gottes" in der Weise eines absoluten, nicht mehr überbietbaren Höhepunktes lebt. Das ergibt sich wiederum aus seiner, des Erhöhten, Theozentrik[132] *im Zusammenhang* der Radikalität des durch die Aufnahme des Menschen Jesus in das absolute Geheimnis konstituierten „Paradoxes".[133]

Konnte schon im Kapitel über Jesus von Nazaret gesagt werden, daß Jesus der Mensch für die anderen ist, *weil* er der Mensch für Gott ist,[134] so kann dieses Kausalitätsverhältnis jetzt auch auf den erhöhten Gekreuzigten ange-

[130] Vgl. oben 4.4.3; ferner *W. Thüsing*, Zugangswege 104 f.
[131] Oben 5.3.3.3; 5.3.4.7; vgl. den Exkurs [4.4.4].
[132] Vgl. 5.2.2.2.
[133] Vgl. 6.2.2.2.
[134] Oben 3.6.1 (S. 89).

wendet werden: Ist das Kreuz der Kulminationspunkt der Theozentrik und Proexistenz Jesu von Nazaret, so ist die Theozentrik des in das Geheimnis Gottes aufgenommenen Jesus – als bleibende Gültigkeit und Wirksamkeit des irdischen Wirkens und des Kreuzestodes – nicht nur der Höhepunkt von Theozentrik überhaupt, sondern sie ist auch heilshaft, ja der letzte Grund des Heils:
Schon für jeden Menschen gilt nach biblischem Denken, daß „Theozentrik" heilshaft ist; der Mensch kommt da zu seinem Recht-Sein, wo er Gott verherrlicht, wo die „Heiligung des Namens" Gottes als des Vaters sein ureigenstes Anliegen wird. In eine nachcartesianische gnoseologische Betrachtungsweise *vom Subjekt aus* „übersetzt": Der Mensch kommt da zu seinem Recht-Sein, wo er die letzte Tiefe seines eigenen individuellen *und* kommunikativen Seins anerkennt. Entsprechend den gestaltgebenden Ursprüngen des Christusglaubens – sowohl den jesuanischen als auch den österlich-nachösterlichen – wird ihm die Chance dazu gegeben durch die Einbeziehung in die *Theozentrik* Jesu Christi: in die Gemeinschaft mit dem Jesus Christus, der selbst ohne Vorbehalt und Minderung „für Gott lebt"[135].

6.2.2.3.4 Die Verbindung der jesuanischen und der nachösterlichen Spannungseinheit unter dem Aspekt von „Befreiung" und „Kreuz"

Gehen wir dem soteriologischen Charakter der Aufnahme des Gekreuzigten in das absolute Geheimnis Gottes (von dem auch die bisherigen Überlegungen ausgingen) noch weiter nach, so stoßen wir vor allem auf den kreuzestheologischen Aspekt der „Erlösung" bzw. „Befreiung", ohne den die „Vollendung der Proexistenz" und die „Vollendung der Theozentrik" nicht zu ihrer Einheit gelangen können.
Das Unheil, von dem das Heil Jesu Christi die Menschen befreien will, ist grundlegend das Auseinanderstreben von Anthropozentrik und Theozentrik. Wenn das Heil, das Jesus vermittelt, die Gemeinschaft mit Gott ist und wenn diese Vermittlung auch und gerade nachösterlich über die Gemeinschaft mit ihm, Jesus selbst, geht, dann muß er in seinem Leben und Wirken, in seinem Tod *und* in seiner Wirksamkeit aus der Erhöhung heraus die beiden auseinanderstrebenden Pole zusammenfügen. Und das kann von der Sache her nicht harmonisierend geschehen, sondern als wirkliche Bewältigung und wirkliches vollendendes Durchstehen der Belastungsprobe, in die jene Spannung den – mit Gott konfrontierten, „glaubenden" – Menschen hineinstellt.

[135] Vgl. Röm 6,10; dazu *W. Thüsing*, Per Christum in Deum 67-78.

Deshalb kann das Kreuz Jesu Christi letztlich das die Einheit der Spannungspole bewährende Prinzip der jesuanischen Polarität sein – und es muß das sein; in der Annahme der Sendung durch Gott und in der Proexistenz für die Menschen hielt Jesus von Nazaret ja die Spannungseinheit von Bejahung Gottes und Bejahung des Menschen bis zum Tod durch.[136] Und nach Ostern ist die Proexistenz des auferweckten Gekreuzigten, mit anderen Worten die Heilsbedeutung des Todes Jesu „für die Vielen"[137], dasjenige, das ein Durchhalten der Spannungseinheit durch die Jünger Jesu (und damit ihre Gemeinschaft mit dem je immer größeren Gott) ermöglicht. Die Christologie/Soteriologie der Spannungseinheit ist wesentlich Kreuzestheologie und nicht theologia gloriae; wir dürfen wohl darüber hinaus sagen: Sie ist polare Einheit von Kreuzestheologie und Theologie der *Hoffnung* auf die Herrlichkeit.

6.2.2.3.5 Das ekklesiologische und nachfolgetheologische[138] Weiterwirken der nachösterlich-christologischen Spannungseinheit von Bejahung Gottes und Bejahung des Menschen

Dieses Thema ist wenigstens kurz anzureißen, weil Ekklesiologie (die nach meinem Verständnis in einem so weiten Sinn zu verstehen ist, daß das Nachfolgetheologische mitgedacht werden muß) eine entscheidende Konkretion der Soteriologie darstellt; und gerade die nachösterliche Transformation der jesuanischen Spannungseinheit muß ja, wie wir sahen, eminent soteriologisch verstanden werden. Das ekklesiologische Weiterwirken der Spannungseinheit ist von der nachösterlich-*christologischen* Spannungseinheit umgriffen: Die Ekklesia und der einzelne Jünger sind einbezogen sowohl in die Theozentrik[139] als auch in die Proexistenz[140] des erhöhten Gekreuzigten, und die Gabe dieses Einbezogenseins stellt sich ihnen als Auf-gabe.[141]

[136] Strukturkomponente 18 (J); s. oben 3.9.3.

[137] Vgl. Mk 14,24 par Mt; Mk 10,45 par Mt.

[138] Vgl. die Überlegungen zu einer Theologie der Nachfolge bei *J. B. Metz*, Zeit der Orden, vor allem 40-47; s. hierzu die Ausarbeitung der Konzeption in: *ders.*, Glaube, bes. 44-74. Freilich denke ich bei dem Begriff „nachfolgetheologisch" in erster Linie die jesuanischen und nachösterlichen Ursprungsstrukturen mit (s. unten 7.2.1.3.1 und 7.2.1.3.2), während J. B. Metz vom heutigen Problemhorizont des Christen herkommt und Nachfolge stärker „politisch" denkt (was, sofern es die gesellschaftliche Dimension der Agape meint, in meiner Auffassung des Begriffs „Nachfolge" eine Konsequenz und „Aktualisierung" der jesuanisch-nachösterlichen Grundlagen ist). Mir scheint hier eine starke Berührung der Gedanken gegeben zu sein; jedoch liegt mir – im Unterschied zu Metz – daran, zwischen Christologie und „Nachfolgetheologie" (trotz ihrer außerordentlich engen Zusammengehörigkeit) eindeutig zu differenzieren.

[139] Man vergleiche die Strukturkomponente 11 (T) mit 7 (T).

[140] Vergleiche die Strukturkomponente 12 (T) mit 8 (T).

[141] Vgl. oben 5.4.4 (s. auch 5.3.6) und unten 6.3.2.4.

6.2.2.3.6 (Statt einer Zusammenfassung:)
Die jesuanische Spannungseinheit von Bejahung Gottes und Bejahung des Menschen als Grundlage und Präformation der nachösterlichen – Die erhöhungstheologische Spannungseinheit als Ursprung nachösterlichen Heils und seiner zukünftigen Vollendung

Die jesuanische Spannungseinheit ist *Grundlage* der nachösterlichen: entsprechend dem Prinzip der „nachösterlichen Transformation", daß nichts vom Jesuanischen durch die Auferweckung verlorengeht, sondern alles zu seiner bleibenden Effizienz, zu universal-heilshafter Dynamik, geführt wird. Das ist im Vorhergehenden (in der „transformatorischen" Linienführung vom Jesus der Geschichte zum erhöhten Jesus Christus) ausgeführt worden. Die jesuanische Spannungseinheit darf jedoch auch (in einer Linienführung von der Erhöhung zum Leben und Wirken Jesu von Nazaret zurück) als *Präformation* der nachösterlich-christologischen Spannungseinheit von Bejahung Gottes und Bejahung des Menschen betrachtet werden. (Die jetzt gemeinte Präformation des nachösterlich-präsentischen Heils durch Jesus von Nazaret ist in die umfassende Heilslinie von seinem Verkündigungswirken zur vollendeten Basileia eingefügt: also in die Linie von der zeichenhaften Vor-Realisierung der alttestamentlichen Verheißungen[142] – von dem Eschatologisch-Neuen, das er bereits in seiner irdischen Wirksamkeit als gegenwärtiges Heilsangebot, gegenwärtige Befreiung vom Bösen und Öffnung für die „Heiligung des Namens" des Vaters bringt[143] – über die nachösterlich-transformierte Weise der „Vor-Erfüllung des Heils"[144] zur universalen futurisch-eschatologischen Vollendung hin[145].)

Die lebendig-spannungsvolle *Einheit von Ausrichtung auf Gott und Bejahung des Menschen* (mitsamt der Entfaltung und Vollendung seiner Freiheit) ist, wie wir sahen, das verheißene Heil selbst, weil sie identisch ist mit der vollendeten Kommunikation zwischen dem Menschen und Gott. Die jesuanische Spannungseinheit von prophetisch-radikaler Annahme und Weitergabe des Anspruchs Gottes und prophetisch-radikaler Eröffnung von Freiheit für die Menschen ist somit Vor-Realisierung des Heils, das Gott *aus der Aufnahme des gekreuzigten Jesus in sein eigenstes Leben heraus* wirksam werden lassen will. Das gilt sowohl im Hinblick auf das gegenwärtige Heil, das dem Glaubenden schon in der nachösterlichen Zeit durch das Pneuma zuteil werden soll, als auch im Hinblick auf die universale eschatologische Vollendung: weil beides in der Auferweckungstat Gottes gründet,

[142] Strukturkomponente 5 (J); s. oben 3.5.2.4.
[143] Vgl. Strukturkomponente 4 (J).
[144] S. oben 5.3.5; zu den Termini „Vor-Realisierung" und „Vor-Erfüllung" s. ebd. (S. 182 f).
[145] Strukturkomponente 3 (J).

und weil beides in der letztgültigen Vollendung der Polaritätseinheit von Bejahung Gottes und Bejahung des Menschen durch den *erhöhten* Jesus Christus – bzw. im erhöhten Jesus Christus selbst – bereits seine Voll-Verwirklichung erfahren hat; von ihm aus strahlt sie in die Gegenwart der Nachösterlich-Glaubenden und in deren eschatologische Vollendung aus.
Was Jesus Christus selbst angeht, ist noch ein Weiteres hinzuzusagen: Wenn die polare Einheit von Theozentrik und Proexistenz beim erhöhten Jesus Christus – durch das nachösterlich-neue Miteinander von Gott und Jesus Christus – unumkehrbar und universal wirksam geworden ist, dann schließt die (für die Proexistenz grundlegende) Gottesbeziehung Jesu von Nazaret auch die Vor-Realisierung der Sohnes-Relation ein, die Gott – in der unüberbietbaren Weise der Aufnahme in sein eigenstes Leben – für den auferweckten Jesus vor-gesehen hat.[146] Die schon phänomenologisch bei Jesus erkennbare (und auch inhaltlich seine Botschaft und sein Wirken zusammenhaltende) Spannungseinheit von prophetisch-radikaler Bejahung Gottes und prophetisch-radikaler Bejahung des Menschen steht demnach nicht nur in einem Analogieverhältnis, sondern in einem *inneren* Zusammenhang mit der durch die Aufnahme des Menschen Jesus in das Geheimnis Gottes konstituierten Spannungseinheit[147]: *Wenn ein Mensch zum Glauben an den auferweckten Jesus gelangt ist,* kann die jesuanische Polarität von diesem nachösterlichen Glauben aus (also „nachträglich") als Vor-Verwirklichung dessen erkannt werden, daß jetzt – durch die Aufnahme des gekreuzigten Jesus in das ureigenste Geheimnis Gottes selbst – die durch Abgründe getrennten Größen „Gott" und in Jesus auch die Größe „Mensch" in der Weise zur Polaritätseinheit verbunden sind, daß der von der Gottheit Gottes singulär umfangene Mensch Jesus nunmehr sowohl die Kulmination der Bejahung Gottes als auch die der Bejahung des Menschen darstellt und lebt. Nur so, vom Auferweckungsglauben her, ist die bei Jesus von Nazaret aufweisbare Spannungseinheit auch als der gemäße Reflex dessen erkennbar, was er, Jesus, sein muß, um der Mensch für Gott und der Mensch für die anderen sein zu können – um für die Basileia Gottes und damit die Vollendung des Menschen leben und sterben zu können.
Mit der durch die Heilstat Gottes – in Leben, Tod und Auferweckung Jesu – geschaffenen spannungsvoll-lebendigen Einheit ist *das* „Mittel" Gottes anvisiert, das letztlich allein der totalen Destruktion entgegenwirken kann, die durch das Auseinanderbrechen von Bejahung der Gottheit Gottes und der Bejahung eines „souverän" von Gott isolierten Menschen entsteht. Zugegebenermaßen: ein „Mittel", das für *Gott* nicht notwendig gewesen wäre (für

[146] Hierdurch ist letztlich auch der *Ansatz* einer nicht-chronologistischen Präexistenz- und Inkarnationstheologie gegeben; vgl. unten den Exkurs [6.2.2.5] zum Thema „Chalkedon".
[147] S. oben 6.2.2.2.

uns also nicht denknotwendig[148]), das Gott aber zufolge dem Christuskerygma des Neuen Testaments gewählt hat. Die polare Einheit von „Aufnahme des auferweckten Gekreuzigten in das Geheimnis Gottes“ und „bleibendem Menschsein Jesu“ ermöglicht die letztgültige Theozentrik, die Verherrlichung Gottes als des *Vaters* – und gleichzeitig (und ebendadurch) die letztgültige, universale Annahme des Menschen, die diesem in Vollendung und auf Vollendung hin zuteil werden soll.

6.2.2.4 Ein Nachtrag: Zum Thema „Infragestellen der Christusbilder als Konsequenz des Infragestellens der Gottesbilder“

Wenn das bisher Gesagte nicht unglaubwürdig werden soll, haben wir jetzt noch eine vielleicht ungewohnte Konsequenz zu ziehen: Soll die jesuanisch-nachösterliche Spannungseinheit lebendig aufrechterhalten werden, so sind nicht nur die Gottesbilder, sondern auch die Christusbilder je und je in Frage zu stellen – denn Christusbilder, in denen etwa der Pol der Exusia einseitig akzentuiert ist, werden von daher die Spannungseinheit auflösen, und umgekehrt, von der anderen Seite her, auch Christusbilder, in denen der Pol der Proexistenz von dem der Exusia isoliert wird. Auch die Christusbilder müssen also immer wieder in Frage gestellt werden, damit sie nicht zu falschen Gottesbildern führen.[149] Sollen die jesuanische Spannungseinheit und die im Auferweckungsglauben enthaltene einzigartige Verbindung des Menschen Jesus mit Gott in legitimer Weise zusammengedacht werden, so ist also auch hinsichtlich der Christusbilder das zur Geltung zu bringen, was wir die Destruktion der falschen Gottesbilder durch Jesus nannten und entsprechend die Destruktion der falschen Sicherheit und des falschen Rühmens des Menschen (jesuanisch – in positiver Wendung: Metanoia und „Kindwerden“). Es soll nicht bestritten werden, daß es legitim ist, Jesus Christus in der bildenden Kunst darzustellen. Doch die Auskunft, Bilder von Gott seien zwar im Alten Testament verboten, Bilder von Jesus Christus demgegenüber erlaubt, weil uns jetzt – im Gegensatz zum Alten Testament – das Bild Gottes in einem Menschen geschenkt sei, ist doch wohl zu einfach, um ganz richtig zu sein. Wird sie enggeführt, so entsteht allzuleicht eine einseitige Christozentrik (in der Konsequenz ein Christozentrismus, bis hin zu einem latenten Monophysitismus), die keinen Raum mehr läßt für die Theozentrik Jesu Christi selbst.

[148] Vgl. die Paradoxie von Geschichte und Ewigkeit bei Kierkegaard; s. oben [6.1.1.5.2], Anm. 30.

[149] Diese aus der Spannungseinheit zwischen „Gott“ und dem „in das Geheimnis Gottes aufgenommenen Menschen Jesus“ gezogene Konsequenz ergibt sich erst recht aus dem „vere Deus“ von Chalkedon; vgl. den folgenden Exkurs.

Auch der in das Geheimnis Gottes aufgenommene Jesus Christus wird denen ein Ärgernis sein, die ihn (wie die frommen Pharisäer damals den Willen Jahwes im Gesetz) als vertrauten „Besitz" ansehen; er wird wie damals den Randexistenzen und den Kindern nahe sein und ihnen das „Erkennen", das heißt die Kommunikation mit ihm selbst schenken, die zur Kommunikation mit Gott, seinem Vater, führen soll. Die von ihm gelebte Spannungseinheit von Bejahung Gottes und Bejahung des Menschen wird er denen geben, die nicht besitzen wollen – die ihn und den Willen seines Vaters nicht durch Isolierung eines der beiden Spannungspole in den Griff bekommen wollen –, also denen, die leere Hände und ein offenes Herz für das Ganze des Geheimnisses haben, für den je und je größeren Gott und damit für die Selbstmitteilung dieses unbegreiflichen Gottes, in der nach der Verkündigung des Neuen Testaments das Heil besteht. In *diesem* Sinn sind auch die Christusbilder in Frage zu stellen und zu transzendieren auf den im Geheimnis Gottes verborgenen und lebendig-wirksamen, rätselhaften und transparenten, schockierend geöffneten *und* fordernden, durch das Scheitern und die Vernichtung am Kreuz hindurch[150] auferweckten Menschen, von dem wir glauben dürfen, daß er uns mit der Kraft der Liebe Gottes selbst liebt.

[6.2.2.5] EXKURS:
Die durch die Aufnahme des Menschen Jesus in das Geheimnis Gottes konstituierte Polaritätseinheit und die christologische Formel von Chalkedon

Das Dogma von Chalkedon sagt Jesus Christus aus als „wahrhaft Gott" und „wahrhaft Mensch" – „unvermischt. . . ungeteilt". Wir finden hier den singulären Sachverhalt vor, daß eine kirchenamtliche Formulierung erstmals ganz bewußt die unvorstellbar große Spannung „Gott – Mensch" artikuliert und sowohl vor Isolierung der Pole („Trennung") als auch vor Harmonisierung („Vermischung") bewahren will. Jesus Christus ist nach Chalkedon also keineswegs ein Mittelwesen und erst recht kein Mischwesen zwischen Gottheit und Menschheit.[151] Die Spannung ist evident. Würde ein Mensch versuchen, beide Pole von sich aus zu vereinigen, so müßte dieser Versuch sein Menschsein pervertieren, zerreißen und zerstören.

[150] Das Infragestellen der Christusbilder gilt a fortiori, wenn bedacht wird, daß der in das Geheimnis Gottes aufgenommene Jesus der Gekreuzigte ist, der wegen seines Infragestellens der Gottesbilder in die Vernichtung seiner irdischen Existenz gegangen ist. Dieser Gedanke würde dem paulinischen von 1 Kor 1,18-25 entsprechen; vgl. ferner den Text von *Przywara*, Was ist Gott? 49f, der (unter anderem) von einer „Christologia indirecta dialectica tenebrarum" spricht, insofern das „Nicht des unbegreiflichen und unaussagbaren Gottes sichtbart im Nicht des Gekreuzigten, der der Entstellte und Gestaltlose ist".

[151] Das Kompositum „Gottmensch" scheint mir von Chalkedon aus nicht nur mißverständlich, sondern auch inkonsequent (weil „vermischend") zu sein.

[6.2.2.5.1] *Zur Fragestellung*
Das chalkedonische Dogma ist mit dem, was oben (6.2.2.2) über die Polarität von „Gott" und „der Mensch Jesus" gesagt wurde, die durch die Aufnahme des gekreuzigten Jesus in das Geheimnis Gottes zustande kommt, zunächst formal vergleichbar, insofern beidemal die Struktur der „paradoxen" Zusammenfügung von „Gott" und „Mensch" vorliegt. Es liegt nahe zu vermuten, daß nicht nur eine Analogie besteht, sondern ein innerer Zusammenhang. Aber wie ist das zu erweisen? Sind die Gemeinsamkeiten wirklich so groß, daß sie über die beträchtlichen Unterschiede hinweg die chalkedonische Formel mit den neutestamentlichen Ursprungsstrukturen zu vermitteln vermögen?

[6.2.2.5.2] *Zu den Unterschieden*
Die neutestamentliche Polarität „Gott – erhöhter Mensch Jesus" trägt dialogischen und soteriologischen Charakter – sie betrifft das Gegenüber zwischen dem auferweckten Jesus und Gott, seinem Vater; die Wirkeinheit von Gott und erhöhtem Jesus vermittelt das Heil. Die Formel von Chalkedon ist demgegenüber eine nur auf den Sohn Gottes zielende Beschreibung seiner Beschaffenheit, deren Wortlaut kein dialogisches Moment enthält.[152] Die Polarität „Gott – der erhöhte Mensch Jesus" (oben 6.2.2.2) wird *in die Person Jesu Christi selbst hineinverlegt.* Zudem sucht man – ebenfalls: im Wortlaut der chalkedonischen Formel – vergebens ein soteriologisches Moment. Chalkedon hat andere Denkvoraussetzungen und einen anderen Problemkontext als die gestaltgebenden Ursprünge der neutestamentlichen Christologie (und auch als die späteren Ausformungen neutestamentlicher Christologie einschließlich der johanneischen!). Zu bewältigen war die Problematik, die durch die arianische, apollinarische und monophysitische Christologie/Soteriologie gestellt war – und diese waren durch die traditionelle „hellenistische" Naturphilosophie überfremdet.[153] Zudem waren – im Zusammenhang damit – der kaum mehr durchschaubare trinitarisch-christologische Begriffspluralismus und die mit ihm verbundenen Streitigkeiten zu klären.[154] Den Ausgangspunkt des Denkens bildeten nicht die aus dem Neuen Testament erschließbaren Ursprungsstrukturen und ihr Richtungssinn, sondern die bisherigen Lehrformeln von Nikaia an.[155]

[152] Das Problem und die dadurch gestellte theologische Aufgabe werden deutlich gesehen von *B. Welte*, Homoousios hemin 75-77; vgl. die Weiterführung durch *P. Hünermann*, Gottes Sohn in der Zeit; ferner *D. Wiederkehr* in Theol. Berichte 2, S. 75. Zum Problem s. auch *W. Kasper*, Jesus der Christus 280f; *P. Smulders,* in: MySal III/1, 468, der (meiner Meinung nach nicht in jeder Hinsicht ganz sachgerecht) von einer „überwiegend statischen Sicht" der Konzilsformel spricht.

[153] Vgl. *A. Grillmeier,* in: MySal III/2, 382.

[154] Vgl. *P. Smulders,* in: MySal III/1, 463: „... Welt der Mißverständnisse und Verdächtigungen".

[155] Und zudem auch neutestamentliche Aussagen wie vor allem die johanneischen, die aber nur mehr unter dem Vorzeichen der aktuellen Problematik gesehen werden konnten; es ist bezeichnend, daß vielfach nicht mehr wie in der vielberufenen Aussage Joh 1,14 von der Fleischwerdung des *Logos*, sondern entsprechend Nikaia von der Menschwerdung des „wahren Gottes vom wahren Gott" die Rede ist; auf Joh 1 weist nur noch die aus Joh 1,3 übernommene Aussage der Schöpfungsmittlerschaft Christi hin.

[6.2.2.5.3] *Zu den Voraussetzungen einer Vermittelbarkeit zwischen der neutestamentlichen Polarität „Gott – erhöhter Mensch Jesus" und der christologischen Formel von Chalkedon*
Ein innerer Zusammenhang und damit eine Vermittelbarkeit besteht dann, wenn Chalkedon offen gedacht werden darf für übergreifende, von der Formel selbst nicht oder kaum artikulierte Zusammenhänge: dann, wenn das Dogma in einer Weise offen ist für die Dialogik und die soteriologische Bedeutung des aus dem Auferweckungsglauben folgenden „Zusammendenkens von Gott und Jesus", daß weder die Dialogik „Jesus – Gott" noch die soteriologische Dimension des Nachösterlich-Neuen gemindert oder vereinseitigt wird. Soll die Lehre von Chalkedon entsprechend diesem Postulat als eine Ausdrucksform des neutestamentlichen Zusammendenkens von Gott und Jesus aufgefaßt werden können, so darf der Blick nicht (statt auf die Dialogik des Gegenübers „Gott – Jesus") auf die Zustandsbeschreibung der Person Christi *fixiert* werden.
Diesen Postulaten liegt die Überzeugung zugrunde, daß Chalkedon mit den anderen trinitarisch-christologischen Lehraussagen zusammen nicht eine primäre Erkenntnisquelle darstellt, sondern absichernd auf das neutestamentliche Kerygma bezogen ist. Die Formel des Konzils muß streng als Neuinterpretation dessen aufgefaßt werden, was in den *Ursprungsstrukturen* (den jesuanischen und den nachösterlich-transformatorischen) bereits keimhaft enthalten ist[156]; sie darf also nicht als Hinzufügung eines im Neuen Testament etwa noch gar nicht vorhandenen Glaubensinhalts mißverstanden werden. Chalkedon darf also nicht als zusätzliche Quelle des Glaubens aufgefaßt werden, sondern als „Sicherung" (und darin gewiß auch auf ein bestimmtes Erkenntnisziel gerichtete Erhellung) der eigentlichen Quelle[157]; mit anderen Worten: Chalkedon muß eingespannt gesehen werden in die von Gott durch Jesus herkommende, rettende Dynamik des der Kirche (und auch ihren Lehräußerungen!) vorgeordneten „Evangeliums"[158].

[6.2.2.5.4] *Die grundlegende Vermittelbarkeit*
Das Zusammendenken von Gott und Jesus kann nicht von den Auswirkungen absehen, die die „Aufnahme des gekreuzigten Jesus in das Geheimnis Gottes" für die Person Jesu Christi selbst haben muß. Die einzigartig-unvergleichbare Aufnahme in das Geheimnis Gottes ist selbstverständlich nicht mit einer bloß additiven Zuordnung von Gott und Jesus Christus zu verwechseln – und auch nicht mit der Relation zu Gott, die ein im Sinn der alttestamentlichen Henoch- und Elija-Tradition in den Himmel entrückter Mensch besäße. Die Aufnahme Jesu in das Geheimnis Gottes bedeutet vielmehr – als Auferweckung – eine Neuschaffung, die streng theo-logisch und dialogisch

[156] Zu den Ursprungsstrukturen vermag ich die freilich außerordentlich frühe Interpretation des Christusereignisses durch die Präexistenzvorstellung, die von Chalkedon selbstverständlich ebenso wie von Nikaia vorausgesetzt wird, noch nicht unmittelbar zu rechnen. Vgl. *W. Thüsing*, Zugangswege 249-253. Trotz aller – unbezweifelten – bleibenden systematisch-theologischen Bedeutung muß die Präexistenzvorstellung gegenüber der Auferweckungs- bzw. Erhöhungschristologie als sekundär angesehen werden. Vgl. hierzu *D. Wiederkehr*, in: MySal III/1, 531.536; s. dort auch die erhellende terminologische Korrektur 539 f.

[157] Vgl. *W. Thüsing*, Zugangswege 235-243, bes. 238, Anm. 6.

[158] Vgl. oben 5.4.2 und 5.4.3; s. auch *W. Kasper*, Jesus der Christus 281: Das Dogma von Chalkedon muß „in das biblische Gesamtzeugnis integriert und von diesem her interpretiert werden." Vgl. nicht zuletzt den beachtenswerten Artikel von *K. Lehmann*, Dogmengeschichtliche Hermeneutik am Beispiel der klassischen Christologie, bes. 203 f.

gedacht werden muß: Die in der absoluten Liebesmacht Gottes geschehende, einzigartige, gegenseitige liebende Durchdringung[159] von Vater und Sohn muß mitbedacht werden – die gegenseitige Durchdringung, die das, was zwischenmenschlicher Liebe möglich ist, vom Begriff des „Deus semper maior" her unendlich transzendiert. In dieser Durchdringung geht auch die innergöttliche Polaritätseinheit von Macht und Liebe in den Menschen Jesus ein – in der Weise einer absoluten Qualifizierung.
Doch nochmals: Es kann nur eine gegenseitige Durchdringung gemeint sein, die Intensivierung, nicht Beseitigung oder Minderung der dialogisch-dynamischen Relation zwischen Gott und Jesus ist.
Was das Konzil von Chalkedon aussagte, ist demnach zwar – von den neutestamentlichen Ursprüngen her gesehen – eine äußerste, aus einer ganz bestimmten Fragestellung und in einer ganz bestimmten Hinsicht gezogene Konsequenz aus dem Zusammendenken von Gott und Jesus für die Person Jesu Christi selbst.[160] Aber die dadurch vollzogene absichernde Neuinterpretation ist grundsätzlich legitim, war zeitgeschichtlich nicht zu entbehren und kann auch für die weitere christologische Entwicklung nicht entbehrt werden.
Deshalb kann und muß durchaus von einem inneren Zusammenhang zwischen der chalkedonisch-innerchristologischen Spannungseinheit und der im Neuen Testament grundgelegten Polarität „Gott – der erhöhte Mensch Jesus" gesprochen werden.[161]

[159] Vgl. die wechselseitige Immanenz von Vater und Sohn in der johanneischen Theologie, die eine der Quellen für die patristische Lehre von der trinitarischen Perichorese darstellen dürfte (vgl. *M. Schmaus,* in: LThK VIII 274 f). Die Anwendung der Perichoresenlehre auf das Verhältnis der zwei Naturen in Christus ist nach Gregor von Nazianz vor allem von Maximos Confessor und Johannes von Damaskus ausgebildet worden. Ich zögere freilich, den Begriff Perichorese auf die neutestamentliche Einheit zwischen Jesus Christus und dem Vater anzuwenden, da die Vergleiche, die Maximos Confessor und Johannes von Damaskus für das Verhältnis der beiden Naturen in Christus verwenden, unzulänglich, weil undialogisch erscheinen. (Maximos Confessor vergleicht das Verhältnis der Naturen in Christus mit dem Ineinandersein von Leib und Seele und mit der gegenseitigen Durchdringung von Wort und Wortsinn, Johannes von Damaskus mit dem von Feuer und Eisen [*M. Schmaus* a.a.O.].)
P. Hünermanns Entwurf (Gottes Sohn in der Zeit) enthält eine Neuinterpretation der Perichoresenlehre, deren Tendenz ich zustimme. Hünermann sucht (in genau der umgekehrten Richtung wie meine Konzeption) von Chalkedon bzw. von der auf Chalkedon aufbauenden Lehre über die christologische Perichorese zum biblischen Gegenüber zwischen Jesus und dem Vater hinzuführen bzw. es von der Perichoresenlehre her zu deuten.

[160] Für Chalkedon ist Jesus selbstverständlich schon in seinem irdischen Leben „wahrhaft Gott und wahrhaft Mensch". Auch hier sehe ich eine Möglichkeit der Vermittlung: Auch nach neutestamentlichem Glauben besitzt Jesus schon im irdischen Leben sein einzigartiges Verhältnis zu Gott und ist der letztgültige Bote der Basileia Gottes, auch wenn diese theologischen Qualifikationen *letztlich* erst von der neuen Tat Gottes in Auferweckung und Erhöhung her erkannt werden können. Auch nach dem Ergebnis der „Rückfrage nach Jesus" ist das Heil der Basileia in Jesus von Nazaret bereits dynamisch präsent – in Proexistenz und Exusia (vgl. vor allem die Strukturkomponenten 4 [J] und 7-10 [J]).

[161] Wenn ich somit den inneren Zusammenhang zwischen Chalkedon und dem Neuen Testament anerkenne, muß ich hinzusagen, daß ich (schon als Neutestamentler) eine neue „Übersetzung" dessen, was Chalkedon meinte, wünschen würde – eine „Übersetzung", die sich wieder mehr dem auferweckungstheologischen bzw. erhöhungstheologischen Ansatz der neutestamentlichen Ursprünge nähern müßte. (Auch hinsichtlich der in Chalkedon vorausgesetzten Trinitätslehre plädiere ich für eine „Übersetzung", die primär nicht von der Präexistenz, sondern vom Auferweckungsglauben in dem oben in 4.4.3 dargelegten Verständnis ausgeht; vgl. *W. Thüsing,* Zugangswege 263-271.)

[6.2.2.5.5] *Vermittelbarkeit der chalkedonischen Formel mit der neutestamentlichen Dialogik von Jesus und Gott?*
Die Frage stellt sich schon wegen der undialogischen, auf die „Beschaffenheit" der Person Jesu Christi gerichteten Eigenart der Formel. Eine erste positive Antwort ist implizit schon in dem zweiten Pol der Grundaussage „Christus – wahrhaft Mensch" enthalten; hierin muß die dialogische Verwiesenheit des Menschen auf Gott eingeschlossen sein. Im Sinn der Väter von Chalkedon ist das dialogische Gegenüber von Jesus Christus und Gott aber wohl vor allem darin zu suchen, daß Christus als „wahrhaft Gott und wahrhaft Mensch" in der Dialogik des trinitarischen Lebens von Vater und Sohn – im heiligen Geist – steht. Für die Konzilsväter ist es selbstverständlich gewesen, daß ihre Formel sich in den (primär trinitarischen) Rahmen des Symbolums von Nikaia und Konstantinopel einfügt – und damit auch in das Gegenüber, Miteinander und Ineinander von Vater und Sohn, das für die Trinitätslehre konstitutiv ist. Im damaligen Problemkontext konnte es vermutlich gar keinen anderen Raum für die neutestamentliche Dialogik zwischen Gott und dem erhöhten Jesus Christus geben.[162]

[6.2.2.5.6] *Vermittelbarkeit hinsichtlich des soteriologischen Skopus?*
In Chalkedon ist verständlicherweise die inkarnatorische Soteriologie („Gott ist Mensch geworden, damit der Mensch vergöttlicht werde") vorausgesetzt; gerade sie soll ja gesichert werden.[163] Dieser Skopus ist nun gewiß verschieden von der aus den gestaltgebenden Ursprüngen zu erschließenden Soteriologie, die oben durch die Grundlinie „Heil als Gemeinschaft mit Gott durch Gemeinschaft mit dem gekreuzigten und auferweckten Jesus Christus" gekennzeichnet wurde.[164]
Dennoch: Der zweite Pol der chalkedonischen Aussage („Christus – wahrhaft Mensch") sagt nicht nur etwas über eine isoliert verstandene Person Jesu Christi aus, sondern ebenso – mehr oder weniger implizit – über seine Solidarität (und damit die Solidarität Gottes, seines Vaters, selbst) mit der Menschheit als ganzer; er steht in dieser Hinsicht durchaus in Relation zu dem, was wir „Bejahung des Menschen durch Gott" nannten. Und im Sinn des Konzils (und der Kirchenväter, auf die es zurückgriff) ist zumindest zu konzedieren, daß die in jener Soteriologie gemeinte „Vergöttlichung" durchaus auf eine theozentrisch-dialogische Offenheit (des glaubenden und zu vollendenden Menschen) für den Vater zielt.[165] Das Konzil und die ihm voraufgehende

[162] Sosehr die bleibende Bedeutung der im 4. und 5. Jahrhundert errungenen Erkenntnisse anerkannt werden soll, kann freilich auch die Problematik dieser ausschließlichen Einfügung der neutestamentlichen Dialogik von Gott und Jesus Christus in die Trinitätstheologie nicht übersehen werden – eine Problematik vor allem für das Ernstnehmen des Menschseins Jesu von Nazaret. Vgl. *W. Thüsing*, Zugangswege 269-271. S. ferner *K. Lehmann*, Dogmengeschichtliche Hermeneutik 205-207; 207: Jedes Dogma kann „auch in der verschärften Pointierung eines unaufgebbaren Wahrheitsmomentes einen neuen und vielleicht auf lange Zeit nicht erkennbaren Schatten werfen... Darum muß das Dogma in der ihm eigenen Pilgergestalt entdeckt und stets von neuem nach ‚rückwärts' und nach ‚vorne' in das Ganze des Glaubensbewußtseins der geschichtlichen Kirche eingeborgen werden."

[163] Vgl. Leo I., ep. dogm. (3) (DS 293). – Vgl. zur inkarnatorischen Soteriologie die instruktiven Ausführungen von *W. Breuning*, Gemeinschaft mit Gott (in dem Abschnitt „Die soteriologische Bedeutung des Dogmas von Chalkedon" [16-32]; vor allem 22-30).

[164] Vgl. oben 5.3.3; in diese Ursprünge und ihre Konsequenzen ist eine Inkarnationstheologie noch nicht einzutragen, auch dann nicht, wenn sie nachträglich zur Erhellung des Christusglaubens helfen sollte.

[165] *G. Greshake*, Wandel der Erlösungsvorstellungen 81, macht darauf aufmerksam, daß der Satz des Athanasius (De inc. 54) „Er wurde Mensch, damit wir vergöttlicht würden" meist unvoll-

Theologie dürften von ihren Denkvoraussetzungen aus auch in diesem Punkt kaum eine andere Möglichkeit gehabt haben, das durch Jesus Christus vermittelte Heil der Basileia Gottes anzusprechen.[166]

[6.2.2.5.7] *Zur positiven Leistung des Konzils*

Chalkedon und seine Leistung müssen innerhalb des dogmengeschichtlichen Kausalzusammenhangs gesehen werden, in dem das Konzil steht. Es wendet sich einerseits gegen den Monophysitismus (und in den späteren Auswirkungen gegen den noch gefährlicheren Monotheletismus), andererseits aber ebenso gegen Auffassungen, die die „Gottheit" Jesu Christi in Frage zu stellen oder zu mindern scheinen. Die in Chalkedon gefundene Formel hat zwar insofern Kompromißcharakter[167], als die (gewissermaßen auf die Spitze getriebenen) Aussagen beider Richtungen ohne Harmonisierung in einem ungeheuren Kontrast zusammengefügt werden – aber gerade dieser „Kompromiß" mit seiner der Formel immanenten (und nicht harmonisierten oder nivellierten) Spannung bedingt die bis heute weiterwirkende Dynamik der chalkedonischen Formel.[168] Gerade in diesem Zusammenhang darf nicht versäumt werden, ausdrücklich den grundlegenden, unverzichtbaren Beitrag zu betonen, den Chalkedon für die Ver-

ständig zitiert wird. Die Fortsetzung, die zum Verständnis notwendig ist, lautet: „Er offenbarte sich im Leibe, damit wir zur Erkenntnis des unsichtbaren Vaters gelangten."
Obschon ich also annehme, daß auch in soteriologischer Hinsicht eine Vermittelbarkeit besteht, darf der Unterschied gegenüber neutestamentlichen Aussagen wie vor allem 2 Kor 3,17 nicht außer acht gelassen werden. Wenn in 2 Kor 3,17 – geradezu in einer „Identifizierung" (nach *I. Hermann*, Kyrios 50 f, einer „erklärenden Identifikation" in dem Sinn, „daß Pneuma die ‚dynamische Präsenz des Kyrios' in seiner Gemeinde ausdrückt") – gesagt wird, der Kyrios sei das Pneuma, dann ist hier ebenfalls eine Verbindung von Göttlichem und Menschlichem ausgesagt. Der Kontext („wo das Pneuma des Kyrios [ist], da [ist] Freiheit") und vor allem die Parallele in 1 Kor 15,45 (der „letzte Adam" als „lebenschaffendes Pneuma") zeigen deutlich den primär soteriologischen (nicht im chalkedonischen Sinn christologischen) Charakter von 2 Kor 3,17. In den paulinischen Aussagen handelt es sich um eine Ausdrucksform der durch die Aufnahme Jesu in das Geheimnis Gottes geschaffenen *Wirk-Einheit* von Jesus und Gott; die Aussagen sind deshalb unmittelbar soteriologisch. Jedoch kann gerade von einer von den Ursprüngen herkommenden Theologie aus, die den Kommunikationsgedanken für soteriologisch zentral hält, die Möglichkeit einer Vermittlung in Sicht kommen. Eine erhöhungstheologische Variante der Grundformel inkarnatorischer Soteriologie könnte lauten: Gott hat den Menschen Jesus in das innerste Geheimnis seiner Gottheit aufgenommen, damit der Mensch in Partizipation an der Sohnschaft Christi Sohn Gottes werden könne. Gerade das neutestamentliche (hier paulinische) Motiv der Partizipation an der Sohnschaft Jesu Christi dürfte ein vom Auferweckungsglauben her konzipierter Keim letztlich auch inkarnatorischer Soteriologie sein und so zur Vermittlung dienen können.

[166] Auch das inkarnationstheologische Modell der Soteriologie entbehrt nicht der Problematik. Vgl. *W. Breuning* (Gemeinschaft mit Gott 23-26.29-32), der bei aller positiven Wertung der inkarnatorischen Soteriologie auch auf ihre Grenzen aufmerksam macht. (Diese müßten meiner Ansicht nach auch im Zusammenhang der oben 6.1.2.7 [mit Anm. 112] angedeuteten Problematik gesehen werden. In Band II wird ebendiese Problematik expliziter angesprochen werden müssen.)

[167] Vgl. *P. Smulders*, in: MySal III/1, 466 f.

[168] Vgl. den III. Band des Sammelwerks „Das Konzil von Chalkedon": „Chalkedon heute"; darin bes. den Beitrag von *K. Rahner*, Chalkedon – Ende oder Anfang? (3-49). – Wegen dieser Dynamik darf der Formel – trotz ihrer nicht-geschichtlichen, auf die „Beschaffenheit" des Sohnes Gottes zielenden Konzeption – nicht eine „Statik" von der Art angelastet werden, daß sie mit dem Neuen Testament nicht zu vermitteln wäre.

ankerung des wirklichen Menschseins und Mensch-Bleibens Jesu innerhalb des ihn aufnehmenden Geheimnisses Gottes geleistet hat.[169]
Auch die Formel von Chalkedon entspringt einer äußerst intensiven Bemühung um das „Ganze" christlichen Glaubens.

[6.2.2.5.8] *Zur Frage, was Chalkedon zu einer vom Neuen Testament herkommenden Theologie der „Spannungseinheit von Bejahung Gottes und Bejahung des Menschen" beizutragen habe*
Unter den aufgezeigten Voraussetzungen (daß Chalkedon in seinem Interpretations- und Sicherungscharakter gesehen wird, daß die Formel des Konzils und die neutestamentliche Polarität „Gott – erhöhter Mensch Jesus" vermittelbar sind, daß ferner die weiteren aufgewiesenen Zusammenhänge bestehen) verhindert das Dogma von Chalkedon keineswegs den Blick auf die durch die Aufnahme Jesu in das Geheimnis Gottes konstituierte Spannungseinheit – und demzufolge auch nicht auf die jesuanische, nachösterlich-transformierte Spannungseinheit von Bejahung Gottes und Bejahung des Menschen. Vielmehr weist es aus *seiner* spezifischen Sicht erneut auf die „Radikalität", auf die „Paradoxie" dieser Spannungseinheit hin;[170] man darf wohl auch von einer heuristischen Funktion sprechen, die die chalkedonische Formel für die Intensivierung und „Radikalisierung" der neutestamentlichen Fragestellung wahrnehmen kann.

Unter den beiden letztgenannten Aspekten – der Sicherung des wirklichen Menschseins Jesu und der von der chalkedonischen Formel angeregten „Radikalität" theologischen Weiterdenkens – vermag die bedeutsame Interpretation des Konzils durch *Maximos Confessor* (580-662) gerade für die in dieser Arbeit aufgezeigte Theologie der jesuanisch-nachösterlichen Spannungseinheit fruchtbar zu werden. Gemeint ist das von ihm aufgestellte Prinzip „... es besteht offensichtlich insoweit eine Einung der Dinge, als der physische Unterschied derselben gewahrt wird"[171]. In der Wiedergabe von A. Grillmeier[172]: „Christus ist zugleich die höchste Identität und Einigung von Gott und Mensch und die höchste Nicht-Identität... Je mehr der Mensch Gott geeint wird, desto mehr wird er selber ‚Mensch'." Von hier aus darf auch für die Theologie der Spannungseinheit im neutestamentlichen Sinn ein Prinzip erschlossen werden, das mir als eine unumgängliche Transposition des in der Folge von Chalkedon herausgearbeiteten Prinzips des Maximos auf die in dieser Arbeit behandelte jesuanisch-nachösterliche Spannungseinheit erscheint: Je stärker und reiner der Pol des Anspruchs und der Bejahung Gottes ist, um so reiner und stärker ist der Pol der Bejahung des Menschen, der Humanität, des Geschenks der Freiheit – und umgekehrt.

[169] Vgl. *K. Rahner*, Kirchliche Christologie zwischen Exegese und Dogmatik (Schriften IX 197-226, bes. 210 f).
[170] Vgl. *E. Przywara* (Schriften II 453): „Das ‚zwei unvermischt als eins' der klassischen christologischen Lösung ist die Form der Lösungen überhaupt... " Die Form der Lösungen ist „in allen... Problemen immer die gleiche: nicht innere Verschmelzung der Gegensätze, sondern Geheimnis der Spannung". Vgl. ferner *K. Rahner*, Schriften IX 210 f.
[171] PG 91, 97A. – Vgl. hierzu *W. Breuning*, Gemeinschaft mit Gott 26f.
[172] MySal III/2, 382.

6.3 Versuch einer Zusammenschau der jesuanisch-nachösterlichen Kriterien: Die Spannungseinheit von Bejahung Gottes und Bejahung des Menschen inmitten der zwei Bewegungslinien neutestamentlicher Theozentrik

6.3.1 Fragepunkt und Aufgabe

Es mag auch jetzt noch eine Schwierigkeit für den Leser bedeuten, daß die Beziehung zwischen dem als übergreifend und zusammenfassend dargestellten Thema dieses jetzigen *Dritten Teils* einerseits und den jesuanischen und nachösterlichen „Strukturkomponenten" („Kriterien") andererseits, die Ergebnis und Inhalt des *Zweiten Teils* der Arbeit ausmachen – und in Verbindung damit auch der Zusammenhang der Strukturkomponenten selbst – vielleicht doch noch nicht in dem wünschenswerten Maße einsichtig und überschaubar gemacht worden ist. Und tatsächlich ist diese Aufgabe ja bisher noch nicht ausdrücklich in Angriff genommen worden – im Hinblick auf diesen jetzigen Abschnitt, der (zusammen mit dem beigefügten graphischen Schema[173]) zu einer solchen Überschaubarkeit und „Zusammenschau" helfen soll.

Der Reihe der Kriterien bzw. „Strukturkomponenten", die das jesuanische und das nachösterliche Funktions- und Relationsfeld abdecken, ist zwar in beiden Bereichen das „übergeordnete" Strukturprinzip 1 – die „Spannungseinheit von Bejahung Gottes und Bejahung des Menschen, von Anspruch Gottes und Geschenk der Freiheit" – vorangestellt. Abgesehen davon ist die Reihe der weiteren Strukturkomponenten jedoch nicht unmittelbar und jedenfalls nicht in die Augen fallend durch das Thema „Polarität" bzw. „Spannungseinheit" bestimmt; vielmehr liegt ihr zunächst eine vom jesuanischen Befund ausgehende Sachgebietsgliederung[174] zugrunde. Läßt sich trotzdem eine Zusammenschau der Strukturkomponenten unter dem Aspekt der „Spannungseinheit", der sich ja als zentral herausgestellt hat, erzielen? Wenn das gelingt, wäre eine Zusammenfassung alles bisher Erarbeiteten

[173] Unten 6.3.4, S. 302 f.

[174] Vgl. die Tabelle, oben 5.5.1: A. Eschatologie und Theozentrik; B. (keimhafte) Christologie; C. Die von Jesus geforderten Grundhaltungen; D. Gemeinschaftstheologische Aspekte der Jesusbewegung; E. (keimhafte) Kreuzestheologie.

in der Weise zu erreichen, daß auch und gerade hierbei das *Ganze* christologisch vermittelter Theo-logie (vgl. 6.1) in den Blick kommt.

Teils offen, teils implizit wird die Reihe der Strukturkomponenten von einer theo-logischen bzw. (richtiger:) theozentrischen Gedankenbewegung beherrscht, die ich hier als die zweifache theozentrische Linie der Sendung und der Antwort bezeichne[175]. Die Strukturkomponenten 2-18 sind – auf einer den Sachgebieten A-E[176] zugrundeliegenden Ebene – der Denk- und Sprechweise des Neuen Testaments verpflichtet, insofern sie Ausdruck einer durch die beiden theozentrischen Bewegungslinien bestimmten „Tiefenstruktur" sind. Wollen wir die einzelnen Strukturkomponenten zusammenschauen bzw. die ihnen zugrundeliegende Basisstruktur erfassen, so genügt dazu also die Denkform der „Spannungseinheit von Bejahung Gottes und Bejahung des Menschen" für sich allein noch nicht. Um dem Duktus der neutestamentlichen Aussagen und Verkündigungsinhalte nahe zu bleiben und ihm überhaupt gerecht zu werden, *besteht für uns jetzt – über die Herausarbeitung der polaren Struktur hinaus – die Aufgabe, das Vorhandensein und die Wirksamkeit der Spannungseinheit innerhalb der theozentrischen Bewegungslinien „Sendung" und „Antwort" aufzuzeigen.* Das Ergebnis von 6.2 muß also im vorliegenden Abschnitt 6.3 in diese theozentrischen Bewegungslinien hineingestellt werden – sofern eine Zusammenschau erreicht werden soll, die sowohl der spannungsvollen Gottesverkündigung und dem in eine Spannung stellenden Anspruch Jesu als auch der dialogischen biblischen Relation zwischen Gott und dem Menschen bzw. zwischen Gott und seinem Volk bzw. der Menschheit zu entsprechen vermag.

Hiermit ist die Grundthese genannt, die über dem Versuch der Zusammenschau steht. Jedoch ist für diesen Versuch im einzelnen noch das Folgende zu berücksichtigen:
– Eine nähere Bestimmung der beiden theozentrischen Bewegungslinien muß die Grundlage bilden.
– Der nicht von vornherein in die Augen fallende eschatologische (vor allem der futurisch-eschatologische) Aspekt der Sendungs- und Antwortlinie muß herausgestellt werden, wenn deren Zusammenhang mit dem Jesuanischen (J; aber auch T) nicht unzulässig gelockert oder in Frage gestellt werden soll – bzw. wenn die doppelte theozentrische Linienführung vom Jesuanischen her legitimierbar sein soll.
– Innerhalb der theozentrischen Linienführung müssen diejenigen, die nachösterlich die Sendung empfangen und die Antwort geben – das heißt *die*

[175] Die Erläuterung dieser Begriffe wird unten in 6.3.2.1 gegeben werden.
[176] S. oben Anm. 174.

Glaubenden bzw. die Gemeinschaft der glaubenden Jünger – mit demjenigen in die gemäße Verbindung gestellt werden, der vorösterlich-grundlegend Empfänger der Sendung und Subjekt der Antwort war und der auch und gerade nachösterlich Sendung und Antwort vermittelt: mit Jesus Christus selbst. Mit anderen Worten: Innerhalb der theozentrischen Linienführung muß die Ekklesiologie (bzw. zunächst die Theologie der Nachfolge) mit Christologie und Soteriologie verbunden werden.
– Was die Spannungseinheit von Bejahung Gottes und Bejahung des Menschen angeht, muß versucht werden, auf ihren Ursprung in Gott selbst zurückzugehen und *von daher* – theo-logisch – die inmitten der beiden Linien gegebene Spannungseinheit als Gesamtphänomen in den Blick zu bekommen; denn in solcher Rückfrage zur Theo-logie liegt die zentrale Voraussetzung einer Verbindung von Theozentrik und „Spannungseinheit von Anspruch Gottes und Geschenk der Freiheit".
– Schließlich muß auch das mindestens formal gleichgewichtige Miteinander von Bejahung Gottes und Bejahung des Menschen hinterfragt werden; es muß untersucht werden, in welcher Weise beide in die theozentrische Linienführung eingefügt sind. Dabei ist leicht zu sehen, daß jenes Miteinander bezüglich der Sendungslinie kein Problem bildet; für die Antwortlinie stellt sich jedoch die Frage, ob bei gleichgewichtiger Nebeneinanderstellung die Prävalenz und das Transzendieren der Theozentrik (das „maior dissimilitudo" des IV. Laterankonzils) gewahrt werden können. Den gemäßen Ort, diesem Problem nachzugehen, bildet das Thema „Gottesliebe und Nächstenliebe" (unten 6.3.3.5).

6.3.2 Die beiden neutestamentlich-theozentrischen Bewegungslinien

6.3.2.1 Die Linie der Sendung und die Linie der Antwort

Die Relation zu Gott als dem „Zentrum" (= „Theozentrik") ist im Neuen Testament (wie schon im Alten Testament – und auf weite Strecken bereits religionsgeschichtlich[177]) prinzipiell dialogisch verstanden. Gott ergreift die heilshafte Initiative – das Volk bzw. der glaubende Mensch antwortet. Die Theozentrik weist also zwei Bewegungslinien auf, die Linie „von Gott her" und „zu Gott hin".[178] Die „absteigende" Linie (bildhaft: entsprechend dem früheren Weltbild, nach dem die Welt Gottes „oben" ist) führt von Gott zur

[177] Und zwar dort, wo das Religiöse die Struktur des Bezugs auf ein personales Gegenüber aufweist.
[178] Vgl. die paulinische Formulierung in 1 Kor 8,6. – Eine knappe Vorweg-Erklärung dieser doppelten Linienführung ist bereits oben 3.6.2.1 (zu Strukturkomponente 7 [J]) gegeben worden – dort in bezug auf Jesus von Nazaret; vgl. auch die dortige Anm. 68.

Welt bzw. zu den Menschen, denen er sich zuwenden will. Bei dieser „absteigenden“ Linie ist Gott als Ursprung, bei der „aufsteigenden“ als Ziel gesehen.

– Die *„absteigende Linie“* ist die Linie der schenkenden Liebe und ihrer Macht. Christologisch und ekklesiologisch ist sie die *Linie der „Sendung“*, die der von Gott herkommenden schenkenden und sich mitteilenden Liebe dient. Im Folgenden bezeichne ich die absteigende Linie vorwiegend als Linie der „Sendung“, weil das Christologische, das Nachfolgetheologische (das Christ-liche) und das Ekklesiologische im Neuen Testament bei dieser „absteigenden“ Linie den Hauptakzent tragen: Gott wendet der Welt in Jesus sein Erbarmen zu – die Jünger werden nach Ostern seiner Sendung dienstbar: In Gemeinschaft mit Jesus haben sie die schenkende Liebe Gottes weiterzugeben. Für die absteigende Linie – und auch für die aufsteigende – kommt also in dem Begriff „Sendung“ das spezifisch Neutestamentliche zum Ausdruck[178a]: weil für neutestamentlichen Glauben „Sendung“ und „Antwort“ *christologisch* zu ihrer Höchstform und zu ihrer radikalsten Verwirklichung kommen.
– Die *„aufsteigende Linie“* wird im folgenden durchweg als *„Linie der Antwort“* gekennzeichnet. Der Begriff „Antwort“ trifft für diese Linie durchgängig – nicht nur christologisch und ekklesiologisch – zu. Hierbei ist freilich die Bejahung der Sendung und ihrer Konsequenzen durch Jesus und seine Jünger *integriert* in die gesamte Antwort, die sich in Liebe, Vertrauen, „Glaube“ realisiert. Die „aufsteigende Linie“ ist insgesamt das Ja zum schenkenden Gott und seiner Macht und darin eingeschlossen (und der schenkenden Macht Gottes dienstbar) das Ja zur Sendung.
– Die „aufsteigende Linie“, die Antwortlinie, hat auch christologisch ebenso zentrale Bedeutung wie die „absteigende“ Linie, die der Sendung. Deshalb ist es notwendig und lohnend, die Antwortlinie vor der Vernachlässigung zu schützen, der sie allzuoft ausgesetzt ist.

Bei einem Blick auf die jesuanischen und nachösterlichen Strukturkomponenten stellen wir fest, daß bezüglich der Zuordnung von Strukturkomponenten zu den beiden Linien Differenzierungen notwendig sind. Wir erkennen Strukturkomponenten, die eindeutig nur jeweils einer der beiden Linien zuzuweisen sind, aber auch andere, in denen eine Verschränkung der beiden Linien festzustellen ist.
Die *„absteigende Linie“* findet ihren Ausdruck zunächst in den Strukturkomponenten, die das von Gott herkommende Eschatologisch-Neue (das

[178a] Und zwar auf dem alttestamentlichen Hintergrund der Sendung eines Propheten (s. oben 3.6.1, Anm. 59a). Die spezifisch johanneische Ausprägung des Sendungsbegriffs darf nicht den Ausgangspunkt bilden (s. ebd.).

gegenwärtige und zukünftige Heil der Basileia) beinhalten (Strukturkomponenten 3-5 [und 6]); christologisch gesehen ist sie in der „Proexistenz" Jesu (Strukturkomponente 8), die er bis zum Tode durchhält (Strukturkomponente 18) zu erkennen, ferner in der Funktion Jesu als des „prophetisch-charismatischen Boten des Eschatologisch-Neuen" (Strukturkomponente 9) und in der (von Gott herkommenden) Exusia (Sendungsvollmacht) Jesu (Strukturkomponente 10).

Die *„aufsteigende Linie"* treffen wir bereits in Strukturkomponente 2 an, in der Jesus als jahwegläubiger Jude gekennzeichnet ist. Sehr eindeutig ist sie ferner da erkennbar, wo es um die Relation Jesu zu Gott als seinem Vater und die Bejahung seiner Sendung geht (Strukturkomponente 7). Die von Jesus geforderten und gelebten religiös-ethischen Grundhaltungen, besonders die Grundhaltung des „Glaubens" (und für die von Jesus angerufenen Menschen: der Metanoia) und der Agape (Strukturkomponenten 11 und 12) sind ebenfalls hierher zu rechnen; ferner die Kreuzesnachfolgeforderung und die eigene Bereitschaft Jesu zum Prophetenschicksal (Strukturkomponente 17).

Eine *gegenseitige Verschränkung der beiden Linien* stellen wir vor allem in den Strukturkomponenten 13-16 fest: Die „Befreiung vom Legalismus" ist sowohl Geschenk als auch (im Zuge der „Antwort" zu vollziehende) Aufgabe; in gleicher Weise ist der keimhafte jesuanische und der offene nachösterliche Universalismus ebenso Geschenk wie Aufgabe.

Vor allem in den beiden „gemeinschaftstheologischen" Strukturkomponenten 15 und 16 ist die Verschränkung der Sendungs- und der Antwortlinie zu bemerken: Die Gemeinschaft der Glaubenden ist sowohl „Raum" für das Empfangen der Vor-Erfüllung des Heils und Gemeinschaft des Dienens am Werk Jesu für die Welt (Sendungslinie) als auch „Raum" für das immer neue Suchen nach der heilshaften „Theozentrik durch Christozentrik" und für das (im Zuge der „Antwort" sich vollziehende) Dienen.

[6.3.2.2] EXKURS:
Die anthropologisch-gnoseologische Implikation der Sendungs- und der Antwortlinie

Die neutestamentliche Denk- und Redeweise, die der zweifachen theozentrischen Linienführung zugrunde liegt, ist neuzeitlichem, vom Subjekt ausgehendem Denken keineswegs selbstverständlich. Gott steht uns ja nicht, wie die „objektivierende" Redeweise der Schrift es nahelegen könnte, wie ein Mensch dem anderen gegenüber, etwa wie ein menschlicher Herrscher, der von außen her Befehle und „Sendung" erteilen würde. Angesichts der hervorgehobenen Stellung, die die beiden theozentrischen Linien in meinem Entwurf einnehmen müssen, möchte ich das hiermit anvisierte Problem nicht übergehen. Freilich kann ich meine Stellung dazu in den folgenden Sätzen nur knapp umreißen.

– Wenn im Zuge der cartesianischen Wende vom Objekt zum Subjekt das geschicht-

liche Stadium einer „transzendentalen Anthropologie" erreicht ist, darf diese Wende nicht mehr ignoriert werden.[179]
– Was die Bibel „objektivierend" von Gott, seinem Handeln sowie dem Handeln der zu Gott gehörenden Menschen sagt, geht jeweils durch das erkennende, erfahrende und zum Glauben aufgerufene Subjekt hindurch.
Auch bei Jesus gibt es die Sendung nicht an seinem „Sendungs*bewußtsein*" vorbei.[180] Sie ist darüber hinaus nicht ohne seine spezifische, das Sendungsbewußtsein implizierende Gotteserfahrung möglich. Das Gottesverständnis und -verhältnis Jesu spielt eine Schlüsselrolle; Jesus erkennt Gott als Macht und Liebe und sich selbst als denjenigen, der Gott als dieses personale Miteinander und Ineinander absoluter Macht und Liebe manifestieren soll. Das Sendungsbewußtsein Jesu entspringt also aus dem Gegenüber von Jesus und Gott, insofern dieses Gegenüber in dem Subjekt „Jesus" erfahren wird. Auch die Basileia-Botschaft Jesu geht wie seine Gottesverkündigung und mit seiner Gottesverkündigung durch dieses „erkennende" und „glaubende" Subjekt „Jesus" hindurch; sie partizipiert also (in nachcartesianischer Denkweise) ebenfalls an der Denkbewegung „transzendentaler" Anthropologie. Erst von hierher ist die „objektivierende" Rede- und Ausdrucksweise zu legitimieren.
Nachfolgetheologisch und ekklesiologisch ist in diesem Zusammenhang das Stichwort „Glaube" von zentraler Bedeutung; auch nachösterlich geht nicht nur die Antwortlinie, sondern auch die Sendungslinie – die Weitergabe von Macht und Liebe Gottes vonseiten der Jüngergemeinschaft Jesu – durch die Gotteserfahrung hindurch.[181]
– Diese Erkenntnis, die meinen Beitrag zu dem von K. Rahner und mir verfaßen Werk „Christologie – systematisch und exegetisch" prägte – so daß ich diesem Beitrag den Titel „Zugangswege zu einer transzendental-dialogischen Christologie" gab –, erhalte ich voll aufrecht. Sie ist auch in der vorliegenden Arbeit durchgängig vorausgesetzt.
– Weder die im Neuen Testament der Sache nach enthaltene „aufsteigende" Linie und noch nicht einmal (wie man vielleicht zunächst vermuten könnte) die „absteigende" Linie verlieren in der „transzendentalen" Fragestellung (das heißt der Frage nach den Bedingungen der Möglichkeit einer Erkenntnis im Subjekt selbst) hinsichtlich eines Gegenstandes der Offenbarung und des Glaubens[182] ihre Berechtigung.
– Zu dem zentralen Problem, das das Verhältnis von Nächsten- und Gottesliebe für nachcartesianische theologische Denkweise darstellt, soll unten in 6.3.3.5 noch eigens Stellung genommen werden.

[179] Vgl. *K. Rahner,* Grundlinien 20 (Lehrsatz 8b) bzw. Grundkurs 206.

[180] Vgl. *K. Rahner,* Grundlinien 28-33 bzw. Grundkurs 246-251. K. Rahner spricht dort von „Selbstverständnis" bzw. „Selbstbewußtsein" Jesu. *F. Hahn* (Methodologische Überlegungen 49f) bevorzugt demgegenüber eine andere, dem neutestamentlichen Befund gemäßere Fragestellung und spricht deshalb von dem „Sendungs*anspruch*" Jesu. Im Zusammenhang dieses jetzigen, neutestamentliche Methodik transzendierenden Exkurses muß jedoch auf die Rahnersche Terminologie vom „Selbstbewußtsein" bzw. Sendungsbewußtsein zurückgegriffen werden.

[181] Vgl. *W. Thüsing,* Zugangswege 98-104; ferner 104-113 die kritischen Fragen an die „transzendentale Christologie" K. Rahners. Vgl. besonders auch die Ausführungen K. Rahners zur Frage einer „legitimen Bewußtseinschristologie" (Grundlinien 63f bzw. Grundkurs 295f) sowie meine Zustimmung und Abgrenzung in „Zugangswege" 166.224-226.

[182] Vgl. *K. Rahner,* Art. Transzendentaltheologie, in: SM IV 987f.

6.3.2.3 Der eschatologische Aspekt der theozentrischen Bewegungslinien

Die beiden theozentrischen Bewegungslinien wären theoretisch auch nicht-eschatologisch denkbar; sie wären (wiederum: nur theoretisch) zeitlos denkbar: „Gott liebt den Menschen – der Mensch antwortet durch seine Liebe." Und sogar in neutestamentlichem Zusammenhang, in dem die Rede von der letztgültig-entscheidenden Bedeutung Jesu nicht umgangen werden kann (die ja als solche schon eine Eschatologie impliziert), könnten die beiden Linien immerhin unter Ausklammerung der *futurischen* Eschatologie gedacht werden.
Demgegenüber muß hier eindeutig klargestellt werden, daß das Eschatologische – die spannungsvolle Einheit von futurischer und präsentischer Eschatologie, von zukünftiger Basileia und schon in die Gegenwart hinein vorstoßenden Kräften der Basileia – nicht ausgeblendet werden darf, wenn überhaupt eine legitime Kontinuität zum Jesuanischen vorhanden sein soll. Die Ankündigung der andrängend „nahe herbeigekommenen" Basileia sowie der Zukunft dieser Gottesherrschaft als des endgültigen Heils und Gerichts (Strukturkomponenten 3-5) können ohne Verstümmelung des Jesuanischen nicht ausgeklammert werden. In der Antwortlinie ist die Metanoia Grundbedingung für das Eingehen in die Basileia (Strukturkomponente 11); und „ekklesiologisch" ist die Solidarisierung mit Jesus heilsentscheidend, und damit eschatologisch qualifiziert. In der Gottesverkündigung Jesu (Strukturkomponente 6) kann und darf nicht übersehen werden, daß Gott das *Vollendungs*ziel ist. Nur so – in einer eindringlichen Betonung des futurisch-eschatologischen, auf die Vollendung von Welt und Menschheit bezogenen Aspekts – kann auch dem Verdacht entgegengewirkt werden, der christologisch-ekklesiologische Aspekt der theozentrischen Linienführung werde hier individualistisch oder partikularistisch verstanden.

6.3.2.4 Der Zusammenhang von Christologie und Ekklesiologie innerhalb der theozentrischen Bewegungslinien

Wiederholt ist im Verlauf der Arbeit bereits die enge Zusammengehörigkeit, ja Interdependenz von Christologie und Ekklesiologie beobachtet worden.[183] Der Grund hierfür liegt zutiefst in der Beziehung von (einerseits) Christologie und (andererseits) Nachfolgetheologie sowie Ekklesiologie innerhalb der doppelten theozentrischen Linienführung von Sendung und Antwort: Sowohl in der „absteigenden" als auch in der „aufsteigenden" Linie ist Jesus

[183] Vgl. z. B. oben 5.4.4.6.

Christus jeweils dem „Ekklesiologischen“[184] vorgeordnet. Das heißt: Das „Ekklesiologische“ folgt aus dem Christologischen – und zwar deshalb, weil das Werk Gottes und Jesu Christi (das, was ich mit dem Stichwort „Das Evangeliale“ bezeichne) dem Ekklesiologischen vorgeordnet ist und weil jede heilshafte Bedeutung der Jüngergemeinschaft davon abhängt, ob in ihr und durch ihren („instrumentalen“) Dienst das soteriologische Grundprinzip „Gemeinschaft mit Jesus Christus als Weg zur heilshaften Gemeinschaft mit Gott“ voll zur Geltung kommt.[185]

Zur Sendungslinie (bzw. „absteigenden Linie“): Die Jüngergemeinschaft ist nach Ostern Werkzeug des erhöhten Christus; als solche tritt sie in sein Werk ein und bringt es in der Kraft seines Geistes zur Geltung und zu universaler Wirksamkeit. Auch hier ist noch einmal von der „Vorordnung des Evangelialen“[186] auszugehen: Die Jüngergemeinschaft dient dem Werk Gottes und Jesu Christi und ist in dieses Werk eingespannt. Hieraus ergibt sich der untrennbar enge Zusammenhang der „gemeinschaftstheologischen“ bzw. ekklesiologischen Strukturkomponenten 15 und 16 mit allem, was vorher über das Werk Gottes und Jesu Christi gesagt werden konnte (das heißt vor allem: mit den Strukturkomponenten 3-6, die die Basileia-Verkündigung betreffen, und 7-10, die der „keimhaften Christologie“ [bzw. nachösterlich: dem Kern der Christologie] zugeordnet sind).

Zur Sendungslinie als der „absteigenden“ Linie gehört nicht nur die Einfügung der glaubenden Menschen in das Werk Gottes und Jesu Christi, sondern auch das von Gott herkommende Heil, das ihnen *innerhalb der Jüngergemeinschaft* zuteil wird: Diese kann als „Raum“ für die Vor-Erfüllung des Heils bezeichnet werden.[187]

Zur Antwortlinie (bzw. „aufsteigenden Linie“): Im Zug dieser Linie ist die Jüngergemeinschaft Jesu, die „Kirche“, „Raum“ für die Nachfolge-Antwort, „für das immer neue Suchen nach der heilshaften ‚Theozentrik durch Christozentrik‘ und für die Hoffnung auf ihre Vollendung“ (Strukturkomponente 15 [T]). In diesem Begriff des von Jesus Christus her vor-gegebenen „Raums“ für die Nachfolge-Antwort ist das Nachfolgetheologisch-Ekklesiologische über die Strukturkomponenten 11-14 („Die von Jesus geforderten und gelebten religiös-ethischen Grundhaltungen“) verbunden mit den christologischen Strukturkomponenten 7-10, nach denen die Antwort und die helfende Exusia Jesu Christi selbst die Antwort der Jünger vor-prägen und einbergen.

[184] Hier als Ausdruck für etwas verstanden, das die Institution transzendiert: für die Jüngergemeinschaft, insofern sie auch die Nachfolge des einzelnen in sich einbegreift.

[185] Vgl. oben 5.4.1 (und darüber hinaus den ganzen Abschnitt 5.4).

[186] S. oben 5.4.3.

[187] Vgl. oben 5.4.4.3.

Die Jüngergemeinschaft zeigt sich im Zuge dieser „aufsteigenden Linie" aber auch als ganze in ihrer Konformität mit dem auf die Liebe und die Sendung Gottes antwortenden Jesus. Das Ziel der „aufsteigenden Linie" ist – wiederum bedingt durch Intention und Weg Jesu Christi selbst – die Öffnung für die absolute Liebe, die die Offenheit auch für das futurisch-eschatologisch vollendende Handeln Gottes einschließt.

6.3.3 *Die „Spannungseinheit von Bejahung Gottes und Bejahung des Menschen" inmitten der theozentrischen Bewegungslinien von „Sendung" und „Antwort"*

6.3.3.1 Der absolute Ursprung: Die Einheit von Macht und Liebe in Gott selbst

6.3.3.1.1 Zu den zwei Aspekten „Macht" und „Liebe" in Gott selbst

Augustinus hat das Wort geprägt „Si comprehendis, non est Deus"[188]: „Wenn du meinst, etwas begriffen zu haben, dann handelt es sich dabei nicht um Gott." Man kann Gott nicht auf den Begriff bringen – weder ist Gott nur „Majestät" oder „Macht", noch ist er „nur" erbarmende Liebe, die der Macht und Majestät der Gottheit entbehren würde.[189]
Religionswissenschaftlich hat bereits R. Otto diese beiden Aspekte in ihrer Wirkung auf den Menschen als das „tremendum" und das „fascinans" bzw. „fascinosum" deutlich gemacht.[190] Im Alten Testament spiegelt sich dieses Miteinander (neu geprägt durch das Spezifische der biblischen Botschaft) wider: Es spricht von dem Gott, der Gericht und Erbarmen übt, der voll schreckenerregender Majestät ist und sich dennoch als „Jahwe" selbst mitteilen, sich für sein Volk als heilshaft erweisen will.
Das Gottesverständnis Jesu ist geprägt durch ein vergleichbares Miteinander von zwei Aspekten, die eine untrennbare Einheit bilden: durch die Einheit von Majestät (man denke an die Verkündigung des richtenden Gottes) und bisher so nicht gekannter Nähe Gottes (man vergleiche den Abba-Ruf, der als vertraute, familiäre Anrede des irdischen Vaters im Judentum der Zeit Jesu sonst nicht als Gottesanrede belegt und meiner Meinung nach auch

[188] Serm. 117, c. 3,5.
[189] Das letztere dürfte vor allem die Versuchung unserer Zeit sein; dagegen vgl. das Wort Luthers – bei *R. Otto,* Das Heilige 119 –, ein Gott, der nicht zürnen könne, könne auch nicht lieben; ein Gott, der beides nicht könne, sei „unbeweglich" und nicht der lebendige Gott der Christen.
[190] Das Heilige 13-37.42-52; vgl. 56f („Kontrast-harmonie"); vgl. ferner *K.H. Miskotte,* in: RGG IV 1543-1545; *B. Thum,* in: LThK V 84-86; *A. Lang,* ebd. 86-89.

kaum denkbar ist).[191] Sowohl der Aspekt der Majestät (vgl. die „Heiligung des Namens"!) als auch der der Zuwendung zum Menschen wird bei Jesus „radikalisiert": Das Nahe-Sein (bzw. letztlich: die Selbstmitteilung) des machtvollen Gottes als Liebe bildet die Mitte der Verkündigung Jesu; der Gott Jesu lebt in der Einheit von Herr-Sein und Vater-Sein (bzw. „Liebe-Sein").[192] Eschatologisch werden diese zwei Aspekte letztlich in der Polarität von Gericht und neuschaffendem Heilswillen auf das stärkste akzentuiert. Schon von diesem Befund her legt es sich nahe, daß ein Zusammenhang besteht zwischen dieser Zweiheit von Aspekten göttlichen Lebens und Wirkens und der „Spannungseinheit von Bejahung Gottes und Bejahung des Menschen", von der bislang schon die Rede war. Aber kann man die Einheit von Macht und Liebe in Gott wirklich in Beziehung setzen zu der *Spannungs*einheit, wie sie inmitten der Sendungs- und Antwortlinie bei Jesus und der Gemeinschaft seiner Jünger in Erscheinung tritt? Sicherlich könnte das nur in analogem Sinn der Fall sein. Im folgenden muß dieser Frage weiter nachgegangen werden.

6.3.3.1.2 Die Prävalenz der Verkündigung „Gott ist Liebe"

Die Aussage 1 Joh 4,8.16 „Gott ist Liebe"[193] stellt eine späte, aber treffende Artikulation des Zentralgedankens auch der jesuanischen Gottesverkündigung dar; die Vater-Bezeichnung für Gott in der außergewöhnlichen, familiären Form, die Basileia-Verkündigung als Heilsbotschaft, die Öffnung Jesu auch für die Verachteten sowie (unter anderem) wichtige Gleichnisse[194] zeigen, daß hier der Schwerpunkt liegt.

[191] Vgl. *W. Thüsing,* Zugangswege 185.

[192] Vgl. *W. Thüsing,* Zugangswege 186; *G. Lohfink,* Gott in der Verkündigung Jesu, bes. 50-59.

[193] Im Kontext des 1. Johannesbriefs wird diese Aussage mit der Hingabe des Sohnes Gottes in den Tod verbunden und stellt so eine nachösterliche Interpretation des Kulminationspunkts der Selbstmitteilung Gottes in Jesus von Nazaret dar. „Gott ist Liebe" heißt nach dem Kontext dieses Briefs nicht „er ist Wohlwollen" oder „Güte" (erst recht nicht „er ist Gutmütigkeit") – es heißt: Gott ist Liebe als Hingabe; er ist das Sichverschenken, Sichverströmen der stets sie selbst bleibenden Unendlichkeit. (Vgl. *W. Thüsing,* Die Johannesbriefe 143f.) 1 Joh 4,8.16 „Gott ist Liebe" hat (vor allem dann, wenn man die Aussage in den jesuanisch-nachösterlichen Gesamtkontext hineinstellt) eine komplexe Bedeutung: Gott ist das absolute Geheimnis der Liebe, das als solches nicht nur die im Vordergrund stehende Komponente der liebenden Bejahung des Menschen, sondern auch die des Anspruchs der *Gottheit* der absoluten Liebe in sich schließt. (Die Komponente des Anspruchs bzw. der Gerichtsgedanke steht auch im 1. Johannesbrief mit im Hintergrund [vgl. 1 Joh 2,28; 4,17], wenn auch die Liebe „die Furcht überwindet" [1 Joh 4,18].)

[194] Vgl. das Gleichnis vom verirrten Schaf Mt 18,12-14 par Lk 15,4-7 als Botschaft von der Vergebung Gottes; das Gleichnis von der Liebe des Vaters („vom verlorenen Sohn") Lk 15,11-32; ferner die Botschaft von der Sorge Gottes Mt 6,25-33 par Lk 12,22b-31; vgl. hierzu *H. Merklein,* Gottesherrschaft 173-211; *E. Jüngel,* Paulus und Jesus, bes. 160-174.

Im Zusammenhang der Botschaft Jesu (und auch des johanneischen Schrifttums) hat die Verkündigung, daß Gott Liebe sei, eine komplexe Bedeutung: Gott ist das „absolute Geheimnis der Liebe“, das als solches sowohl die Komponente des Anspruchs der *Gottheit* der absoluten Liebe als auch die Komponente des „Ja zum Menschen“ – bzw. des „Geschenks der Freiheit“ in der Agape: durch die absolute Liebe – in sich schließt. Von einer „polaren“ Einheit von Macht und Liebe in Gott kann also nur gesprochen werden, wenn man sie *innerhalb* der Verkündigung „Gott ist Liebe“ denkt. „Selbstmitteilung Gottes“ ist genauso wie „Liebe Gottes“ nicht einer von zwei Polen, sondern Oberbegriff über die beiden Aspekte des Gottesverständnisses Jesu: denn das Geschöpf, auf das die Macht Gottes auftreffen kann, ist ja erst durch den Selbstmitteilungswillen (also die Liebe) Gottes ins Dasein gerufen. Der Selbstmitteilungswille Gottes konstituiert bzw. ermöglicht die beiden Grundausrichtungen „auf Gott hin“ und „auf den Menschen hin“. Würden wir es bei einer schematisierenden Gegenüberstellung von Macht und Liebe in Gott (entsprechend den von Gott ausgehenden Polen „Anspruch“ – „Geschenk der Freiheit“) bewenden lassen, so könnte das leicht mißverstanden werden: als ob die Wirkung, die das Numinose auf *uns* ausübt (als „tremendum“ und „fascinosum“), in Gott selbst und in die von ihm ausgehende Sendung hineinprojiziert würde. Wenn es beim Menschen eine Spannung zwischen seinem Willen zur Selbstverwirklichung in Freiheit und seiner Öffnung für Gott gibt, die zur Spannungseinheit zusammengefügt werden muß, folgt daraus noch nicht, daß in Gott selbst eine *Spannungs*einheit bestehe, die ja „Spannung“ voraussetzt. Bisher sind die Begriffe „Spannung“ (und „Spannungseinheit“ bei Jesus) mit Bedacht für die Grundausrichtungen auf Gott und den Menschen – auf Gott und sein Geschöpf – verwendet worden.
Für christliches Gottesverständnis bleibt 1 Joh 4,8.16 als klassischer Ausdruck maßgebend – und damit die Prävalenz der Liebe. Die Einheit von Macht und Liebe in Gott kann nur in einem andersgearteten Sinn als bei den Grundausrichtungen des Menschen, und zwar in einem *analogen* Sinn, als „polare Einheit“ bezeichnet werden (wenn man das Wort „Polarität“ hier überhaupt verwenden will): „Polarität“ weist in diesem innergöttlichen Zusammenhang auf das Lebendigsein Gottes in der Liebe hin; das Wort kann vielleicht verwendet werden, wenn ein Ausdruck für die Dynamik des Lebens in Gott selbst gesucht wird. Dabei ist jedoch die Einheit unvergleichlich stärker zu betonen als der „Gegensatz“ bzw. die Polarität[195] – „ganz anders“ als bei geschöpflicher Polarität („maior dissimilitudo“). Die Agape ist über-

[195] Es sei denn, daß man „Polarität“ im Zusammenhang der trinitarischen Einheit verstehen will; vgl. *H. Volk,* Gott alles in allem, bes. 92-94.

geordnet. Um es noch einmal zu betonen: Dem Selbstmitteilungswillen Gottes, der identisch ist mit seiner machtvollen Agape, verdankt das Geschöpf als Gegenüber zu Gott seine Existenz; das Gegenüber der Grundausrichtungen „Ja zu Gott" und „Ja zum Menschen" ist durch den schöpferischen Selbstmitteilungswillen Gottes als solchen konstituiert. Der „Anspruch Gottes" ist Anspruch der Liebe, und das „Geschenk der Freiheit" kommt aus der Bindung: durch Jesus Christus an Gott – und führt in die Bindung: der Agape.

Man könnte versucht sein, in diesem analogen Sinn doch von einer „polaren Einheit von Macht und Liebe in Gott selbst" zu sprechen. Jedoch möchte ich eine Ausdrucksweise in genau *dieser* Form, die bei dem von Gott gesendeten Menschen Jesus und seiner Antwort angemessen ist, nicht generell und schematisierend auf Gott selbst anwenden. Ich möchte hier Einheit und Polarität transzendierend-enger aneinanderbinden (im Sinn des „maior dissimilitudo"). Als sprachlicher Ausdruck bieten sich Doppelbegriffe wie „machtvolle Liebe" oder „liebende Macht" an. Zwar ließen sich auch solche Doppelausdrücke harmonisierend im Sinn des von Augustinus zu Recht abgelehnten „comprehendi" (des „Begreifens") mißverstehen. Will man dem Suchen nach dem Geheimnis des unerfaßbaren Gottes verpflichtet bleiben, ist es also vielleicht besser, die analog verstandene, im Leben göttlich-vollendeter Einheit aufgehobene „Polarität" *zusätzlich* zur Einheit auszudrücken: und zwar, indem beidemal derselbe Doppelausdruck mit je verschiedener Akzentuierung verwendet wird. Ich ziehe es also vor, von einer „polaren" Einheit von *„machtvoller* Liebe" und „machtvoller *Liebe"* zu sprechen bzw. von *„Macht* der Agape" und „Macht der *Agape"*.

Zu dieser Betonung der Einheit in „polarer" Lebendigkeit gibt es eine Entsprechung auf der jesuanischen Ebene. Die beiden polaren Größen „Geschenk der Freiheit" einerseits und andererseits „Sendung, Entscheidungsforderung, Schicksalsgemeinschaft, Nachfolgeforderung" werden von Jesus dadurch zur Einheit geführt, daß er die Agape „radikalisiert": dadurch, daß Liebe und Macht ihre Einheit finden durch die Agape – letztlich durch die Agape des Kreuzes und der „Kreuzesnachfolge";[196] Liebe und Macht Gottes müssen in ihrer – unsere Vorstellungen von Liebe und Macht und von deren Gegensatzspannung unendlich transzendierenden – Wirklichkeit ernstgenommen werden. *Deshalb* kann die Feindesliebe als schärfste „Radikalisierung" der Agape nur im Auftrag eines Gottes gefordert werden, der machtvolle Liebe ist.

[196] Über die Agape als die einheitschaffende Kraft für die Polarität von „Schöpfungsbejahung" und „Jesusnachfolge" wird unten in 7.2.2.5 die Rede sein. Vgl. auch *W. Thüsing,* Strukturen 119f. S. bereits oben 6.2.1.2 und 6.2.1.3; bes. 6.2.2.3.4.

6.3.3.1.3 Die Einheit von Macht und Liebe in Gott selbst als absoluter Ursprung von Spannung und Spannungseinheit in der Sendungs- und Antwortlinie

Der Gott der neutestamentlichen Offenbarung, der die Liebe ist und der sich in der Überfülle seines Lebens in liebender Macht und machtvoller Liebe als wirksam erweist, ist absoluter Ursprung und Grund dessen, was jetzt zu bedenken ist: daß wir *innerhalb* der theozentrischen Bewegungslinien (also innerhalb der Theozentrik jesuanisch-christlichen Glaubens selbst!) überall Spannung und Spannungseinheit wahrnehmen können – Spannungseinheit bei Jesus, bei seinen Jüngern Spannung und den Auftrag, die Spannungseinheit anzustreben. Wenn Gott zur Geltung gebracht werden bzw. wenn seine Basileia bereitet werden soll, dann muß er manifestiert werden als der lebendige Gott – wiederum: Wenn entweder nur Macht oder nur Liebe in den Blick gelassen würden, wäre das nicht mehr ein Suchen nach dem lebendigen, die Bilder sprengenden Gott der alt- und neutestamentlichen Offenbarung.

Die von der „Polarität" in Gott selbst ausgehende Spannungseinheit muß sich jetzt – ganz entsprechend – *inmitten* der *beiden* theozentrischen Bewegungslinien aufzeigen lassen: Weder dürfen wir der „absteigenden Linie" nur die „Macht" zuordnen und der „aufsteigenden" nur die „Liebe" *noch umgekehrt.* Die „absteigende Linie" ist Manifestation von Macht *und* Liebe; und die „aufsteigende" beinhaltet das Ja ebenfalls zu Macht *und* Liebe Gottes.[197]

Die spannungsvolle Einheit von liebender *Macht* und machtvoller *Liebe* in ihrer Auswirkung *inmitten* der theozentrischen Bewegungslinien gilt grundlegend für die Christologie und in Zusammenhang damit für die Ekklesiologie – und dadurch (innerhalb der Jüngergemeinschaft) auch („nachfolgetheologisch") für den einzelnen Christen.

[197] Wir haben hier eine gegenseitige Verschränkung zu beachten: Die „aufsteigende" Linie wird durch die „absteigende" getragen; die Erfahrung und Bejahung der Sendung gehören anthropologisch-gnoseologisch sowohl zur Sendungs- als auch zur Antwortlinie. Vgl. unten 6.3.4.3.

6.3.3.2 Zur Spannungseinheit inmitten der *Sendungslinie* (I): Die Polarität von „Bejahung Gottes und Bejahung des Menschen" innerhalb der Sendung Jesu, der Wirksamkeit des erhöhten Jesus Christus und der Sendung der Kirche

6.3.3.2.1 Zur jesuanisch-christologischen Grundlegung

Innerhalb der von Gott ausgehenden und zum Heil der Menschen führenden Linie ist in der neutestamentlichen Verkündigung Jesus Christus selbst grundlegend die Manifestation der machtvollen Liebe Gottes. Jedoch muß das Stichwort „Manifestation"[198] in einer bestimmten Weise gefüllt werden, damit es der Dynamik des Jesusereignisses und der Botschaft Jesu entsprechen kann.[199] Jesus ist „Manifestation" der Macht und Liebe Gottes, insofern in ihm selbst und seinem Wirken die Basileia Gottes „mit Dynamik"[200] in diese Weltzeit hinein vorstößt, insofern Jesus der mit singulärer Exusia begabte prophetisch-charismatische Bote[201] des Eschatologisch-Neuen ist, der Basileia Gottes, die er nicht nur verkündigt, sondern vor-realisiert.[202] In diesem Sinn geschieht in Jesus als der „Manifestation" der eschatologisch-unumkehrbare Durchbruch des Selbstmitteilungswillens Gottes; Jesus ist Manifestation der machtvollen Liebe Gottes in ihren beiden Akzentuierungsweisen: der *„Macht* der Agape" Gottes wie der „Macht der *Agape"* Gottes. Insofern er den Machtaspekt der Liebe Gottes zur Geltung bringen will, stellt er in eschatologisch-charismatischer[203] Kraft die Forderung der Entscheidung für Gott; denn gegenüber der *machtvollen* absoluten Liebe kann der angerufene Mensch sich nicht neutral verhalten. Diese Forderung der Entscheidung für die Herrschaft Gottes und damit für Gott selbst ist unlösbar verbunden mit der Forderung, sich mit Jesus selbst zu solidarisieren, und durch sie konkretisiert.[204] Die andere Akzentuierung – die Manifesta-

[198] Dieses Stichwort wird im „Versuch, den Beziehungskomplex in einem Schema darzustellen" (unten S. 302 f) als Kurzausdruck für den hier gemeinten grundlegenden jesuanisch-christologischen Sachverhalt verwendet.

[199] Das Wort „Manifestation" darf im Zusammenhang dieses kriteriologischen Bandes noch nicht im Sinn der johanneischen Offenbarertheologie und noch nicht einmal in dem der matthäischen Christologie verstanden werden (in dem dieser Begriff besonders treffend erscheint und in dem Jesus der Immanuel, die Präsenz Jahwes bei seinem Volk ist).

[200] Vgl. Lk 11,20; zum Stichwort „Dynamik" (von *dýnamis* = Kraft, Macht) vgl. die Bezeichnung der Heilungen Jesu als *dynámeis* („Machttaten") sowie lukanische Stellen wie Lk 4,14.

[201] Vgl. *A. Polag,* Christologie 56-59; das Handeln Jesu ist die „Begegnungsform der Basileia" (a.a.O. 59), Jesus ist das „Begegnungszeichen" des Heiles (a.a.O. 142).

[202] Vgl. die Strukturkomponenten 9 und 10 im Zusammenhang mit 4 (J); s. oben 3.6.2.3 und 3.6.2.4. Zum Stichwort „Vor-Realisierung" vgl. oben 3.5.2.4 und 5.3.5.

[203] Vgl. *M. Hengel* (s. oben 3.6.2.3, Anm. 81); das Adjektiv „charismatisch" weist auf die Geistbegabung Jesu hin.

[204] Vgl. Lk 12,8f; die Strukturkomponenten 9 und vor allem 10;15.

tion der machtvollen *Liebe* Gottes – führt Jesus durch, indem er den Menschen Gottes Ja zuspricht; hierfür verwende ich den Kurzausdruck, daß er ihnen das „Geschenk der Freiheit" vermittelt.[205]
Beide Weisen der Manifestierung – die des Machtcharakters der Liebe Gottes in der Entscheidungsforderung und die der „Zuwendung Gottes" in schrankenloser Bejahung des Menschen – finden ihren Einheitspunkt in der Agape, die dem Gang Jesu ans Kreuz innewohnt und in der sowohl der Anspruch des sendenden Gottes (hier der Anspruch an Jesus selbst!) als auch die Proexistenz für die Menschen durchgetragen werden.[206]
Durch die Auferweckung und Erhöhung des Gekreuzigten erlangen beide polaren Aspekte der Manifestation Gottes bleibende Gültigkeit und ihre neue, universale Wirkmöglichkeit. Auch die „Manifestation" bzw. das Wirksam-werden-Lassen von Macht und Liebe Gottes durch den erhöhten Jesus weist wiederum[207] die polare Einheit von *Macht*charakter der Liebe und machtvoller *Liebe* auf: Der erhöhte Gekreuzigte ist der *Kyrios*, der Herr seiner Gemeinde und der Welt,[208] wie er auch (sowohl in der nachösterlichen Heilsgegenwart als auch vor allem in der futurisch-eschatologischen Heilszukunft) die Funktion innehat, in seiner Jüngergemeinschaft (und durch sie für die „Außenstehenden") die Entscheidung für oder gegen Gott zu provozieren – die Funktion des *Richters*.[209] Auf der anderen Seite besitzt der erhöhte Gekreuzigte primär und vor allem die heilshafte Funktion, die Gemeinschaft mit Gott (die „Gnade" bzw. das Pneuma) – mit anderen Worten: das Geschenk der Freiheit in Kommunikation mit ihm, dem erhöhten Jesus Christus[210] – zu vermitteln in der Hinordnung auf die vollendete Freiheit bzw. das vollendete Heil, die in der vollendeten Gottesgemeinschaft (in der futurisch-eschatologischen Basileia) bestehen.

[205] S. unten 6.3.3.3.2.
[206] Strukturkomponente 18.
[207] In noch weiter vertieftem Sinn: Insofern Jesus als der Gekreuzigte in das absolute Geheimnis Gottes aufgenommen wird; vgl. oben 5.3.4.3-7.
[208] Vgl. Strukturkomponente 10 (T).
[209] Gerade in der ältesten nachösterlichen Theologie ist die Vorstellung vom Menschensohn-Weltrichter die entscheidende christologische Transformation; sie bleibt grundsätzlich in Geltung, auch wenn sie späterhin, in umfassenderer nachösterlicher Sicht (mit oder ohne eine Beibehaltung der apokalyptischen Sprechweise) einen weitergreifenden Horizont erhält.
[210] Zu dem hier gemeinten Sachverhalt s. unten 6.3.3.3.2. – Aus dem gegenüber den Ursprungsstrukturen „späteren" Neuen Testament vgl. die paulinische Rede von der Freiheit in Christus (Gal 2,4; 5,1; in Röm 8,21 wird „Herrlichkeitsfreiheit der Kinder Gottes" futurisch-eschatologisch gebraucht).

6.3.3.2.2 Die ekklesiologische Sendungslinie

Die nachösterliche „Jüngergemeinschaft" bzw. die Kirche steht – in ihrem völligen Getragensein durch Jesus und damit in der Einheit der Dynamik von Jesus her und mit Jesus – ebenfalls in der Linie, die von Gott her das Heil zu vermitteln hat. Sie tritt in die Sendung Jesu ein – in seiner Kraft; als sein Werkzeug hat sie die Aufgabe, die Forderung Gottes und Jesu weiterzugeben *und* das (heilshafte!) Angebot der personalen Relation zu Gott weiterzuvermitteln *zusammen* mit der Weitergabe der jesuanischen *Öffnung für die Menschen.* Hierbei zeigt sich wieder die Polarität von „Anspruch Gottes" (bzw. Jesu Christi) und der der Jüngergemeinschaft geschenkten Möglichkeit, in Kommunikation mit Jesus Christus die eigene Freiheit in der Agape und die Freiheit für den Bruder zu gewinnen.
Die Kirche ist „Bruderschaft"[211]; in ihr muß es „Brüderlichkeit nach innen" und „Brüderlichkeit nach außen" geben[212]:
Insofern sie als dem Heil dienende Gemeinschaft verbindlich konstituiert sein muß, gibt es in ihr die Dimension des Rechtlichen (ohne Verzerrung durch Legalismus[213]) – es gibt in ihr Tradition, Recht, Ordnung, Amt: als Dienst an der Agape und um der Bindung an die absolute Agape willen; und es muß das geben. Aber es gibt in der Kirche als der „Bruderschaft nach innen" auch und vor allem das Leben in der Freiheit des Pneumas und damit das Moment der Freiheit der Liebe, die gerade innerhalb der „Bruderschaft" lebendig sein muß, damit diese überhaupt zeugniskräftig zu sein vermag.[214]
Auch in der Sendung der Kirche verschränken sich die beiden polaren Aspekte des Auftrags: den Anspruchscharakter der absoluten Liebe sowie ihren Geschenk-Charakter von Jesus her weiterwirken zu lassen. Freilich ist jetzt die Akzentsetzung anders: so, daß in dieser Sendung nach außen die Dimension des Rechtlich-Verbindlichen naturgemäß noch nicht vorliegt – bzw. „nur" in dem Entscheidungscharakter des Anspruchs der *machtvollen* Liebe Gottes (und noch nicht in der Realisierung einer innergemeindlichen Ordnung) spürbar ist. Aufs Ganze gesehen trägt in dieser Hinwendung nach außen (die den Anspruch Gottes und vor allem sein „Geschenk der Freiheit in der Agape" weiterzugeben hat) die universale Öffnung den Hauptakzent

[211] Das Wort begegnet im Neuen Testament in 1 Petr 2,17; 5,9; für die gemeinte „Sache" dürfte das Matthäusevangelium am bedeutsamsten sein; vgl. *W. Trilling,* Hausordnung Gottes, bes. 66-77.

[212] Vgl. *W. Thüsing*, Aufgabe der Kirche 72f.

[213] Strukturkomponente 13; s. oben 3.7.2.

[214] Dieser Lebendigkeit in der Liebe dient auch die sakramentale Konkretion des Pneumawirkens (im Zusammenhang mit der innergemeindlichen Weitergabe des Wortes); s. oben 5.4.4.5, Anm. 102. Vgl. zu dem, was mit „Leben in der Freiheit des Pneumas" gemeint ist, unten 7.3 und 7.4.

– die (im Sinne der Pharisäismuskritik Jesu antilegalistische) Freiheitsermöglichung und die Öffnung für den schenkenden Gott durch die Bindung an ihn.
War die Polarität bei Jesus – bei ihm richtiger die Spannungs*einheit* – durch die Begriffe „Exusia“ und „Proexistenz“ bestimmt (wobei schwerpunktmäßig, aber nicht ausschließlich die Exusia dem Machtcharakter der Liebe und die Proexistenz ihrem Geschenk-Charakter zuzuordnen sind), so besteht bei der (in der Linie *seiner* Sendung lebenden und wirkenden) Ekklesia die Polarität zwischen „Exusia“ (der Weitergabe des Anspruchs zugeordnet) und „Diakonia“ (der Weitergabe des Angebots der Gemeinschaft mit Gott und des „Geschenks der Freiheit“ zugeordnet).[215]

6.3.3.3 Zur Spannungseinheit inmitten der *Sendungslinie* (II): Zum Verständnis der polaren Begriffe „Anspruch Gottes“ und „Geschenk der Freiheit“

Zwar finden sich an verschiedenen Stellen der Arbeit bereits Bemerkungen zu diesen Begriffen; das Verständnis, das ich mit ihnen verbinde, ist jedoch in dem jetzigen Zusammenhang der „Spannungseinheit innerhalb der Sendungslinie“, in dem die beiden Begriffe recht eigentlich ihren Ort haben, zusammenfassend zu umreißen.

6.3.3.3.1 Zum Begriff „Anspruch Gottes“

Zuvor zwei Abgrenzungen: „Anspruch Gottes“ deckt sich in dem hier gemeinten Sinn nicht mit einem als Sittengesetz verstandenen Willen Gottes; dieser Anspruch wurzelt vielmehr – über das schöpfungsmäßig in den Menschen hineingelegte Sittengesetz hinaus, aber im Zusammenhang mit den verschiedenen alttestamentlichen Ausprägungen von „Anspruch Gottes“, freilich in der spezifisch jesuanisch-„radikalisierten“ Form – in der eschatologisch-einmaligen und letztgültigen Sendung Jesu von Nazaret.[216]
Die zweite Abgrenzung: Zwar ist auch die in der Sendungslinie geforderte Weitergabe des „Schenkens von Freiheit“ und die „Liebe zum Nächsten“ in der Antwortlinie „Anspruch Gottes“. In meinem Verständnis soll jedoch etwas anderes, Spezifisch-Grundlegendes ausgedrückt werden: etwas zutiefst

[215] Vgl. *W. Thüsing,* Dienstfunktion, bes. 82-88.
[216] Diese letztgültige Sendung ist freilich – darauf muß nochmals aufmerksam gemacht werden – in das Alte Testament und das Judentum eingebunden und durch sie vorbereitet; vgl. die Strukturkomponente 2 (J).

in der Gottheit Gottes, in seiner völligen Andersartigkeit[217] Begründetes. Gemeint ist der Anspruch, der zustande kommt, wenn sich durch die Setzung Gottes in Jesus das letztgültige Hineinwirken der eschatologischen Dynamik Gottes in diese Weltzeit ereignet,[218] der Anspruch, den Gott erheben muß, wenn er sich anschickt, seine Herrschaft zu ergreifen.[219]
Das Entscheidende dabei ist das Folgende: Die durch Jesus vermittelte Zuwendung Gottes wäre nicht die Zuwendung *der absoluten Liebe*, wenn sie nicht auch ihren unbedingten Anspruch mit sich führen und zur Geltung bringen würde.[220] Brauchen die zwischenmenschliche Liebe und die Härten, die ein Mensch auf sich nehmen muß, um das Leben in der Liebe durchzutragen, schon anthropologisch keine Gegensätze zu sein, so gehören erst recht bei Gott Liebe und Anspruch untrennbar zusammen. Wenn der Einbruch der Transzendenz das Kontingente – hier den Menschen – in Frage stellt, so erst recht, auf einer neuen Ebene, wenn die absolute Liebe in ihrer völligen Andersartigkeit sich schenken will, dabei aber in ihrer transzendenten „Heiligkeit" dem Geschöpf gegenübersteht – wenn sie dem Menschen gegenübersteht, der zum ich-verkrampften, *pervertierten* „Lieben" versucht ist.
Aus diesem Verständnis von „Anspruch der Gottheit Gottes" folgt schließlich, daß diejenigen, die der eschatologisch-letzte Bote Gottes in seiner Exusia in Dienst nimmt – damit sie der Manifestation der letztlich allein hilfreichen absoluten Liebe innerhalb einer Welt dienen, die ihr widerspricht –, mit der Härte der Jesusnachfolge konfrontiert werden.[221]

6.3.3.3.2 Zum Begriff „Geschenk der Freiheit" als einem Äquivalent für „Bejahung des Menschen"

Mit Absicht ist in der Regel als Gegenpol des „Anspruchs Gottes" die Formulierung „Geschenk der Freiheit" gewählt worden.[222] Denn (erstens) ist die

[217] Über das, was hier mit „Gottheit Gottes" gemeint ist, habe ich kaum irgendwo eindrucksvollere Darlegungen gefunden als bei E. Przywara – in seinem starken Bestreben, das „Über-hinaus" aller Bewegung auf den je größeren Gott immer wieder neu zu vertiefen und einzuprägen; vgl. die Belege bei *B. Gertz,* Glaubenswelt 201-204 und passim.

[218] Dieses Verständnis von „Anspruch der Gottheit Gottes" ist auf das engste verbunden mit der Heiligkeit Gottes bzw. mit dem Wunsch Jesu, daß der Name des Vaters geheiligt werde; die Frage hängt auf das engste mit der nach der Sinnhaftigkeit ausdrücklicher Liebe zu Gott und vor allem ausdrücklicher Gottesverehrung zusammen; vgl. unten 6.3.3.5.4.

[219] Übrigens hat dieser in der Basileia-Verkündigung Jesu implizierte Sachverhalt eine treffende Artikulation in der Johannes-Apokalypse gefunden: vgl. bes. Apk 11,17.

[220] Vgl. das Luther-Zitat oben 6.3.3.1.1, Anm. 189. – Man vergleiche auch als scharfes Kontrastbild den alten Mann mit dem Bart bei *Borchert* („Draußen vor der Tür"), der nur noch jammern kann: „Meine armen, armen Kinder, meine lieben Kinder. . . ".

[221] Vgl. unten 7.2.2, bes. 7.2.2.3.1 und 7.2.2.3.4; in der dortigen Themenstellung „Schöpfungsbejahung und Jesusnachfolge" kommt das hier Gemeinte am klarsten heraus.

[222] Auch wo dieser Ausdruck im vorliegenden Band durch „Freiheitsermöglichung" variiert wird, sollte der Geschenkcharakter mitgehört werden.

hier gemeinte Freiheit *in dem absoluten, uneingeschränkten Selbstmitteilungs- und Bejahungswillen Gottes verankert;* sie ist Freiheit von Gott her und *deshalb* Gabe, „Geschenk". Als Geschenk Gottes ist sie unverfügbar und stellt somit den Anspruch (wir sehen, wie Anspruch und Geschenk ineinandergreifen!), in der Unverfügbarkeit belassen und jeder Manipulation entzogen zu werden. Sie ist Freiheit zu der Gottesbeziehung, die Gott jetzt – in Vor-Realisierung der verheißenen Vollendung – schenken will. Exusia und Proexistenz Jesu ermöglichen Freiheit nicht nur zwischenmenschlich und erst recht nicht nur für das einzelne menschliche Individuum; sie ermöglichen Freiheit vielmehr zunächst als Befreiung von dem, was die Gottesgemeinschaft (als das eigentlich Heilvolle) blockiert: und zwar, indem sie frei machen zu Metanoia und Agape – indem sie Kraft geben, die von den Menschen selbst gemachten Gottesbilder und die illegitimen „Bildnisse von Menschen" in Frage zu stellen,[223] und dadurch den Blick öffnen („frei machen") für das Geheimnis der absoluten Liebe und für das Geheimnis des anderen Menschen.[224] Was solche Freiheit, die sich von der Liebe Gottes selbst getragen weiß, positiv bedeutet, leuchtet – um ein Beispiel zu nennen – in der befreienden Zusage Jesu auf, daß der Jünger sich nicht zu sorgen habe[225]. Doch damit sind wir schon bei dem weiteren Punkt:
Was mit dieser „geschenkten Freiheit" gemeint ist, zeigt sich (zweitens) im Wirken und in der Botschaft Jesu. Hierbei erinnern wir uns zunächst an diejenigen Aspekte von Praxis und Verkündigung Jesu, in denen uns bisher schon das Stichwort „Freiheit", „Befreiung", begegnete: an die Befreiung vom Legalismus und ihre positive Kehrseite, die Offenheit Jesu für alle, auch und gerade die Randexistenzen, die „Sünder".[226] Was mit der Freiheit bei Jesus gemeint ist, hat freilich noch viel tiefere Wurzeln. Diese Freiheit ist Loslösung aus der Ichverkrampfung und Öffnung auf Gott und den Mitmenschen hin – in der Metanoia und in der Agape. Das „Geschenk der Freiheit" bewirkt in solchem Grad die Loslösung, daß sie auch nicht haltmacht vor den so tief eingewurzelten und scheinbar zwingenden individuellen und kollektiven Ichverkrampfungen gegenüber dem „Feind", ja gerade darin ihre befreiendste Wirkung erreicht. Insofern sie Befreiung zur Liebe ist, überwindet sie das versklavende Böse in seinen mannigfachen Gestalten. Auch die Krankenheilungen Jesu, die ja in Exusia vollbrachte Taten der Proexistenz, der Agape sind, werden – als „Dämonenaustreibungen" – unter das Stich-

[223] Darüber muß unten in 6.3.3.5.6 ausführlicher gesprochen werden.
[224] Vgl. die theologische Anthropologie K. Rahners; dazu *K.P. Fischer,* Der Mensch als Geheimnis (passim), bes. 62-66.235-268. (Zur Konzeption E. Przywaras über den Menschen als Geheimnis s. ebd. 55-61.)
[225] Vgl. Mt 6,25-33 par Lk 12,22b-31.
[226] Vgl. die Strukturkomponenten 13 und 14.

wort „Befreiung vom Bösen“ gestellt. Jesus befreit einerseits Aussätzige, andererseits „Zöllner und Sünder“ davon, als Ausgestoßene aus dem Volk Gottes und damit aus der Gemeinschaft mit Gott zu gelten; er schenkt ihnen die Gemeinschaft mit den anderen im Gottesvolk und vor allem mit Gott, indem er ihnen die Gemeinschaft mit sich selbst gibt (bis hin zu der so signifikanten Form der Mahlgemeinschaft).

Aus allem, was wir über Jesus wissen, geht hervor, daß er den *ganzen* Menschen bejaht hat – auch dafür sind die Krankenheilungen *ein* Beispiel.[227] Von der Bejahung des Menschen durch Gott, die Jesus bringt, ist auch die uns geläufige Bedeutung „Freiheit als Möglichkeit der Selbstentfaltung für den einzelnen Menschen und im gesellschaftlichen Raum“ in gar keiner Weise ausgenommen, im Gegenteil: Gott will den freien Menschen, der zur Entfaltung der Anlagen gelangt, die er als Schöpfer in ihn hineingelegt hat – und die der (in das Geheimnis Gottes aufgenommene und in der Kraft dieses Geheimnisses wirkende) erhöhte Jesus durch das Pneuma erst recht beleben und auf die Agape hin überformen will. „Selbstverwirklichung“ ist ein Ausdruck, der oft zur Tarnung von Egoismus mißbraucht wird. Ich spreche deshalb davon, daß Gott dem Menschen *die kommunikative Selbstverwirklichung in der Agape* ermöglicht. Was den nachösterlichen Jünger Jesu angeht, muß hinzugesagt werden: Gott ermöglicht ihm diese Selbstverwirklichung und -entfaltung in der Agape und der Freiheit des Pneumas. Kraft dieses unverfügbar-erwählenden spezifischen Geschenks vermag der Jünger Jesu der Freiheit der anderen zu dienen.

Von diesen Überlegungen aus darf nun aber auch gesagt werden, daß Gottes „Geschenk der Freiheit“ das Humanum ermöglicht, *die* „Humanität“, die der „Humanität Gottes“[228] konform ist – die „radikale“[229] Humanität, die nur in der Kommunikation mit der absoluten Liebe ermöglicht, „geschenkt“ wird; lautere Liebe gibt ja immer frei und versklavt nie – und das gilt erst recht von der absoluten Liebe Gottes selbst.

Dem Anspruch des Absoluten soll entsprechend der Sendung und der Intention Jesu die im Absoluten gründende, aber den ganzen Menschen – inner-

[227] Auch in diesem Zusammenhang vgl. noch einmal die Seligpreisung der Armen als solcher, im wörtlichen Sinn, in der programmatischen Rede der Logienquelle (Lk 6,20f).

[228] Vgl. den Vor-klang in Tit 3,4, auch wenn dieser vielleicht noch nicht der für unsere Zeit notwendige Voll-klang ist.

[229] Unter „radikaler Humanität“ verstehe ich also die in der Beziehung zum Absoluten, das heißt zu Gott, gründende Humanität. Grundlegend ist die Humanität Jesu bereits in diesem Sinn „radikal“ – aber auch in dem gewohnten Wortsinn, insofern er sich, ohne Rücksicht zu nehmen, über die Bedenken der frommen Leute seiner Zeit hinwegsetzt.

halb seiner ganzen schöpfungsmäßigen Wirklichkeit[230] – erfassende Freiheit entsprechen.[231]

6.3.3.4 Die Spannungseinheit von Bejahung Gottes und Bejahung des Menschen inmitten der *Antwortlinie*

6.3.3.4.1 Zur „Antwort" Jesu Christi

Ursprunghaft bzw. grundlegend für den Christen und die Jüngergemeinschaft ist auch in der „auf Gott hin" führenden *Antwortlinie* wiederum Jesus von Nazaret selbst und *seine* Antwort (die er auch als der erhöhte Gekreuzigte bleibend verwirklicht) – und darin, in *seiner* „glaubenden", vertrauenden und liebenden Antwort sein Ja zu seiner Sendung. Dieses grundlegende Ja zu seiner Sendung fächert sich bei Jesus auch in der Antwortlinie wiederum auf in das Ja zur Gottheit Gottes und das Ja zum Menschen – adäquater: in das Geöffnetsein auf Gott als seinen Vater und das Geöffnetsein für die vom Vater geliebten Menschen. Auch hier, in der Antwortlinie, finden das Ja zu Gott und das Ja zum Menschen ihre Verbindung und ihre Kulmination in der Agape *des Kreuzes;* und durch Kreuz und Erhöhung hindurch ist *auch für Jesus Christus selbst* sowohl die Theozentrik (als Hinwendung zum Vater und Leben für die „Heiligung *seines* Namens") als auch seine Proexistenz für die Menschen in bleibender Gültigkeit (und in der neuen Weise der „Aufnahme in das Geheimnis Gottes") wirkmächtig.[232] Theozentrik und Proexistenz Jesu Christi vermögen jetzt die „Antwort" der Jünger und ihrer Gemeinschaft – Partizipation an *seiner* zweifach-einen Grundausrichtung gewährend – zu umfangen und zu tragen. Von hier aus kann der – mit dem Irdischen identische – erhöhte Gekreuzigte als „Anführer des Glaubens"[233] den Seinen die Kraft zu *dieser* polar strukturierten Antwort geben. Die „von Jesus geforderten und gelebten religiös-ethischen Grundhaltungen" (Strukturkomponenten 11-14) sind ja das Partizipieren der Jünger am jesuanischen Vollzug der Spannungseinheit.

[230] Auch das wird im Zusammenhang von 7.2 („Schöpfungsbejahung und Jesusnachfolge"), bes. 7.2.2.5, besprochen werden können. – Es darf hier schon mitklingen, was Paulus später – in sachlich-theologischer Kontinuität mit Jesus – über die „Freiheit, zu der Christus uns befreit hat" (Gal 5,1) sagen wird.

[231] Vgl. zum Thema ferner *H. Peukert,* Kommunikative Freiheit, bes. 277.279f; *K. Rahner,* Einheit 288; *ders.,* Theologie der Freiheit, bes. 225-229 („Freiheit als dialogisches Vermögen der Liebe"). – Von neutestamentlicher Seite vgl. *F. Mußner,* Theologie der Freiheit; *R. Schnackenburg,* Christliche Existenz II 33-49; *H. Schürmann,* Orientierungen 13-49.

[232] Vgl. oben 6.2.2.3.2-4.

[233] Hebr 12,2; dazu unten 7.1.1, Anm. 12.

6.3.3.4.2 Konsequenzen für die nachfolgetheologisch-ekklesiologische Antwortlinie[233a]

Mit dem zweifachen, durch Jesus selbst grundgelegten Ja ist die polare Einheit von „Liebe zu Gott" und „Liebe zum Nächsten" identisch; hiermit sind wir auf den von der Schrift her zentralen Ausdruck für „Bejahung Gottes und Bejahung des Menschen" getroffen. Auf die für den hier vorgelegten Entwurf wichtigen Fragen, die damit gegeben sind, werden wir noch einzugehen haben.[234]
Die Spannungseinheit von „Liebe zu Gott" (Ja zum Anspruch Gottes) und „Liebe zum Nächsten" (Ja zu Gottes Ja zum Menschen) konkretisiert sich in der Konsequenz wiederum in einem Miteinander von polar aufeinander bezogenen Inhalten: auf der einen Seite steht „Gebet" (im weitesten, das ganze Leben umfassenden Sinn der dialogischen Hinwendung und Hingabe an Gott, im „Hören" und „Antworten": „ ‚Gebet' als Gesamt-Lebensvollzug"[235]); im Zusammenhang damit, und zwar als tragende Grundhaltung, wiederum das „glaubend-antwortende Geöffnetsein" für Gott, der Glaube, das Vertrauen; auf dieser Seite steht auch und nicht zuletzt der gemeinsame ausdrückliche Gottesdienst der Jüngergemeinschaft und das ausdrückliche Beten der einzelnen Jünger Jesu: Dank, Lobpreis, Bekenntnis, Bitte.
Dieser Komplex von Inhalten steht in einer (je und je vom Christen – entsprechend seinem jeweiligen Charisma – anzustrebenden) Spannungseinheit mit der „Solidarität mit den Menschen" (auf der „anderen", polar zugeordneten und vom Pol der machtvollen *Liebe* Gottes herkommenden Seite); hierbei ist jedoch das Ziel hinzuzudenken, das den Christen in der Weitergabe des Geschenks Gottes und durch ihr Eintreten in die Sendung Jesu aufgegeben ist: das Ziel, der Öffnung aller Menschen für die absolute Liebe zu dienen.[236]

[233a] S. oben 6.2.2.3.5, Anm. 138, zum Begriff „nachfolgetheologisch".

[234] Unten 6.3.3.5.

[235] Hiermit ist die dialogische Ausrichtung des ganzen Lebens auf Gott gemeint, die die beiden das Gebet ausmachenden Momente „Hören" und „Antworten" nicht nur in der Ausdrücklichkeit von Gebetsworten, sondern im Vollzug des gesamten alltäglichen Lebens zur Geltung kommen läßt – des Lebens, das in Glück und Schmerz, Last und Erfahrung von Freiheit durchgetragen wird; diese dialogische Ausrichtung kann so zu dem werden, was Paulus in Röm 12,1 das „Opfer der leibhaften Existenz" (wörtlich: Opfer der Leiber) nennen kann.

[236] Diese Öffnung kann nur die Tat Gottes selbst sein; die Jünger Jesu können und müssen dem Ziel Gottes selbst konform werden, daß alle ihre Mitmenschen – durch ihn, Gott, selbst – für die Agape geöffnet werden. Die Solidarität, die hier gemeint ist, darf nicht als Mittel zum Zweck (etwa der Mission) mißverstanden werden. Sie ist zwar für den Jünger nicht ohne den Willen zur „missionarischen" Weitergabe von Anspruch und Angebot Gottes verantwortbar, hat aber trotzdem ihre Würde und ihren Wert auch in sich selbst. Die Solidarität erlangt als solche ihre letzte Tiefe nur, wenn die anderen Menschen auch in der Tiefendimension ihrer Bestimmung für die Agape – letztlich die absolute Agape – bejaht werden.

Innerhalb der Antwortlinie darf das Miteinander von Gottes- und Nächstenliebe nicht ohne die Grundhaltung *Hoffnung* gedacht werden, die letztlich (und ihrem Wesen nach) auf das futurisch-eschatologische Ziel verweist. Diese Hoffnung wendet sich in dem hoffend-vertrauenden Bitten Gott zu, das in der Gebetsunterweisung Jesu – eben als *Bitten* – auffallend dominiert.[237] Die bittend sich aussprechende Hoffnung vertraut aber nicht nur darauf, daß die eigene Hinwendung zu Gott im Leben und im gottesdienstlichen Vollzug der Gemeinde wie des einzelnen Christen bis zum Transzendieren der Todesgrenze, bis zur eschatologischen Vollendung geführt wird, sondern auch die universale Solidarität der Menschen, die von den Christen in der ihnen zugeteilten Weise gelebt werden muß.[238] Diese universalmenschheitliche Solidarität ist durch die Hoffnung getragen, daß der Liebe zum Nächsten (im weitesten Sinn: also der Solidarität mit den Menschen, gerade den leidenden und unterdrückten) nicht nur schon jetzt die Chance kraftvollen Wirkens geschenkt wird, sondern daß sie sich insgesamt auf Menschen richten darf, die Gott liebt und deshalb vollenden will.

6.3.3.5 Eine Kernfrage der jesuanisch-nachösterlichen Polarität: *Gottes- und Nächstenliebe* – Einheit und Spannungseinheit

6.3.3.5.1 Zur Fragestellung

Für Jesus ist die „Heiligung des Namens" des Vaters und das Kommen seiner Herrschaft das unbedingt erste und vorrangige Anliegen; und damit hat für ihn der Gott selbst, der seine Herrschaft ergreift und sich letztgültig als das Heil erweist, den absoluten, uneinholbaren Primat. Das zeigt sich in der

[237] Dieses Überwiegen des Bittens bei Jesus entspricht der unbedingt vertrauenden Hoffnung auf den Gott der Basileia, der der Vater ist. Vgl. *G. Lohfink*, Die Grundstruktur des biblischen Bittgebets, bes. 22-29.

[238] Dieses Thema wird unten in 7.2.2.1 (im Zusammenhang von „Schöpfungsbejahung und Jesusnachfolge") wieder aufgegriffen werden. Vgl. zum Thema „Hoffnung" *J. Moltmann*, Theologie der Hoffnung (bes. 299-304 [„Die Christenheit im Erwartungshorizont des Reiches Gottes"] und 304-312 [„Der Beruf der Christenheit an der Gesellschaft"]); *J.B. Metz*, Zeit der Orden 78-88; *ders.*, Glaube, bes. 70-74; Unsere Hoffnung. – Zu den Zusammenhängen, in denen die Hoffnungstheologie von J.B. Metz – und damit auch das Synoden-Dokument „Unsere Hoffnung" – steht, vgl. *R. Schaeffler* (Was dürfen wir hoffen?). – Was ich eben über das Miteinander (bzw. die Spannungseinheit) von Hinwendung zum Gott der Hoffnung und hoffender Solidarität mit den Menschen sagte (deutlich sichtbar auch in dem graphischen Schema unten S. 302f), dürfte mindestens in enger Beziehung zu der Betonung der „mystisch-politischen Doppelverfassung der Nachfolge" bei J.B. Metz stehen (s. Zeit der Orden 45-47).

„inneren Gebetslogik"[239] des „Leitgebets"[240], das er den Jüngern im „Vaterunser" an die Hand gibt; das zeigt sich mehr oder weniger explizit in vielen seiner Worte. Um ein signifikantes Beispiel zu nennen: In den Gleichnissen vom Schatz und von der Perle[241] hören wir von der Freude über das völlig unerwartete Geschenk der Gottesherrschaft und der Bereitschaft, aus dieser Freude heraus alles daranzusetzen, um diesen Schatz zu gewinnen – und ebendamit letztlich den Gott der Basileia selbst zu suchen.[242] In der von mir durchgängig angewendeten Gegenüberstellung der Spannungspole scheint dieser Primat der Heiligung des Vaternamens als des erstrangigen Anliegens Jesu dem Pol „Bejahung Gottes" genau zu entsprechen. Ist es bei diesem Sachverhalt gerechtfertigt, daß ich die „Bejahung des Menschen" der „Bejahung Gottes" gleichgewichtig gegenüberstelle? Die Frage hat sich bereits an früherer Stelle von einer systematisch-theologischen Überlegung her ergeben.[243] Sie ist vom jesuanischen (und dem weiteren neutestamentlichen) Befund her in dieser Form ernst zu nehmen, auch wenn heute die Tendenz zu der umgekehrten Fragestellung überwiegen mag.
Gerade diese Kernfrage jesuanisch-nachösterlicher Polarität hat ihren biblischen und auch jesuanischen Haftpunkt in dem „Doppelgebot" der Gottes- und Nächstenliebe, das Jesus aus den beiden alttestamentlichen Stellen Dtn 6,5 und Lev 19,18[244] zusammenfügt (Mk 12,30f parr). Vor allem an diesen Text – der beides miteinander verbindet, wobei jedoch entsprechend dem alttestamentlichen Zitat aus Dtn 6,5 der Nachdruck auf der Liebe zu Gott („aus deinem ganzen Herzen...") unverkennbar ist – muß die Frage gerichtet werden, ob die gleichgewichtige Gegenüberstellung von „Bejahung Gottes" und „Bejahung des Menschen" legitim sei. Im Zusammenhang damit sollte die wichtige systematisch-theologische Position von K. Rahner berücksichtigt werden, der von einer Einheit von Nächsten- und Gottesliebe spricht[245]: Kann vom jesuanischen Befund her ebenfalls von einer solchen

[239] *H. Schürmann,* Gebet des Herrn 108.

[240] *H. Schürmann,* a.a.O. 110: „Es handelt sich um ein ‚Leitgebet', das aber für das Beten nicht nur inhaltliche Anweisungen geben will (wie eine Gebetsunterweisung), sondern auch formale Anleitung und Hilfe, ein ‚Kerngebet', das bei Wahrung seiner Formgesetze und seines Inhalts so oder so variiert und ausgebaut werden darf."

[241] Mt 13,44-46.

[242] Man vergleiche ferner das Wort „Sucht *zuerst* die Basileia Gottes. . . " (Mt 6,33 par Lk 12,31). Hier handelt es sich zwar nicht um die Gegenüberstellung von Gottes- und Nächstenliebe; das Wort ist aber trotzdem auch in unserem Zusammenhang bezeichnend. Die Forderung, auch Pflichten der Nächstenliebe um der Basileia willen zurücktreten zu lassen, findet sich der Sache nach vor allem in Nachfolgeworten wie Lk 9,59-62 und in der Forderung, alles zu verlassen.

[243] Vgl. oben den Exkurs [6.1.1.5.7].

[244] Auch der Kontext in Lev 19,15-18 ist zu berücksichtigen; vgl. *N. Lohfink,* Unsere großen Wörter 233 (vgl. überhaupt die korrigierende Herausstellung dessen, was bereits im Alten Testament zum Thema „Nächstenliebe" gesagt worden ist, ebd. 230-240).

[245] Schriften VI 277-298; *ders.,* Art. Liebe, in: SM III, bes. 247-250.

„Einheit" geredet werden? Schließlich ist im Rahmen meines Entwurfs die Frage zu stellen, ob und inwiefern „Einheit" und „gleichgewichtige Gegenüberstellung" – sofern sie sich als berechtigt erweisen – mit der Denkform „Spannungseinheit" zu vereinbaren sind.

6.3.3.5.2 Zum jesuanischen Doppelgebot der Liebe

Bei Markus (12,30 f) wird das Gebot der Gottesliebe als „erstes" und das der Nächstenliebe als „zweites" bezeichnet, dann aber werden beide zusammengebunden durch die Aussage „Größer als diese ist kein Gebot" (12,31 fin); bei Lukas sind die beiden Gebote ohne weitere Kennzeichnung zusammengestellt als Bedingung für die Erlangung des ewigen Lebens (Lk 10,27); bei Matthäus (Mt 22,37 f) schließlich heißt es, in einer legitimen und treffenden Verdeutlichung des Anliegens Jesu selbst (die übrigens mit der sonstigen matthäischen Theologie übereinstimmt[246]): „Ein zweites ist diesem gleich." Das Gebot der Nächstenliebe ist also im Verhältnis zu dem der Gottesliebe gleichgewichtig.[247]
Die „Gleichgewichtigkeit" erweist sich vor allem dann als berechtigt, wenn man das außerordentlich starke Gewicht der Nächstenliebe in Wirken und Botschaft Jesu berücksichtigt. Es zeigt sich schon – grundlegend – in der „Sendungslinie": Jesus weiß sich gesendet, die in seinem Wirken herandrängende Basileia als Heil und damit als Auswirkung der machtvollen *Liebe* Gottes anzusagen; in der Sendungslinie trägt trotz der Spannung und Spannungseinheit von Anspruch und Liebe Gottes die letztere den Akzent, ganz entsprechend der Einheit von Macht und Liebe und der Prävalenz der Liebe in Gott selbst. In Jesu eigener Antwort auf die Sendung – sowohl in seiner Theozentrik (dem Geöffnetsein für Gott) als auch in seiner Proexistenz (dem Geöffnetsein für die Menschen) und in dem Durchtragen der Sendung bis in das Scheitern am Kreuz – ist ebenfalls beides als Spannungseinheit erkennbar.[248]
In der Weisung Jesu für die „Antwort" seiner Jünger trägt die Forderung der Nächstenliebe – „radikalisiert" bis zur Feindesliebe – einen Akzent, der ge-

[246] Vgl. zum großen Gewicht der Nächstenliebe im Matthäusevangelium nur Mt 5,44; 9,13; 12,7; 23,23; 25,31-46. Die gleichgewichtige Zusammenfügung von Gottes- und Nächstenliebe (bei voller Wahrung der Theozentrik) entspricht auch der matthäischen Dikaiosyne-Theologie; vgl. zum Gesamtkomplex *H. Frankemölle,* Jahwebund 273-307, bes. 297f.302-304. Vgl. auch *W. Grundmann,* Das Evangelium nach Matthäus 477.

[247] Vgl. *R. Schnackenburg,* Sittliche Botschaft 69; *H. Merklein,* Gottesherrschaft 100-107, bes. 106f.

[248] Auch in diesem Zusammenhang sollte noch einmal das Stichwort „schrankenlose Offenheit auch für die von den Frommen Verachteten" bedacht werden.

wiß gleichgewichtig der Forderung ist, sich für die Basileia Gottes zu entscheiden durch die Solidarisierung mit Jesus selbst; beides gehört zusammen.[249]

Was die Antwortlinie angeht, scheint mir die Akzentuierung innerhalb der „gleichgewichtigen" Pole anders zu sein als in der Sendungslinie: weil die Bejahung Gottes in dieser Antwortlinie gleichbedeutend ist mit der Antwort auf die machtvolle *Liebe* Gottes, so daß von hier aus – wiederum: in der Antwortlinie – die Frage nach einem Primat der Gottesliebe (die ja nach dem Markus- und Matthäustext das „erste" Gebot ist) noch drängender wird. Jesus ist geöffnet für die Menschen, weil sein Vater sie liebt; er ist der „Mensch für andere", weil er der Mensch für Gott ist.[250] Sein Jünger läßt sich von ihm in dieses untrennbare Miteinander von Gottes- und Nächstenliebe hineinführen – in die Nächstenliebe als Konformität mit der Liebe Gottes selbst zum anderen Menschen und als Weitergabe der Liebe, die dem Jünger selbst geschenkt ist.[251] Diese objektivierend erscheinende (und sicherlich von Gott vorgegebene) Verbindung von Gottes- und Nächstenliebe kommt faktisch durch „Erfahrung" und „Gotteserfahrung" zustande: Gott erfährt man nur, indem man liebt – indem man sich als geliebt erfährt (was sich nicht ohne den Mitmenschen vollzieht) und selber liebt – ihn, Gott. Aber das ist wiederum nicht möglich ohne Weitergabe seiner Liebe; Gottesliebe und Mitmenschlichkeit gehören von innen heraus zusammen.[252]

6.3.3.5.3 Zur Einheit von Nächsten- und Gottesliebe im Sinne K. Rahners

In seinem Aufsatz „Über die Einheit von Nächsten- und Gottesliebe"[253] hat K. Rahner aufgezeigt, daß zwischen Nächsten- und Gottesliebe grundlegend insofern eine Einheit besteht, als der Akt der Nächstenliebe schon ein unthematischer Akt der Gottesliebe ist: „Die kategorial-explizite Nächstenliebe ist der primäre Akt der Gottesliebe, die in der Nächstenliebe als solcher Gott in übernatürlicher Transzendentalität unthematisch, aber wirklich und immer meint, und auch die explizite Gottesliebe ist noch getragen von jener vertrauend-liebenden Öffnung zur Ganzheit der Wirklichkeit hin, die in der Nächstenliebe geschieht..."[254] Mir scheint dieser transzendentale, anthropologisch-gnoseologische Zugang zum Verhältnis von Gottes- und

[249] Vgl. Lk 6,46 (par Mt 7,21): „Was nennt ihr mich ‚Herr, Herr' und tut nicht, was ich sage?" Zu den „Einzelforderungen" Jesu in der Logienquelle vgl. *A. Polag,* Christologie 75-78.

[250] Vgl. *W. Thüsing,* Zugangswege 142.161f.

[251] Vgl. z. B. das Gleichnis vom unbarmherzigen Knecht Mt 18,23-35; vgl. in der programmatischen Rede der Logienquelle Lk 6,35f par Mt.

[252] Vgl. *W. Thüsing,* Zugangswege 152.

[253] S. oben Anm. 245.

[254] A.a.O. (Schriften VI) 295.

Nächstenliebe nach wie vor außerordentlich hilfreich, ja für die Vermittlung der neutestamentlichen Botschaft mit den heutigen Aufgaben des Christen in der Gesellschaft geradezu notwendig zu sein.[255] Als legitime neutestamentliche Ansatzpunkte für Rahners Konzeption sehe ich Mt 25,31-46 und 1 Joh 4,20 an.[256]
Eine *Spannungs*einheit kann im Rahmen dieser Konzeption Rahners freilich kaum hervortreten; diese Beobachtung wird uns noch beschäftigen müssen.[257]

6.3.3.5.4 Zur Sinnhaftigkeit und Notwendigkeit ausdrücklicher Gottesliebe innerhalb der Einheit von Nächsten- und Gottesliebe

Der von K. Rahner meines Wissens erstmalig konsequent in der Weise des transzendentalen Ansatzes beschrittene,[258] in unserem der Neuzeit zugehörigen Jahrhundert notwendige anthropologische Zugang zum Glauben[259] bedingt gerade hinsichtlich unserer Frage auch eine Schwierigkeit. Wenn eine individualistische Frömmigkeit, die Gott *nur* im eigenen Seelengrund suchen will, zu Recht abgelehnt wird, entsteht eine andere Gefahr: die Nächstenliebe nicht nur *in Einheit* mit der auf Gott gerichteten Liebe zu sehen, sondern Gott *vorwiegend oder ausschließlich* im Mitmenschen bzw. in der Zuwendung zum Mitmenschen, bis hin zum gesellschaftlichen Engagement, finden zu wollen. Dem liegt freilich ein Anliegen zugrunde, das (falls es keine Ausschließlichkeit beansprucht) in seinem Kern auch zentralen neutestamentlichen Intentionen gemäß ist – entsprechend der „Radikalisierung" und der schrankenlosen Universalität der Agape – und das zu ihrer heutigen Konkretisierung gehört.
Rahner selbst hat diese Fragen gesehen und von seiner Konzeption aus beantwortet: „Diese Situation verpflichtet den Christen zu einem unbeirrten Bekenntnis zu Gott, der nicht die bloße Absolutheit des Menschen ist, und zur Liebe Gottes, die das ‚erste Gebot' bleibt..., aber auch zu einem inneren Verständnis der wahren Einheit (was nicht heißt: Einerleiheit) von Gottes-

[255] Vgl. die Aufnahme und Weiterführung des Rahnerschen Ansatzes bei *H. Peukert,* Kommunikative Freiheit.
[256] Sie werden von K. Rahner selbst berechtigterweise zitiert. Vgl. dazu (differenzierend, aber im ganzen zustimmend) *W. Thüsing,* Strukturen 112-117.
[257] Auch die Kreuzes-Agape als Einheitspunkt tritt in dieser Konzeption nicht so stark hervor, wie es sich in der Konsequenz der jesuanischen Linienführung ergibt (obschon das Kreuz bei K. Rahner sicherlich nicht fehlt); vgl. unten den Exkurs [6.3.4.4] (im Vergleich mit E. Przywaras Theologie der Kreuzes-Agape).
[258] Dieser Weg war freilich von E. Przywara bereits vorbereitet (vgl. *K.P. Fischer,* Der Mensch als Geheimnis 84-86).
[259] Vgl. oben den Exkurs [6.3.2.2]; auch [6.1.1.5.7].

liebe und Nächstenliebe..." Wenn der Akt der Nächstenliebe der ursprünglichste (noch unthematische) Akt der Gottesliebe wirklich *ist*, schließt das „nicht aus, sondern ein, daß Gott auch in ausdrücklicher ‚kategorialer' Thematik geliebt werden muß. Denn die implizite Verwiesenheit auf Gott, die ... primär in der Nächstenliebe gegeben ist, muß als das höhere und als die letzte Tiefe und Kraft dieser zentralen innerweltlichen Erfahrung (der Nächstenliebe) ... ausdrücklich werden. Gottes- und Nächstenliebe leben *gegenseitig* voneinander..."[260]
Doch auch hier muß die Antwort an erster Stelle da gesucht werden, wo sie für den Christen grundlegend zu finden ist: in der Basileia-Verkündigung und der ursprunghaften dialogischen Gottesbeziehung Jesu selbst, in die der Jünger einbezogen werden soll – ein Sachverhalt, den Rahner treffend interpretiert, aber kaum in seiner jesuanischen Dynamik voll eingeholt haben dürfte. Die Aussagen Jesu über das „speziell *religiöse Verhalten des Menschen*" sind „im Zusammenhang der eschatologischen Botschaft Jesu zu sehen. Auch sie sind inhaltlich-sachlich begründet in der von Jesus proklamierten eschatologischen Heilsentschlossenheit und der daraus resultierenden radikalen Zuwendung Gottes zum Menschen ... Wo sich Gott radikal dem Menschen zuwendet, muß sich der Mensch radikal Gott zuwenden... Gott fordert... den Menschen ganz..."[261] Auch unter dem hiermit durch H. Merklein angesprochenen eschatologischen Aspekt läßt sich die Frage angehen, ob „unmittelbar"-ausdrückliche Gottesliebe theologisch sinnvoll sei (wie sie vom Alten Testament und von Jesus sowie vom nachösterlichen Neuen Testament vorgegeben ist); eine sachgerechte positive Antwort hängt nicht zuletzt von einem Durchhalten spannungsvoller, lebendiger Eschatologie ab – davon, ob die Eschatologie rein präsentisch (auf die Heilsgegenwart bezogen) gedacht wird oder ob der „apokalyptische Stachel"[262] in ihr noch wirksam ist. Ferner: Wenn das Individuum, der einzelne personal-dialogisch angelegte Mensch nach dem Tod nicht in einem göttlichen All aufgeht, sondern wenn – gemäß der neutestamentlichen Botschaft – die Vollendung prinzipiell die Struktur des dialogischen Gegenüber zwischen Gott und Mensch hat, wenn sie in dem „Schauen von Angesicht zu Angesicht"[263] bestehen wird, dann hat auch das präsentische „Suchen des Angesichts Jahwes" seine Legitimität und Sinnhaftigkeit. Die Gottesliebe und mit ihr die „aufsteigende Linie", die Antwortlinie (die ja Annahme der Sendung, Glau-

[260] *K. Rahner*, Art. Liebe, in: SM III 247f und 249f.
[261] *H. Merklein*, Gottesherrschaft 292f.
[262] Vgl. *J.B. Metz*, Glaube 71f; *ders.*, Zeit der Orden 78-88. (Das Stichwort „Apokalyptik" müßte – soll der Bezug zu den neutestamentlichen Ursprungsstrukturen hergestellt werden – freilich wohl genauer umschrieben werden.)
[263] Vgl. 1 Kor 2,9ff und vor allem 1 Joh 3,2; 1 Kor 13,12.

be sowie Gebet [als antwortenden Glauben] enthält und die die Nächstenliebe zwar einschließt, aber nicht in ihr aufgeht) ist notwendig Garant dafür, daß die Öffnung auf das Humanum so geschieht und durchgehalten wird, wie es der Intention Jesu entspricht. Im Sinne Rahners kann auch hier gesagt werden: Dies gilt, weil der Mensch selbst nur in seinem (personal-dialogischen) Verwiesensein auf das absolute Geheimnis in der Würde *seines* Geheimnisses erkannt werden und im zwischenmenschlich-gesellschaftlichen Vollzug in *dieser* Würde angenommen werden kann.[264] Nur so kann der (für die Öffnung auf das Humanum notwendige) anthropologische Weg der Erkenntnis Gottes (bzw. der Gotteserfahrung) seinen legitimen Platz innerhalb des Beziehungsgefüges von Gottesliebe und Nächstenliebe erhalten und auswirken.

Das Transzendieren auf das absolute Geheimnis hin, das „Über-hinaus"[265] der unthematischen, in der Nächstenliebe sich vollziehenden Gottesliebe kann letztlich nicht ohne die „ausdrückliche" Liebe zu Gott gesichert werden; im jesuanischen Kontext: nicht ohne daß das Leben von dem Wunsch beherrscht wird, daß der Name des Vaters geheiligt werde und *seine* (letztlich eschatologische) Basileia komme – daß Gott „alles in allem" werde[266]. Auch hier führt das futurisch-eschatologische Ziel zur letzten Begründung der Einheit von Gottes- und Nächstenliebe.[267]

[264] Vgl. zu der hiermit angesprochenen Rahnerschen Thematik *K. P. Fischer,* Der Mensch als Geheimnis, bes. 365-388 und hier vor allem 381-388 („Anthropologia negativa") in Verbindung mit 389-399 („Der ‚praktische' Impuls in K. Rahners Konzeption vom Menschen als Geheimnis").

[265] Mit diesem Stichwort wird noch einmal E. Przywara herangezogen, um die Überzeugung von der Öffnung auch der Nächstenliebe auf Gott hin, die auch K. Rahner vertritt, noch schärfer zu artikulieren. – E. Przywara spricht oft – im Anschluß an Augustinus und Newman – vom „Gott über uns" und „Gott in uns" (vgl. z. B. Schriften II 213ff: „Gott über uns und in uns als Polaritätsgrund"). Dabei arbeitet er jedoch die Prävalenz des „Gott über uns" durchgängig stark heraus (oft – als Ausrichtung – einfach durch „über" bzw. „Über-hinaus" gekennzeichnet).

[266] 1 Kor 15,28; vgl. hierzu *W. Thüsing,* Per Christum in Deum, bes. 246-250.

[267] Die in diesem Äon geübte Nächstenliebe braucht das „Über-hinaus", um die Öffnung auf die absolute Liebe erreichen und durchhalten zu können. Auch die wichtige These von *H. Peukert,* Kommunikative Freiheit 283 („Den andern unbedingt zu bejahen, und zwar so, daß darin Gott als die absolute Liebe bejaht wird, heißt, einen jeden, auch den in der Geschichte Vernichteten, als absolut geliebt zu bejahen. Das ist der Kern des Glaubens an die Auferstehung der Toten. Deswegen bedeutet, den anderen zu lieben, auf Gott als die Wirklichkeit zugehen, die den andern auch im Tode rettet") ist letztlich – von den neutestamentlichen Ursprungsstrukturen her gesehen – nicht ohne die Ausdrücklichkeit des keimhaft-liebenden Suchens nach dem Gott der Hoffnung durchzuhalten (mit anderen Worten: nicht ohne die „Vor-Übung" der eschatologischen Vollendung im Leben des einzelnen Christen selbst, die in der verheißenen eschatologischen Unmittelbarkeit zu Gott und durch ihn zu den anderen Vollendeten besteht). Dabei bleibt die Kreuzes-Agape die einheitschaffende Kraft.
Vgl. das „Gott schauen, wie er ist" im 1. Johannesbrief – als die „schauende" Kommunikation mit dem absoluten Geheimnis der Agape, das in sich die Einheit von Gottes- und Nächstenliebe beschließt.

6.3.3.5.5 Gottes- und Nächstenliebe: „Einheit" und „Spannungseinheit"

In der Rahnerschen Konzeption haben wir eine nicht in der Denkform der Polarität konzipierte These vor uns, während wir bei Jesus und im Wirken Jesu durchgängig Spannung und Spannungseinheit wahrnehmen konnten; die Spannung ist deutlich, insofern erkennbar ist, wie die Gegner (und die Anhänger!) die Spannungs*einheit* verfehlen – und wie das Durchtragen dieser polaren Einheit zum Kreuz führt.[268]
Daß mit der Einheit von Nächsten- und Gottesliebe, wie K. Rahner sie auffaßt, eine Gegensatz-Spannung zu verbinden ist, kann erst dann erkannt werden, wenn – wie schon bei Rahner selbst, aber drängender und fordernder noch in einer unmittelbaren Konfrontation mit dem jesuanischen Befund – zwischen der Nächstenliebe als „primärem Akt der Gottesliebe"[269] und der „unmittelbar"-ausdrücklichen Gottesliebe unterschieden wird (obschon sich beides im Vollzug der Liebe des glaubenden Menschen nicht trennen läßt); dann ist zu erkennen, daß es die Möglichkeit einseitiger Akzentsetzung auf einen der Pole und damit die Gefahr der Verflachung sowohl der mitmenschlichen Beziehung gibt als auch des „Gebets als Gesamt-Lebensvollzug" (das die ausdrücklich-antwortende Liebe in Dank, Lobpreis, Bekenntnis und Bitte einschließt).
Auf die Denkform „Spannungseinheit" meine ich also nicht verzichten zu können, weil sonst der „Einerleiheit"[270] kaum in einem wirklich ausreichenden Maß entgegengewirkt werden kann: weil es die Einheit von Gottes- und Nächstenliebe im Sinne Jesu nur geben kann, wenn beide in ihrer vollen Tiefe ernstgenommen werden; auch hier darf – in einer *analogen* Verwendung – das christologische Prinzip des Maximos Confessor[271] herangezogen werden: Je stärker und reiner die Bejahung Gottes ist, um so reiner und stärker wird die Bejahung des Menschen sein können. Der Christ wird sich ganz in die Nächstenliebe und ganz in die Gottesliebe hineingeben müssen – eine Aufgabe, die ich nicht anders bezeichnen kann denn als Belastungsprobe: als Spannung, die zur Spannungseinheit geführt werden muß.
Ich komme zu einer zusammenfassenden These: *Der Einheit von Nächsten- und Gottesliebe* im Sinne K. Rahners, dessen Anliegen mir für heute – um das nochmals zu betonen – unverzichtbar zu sein scheint, *widerspricht es keineswegs, diese Einheit mit der Spannung* (und der anzuzielenden jesuanischen Spannungs*einheit*) zwischen dem Suchen der ausdrücklichen Gottesliebe und der (in der Nächstenliebe sich vollziehenden) unthematischen

[268] Vgl. Strukturkomponente 18 (J); s. oben 3.9.3.
[269] Schriften VI 294f.
[270] *K. Rahner,* Art. Liebe, in: SM III 248.
[271] Vgl. oben den Exkurs [6.2.2.5.8]; vgl. auch *K. Rahner,* Schriften VI 289-292, bes. 291f.

Gottesliebe *zusammenzudenken.* Denn auch wenn ich die im Kern berechtigte These Rahners durchaus bejahe, scheint es mir schwierig (sowie Mißverständnissen und selektierenden Deutungen ausgesetzt) zu sein, die neutestamentlichen Ursprünge durchzuhalten, wenn außer und in der „Einheit von Nächsten- und Gottesliebe" nicht *auch* die *Spannung* von (in der Nächstenliebe sich vollziehender) unthematischer *und* ausdrücklicher Gottesliebe in den Blick genommen wird.

6.3.3.5.6 Zur Theozentrik beider Spannungspole

Beide – Gottes- und Nächstenliebe, Bejahung Gottes und Bejahung des Menschen – sind umfangen von der theozentrischen Linienführung, die oben (in 6.3.2) aufgezeigt wurde. In beiden (auch in der Nächstenliebe!) ist das dynamisch-suchende „Über-hinaus" Przywaras enthalten. Auch in der Nächstenliebe ist die Gottesliebe keineswegs nur Motiv, sondern lebt als Tiefendimension in ihrer Mitte. Beide sind „theozentrisch": *Bejahung des Menschen ist Ja zu Gottes Ja zum Menschen.* Die „Gleichgewichtigkeit" in der Anwortlinie ist konstituiert durch die (der Prävalenz der Liebe dienende) Spannungseinheit in der Sendungslinie, und diese ist letztlich in der analog-„polaren" Einheit von Macht und Liebe in Gott selbst begründet – letztlich durch die Bewegung der Selbstmitteilung Gottes, die auf die Erschaffung des Menschen und das volle Ja zu ihm zielt und auch den Jünger Jesu auf das uneingeschränkte Ja zum konkreten, von Gott geliebten Menschen verweist.
Nach meiner Auffassung sollte die Gegenüberstellung von „Bejahung Gottes" und „Bejahung des Menschen" besser nicht durch eine Gegenüberstellung der Begriffe „Theozentrik" und „Anthropozentrik" ersetzt werden[272]; bei der Einheit und Spannungseinheit von „Bejahung des Menschen" (Nächstenliebe) und „Bejahung Gottes" (Gottesliebe) handelt es sich nach meiner Terminologie nicht um jenen Gegensatz von Theozentrik und „Anthropozentrik". Beide Pole – Bejahung Gottes *und* Bejahung des Menschen – sind vielmehr in die *umgreifende Theozentrik* der Sendungs- und Antwortlinie eingeschlossen. Man kann zwar die Bejahung Gottes und damit das Suchen nach dem Geheimnis des „Deus semper maior" nicht überbetonen, aber man kann verkennen, daß das „Ja zu *Gottes* Ja zum Menschen" integrierend zur Theozentrik hinzugehört. Die Gottesliebe ist das Umgreifende,

[272] Vgl. schon oben [6.1.1.5.1], Anm. 25: Zwar könnte für „Bejahung des Menschen" an sich der Begriff „Anthropozentrik" im positiven Sinn (vgl. *K. Rahner,* Art. Anthropozentrik, in: LThK I, 632f – dort an zweiter Stelle genannt) gesetzt werden; jedoch wäre dann die umfassende Konzeption der theozentrischen Bewegungslinien, die in diesem Abschnitt 6.3 entwickelt wurde, kaum mehr deutlich zu erkennen. S. auch unten Anm. 278.

weil die Theozentrik es ist: „unmittelbar“ auf dem Weg über die Gotteserfahrung des Einzelnen (die freilich nicht dem *isolierten* Einzelnen möglich ist, sondern – ausdrücklich oder unausdrücklich – kommunikative Struktur besitzt) – und „mittelbar“[273] dadurch, daß die Tiefendimension des Nächsten und der Nächstenliebe gesucht wird.
Es ist bisher in dieser Arbeit öfter die Rede davon gewesen, daß die „Bejahung Gottes“ als Öffnung für den lebendigen Gott ein Destruieren der falschen Gottesbilder voraussetzt. Ebenso – und zwar ebenfalls gleichgewichtig – setzt die schrankenlose Liebe zum anderen Menschen, die Jesus in seiner Proexistenz lebt, für die er in den Tod geht und in die er den Jünger einbeziehen will, *den Verzicht voraus, sich von dem uns begegnenden Mitmenschen „ein Bildnis zu machen‘*[274], und die Entscheidung dafür, ihm in der Anerkennung seiner Möglichkeiten Zukunft zu gewähren[275]. Auch und gerade von der Weisung Jesu her ist das zu erkennen: Das jesuanische Gebot der Feindesliebe impliziert die Forderung, sich kein „Feindbild“ zu machen bzw. die Feindbilder (oder auch die „nur“ die Menschen untereinander *entfremdenden* Bilder) zu zerstören und dadurch die Grundlage für die Schrankenlosigkeit der Agape zu gewinnen. Ferner ist an Mt 7,1 („Richtet nicht...“) zu erinnern.[276] Die Verbindung von theozentrischer Basileia-Botschaft und „radikalisierter“, sich auf den Nächsten richtender Agape in der programmatischen Rede Jesu Lk 6,20 ff[277] ist also keineswegs zufällig.
Das Zerbrechen der Gottesbilder und das Zerbrechen der Bilder, die ein Mensch sich vom anderen macht, bedingen einander. Der „Verzicht, sich ein Bildnis vom anderen zu machen“ ist nicht etwas Nebensächlich-Untergeordnetes gegenüber dem Zerstören der Gottesbilder, sondern „gleichgewichtige“ Grundbedingung. Das Destruieren aller Gottesbilder ist gerade deswegen notwendig, weil jedes Gottesbild entweder den Anspruch bzw. die „Majestät“ Gottes auf Kosten der Bejahung des Menschen und seiner Freiheit (und damit also unter Abwertung der „Humanität“ Gottes) überzeichnet oder umgekehrt die Bejahung *des Menschen* auf Kosten der Transzendenz, der völligen Andersartigkeit Gottes. Diese Möglichkeit einseitiger Verzerrungen (und dementsprechend die Notwendigkeit, Gottesbilder und Bildnisse von Menschen in Frage zu stellen) kommt letztlich daher, daß Gott

[273] Nach *K. Rahner* ist sie, wie oben schon gesagt, „primär“: Schriften VI 295.

[274] Vgl. *M. Frisch,* Tagebuch 1946-1949, 26-28: Die Liebe, die uns in der Bereitschaft hält, „einem Menschen zu folgen in allen seinen möglichen Entfaltungen“, befreit alles an ihm „aus jeglichem Bildnis“. Und umgekehrt „macht man sich ein Bildnis“, wenn man „müde geworden“ ist, das „Geheimnis, das der Mensch ja immerhin ist“, das „erregende Rätsel“, auszuhalten.

[275] Vgl. *J. Moltmann,* Theologie der Hoffnung 312.

[276] In Lk 6,37-38 ist dieser Spruch mit der Aufforderung zum Vergeben – und zum Weggeben dessen, was man besitzt, an jeden Bittenden – verknüpft.

[277] Vgl. unten 7.2.2.1.

freie Kreaturen gewollt hat – freie Geschöpfe, die ihre Freiheit bis zu einer die Öffnung auf Gott ablehnenden Anthropozentrik und bis zu einem den Nächsten ablehnenden Egoismus übersteigern und pervertieren können[278]: daher, daß Gott *den Menschen* gewollt und bejaht hat – und daß in *diesem* Sinn die „Bejahung des Menschen" eben doch (trotz der unvergleichlich größeren Würde der Gottesliebe, also des durchaus mitgedachten „Über-hinaus") formal *und* theologisch gleichgewichtig ist mit der Bejahung seines Schöpfers. Das ist so, eben weil es in der von mir gemeinten Spannungseinheit primär nicht auf das (sicherlich mitzudenkende) „maior dissimilitudo" des IV. Laterankonzils ankommt, sondern auf die durch den Schöpfer vorgegebenen Grundausrichtungen auf ihn selbst und auf den Mitmenschen, deren Einheit in freier Verantwortung zu verwirklichen ist, aber eben wegen dieser Freiheit auch verfehlt werden kann.[279]

6.3.4 Ergänzende Erläuterungen und Hinweise zu dem Versuch, den Beziehungskomplex in einem graphischen Schema darzustellen

6.3.4.1 Zur Zielsetzung des Schemas

Das Ziel des beigefügten Schemas besteht wie das des gesamten, auf das Schema zulaufenden Abschnitts 6.3 darin, einer Zusammenschau von neutestamentlicher Theozentrik und der „Spannungseinheit von Bejahung Gottes und Bejahung des Menschen" zu dienen. Es soll eine Möglichkeit an die Hand geben, die einzelnen „Strukturkomponenten" bzw. „Kriterien" (deren Reihe ja das eigentliche Gerüst dieser Arbeit bildet) besser einzuordnen.[280]
Das ist in der Zeichnung – *ergänzend und zusätzlich* – dadurch angedeutet, daß am Rand der Hauptlinien die Nummern der jeweils entsprechenden Strukturkomponen-

[278] Durch den engen Zusammenhang zwischen der Notwendigkeit, die Gottesbilder (und die Bildnisse von Menschen) in Frage zu stellen, mit der Konzeption der Spannungseinheit von „Bejahung Gottes und Bejahung des Menschen" wird am deutlichsten erkennbar, daß ein (im Leben vollzogenes, nicht nur theoretisches) Auseinanderstrebenlassen der Spannungspole zum Problemkomplex „Sünde und Schuld" gehört; vgl. oben 6.1.2.1, Anm. 92.

[279] Die Spannung dieser Grundausrichtungen muß ausgehalten und das Anstreben der Spannungseinheit durchgehalten werden in der Hoffnung auf den je und je größeren Gott, die sich im Ernstnehmen des unvereinbar Scheinenden auswirkt. So kann das „Nebeneinander-Stehenlassen" des vom Menschen her Unvereinbaren *zusammen* mit dem (von der Hoffnung auf den lebendigen Gott getragenen) Postulat der Einheit der Spannungspole (das Gott in Jesus Christus bereits zur Realität und zur Chance gemacht hat) zum Destruieren der falschen Gottesbilder führen, *ja geradezu mit ihm identisch werden.* Vgl. zum Ganzen auch die Überlegungen zum „grundlegenden Glaubensvollzug", unten 7.1 und 7.2.

[280] Das Schema ist – in Ergänzung zu der Doppeltabelle der „Strukturkomponenten" – als *Arbeitsinstrument* für den Versuch gedacht, einzelne neutestamentliche Texte und Konzeptionen in das Gesamt-Beziehungsgefüge einzuordnen, das vom Jesuanischen und seiner nachösterlichen Transformation her (von „J" und „T") vorgegeben ist.

ten angegeben sind.[281] Das Beziehungsgefüge der Strukturkomponenten kann auch in dieser Weise – zwar gewissermaßen chiffriert, aber durchaus dechiffrierbar – in das Blickfeld gelangen und dem Leser eine Möglichkeit zusätzlicher Vertiefung bieten.

Zunächst und vor allem aber will das Schema für sich, ohne das Nachschlagen der einzelnen Strukturkomponenten, gelesen werden. Es will als solches schon helfen, das im Verlauf der ganzen Arbeit aufgezeigte lebendige Beziehungsgefüge der jesuanischen Botschaft *und* ihrer nachösterlichen Transformation – in der wechselseitigen Zusammengehörigkeit und Verwobenheit in das Werk Gottes und Jesu Christi – klarer in den Blick zu bekommen.
Dieses Ziel gewinnt noch deutlichere Umrisse, wenn wir versuchen, es anhand einer knappen Zusammenfassung des in Abschnitt 6.3 Gesagten zu umreißen: Das Schema soll eine Möglichkeit bieten,

– Theo-logie, Christologie und Soteriologie sowie Ekklesiologie (die letztere bezogen auf eine in das evangeliale Werk Gottes integrierte Ekklesia und ihre Lebensvollzüge im weitesten Sinn) in ihrer Beziehung und Zusammengehörigkeit zu sehen,

– und zwar innerhalb der doppelten theozentrischen Linie von Sendung und Antwort;

– ferner die durchgängige Bestimmtheit beider Linien sowie von Christologie/Soteriologie und Ekklesiologie (und Nachfolgetheologie) durch das Prinzip der Spannungseinheit zu erkennen;

– vor allem aber das Miteinander und Ineinander von Theozentrik und „Spannungseinheit von Bejahung Gottes und Bejahung des Menschen“ anschaulich zu machen: *Innerhalb* der Theozentrik des Wirkens Gottes, innerhalb von Christologie und Ekklesiologie, von Sendungs- und Antwortlinie vollzieht sich der dynamische Prozeß sowohl der Realisierung der Spannungseinheit durch Jesus Christus selbst – als der Vor-Gabe und Chance, die den Jüngern zuteil wird[282] – als auch des Anstrebens der Spannungseinheit bei den Jüngern Jesu und in ihrer Gemeinschaft. Dadurch allein ist die Lebendigkeit und Effizienz sowohl der beiden theozentrischen Bewegungslinien als auch der in sie eingespannten Christologie/Soteriologie und Ekklesiologie/Nachfolgetheologie gewährleistet.

Die theologische Erklärung des Schemas ist bereits in 6.3.1 bis 6.3.3[283] gegeben worden. So bleibt jetzt noch die Aufgabe, Bemerkungen zur zeichnerischen Darstellung selbst bzw. zur theologischen Aussageabsicht einzelner Linienführungen nachzutragen – Bemerkungen, die freilich an einzelnen Punkten, vor allem da, wo es um die Grenzen des im Schema Darstellbaren geht, etwas ausführlicher gehalten sein müssen.

[281] Ob die betreffende Strukturkomponente in der Version der jesuanischen Reihe („J“) oder der nachösterlich-transformatorischen Reihe („T“) gemeint ist, ergibt sich aus der Zuordnung der Ziffern zum jeweiligen Teil des Schemas, in dem sowohl in der Sendungs- als auch in der Antwortlinie auf den jesuanischen Teil der nachösterlich-christologische und – umfangen davon – der ekklesiologische bzw. nachfolgetheologische Teil folgt.

[282] Um einen dynamischen Prozeß handelt es sich auch schon und erst recht bei Jesus selbst: um das Realisieren und Durchtragen der Spannungseinheit unter „Versuchungen“ (s. oben 3.9.2); die Chance für den Jünger ist gegeben durch die Kommunikation mit dem erhöhten Gekreuzigten.

[283] Der Abschnitt 6.3 ist zwar so abgefaßt, daß er auch ohne das Schema verständlich ist; er ist aber doch recht genau auf die Linienführung des Schemas hingeordnet. Die Stichworte des Schemas sind anhand der Gliederung von 6.3 leicht aufzufinden.

6.3.4.2 Erläuterungen und Hinweise zur Linienführung des Schemas

– Daß der Ausgangs- und Zielpunkt der Darstellung – „*Gottes* Macht und Liebe" – als nach oben offener Parabelansatz gezeichnet ist, soll eine Chiffre sein für die Unendlichkeit des Lebens Gottes und für die den Menschen bereitete Vollendung.

– Von hier geht die Linie der Sendung aus; die Linie der Antwort wendet sich wieder zu Gott als ihrem Ziel zurück.[284] Die Sendungslinie ist als deutlicher Neuansatz gezeichnet, da sie ja nicht durch Emanation, sondern durch eine freie Tat Gottes zustande kommt.

– Sowohl die Sendungs- als auch die Antwortlinie setzen mit jesuanischen Sachverhalten ein; diese gehen (explizit oder implizit) über in nachösterliche christologisch-soteriologische Sachverhalte, die ihrerseits wieder die Vermittlung zur Ekklesiologie bilden.

– Das Ekklesiologische (das das auf den einzelnen Christen bezogene „Nachfolgetheologische" einschließt) ist deutlich eingeordnet in die primäre christologisch-soteriologische Linienführung (sowohl bezüglich der Sendung als auch bezüglich der Antwort). Das evangeliale Werk Gottes und Jesu ist der Kirche vorgeordnet; sie ist in dieses Werk eingespannt und in keiner Weise ihm gegenüber autonom.[285]

– Die beiden Kolumnen der Sendungs- und der Antwortlinie sind jeweils wieder durch eine senkrechte Linie unterteilt. Links und rechts von dieser Linie sind die jeweiligen Konkretionen der Spannungspole angegeben: Die Spannungseinheit bzw. Polarität, die schon im Gottesbegriff grundlegend verankert ist, wirkt weiter: Jesus manifestiert – in der Einheit von Exusia und Proexistenz – sowohl den Anspruch der *Macht* als auch die machtvolle *Liebe* Gottes, sowohl die Entscheidungsforderung als auch das „Geschenk der Freiheit". Der ekklesiologische Teil der Sendungslinie hat sodann die spezifische Art der Weitergabe von Macht und Liebe Gottes durch die Kirche anzuzeigen.

– Wie in Gott Macht und Agape (bzw. richtiger, um die Einheit in der Polarität deutlich zu machen: *Macht* der Agape und Macht der *Agape*) eine spannungsvolle Einheit bilden, so manifestiert Jesus diese Spannungseinheit und macht sie für seine Jüngergemeinschaft zur Aufgabe. Die beiden Teil-Kolumnen können keineswegs säuberlich voneinander getrennt werden: Die einzelnen Teilaspekte und -elemente der von der Macht und dem Anspruch Gottes bestimmten Teilkolumne wirken auf die Kolumne „Weitergabe der Liebe Gottes" ein und umgekehrt; die Exusia Jesu wirkt sich auf die Öffnung für die Menschen und das „Geschenk der Freiheit" an sie aus, und Jesu Forderung der Entscheidung für Gott wird keineswegs an seiner Proexistenz vorbei gestellt.
Bei Jesus finden wir also, wie bisher schon betont, Spannungs*einheit* vor (im Schema ausgedrückt durch zwei von einer Ellipse umschlossene und zusammengeschlossene gegenläufige Pfeile); ekklesiologisch und „nachfolgetheologisch" müssen wir von einer

[284] Vgl. die Gegenüberstellung in 1 Kor 8,6: „aus Gott (bzw. von Gott her) – auf Gott hin".

[285] Die einander kreuzenden (gestrichelten) Linien *zwischen* den beiden Kolumnen der Sendungs- und Antwortlinie sollen eine korrigierende Ergänzung bieten; von der Sache her folgen im Heilsgeschehen ja zunächst Sendung und Antwort *Jesu* aufeinander und sind ineinander verwoben; ebenso ist es mit der von Sendung und Antwort Jesu umgriffenen Sendung und Antwort der Jüngergemeinschaft.

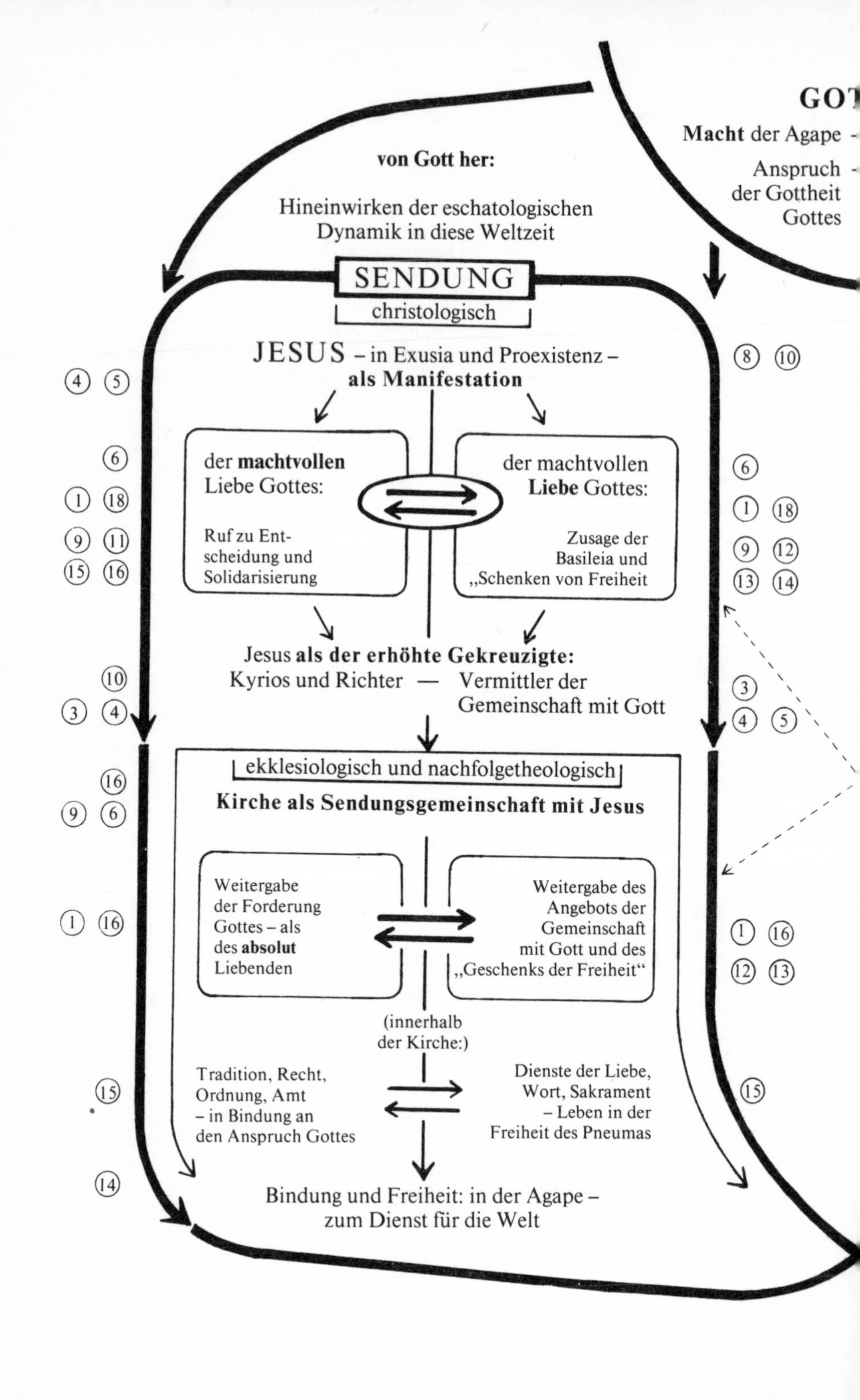
GOT
Macht der Agape -
Anspruch -
der Gottheit
Gottes
von Gott her:
Hineinwirken der eschatologischen
Dynamik in diese Weltzeit
SENDUNG
christologisch
JESUS – in Exusia und Proexistenz –
als Manifestation
der machtvollen
Liebe Gottes:
Ruf zu Ent-
scheidung und
Solidarisierung
der machtvollen
Liebe Gottes:
Zusage der
Basileia und
„Schenken von Freiheit
Jesus als der erhöhte Gekreuzigte:
Kyrios und Richter — Vermittler der
Gemeinschaft mit Gott
ekklesiologisch und nachfolgetheologisch
Kirche als Sendungsgemeinschaft mit Jesus
Weitergabe
der Forderung
Gottes – als
des absolut
Liebenden
Weitergabe des
Angebots der
Gemeinschaft
mit Gott und des
„Geschenks der Freiheit“
(innerhalb
der Kirche:)
Tradition, Recht,
Ordnung, Amt
– in Bindung an
den Anspruch Gottes
Dienste der Liebe,
Wort, Sakrament
– Leben in der
Freiheit des Pneumas
Bindung und Freiheit: in der Agape –
zum Dienst für die Welt
4 5
6
1 18
9 11
15 16
10
3 4
16
9 6
1 16
15
14
8 10
6
1 18
9 12
13 14
3
4 5
1 16
12 13
15

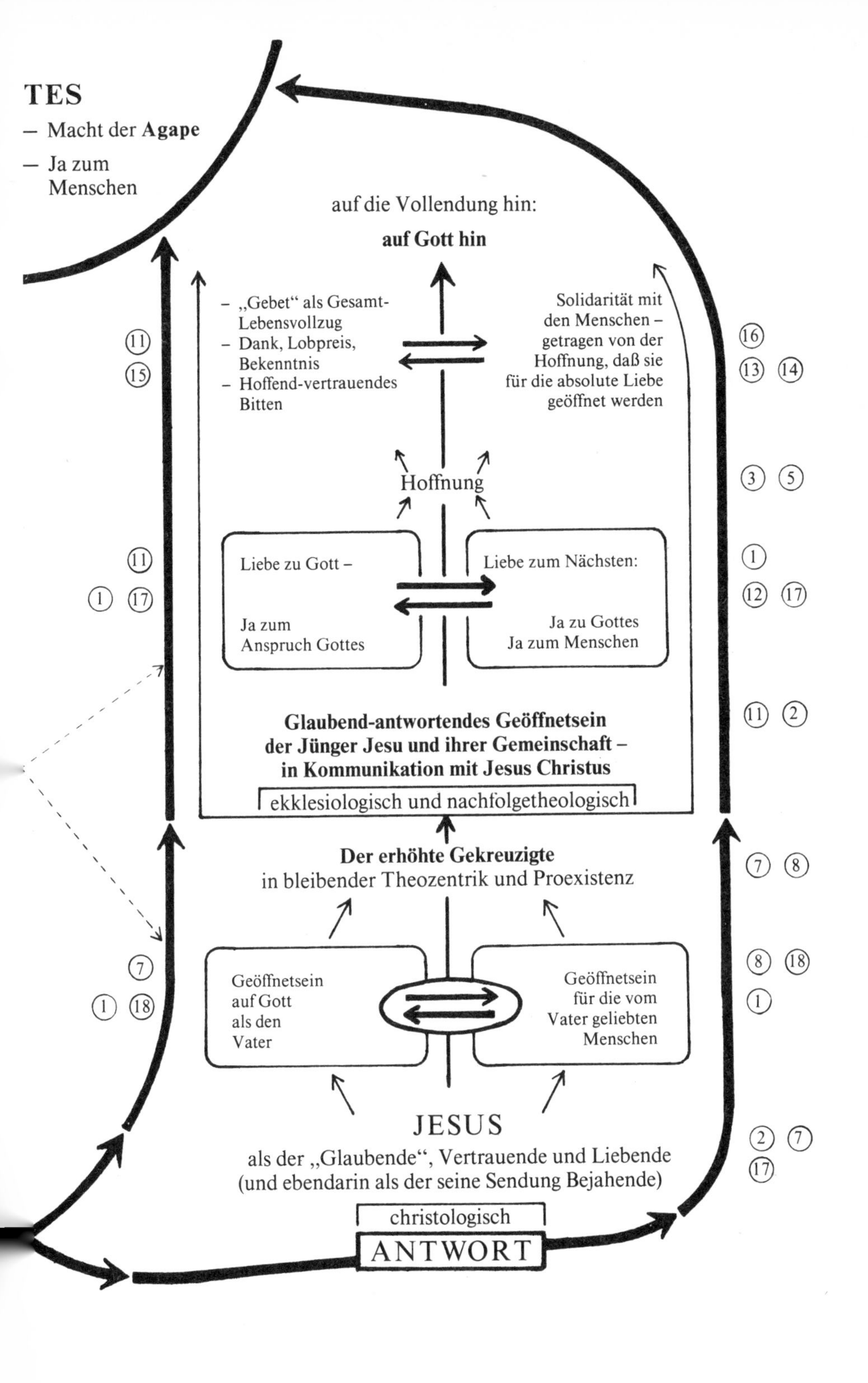
TES
– Macht der Agape
– Ja zum Menschen
auf die Vollendung hin:
auf Gott hin
– „Gebet“ als Gesamt-Lebensvollzug
– Dank, Lobpreis, Bekenntnis
– Hoffend-vertrauendes Bitten
Solidarität mit den Menschen – getragen von der Hoffnung, daß sie für die absolute Liebe geöffnet werden
Hoffnung
Liebe zu Gott –
Ja zum Anspruch Gottes
Liebe zum Nächsten:
Ja zu Gottes Ja zum Menschen
Glaubend-antwortendes Geöffnetsein der Jünger Jesu und ihrer Gemeinschaft – in Kommunikation mit Jesus Christus
ekklesiologisch und nachfolgetheologisch
Der erhöhte Gekreuzigte
in bleibender Theozentrik und Proexistenz
Geöffnetsein auf Gott als den Vater
Geöffnetsein für die vom Vater geliebten Menschen
JESUS
als der „Glaubende“, Vertrauende und Liebende (und ebendarin als der seine Sendung Bejahende)
christologisch
ANTWORT
11 15
11
1 17
7
1 18
16
13 14
3 5
1
12 17
11 2
7 8
8 18
1
2 7
17

Spannung sprechen mit der *Aufgabe,* die Spannungs*einheit* anzustreben.[286] (Zeichen im Schema: zwei gegenläufige Pfeile, die noch nicht von der die Spannungs*einheit* anzeigenden Ellipse umschlossen sind.)
Der dynamische Prozeß des Anstrebens der Spannungseinheit vollzieht sich für die Christen und für ihre Gemeinschaft also *innerhalb* der beiden Bewegungslinien „Sendung" und „Antwort".

– An einigen Stellen des Schemas ist versucht worden, die eschatologischen Aspekte des gesamten Beziehungsgefüges deutlich zu machen. Die Richtungsangabe „von Gott her", die über der Sendungslinie steht, wird interpretiert durch die Worte „Hineinwirken der eschatologischen Dynamik in diese Weltzeit"[287]. Die Sendungslinie als völlig ungeschuldet-unverfügbares Einbrechen der innergöttlichen Dynamik von Macht und Liebe ist so, bereits im Ansatz der Linienführung, als auf Vollendung gerichtete Dynamik kenntlich gemacht, als machtvolles Wirken des Gottes, der seine Schöpfung weder vernichten will noch sie in ihrem Zustand beläßt, sondern schon die Sendungslinie auf eine von der Schöpfung her unerahnbare Vollendung hin ins Werk setzt.
Analog findet das Ziel der Antwortlinie – „auf Gott hin" – seine eschatologische Interpretation durch die Worte „auf die Vollendung hin".
Dem Ziel, eschatologische Akzente deutlich zu machen, dienen auch drei weitere Stichworte: in der Sendungslinie „... der erhöhte Gekreuzigte als (Kyrios und) *Richter*"[288] und als „Vermittler der Gemeinschaft mit Gott". Diese Vermittlung umfaßt sowohl die nachösterlich-präsentische Vor-Erfüllung als auch die futurisch-eschatologi-

[286] Im ekklesiologischen Teilstück der Sendungslinie ist eine Differenzierung kenntlich gemacht zwischen dem, was *sowohl nach innen als auch nach außen* gilt (Text in den umrandeten Kästchen) und dessen, was spezifisch *„innerhalb der Kirche"* gilt und noch deutlicher der Konkretion dient: Tradition, Recht, Ordnung und Amt sind innerhalb der Kirche mehr dem Pol des „Anspruchs Gottes" und der Exusia zugeordnet; das „Leben in der Freiheit des Pneumas" (das die Dienste der Liebe, das Wort und das Sakrament umgreift) gehört demgegenüber mehr dem Pol der Diakonia (als der Weitergabe und des Weiterwirkens der Agape Gottes innerhalb der Jüngergemeinschaft Jesu) zu. Jedoch greift gerade hier beides ineinander: Die Funktionen von Tradition, Recht, Ordnung und Amt dürfen ihrerseits nicht ohne das Pneuma gedacht werden; ihre Träger sind sicherlich im neutestamentlichen, vor allem paulinischen Sinn Charismenträger und sind funktional hingeordnet auf das Sich-Aufbauen der Agape-Gemeinschaft der Jünger Jesu; die Dienste der Liebe, das Wort und auch das Sakrament (bzw. die „Sakramente" als Knotenpunkte des Pneuma-Wirkens zum Aufbau der Agape-Gemeinschaft) besitzen *auch* eine „rechtliche" Komponente.
Diese „innerhalb der Kirche" geltende polare Struktur wird jedoch wieder zusammengefaßt und auf das Dienen für die Welt hingeordnet: „Bindung und Freiheit in der Agape – zum Dienst für die Welt".
Das Gottesdienstliche ist innerhalb der *Sendungslinie* (bzw. der „absteigenden Linie") als Pneuma-Gabe mit Einschluß ihrer sakramentalen und worthaften Konkretion gesehen, während der Gottesdienst innerhalb der *Antwortlinie* (rechts oben, linke Teilkolumne, innerhalb der Antwort auf den Anspruch Gottes [der gewiß der Anspruch der absoluten Liebe ist]) in einem Zusammenhang mit dem sehr weit, als Gesamt-Lebensvollzug, aufgefaßten „Gebet" gesehen wird: als Hinwendung zum „Gott der Hoffnung" (Röm 15,13) in Dank, Lobpreis, Bekenntnis und vor allem im hoffend-vertrauenden Bitten.

[287] Diese Formulierung geht vom jesuanischen Befund aus, vgl. Lk 11,20: „Wenn ich durch den Finger Gottes die Dämonen austreibe, dann ist die Basileia Gottes wahrhaftig zu euch hin vorgestoßen." Vgl. die Strukturkomponente 4 (J).

[288] Innerhalb der Sendungslinie erinnert das Stichwort „Richter" an die der ältesten nachösterlichen Zeit zuzurechnende Christologie des Menschensohn-Weltrichters und damit an das letzt-

sche Vollendung der heilshaften Gemeinschaft mit Gott[289]. Nicht zuletzt ist (drittens) Wert darauf gelegt worden, innerhalb des ekklesiologischen Teilstücks der Antwortlinie das Stichwort „Hoffnung“ zur Geltung zu bringen.[290]

6.3.4.3 Zu den Grenzen des Schemas

– Die zeichnerischen Möglichkeiten bei einem solchen Schema bleiben – wie nicht anders zu erwarten – hinter dem lebendig-komplexen Beziehungsgefüge zurück, das es veranschaulichen soll. An einigen Punkten werden diese Grenzen besonders spürbar. So können die beiden ersten Grundlinien nachösterlicher Transformation, die für den Gesamtentwurf eine bedeutsame Rolle spielen – das „nachösterlich-neue Zusammendenken von Jesus und Gott“ sowie das „Soteriologisch-Neue“ – innerhalb der Sendungs- und Antwortlinie nur in wenigen Ansätzen angedeutet werden.[291]

– Vor allem möchte ich jedoch auf die folgende Grenze der Zeichnung hinweisen: Die Sendungslinie und die Antwortlinie sind zeichnerisch naturgemäß nur getrennt voneinander darstellbar. In Wirklichkeit müßten sie viel stärker miteinander zusammengeschaut (bzw. ineinandergeschaut) werden, als es durch die beide umschließende Gesamt-Linienführung geschehen kann. Die Bejahung und Übernahme der Sendung gehört zur Antwort (also zur „aufsteigenden Linie“) hinzu. (Im jesuanisch-grundlegenden Teilstück der Antwortlinie ist das ausdrücklich eingetragen.) Die Öffnung für Gott gibt es nicht nur chronologisch-sukzessiv, nachdem die Sendung und die Selbstmitteilung Gottes erfolgt sind; die „unmittelbar“-ausdrückliche Öffnung für Gott[292] vollzieht sich vielmehr nur in Einheit mit der Aufnahme des Erbarmens Gottes und seiner Weitergabe an andere Menschen[293], sie ist vom glaubenden Aufnehmen und vom

lich futurisch-eschatologische Ziel der Sendung Jesu im Sinn von Lk 12,8f, das auch außerhalb apokalyptischer Denkweise im wesentlichen Kern seine Geltung behält (vgl. oben 6.3.3.2.1 und 6.3.3.3.1).

[289] Auch hier ist als jesuanischer Haftpunkt die heilshafte Solidarisierung des Menschensohn-Weltrichters mit denen, die sich zu ihm bekannt haben, mitzuhören (vgl. insgesamt oben 6.3.3.2.1 und 6.3.3.3.2).

[290] Vgl. oben 6.3.3.4.2.

[291] Die „erste Grundlinie des Nachösterlich-Neuen“, die für das Soteriologisch-Neue die Voraussetzung bildet – das „Zusammendenken von Jesus und Gott“ –, ist in den Stichworten „Der erhöhte Gekreuzigte“ sowie der Andeutung seines Wirkens aus dem „Geheimnis Gottes“ heraus und „in der Kraft dieses Geheimnisses“ auch in dem Schema als Grundlage erkennbar.
Das Soteriologisch-Neue konnte (entsprechend der zweiten Grundlinie) innerhalb der Sendung- und Antwortlinie in einer Reihe von Stichworten angedeutet werden: „Gemeinschaft mit Gott“, „Geschenk der Freiheit“, „Leben in der Freiheit des Pneumas“. Vor allem ist es in der Überleitung vom Jesuanischen zum Ekklesiologischen angesprochen durch das Stichwort „Jesus als der erhöhte Gekreuzigte“ – bzw. in der Antwortlinie „Der erhöhte Gekreuzigte – in bleibender Theozentrik und Proexistenz“. Weiter ist es dadurch angedeutet, daß das „Ekklesiologische und Nachfolgetheologische“ in seinem Umgriffensein vom Christologisch-Soteriologischen gezeichnet ist. Zur kreuzestheologischen Implikation des Schemas vgl. vor allem den folgenden Exkurs.

[292] Vgl. oben 6.3.3.5.4.

[293] Im Schema erscheint die gesellschaftliche Aufgabe der Christen und der Kirche ausdrücklich nur in dem Stichwort (in der Antwortlinie rechts oben) „Solidarität mit den Menschen“. Jedoch ist die gesellschaftliche Komponente bzw. die Aufgabe der Christen, zur Humanisierung der ge-

Weitergeben dieses Erbarmens umfangen. Gotteserfahrung des zum Mittragen der Sendung und zum Sich-Ausstrecken auf den Gott der Hoffnung und Vollendung aufgerufenen Menschen ist ein grundlegend-unverzichtbares Moment am Wirken Gottes und des erhöhten Jesus Christus.[294]
Die Tatsache, daß die aufsteigende Linie in meinem (wie oben schon gesagt,in diesem Punkt unzulänglichen) Schema getrennt gezeichnet werden mußte von der absteigenden, bietet freilich einen erwünschten Anlaß, die Frage nach Ausdrucksweisen des „auf Gott hin“ ausdrücklich zu stellen und Antworten andeutend einzuzeichnen (wie: Dank, Lobpreis, Bekenntnis, Bitte), die sonst vielleicht nicht in ausreichender Dringlichkeit erkennbar würden.
Noch einmal: Auch die *Antwort*linie ist noch von der *Macht* der absoluten Liebe (die in der Zeichnung der Sendungslinie zugeordnet erscheint) umfangen und getragen, wie die *Sendungs*linie ihrerseits niemals ohne das die „Sendung“ empfangende – das heißt: in spezifischer Gotteserfahrung aufnehmende und sie in der „Antwort“ bejahende – Subjekt gedacht werden kann.

[6.3.4.4] EXKURS:
Zur Kreuzes-Struktur der „Spannungseinheit von Bejahung Gottes und Bejahung des Menschen“ – im Vergleich mit dem Koordinatenkreuz der Analogie bei E. Przywara
(Zugleich eine Ergänzung des Abschnitts „Zu den Grenzen des Schemas“)

Aus Raumgründen konnte innerhalb des Schemas die vor allem nachösterlich zentrale Bedeutung des Kreuzes nur an zwei Stellen des Textes angedeutet werden: durch die sowohl in der Sendungs- als auch in der Antwortlinie stehende Formulierung „Der erhöhte Gekreuzigte“, die jeweils das erhöhungstheologische Bindeglied vom jesuanischen zum nachfolgetheologischen bzw. ekklesiologischen Sachverhalt anzeigt. Ich hätte gewünscht, auch im Schema noch ausdrücklicher machen zu können, daß die Kreuzes-Agape Einheitspunkt und einheitschaffende Kraft zwischen dem „Anspruch Gottes“ und dem „Geschenk der Freiheit“, zwischen „Bejahung Gottes“ und „Bejahung des Menschen“ ist.[295]
Wenn ich jetzt versuchen will, der Kreuzestheologie als einem – gerade für die Ergänzung der Linienführung des Schemas notwendigen – Zentralpunkt des nachösterlichen Soteriologisch-Neuen nachzugehen, finde ich bei E. Przywara eine vertiefend-erhellende Sicht, die es ermöglicht, zugleich das von mir vorgelegte Schema zu verdeutlichen *und* seine Grenzen aufzuzeigen. So ist es an dieser Stelle unerläßlich, auf die Ana-

sellschaftlichen Verhältnisse zu helfen, in meinem Verständnis unverzichtbar in den Stichworten „Geschenk der Freiheit“ und vor allem „Ja zum Menschen“ (bzw. „Liebe zum Nächsten“) mitzuhören. Die Formulierung „Ja zum Menschen“ (bzw. „Ja zu Gottes Ja zum Menschen“) ist gewählt worden, um sowohl das Ja zu jedem einzelnen konkreten Menschen als auch das Ja zur Menschheit und zur Gesellschaft als ganzer anzudeuten.

[294] Vgl. oben den Exkurs [6.3.2.2]. – Wenn man vom Subjekt aus denkt (also „gnoseologisch“), kann die Antwortlinie für das Verständnis des gesamten Schemas leitend werden, insofern mit den Vollzügen der Antwort immer wieder die (in der Sendungslinie – linke Kolumne – objektivierend ausgedrückte) „Sendung“ zusammenzudenken ist.

[295] An mehreren Stellen der Arbeit, vor allem unten in 7.2.2, finden sich jedoch Ausführungen darüber.

logielehre E. Przywaras[296] zurückzugreifen, und zwar an einen Satz des Exkurs-Abschnitts [6.1.1.5.5] anzuknüpfen: „Das Koordinatenkreuz der Analogie öffnet sich beim mittleren und späten Przywara immer mehr auf das Kreuz Jesu Christi hin."

E. Przywara sieht zunächst die analogia entis als Koordinatenkreuz:[297]

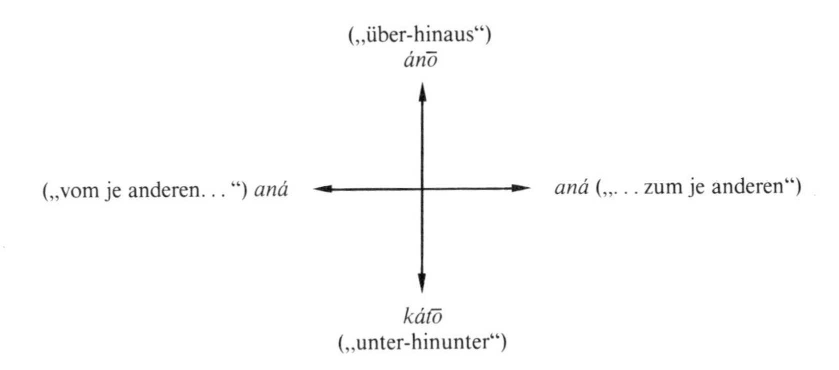

In dieser Kreuz-Form der Linien ist sowohl die „Analogie" (Ähnlichkeit – Unähnlichkeit) von Gott und Kreatur als auch das „maior dissimilitudo" des Lateranense IV dargestellt – und auch die (vom Menschen mitzuvollziehenden) Grundausrichtungen auf Gott und die (menschliche) Kreatur hin.[298]
Im Rahmen der analogia fidei[299] wird die analogia entis zur Analogie der Agape bzw. zu der Analogie, die die Agape selbst ist: Der „Offenbarungsname" der nach dem „Gesetz" des lateranensischen „maior dissimilitudo" verstandenen Analogie „ist Agape".[300] Hilfreich ist die verdeutlichende Zusammenfassung von B. Gertz[301]: „Lieben heißt Begegnung und Entgegnung des ganz Andern zum ganz Andern, und in dieser ‚waagerechten' Analogie des ‚Anders zu Anders', die hier ihre volle konkrete Gestalt erhält, offenbart sich im Gegenstehen der Gegensätze die Schönheit der Welt. Liebe ist aber in-über Lieben. Wie erreicht der Mensch das Über dieser Liebe? Indem er ihr ‚Unter-hinunter' mit vollzieht. Das formale Koordinaten-Kreuz der Analogie ist konkret das Kreuz der gekreuzigten Liebe Gottes. Teilnahme des liebenden Menschen an der Liebe Gottes ist nur möglich als gekreuzigte Liebe."

[296] Vgl. oben den Exkurs [6.1.1.5], bes. [6.1.1.5.5].

[297] *E. Przywara,* Mensch I, 73. – In der Zeichnung Przywaras sind die griechischen Bezeichnungen *ano* (= hinauf), *kato* (= nach unten), *ana – ana* eingetragen; ich habe sie ergänzt durch die Übersetzung Przywaras selbst, die an zahlreichen Stellen zu finden ist: *ánō* = „über-hinaus"; *aná – aná* = „vom je anderen zum je anderen"; *kátō* = „unter-hinunter". (Der letztere Ausdruck tritt freilich, soweit ich sehen kann, vor allem im Zusammenhang der analogia fidei auf.)

[298] Schriften III 103f; vgl. *B. Gertz,* Glaubenswelt 209. Przywara verdeutlicht das, was er meint, an dem Bild eines Flusses. In der Zusammenfassung von *B. Gertz,* a.a.O.: „Indem ich an einem Fluß entlang gehe bis zur höher gelegenen Quelle, gehe ich gleichzeitig ‚entlang' und ‚nach oben', während der Fluß ‚von oben herab' kommt und mir damit gleichzeitig erlaubt, an seine Quelle ‚zurück' und ‚wieder' mit ihm abwärts zu gehen."

[299] Vgl. oben [6.1.1.5.5].

[300] *E. Przywara,* Christentum gemäß Johannes 235f; ferner ebd.: „Das Formale von ‚Analogie' ist material ‚Agape', Analogie *ist* Agape."

[301] Glaubenswelt 358, entsprechend *E. Przywara,* Mensch I, vor allem 47f.

In *dieser* Gestalt ist die „Analogie“ Przywaras mit der Botschaft nicht nur der späteren neutestamentlichen Schriften (auf die Przywara sich vor allem stützt), sondern auch der der jesuanischen Ursprungsstrukturen vermittelbar, in denen keimhaft und anfanghaft das Kreuz und die Kreuzes-Struktur der Nachfolge sichtbar wurde. Entsprechend der waagerechten Linie ihres Koordinatenkreuzes erfaßt sie auch die Liebe von Mensch zu Mensch: „Gott lebt als Agape in denen, die einander so lieben, daß jeder den andern ‚als andern‘ bejaht und will und fördert... und dies gerade in Kraft des Gottes, der dieses Ja einer völlig unbekümmerten, wahrhaft ‚freigebenden‘ Liebe ist.“[302]

Wie verhält sich nun diese Kreuz-Struktur der Analogie und der Agape zu der (in dem graphischen Schema S. 302f nicht durch ein Kreuz, sondern durch gegenläufige Pfeile gekennzeichneten) „Spannungseinheit von Bejahung Gottes und Bejahung des Menschen“?

Erstens: Die polare Gegensatzspannung, die ich – gewissermaßen induktiv vom jesuanischen Befund ausgehend – ausdrücken möchte, ist nicht dasselbe wie das, was Przywara mit seinem frühen „Programm der Polarität“ meinte.[303] Sie entspricht *der Sache nach* mehr der Kreuz-Struktur der Agape beim späteren Przywara.[304]

An zweiter Stelle soll jetzt versucht werden, die Entsprechung der von mir gemeinten „Spannungseinheit“ mit dem „Koordinatenkreuz der Analogie, die Agape ist“ näher zu umschreiben und dann auch zeichnerisch zu verdeutlichen.
In Przywaras Analogie der Agape ist die waagerechte Linie eine „Horizontale“ im anthropologisch-theologischen Sinn (sie ist die Agape „von Geschwister Mensch zu Geschwister Mensch“[305]); die Linien bei Przywara sind also ganz anders konzipiert als die beiden – zeichnerisch ebenfalls waagerecht dargestellten – gegenläufigen Pfeile in dem von mir vorgelegten Schema. (Die formal waagerechte Linienführung der Pfeile bedeutet bei mir also keine „Horizontale“ im inhaltlich-theologischen Sinn!)
Die Kreuzes-Struktur ist in meiner Konzeption keineswegs negiert; sie ist vielmehr *inmitten* der Gegenläufigkeit der Pfeile[306] verborgen. Sie braucht deshalb nicht eigens eingezeichnet zu werden – abgesehen davon, daß das bei der spezifischen Zielsetzung meines Schemas nur komplizierend wirken würde.
Welche Funktion hat dann aber in meiner Zeichnung die in der Sendungslinie von oben nach unten und in der Antwortlinie von unten nach oben verlaufende „senkrecht“ gezeichnete Linie? Was ich damit aussagen will, entspringt der Geschichtlich-

[302] *E. Przywara,* In und Gegen 315f.
S. auch ebd. 81. Vgl. hierzu *B. Gertz,* a.a.O. 356: „Das heißt aber, daß gerade der Vollzug der ‚Liebe als Gott‘ der Ort ist, an dem das radikale ‚Liebe in-über Lieben‘ und das radikale ‚Anders zu Anders‘ von Gott und Mensch gelebt und erfahren wird.“

[303] Im damaligen „Programm“ Przywaras konnte „Polarität“ mißverstanden werden: in dem Sinn, daß die beiden Linien, die Beziehung Gott – Geschöpf und die „Horizontale“, sich verselbständigen könnten; von den philosophischen (vermutlich vor allem lebensphilosophischen) Wurzeln dieses „Programms“ her hätte die Horizontale rein innerkreatürlich verstanden werden können; vgl. *B. Gertz,* a.a.O. 122.211.

[304] Vgl. oben [6.1.1.5.5] und [6.1.1.5.7].

[305] *E. Przywara,* Mensch I, 247; vgl. *ders.,* In und Gegen 351: Agape ist „Liebe zwischen Mensch und Mensch als Teilnahme an der Liebe Gottes zum Menschen“.

[306] Im jesuanisch-christologischen Teil der Sendungs- wie der Antwortlinie des Schemas als „Spannungs*einheit*“ kenntlich gemacht durch die die Einheit andeutende Ellipse – gegenüber der Spannung bei den Jüngern Jesu (in der Zeichnung nur gegenläufige Pfeile).

keit der neutestamentlichen Ursprungsstrukturen sowie der Geschichtlichkeit der Hinführung von Welt und Kirche auf die Vollendung. Diese Geschichtlichkeit ist in dem Analogie-Kreuz Przywaras, soweit ich sehen kann, nicht in den Blick gefaßt.[307] Das Analogie-Kreuz Przywaras ist weniger mit der Gesamt-Linienführung als (vor allem) mit den Spannungspfeilen meiner Zeichnung zu vergleichen. Nur in einem – freilich entscheidend wichtigen – Punkt ist eine Vergleichbarkeit der Gesamt-Linienführung des Schemas (in Sendungs- und Antwortlinie) mit dem Analogie-Kreuz der Agape gegeben: insofern der nach unten gerichtete Pfeil der vertikalen Koordinate Przywaras die absolute Initiative des Gottes andeutet, der die Liebe ist; ferner: insofern dieser Pfeil der Agape-Initiative (wenngleich nicht explizit geschichtlich konzipiert) die „Horizontale" „vom je anderen zum je anderen" trägt und so insgesamt der „Bejahung des Menschen" in meinem Sinn entspricht; und schließlich: insofern der nach oben gerichtete Pfeil des Koordinatenkreuzes (wiederum: nicht explizit geschichtlich gedacht) das „auf Gott hin" zum Ziel hat. Obschon also keine *unmittelbare* Vergleichsmöglichkeit gegeben ist, dient die – entsprechend der Geschichte Gottes mit den Menschen in Jesus Christus gezeichnete – theozentrische Linienführung meines Schemas „von Gott her" und „auf die Vollendung hin: auf Gott hin" einem der zentralsten Anliegen Przywaras – bzw. im Sinn meiner Arbeit (richtiger) *zuerst* einem der zentralsten Anliegen *Jesu selbst*, dem auch Przywara konform zu werden sucht: Gerade die theozentrische Linienführung sichert das „Über-Hinaus", das Transzendieren der Spannung und Spannungseinheit von „Anspruch Gottes" und „Geschenk der Freiheit" auf das Geheimnis des je größeren Gottes hin.

In dem oben S. 302f gezeichneten Schema entspricht die zur jeweils linken Teilspalte („*machtvolle* Liebe Gottes") führende Linie der „Vertikalen" Przywaras, der zur rechten Teilspalte („Angebot der Gemeinschaft mit Gott und ‚Geschenk der Freiheit' ") verlaufende Pfeil hingegen einem komplexen Sachverhalt bei Przywara: sowohl dem „Unter-Hinunter" als auch dem „vom je Andern zum je Andern". Ich könnte also die gegenläufigen Pfeile des Schemas auch in der folgenden Weise beschriften:

——————→ *kátō + aná:*
Heilsinitiative Gottes, die die Horizontale des „Geschenks der Freiheit" und der *kommunikativen* Selbstverwirklichung des Menschen („vom je Anderen zum je Anderen") trägt

ánō: ←——————
Transzendieren auf Gott hin („Über-hinaus"), getragen von der Heilsinitiative Gottes (dem „kátō" = dem „Unter-hinunter")

[307] Sie ist allenfalls sehr implizit in dem Analogie-Kreuz enthalten – bzw. vielleicht besser: Das Kreuz der Analogie dürfte auch dafür offen sein.

Ich versuche, das noch etwas genauer zu zeichnen: Man könnte das Analogie-Kreuz Przywaras, das mit einem Hin- und Herschwingen der Agape in beiden Richtungen zusammengedacht ist, auch in der Weise zeichnen, daß statt der jeweils einen Koordinatenlinie Przywaras je zwei Linien das Hin- und Herschwingen der Agape andeuten:

Von hier aus ergibt sich die Möglichkeit, die absteigende und die aufsteigende Linie der Agape (die gewiß in dem Hin-und Her-Schwingen Przywaras ineinanderzusehen sind) auch je für sich zu betrachten, und zwar jeweils mit der „horizontalen", von „Geschwister Mensch zu Geschwister Mensch" hin und her schwingenden Linie zusammengeschaut. Was ich unter dem Pol „Bejahung des Menschen" verstehe, wäre in Anlehnung an das Koordinatenkreuz der Agape dann etwa folgendermaßen zu zeichnen:

Hier ist in der absteigenden wie in der aufsteigenden Linie dargestellt, daß das „vom je anderen zum je anderen" sowohl von der herabsteigenden Agape Gottes ermöglicht und getragen wird als auch von dem (antwortenden) Mitvollzug des in der Vertikalen aufsteigenden „Über-hinaus".

Zwar entsprechen auch diese beiden Zeichnungen sicher nicht ohne weiteres der (geschichtlich konzipierten) Sendungs- und Antwortlinie meines Schemas. Jedoch dürfte deutlich werden, daß das Getragensein der zwischenmenschlichen Agape durch die hinab- und hinaufschwingende Agape Gottes in Jesus Christus abstrakt-grundsätzlich durchaus dem entspricht, was wir in den neutestamentlichen Ursprungsstrukturen vorfinden.

Diese zeichnerische Umformung des Koordinatenkreuzes der „Analogie, die Agape ist" zeigt sowohl die Vermittelbarkeit mit dem, was in dem oben vorgelegten Schema intendiert ist,[308] als auch – stärker, als es in dem Schema möglich ist – das Ineinander von Sendung und Antwort, von Gottes- und Nächstenliebe.[309]

[308] Und zwar eben unter dem Aspekt der im Kreuz Jesu kulminierenden Agape Gottes, die letztlich bereits den jesuanisch-nachösterlichen Ursprungsstrukturen zugrunde liegt. Die Vermittelbarkeit ist (bei Przywara) zwar nicht in der Weise der geschichtlichen Konzeption von Sendung und Antwort gegeben, aber doch in einer abstrakt-entsprechenden Weise.

[309] Vgl. *K. Rahner*, Art. Liebe, in: SM III 250: „Gottes- und Nächstenliebe leben *gegenseitig* voneinander, weil sie letztlich eines sind (‚ungetrennt und unvermischt')."

Drittens: H. Schürmann[310] hat eine Formulierung geprägt,[311] die zweifellos im Sinn Przywaras ist und zum Vergleich helfen kann; er spricht vom „auseinanderreißenden Kreuz der vertikalen und horizontalen Proexistenz Jesu". Ebendieses „auseinanderreißende" Kreuz ist in meiner Zeichnung in den Pfeilen der Spannung verborgen. Was mit den Pfeilen gemeint ist, strebt ja tatsächlich auseinander; die so verstandenen Pfeile „reißen" letztlich auseinander, insofern sie letztlich eine bis zum äußersten gehende Belastungsprobe des Glaubens anzeigen, vor die das „Durchhalten der Spannungseinheit" stellt und die mit der „Kreuzesnachfolge" identisch ist.[312] Die auseinanderstrebenden Pfeile dieser Spannung können im letzten nur durch das Kreuz Jesu Christi (bzw. richtiger: durch das von Gott in der Erhöhung bestätigte und zur bleibenden Wirksamkeit gebrachte Kreuz) zur Konformität mit der in Jesus Christus verwirklichten Einheit gelangen – also zur „Spannungseinheit".[313]

Viertens: Die Konsequenz dieser Überlegungen sei jetzt *zusammenfassend* – als Postulat – ausgedrückt: Für ein sachgerechtes Verständnis des graphischen Schemas muß – sowohl zu den Spannungspfeilen als auch zu den grundlegenden theozentrischen Linien – die „Kreuz-Struktur der Agape" hinzugedacht werden.[314]
So kann der Vergleich mit der Agape-Analogie Przywaras übrigens in seiner Weise dazu helfen, das Ineinander von Sendungs- und Antwortlinie noch stärker zu betonen.[315]

Fünftens: Vor allem aber ist der Hinweis auf die Kreuzes-Struktur der „Spannungseinheit von Bejahung Gottes und Bejahung des Menschen" – und damit die „auseinanderreißende", also auch die Gottesbilder zerstörende und jedes Schema in Frage stellende Kraft des Kreuzes – notwendig, um die von mir intendierte, als Arbeitshilfe ge-

[310] Tod 18.

[311] Vermutlich im Anschluß an *H.U. v. Balthasar* (vgl. u.a. in MySal III/2, 318), der seinerseits ohne Zweifel wieder auf Przywara zurückgeht; vgl. *E. Przywara,* Logos 105-110 (weitere Stellen bei *B. Gertz,* a.a.O. 295-297).

[312] Vgl. unten 7.1.1; 7.2.2; auch 7.3.2.

[313] Nach der von mir verwendeten Terminologie ist die Spannung das (durch das Unvermögen des Menschen oder durch seine Schuld verursachte) Auseinanderstrebenlassen der Spannungspole bzw. die Tendenz zur einseitigen Fixierung auf einen der Pole; die Spannungseinheit ist die Einheit der Spannungspole, und die Agape ist die einheitschaffende Kraft sowie Ziel- und Einheitspunkt. Wenn H. Schürmann vom „auseinandereißenden Kreuz der vertikalen und horizontalen Proexistenz Jesu" spricht, dann ist das kein Gegensatz: Die Agape des Kreuzes und der Konformität mit dem Gekreuzigten kann einheitschaffende Kraft nur sein, indem sie in die (in alltäglichen Situationen vielleicht „nur" anfanghaft gegebene, letztlich aber unausweichliche und vielleicht bis zum äußersten gehende) Belastungsprobe stellt: eben im Durchtragen der „auseinanderreißenden", aber zur Einheit bestimmten Spannung der Grundausrichtungen „Theozentrik" (hier im Sinn von Hinordnung auf Gott verstanden, von „Über-hinaus") und Proexistenz für die Mitmenschen. (Im Unterschied zu H. Schürmann verwende ich das Wort „Proexistenz" nur für das Da-Sein Jesu für die Mitmenschen; s. oben 3.6.2.2, Anm. 73.)

[314] Um es nochmals zu betonen: In dem Schema kann ich das einerseits aus Raumgründen, andererseits aber auch von der Sache her nicht in der Ausdrücklichkeit wie Przywara darstellen, weil solche Kreuzestheologie schon spätere Entfaltung der jesuanischen Keime (und, was die Ausdrücklichkeit angeht, auch der grundlegenden nachösterlichen Transformation) wäre – und vor allem, weil die – durch die einmalige Setzung Gottes in Gang gekommene – Geschichte und Geschichtlichkeit von Sendung und Antwort in der Weise der Kreuz-Struktur Przywaras zeichnerisch nicht darzustellen gewesen wäre.

[315] Der Vergleich des oben S. 302f vorgelegten Schemas mit der Kreuz-Struktur Przywaras hilft also in seiner Weise, das Anliegen von 6.3.4.3 („Zu den Grenzen des Schemas") zu vertiefen.

dachte schematisierende Übersicht vor Verfestigung zu bewahren. *Auch und gerade das Beziehungsgefüge des graphischen Schemas darf nicht zum System werden.* Seine Funktion besteht nicht nur darin, das Infragestellen der Systeme durch Jesus auf die Offenheit der Agape hin und auf den je größeren Gott hin in seinen Implikationen und Zusammenhängen wissenschaftlich-rational überschaubar zu machen; vielmehr will das „Schema" ebendadurch *und darüber hinaus* als Versuch einer Zusammenschau der ganzen Arbeit (wie diese selbst) eine Hilfe bieten zu einem Glaubensvollzug, der der Offenheit Jesu Christi konform werden möchte – und zwar zum Glaubensvollzug vor allem derjenigen Christen, denen theologische Arbeit (in welcher Form auch immer) als ihr Dienst am Evangelium aufgetragen ist.

7. Zur Relevanz der jesuanischen und nachösterlichen „Spannungseinheit von Bejahung Gottes und Bejahung des Menschen“ für den Glaubensvollzug, für christliche Praxis und für Theologie

Man könnte versucht sein, das Folgende unter formalem Aspekt als einen bloßen Anhang zu betrachten. Das in Kapitel 1 gestellte Thema ist an sich mit Kapitel 6 abgeschlossen; im jetzigen Kapitel geht es nicht mehr im eigentlichen Sinn um „Strukturkomponenten als Kriterien“.
Aber wenn die Arbeit insgesamt das nachösterlich durchzuhaltende Jesuanische zu behandeln hat, sollte die Frage nach der Gegenwartsbedeutung, der „Relevanz“ dessen, was erarbeitet worden ist, nicht ausgeklammert bleiben. Vielleicht kann gerade in diesem letzten Kapitel noch manches gesagt werden, was das Thema der Kapitel 1-6 unter neuen, vertiefenden Aspekten sehen lehrt – so, daß sein andrängender, fordernder Charakter noch mehr zur Geltung kommt. Das gilt vor allem für das in 6.1 bereits signalisierte Anliegen, das Ganze des Christusglaubens und der „christologisch vermittelten Theologie“ in den Blick zu bekommen; es bezieht sich in dem jetzigen 7. Kapitel nicht nur auf den in den Kapiteln 1-6 dargebotenen theologischen Entwurf, sondern auf den Glaubensvollzug und das Engagement des Christen – und, was die Theologie angeht, ebenfalls darauf, daß sie Glaubens- und Lebensvollzug ist in ihrer Dienstfunktion für das evangeliale Werk Gottes (und in dessen Rahmen für die Kirche; vgl. unten 7.4).
Das jetzige Thema ist die Relevanz der *jesuanischen und nachösterlichen* Spannungseinheit von Bejahung Gottes und Bejahung des Menschen. Wie bisher schon in Kapitel 6 gezeigt werden konnte, lassen sich die theologischen Strukturen des Jesuanischen und des Nachösterlichen unter dem Aspekt „Spannungseinheit“ zusammenfassen. Mit Hilfe *dieser* Kategorie soll jetzt also versucht werden, die Gegenwartsbedeutung dessen herauszustellen, was in den früheren Kapiteln und in 6.1 bis 6.3 über die uns heute (im Neuen Testament und weiterhin in den verschiedensten Konkretionen) begegnende nachösterliche Transformation *und* ihre Rückbindung an Jesus von Nazaret und an den theologischen Kern des Auferweckungsglaubens gesagt werden konnte: Die Relevanz der Spannungseinheit von Anspruch Gottes und Geschenk der Freiheit – das ist die Relevanz des „Glaubens“ Jesu, der Verkündigung Jesu und letztlich Jesu Christi selbst.

7.1 Zur Relevanz für den grundlegenden Glaubensvollzug (I): Glaube in Gemeinschaft mit Jesus Christus als Offenheit für die Spannungseinheit von Bejahung Gottes und Bejahung des Menschen – und damit für den „Deus semper maior“

7.1.1 Der Glaube Jesu selbst ist Durchtragen der Polarität des Machtcharakters und des Erbarmenscharakters der absoluten Liebe und demzufolge von Bindung an Gott und Freiheit durch Gott.[1] Wenn der Jünger sich in diesen Glauben Jesu hineinziehen läßt, dann übernimmt er ebendadurch diese Polarität und trägt sie mit – in Solidarisierung und Gemeinschaft mit Jesus Christus.
Die Jünger Jesu können nicht einfach dadurch „glauben“, daß sie die Heilstat Gottes in Jesus „für wahr halten“, sondern wie Jesus nicht anders als im Durchtragen der Polarität: Sie „glauben“, indem sie die eigene Existenz auf den scheinbar so nebulosen und unwahrscheinlichen Grund des absoluten Geheimnisses (nicht: stellen, sondern:) stellen lassen, das in sich die grundlegende Polarität von Macht und Liebe birgt. Beide, Macht und Erbarmen, sind ja konstitutive Aspekte des göttlichen Lebens und Wirkens, denen Erfahrung und Erleben des Menschen in dieser Welt noch und noch widersprechen mögen, die den Glaubenden aber zu tragen imstande sind. Die Spannungseinheit von Anspruch Gottes und „radikaler“ Bejahung des Menschen anzustreben – das ist in diesem Sinne kein Patentrezept; es ist vielmehr das Sich-Stellen auf ein Geheimnis, es ist glaubend-liebend-engagiertes Bejahen von zwei Polen, die *wir* aus eigener Kraft nicht wirklich vereinigen können, die aber als zwei Aspekte des *einen* absoluten Geheimnisses glaubend-vertrauend geahnt werden können.
Um den Horizont schon hier über ein individualistisches Verständnis von Glauben hinaus zu weiten[2]: Das „Ja-Sagen“ („Bekennen“) zu Jesus als Artikulation des Glaubens bedeutet nicht einfach privates Übernehmen eines Glaubensbekenntnisses, sondern Solidarisierung oder Ablehnung der Solidarität mit Jesus. An *dieses* Ja- oder Nein-Sagen ist nach der synoptischen Tradition Rettung oder Verwerfung im Endgericht (und das heißt ja in letztgültiger Hinsicht: „vor Gott“) gebunden. Aber diese Solidarisierung mit Jesus vollzieht sich nicht durch ein bloß verbales Bekenntnis; vielmehr muß

[1] Vgl. oben 6.3.3.1 (bes. 6.3.3.1.2-3) und 6.3.3.3; grundlegend bereits 3.4.2-3 und 6.2.1 (bes. 6.2.1.3).
[2] Es wird noch weiteres darüber gesagt werden müssen (vgl. bes. 7.2.2.1 und 7.3.2).

sie im Kontext unserer jetzigen Überlegungen als *Übernahme und Mittragen der Polarität* bezeichnet werden, *die Jesus selbst durchträgt.*[3] Anders ist Solidarisierung mit Jesus nicht möglich – es sei denn in einer anfanghaften Weise, die noch offen ist für ein Fortschreiten zur vollen Gemeinschaft hin. Man kann sich mit Jesus nicht solidarisieren, wenn man sich von den „Zöllnern und Sündern" distanziert – wenn man nicht bereit ist, wie die „Zöllner und Dirnen", von denen Mt 21,31f spricht (vgl. Lk 7,29), und mit ihnen zusammen die Metanoia zu vollziehen.[4]
Die Jünger – und darüber hinaus alle, die Heilung und Rettung erwarten – sollen rückhaltslos Vertrauende, also „Glaubende" (bzw. „Betende") sein.[5] Die Anweisung an die Boten, die Jesus nach Israel aussendet,[6] verlangt den Verzicht auf das Sorgen[7] – und damit Vertrauen ohne Vorbehalt. Die Metanoia, die Jesus von allen fordert, ist der Sache nach das Einschwenken auf die Haltung des Kindes und des Armen[8] – und das bedeutet letztlich: auf die „Glaubens"-Haltung Jesu selbst, dessen Abba-Ruf alles andere als äußerliche Formel ist; er ist vielmehr konstitutiv für die vertrauende, glaubend-betende Hinwendung zu dem Gott, der in unbegreiflicher Einheit Herr und Vater ist.
Wenn Jesus die Jünger sein Gebet lehrt, dann will er sie dazu führen, sich nicht nur in diesem Abba-Ruf mit ihm zu solidarisieren, sondern ebenfalls – im Zuge der vertrauenden Hinwendung zu diesem „Vater" – auch in der Verantwortung für den „Namen" und für die Herrschaft (die identisch ist mit dem Sich-Durchsetzen des „Willens", nämlich des Erbarmungswillens) Gottes mit ihm solidarisch zu sein.
Gotteserfahrung der Jünger Jesu (im Sinne eines glaubend-vertrauenden Kontakts mit dem Geheimnis der Macht und Liebe, das Gott genannt wird) kann demzufolge nur in einem Vollzug zustande kommen, der in zweifacher Weise zu charakterisieren ist: Erfahrung Gottes durch den Jünger Jesu er-

[3] Von hier aus dürfte es möglich sein, einen Beitrag zu dem Problem zu leisten, das der Schuldcharakter des Unglaubens als der Verweigerung gegenüber Jesus darstellt; vgl. oben 6.1.2.1, Anm. 92.

[4] Diese Solidarisierung bzw. die durch sie bewirkte Gemeinschaft mit Jesus hat verschiedene Erscheinungsformen, je nachdem, welche Aufgabe der betreffende Mensch für Jesus und seine Botschaft sowie die Jüngergemeinschaft Jesu hat. Sie hat damit auch verschiedene Stufen oder Intensitätsgrade: von der Sendungs- und Dienstgemeinschaft mit Jesus bis zu der impliziten Solidarität derjenigen Menschen, die im notleidenden Mitmenschen Jesus selbst dienen, ohne es zu wissen (vgl. Mt 25,31-46; vgl. zur Verwendung dieser Stelle im Zusammenhang der Theorie vom anonymen Christentum *W. Thüsing*, Strukturen des Christlichen 112-115).

[5] Vgl. *H. Schürmann*, Worte des Herrn 164-179; *W. Thüsing*, Zugangswege 183f.232f.

[6] Lk 10,1-12 par; Mk 6,8 f parr.

[7] Hiermit ist das Verbot des Sorgens und Schätzesammelns (Lk 12,22-34 par Mt) zusammenzusehen.

[8] Vgl. Mt 18,3 im Zusammenhang mit Mt 5,3. (Ich fasse dabei die jeweils ersten Zeilen der matthäischen Makarismen als Interpretationen bzw. Konkretionen des Metanoia-Rufs auf.)

eignet sich (erstens) in der von Jesus vorgezeichneten und ermöglichten Einheit von Gottes- und Nächstenliebe; und sie kommt (zweitens) für den Jünger nur zustande, wenn er sich in die Jesusnachfolge hineingibt und sich in ihr engagiert (und so zu einer Einheit von jesuanischem Glauben[9] und Liebe hinfindet). Man kann nicht auf Gotteserfahrung warten, um dann erst die Entscheidungsforderung Jesu anzunehmen, mit anderen Worten: um sich dann erst für die radikale, durch das Kreuz Jesu ermöglichte Mitmenschlichkeit als Konsequenz seiner Theozentrik zu entscheiden.[10] Vielmehr ist es umgekehrt bzw. (richtiger:) liegt ein gegenseitiges Bedingungsverhältnis vor: Sinnerfahrung, Gotteserfahrung auf der einen Seite und Engagement für Jesus auf der anderen Seite bedingen einander. Man wird „Gott" im Sinne Jesu nur dann erfahren, wenn man sich entschließt und engagiert, seinen „Glauben" mitzuleben – und letztlich nur dann, wenn man sich auf seinen Nonkonformismus[11] einläßt, der mit seinem „Glauben" gegeben ist. Dieser Glaube führt gerade dann, wenn er sowohl Gott als auch die Menschen nonkonformistisch-radikal bejahen will, in die Spannungssituation – und letztlich zu Verwundung und „Kreuz".[12]

7.1.2 Für dieses grundlegende, als Durchhalten der jesuanischen Spannungseinheit aufgefaßte Glaubensverständnis ist die Unterscheidung von „Emunā" und „Pistis" hilfreich.[13]
Die nachösterlichen Realisierungsweisen des Anspruchs Gottes und die nachösterlichen Aufgaben, die das Geschenk der Freiheit stellt, müssen ge-

[9] Als glaubendes Vertrauen auf Gott in Bindung an Jesus aufgefaßt – in Kommunikation mit dem „Glauben" Jesu selbst (vgl. *W. Thüsing*, Zugangswege 211-222).

[10] Vgl. *W. Thüsing*, a.a.O. 189.

[11] Gegenüber den bestimmenden Kräften seiner jüdischen Umwelt (vgl. oben 3.2.1).

[12] Zum Schluß dieses Abschnitts möchte ich wenigstens anmerkungsweise einen Text aus dem Hebräerbrief heranziehen; auch eine so späte Stelle wie dieser Vers kann eine heuristische Funktion für das Erfassen dessen haben, was in der Jesustradition vorliegt.
Nach Hebr 12,2 ist Jesus *archēgòs tēs pisteōs* („Anfänger" bzw. „Anführer" des Glaubens). Im Zusammenhang der Theologie des Hebräerbriefs bedeutet das (erstens): Jesus ist der, der selbst „geglaubt" hat – das heißt entsprechend dem Pistis-Begriff des Hebräerbriefs: der unter Anfechtungen das „Standhalten" bewährt hat im Blick auf den verheißenden Gott. In diesem Sinn ist Jesus *archēgòs tēs pisteōs*: derjenige, der mit dem Glauben angefangen hat.
(Zweitens:) Jesus ist derjenige, der die Gemeinschaft seiner Brüder in dieser Pistis anführt (der *archēgós* als ihr Anführer ist) – so daß eine Gemeinschaft des Glaubens zustande kommt, in der der „Glaube" Jesu Ursprung, Norm und Vollendungshoffnung des Glaubens der anderen ist. Die Beziehung des Glaubens zur Vollendungshoffnung ist durch den zweiten Begriff in Hebr 12,2 gekennzeichnet: Jesus ist auch *„Vollender"* des Glaubens. Mit diesem Begriff des „Anführers und Vollenders des Glaubens" vermag der Hebräerbrief den Sachverhalt zu erfassen, der (teils explizit, teils implizit) schon in der synoptischen Jesustradition vorliegt.

[13] Nach *M. Buber* (Zwei Glaubensweisen), der diese Unterscheidung in die theologische Diskus-

rade in ihrer Spannung als Bewährungsprobe des Glaubens erkannt werden (und das Suchen der Spannungseinheit als „innere Struktur" des Glaubensvorgangs) – damit dieser Glaube für den „Deus semper maior" geöffnet ist. Die Emunā (als „Du-Glaube" und deshalb als Glaube und Vertrauen auf den verheißenden Gott) zielt auf das „Ganze" (mitsamt der Spannungseinheit des Ganzen und in der Weise dieser Spannungseinheit). Die „Pistis" könnte demgegenüber zwar (würde sie einseitig als Für-wahr-Halten von Glaubenstatsachen verstanden) zu Engführungen tendieren. Jedoch hat diejenige Komponente der neutestamentlichen Pistis, die mit „Daß-Glaube" angesprochen ist, für den Christen in erster Linie einen unverzichtbaren positiven Sinn: insofern sie das Heilshandeln Gottes in Jesus Christus bejaht. Sie muß freilich – soll dieser positive Sinn unverzerrt zur Geltung kommen – in die Emunā eingebunden sein: Die Emunā strebt – indem sie sich auf das Du des unbegreiflichen Gottes richtet – das Ganze an; und innerhalb dieses Anstrebens des Ganzen integriert sie die Pistis.[14]
Eine auf das Ganze zielende Emunā *muß* die „Pistis" mitumgreifen: Die christlich legitime und im Neuen Testament auch faktisch vorhandene Synthese von „Emunā" und „Pistis" (besser: von „Glaube als Kommunikation" und „Glaube als Akzeptation"[15]) ist darin gegeben, daß der neutestamentlich Glaubende hineingenommen wird in die Emunā Jesu; und zwar geschieht dieses Hineingenommenwerden durch das Bekenntnis, daß Gott den gekreuzigten Jesus von den Toten auferweckt hat: Eben durch dieses Bekenntnis wird das Ja zur „Gemeinschaft" mit Jesus ausgesprochen.[16]
Worin liegt also die Chance christlichen Glaubens? Die Antwort muß auch hier lauten: im Anstreben der Spannungs*einheit* von Bejahung Gottes und Bejahung des Menschen – und damit des Ganzen des Evangeliums.

sion eingeführt hat, stehen einander zwei, und letztlich nur zwei Glaubensweisen gegenüber, die er „Emunā" und „Pistis" nennt. „Emunā" bedeutet, daß ich zu jemandem Vertrauen habe, ist „Vertrauensverhältnis" (Du-Glaube), während „Pistis" ein Anerkennungsverhältnis ist (daß ein Sachverhalt als wahr anerkannt wird: „Daß-Glaube"). Nach M. Buber ist durch Emunā und Pistis der Unterschied, ja Gegensatz des alttestamentlichen und neutestamentlichen Glaubens gekennzeichnet, wobei er Jesus eindeutig auf die Seite des Alten Testaments stellt (vgl. *W. Thüsing*, Zugangswege 137f.230-233; *J. Blank*, Paulus und Jesus 111-123).

[14] Freilich müßte auch das Umgekehrte gesagt werden: Eine einseitig und verabsolutierend verstandene Emunā, die Gott von seinem Heilshandeln trennen würde, könnte ebenso zu Engführungen gelangen.

[15] In Umformung einer Ausdrucksweise von M. Buber in „Zwei Glaubenweisen" 6f, der die Kommunikation – er verwendet das Wort „Kontakt" – primär der *alttestamentlichen* Emunā zuweist und die „Akzeptation" als primär charakteristisch für die „neutestamentliche" Pistis ansieht. Da ich die Bubersche antithetische Gegenüberstellung von Emunā und Pistis nicht übernehmen kann und dem neutestamentlichen Glauben beide Aspekte zuweise, gebrauche ich hier „Glaube" (durchaus im Sinne der neutestamentlichen Pistis) als Oberbegriff.

[16] Vgl. *W. Thüsing*, Zugangswege 231.

Eine Gegenfrage sollte noch zu Wort kommen: Warum sehen wir die Chance nicht im „credere in ecclesia", also in dem streng an die Glaubensgemeinschaft „Kirche" gebundenen Glaubensvollzug? Die Berechtigung der hiermit angedeuteten Position auf *ihrer* Ebene soll nicht bestritten werden. Aber wir haben es zufolge unserer Aufgabenstellung mit einer anderen – wenn man so will, vorgeschalteten – Ebene[17] zu tun, auf der die letztgenannte (ekklesiologische) Antwort vorschnell und für sich genommen nicht tragfähig wäre.

Letztlich konvergiert beides: der Glaube an das Ganze des Mysteriums in seiner durch die Spannungseinheit bestimmten Dynamik und das an die Glaubensgemeinschaft „Kirche" gebundene „credere": Der Glaube im Sinn der Kirche *kann* kein anderes Objekt haben als ebendieses Ganze des Mysteriums.

Die Emunā, die die Pistis umgreift, ist gerade zufolge der jetzt dargelegten Auffassung das Infragestellen der von Menschen gemachten Gottesbilder: Sie schließt die engagierte Bemühung ein, sich der Versuchung zur Absolutsetzung und Engführung eines der Spannungspole zu widersetzen – indem jede solche Akzentsetzung transzendiert wird auf den Gott, der je und je größer ist als unser Begreifen.

7.2 Zur Relevanz für den grundlegenden Glaubensvollzug (II): Schöpfungsbejahung und (nachösterliche) „Jesusnachfolge"

(„Bejahung des Menschen" als Schöpfungsbejahung – im Kontrast zur Jesusnachfolge als spezifisch-unbedingter „Bejahung Gottes")

7.2.1 Zur Fragestellung und zu den Begriffen

7.2.1.1 Vorbemerkung zum Stellenwert des Themas

Meine Fragestellung in diesem Abschnitt (und damit das neue Thema) lautet: Wodurch ist es bedingt, daß die Polarität von „Ja zu Gottes Ja zum Men-

[17] „Vorgeschaltet" ist diese Ebene in dem Sinn, daß sie im Vollzug eines bestimmten Dienstes innerhalb der Glaubensgemeinschaft „Kirche" (nämlich im Vollzug des Dienstes an der „Rechtfertigung der Hoffnung, die in uns ist", 1 Petr 3,15) eine Priorität besitzt, dann aber freilich auf die anderen Ebenen des Weges zum Glauben einwirken muß.

schen“ (als einer Bejahung des Menschen in seiner gesamten, schöpfungsmäßig vorgegebenen Wirklichkeit) und „Ja zum Anspruch Gottes in der Jesusnachfolge“ *nachösterlich* zum Problem werden kann – und wie vermag die theologische Konzeption der „Spannungseinheit von Bejahung Gottes und Bejahung des Menschen“ der Bewältigung dieser Problematik und damit dem grundlegenden Glaubensvollzug zu dienen?
Es erscheint vielleicht nicht von vornherein selbstverständlich oder gar zwingend, daß das Problem „Schöpfungsbejahung und ‚Jesusnachfolge‘ “ überhaupt in die zusammenfassenden Überlegungen zur „Spannungseinheit von Bejahung Gottes und Bejahung des Menschen“ und zum „grundlegenden Glaubensvollzug“ aufgenommen wird. Jedoch scheint mir gerade dieses Thema eine kaum zu überschätzende Bedeutung für unsere Überlegungen zu besitzen. Die Frage nach dem Leben in der jesuanischen Spannungseinheit von „Ja zur Gottheit Gottes“ und „Ja zum Menschen“ erhält, wenn ich recht sehe, vor allem dann die volle Schärfe ihrer Konturen, wenn wir dem Thema *diese* Version geben; denn vor allem hier kann sein Anspruch und seine Pervertierbarkeit scharf in den Blick gelangen. Gerade in diesem Problemkomplex „Schöpfungsbejahung und ‚Jesusnachfolge‘ “ verschränken sich Glaubensvollzug und Lebensvollzug gegenseitig; es geht um Praxis, gewissermaßen um „hautnahe“ Praxis, mehr noch: um eine grundlegende und entscheidende Konkretion. Gerade hier muß sich das Prinzip der Spannungseinheit von Bejahung Gottes und Bejahung des Menschen als theologisches Schlüsselprinzip bewähren. (Ferner muß das fundamentale methodische Postulat des hier vorgelegten Entwurfs, daß der jesuanisch-theologische Befund und die nachösterliche „Transformation“ in Differenzierung *und* Zusammenschau zu erfassen seien,[18] zur Geltung kommen.)
Das Thema „Schöpfungsbejahung und ‚Jesusnachfolge‘ “ wird damit zu einer spezifisch nachösterlichen Konkretisierung des Themas „Bejahung des Menschen bzw. der Humanität – und Bejahung der Theozentrik“. Der Begriff „Schöpfungsbejahung“ zielt in diesem Zusammenhang einen zentralen Aspekt im „Ja zu *Gottes* Ja zum Menschen“ an, ohne das dieses nicht wirklich Konformität mit *Gottes* Humanität wäre. Davon, ob Christen *dieses* Problem „Schöpfungsbejahung und ‚Jesusnachfolge‘ “ und seine von Jesus her vorgegebene Schärfe erfassen, hängt es auch ab, wie ihre Jesusnachfolge sich zum Engagement für die Humanisierung der gesellschaftlichen Strukturen verhält. Denn was hier mit „Bejahung der gegenwärtigen Schöpfung“ gemeint ist, stellt ja – in einer Ausdrucksweise, die theo-logisch vom Schöpfer (im biblischen Sinn) ausgeht – das Ziel jenes Engagements dar.[19]

[18] Vgl. die These oben 2.1-3.
[19] Es kann hier nicht die Absicht sein, den Äußerungen zum Thema „Weltbejahung des Christen“

Um den prinzipiellen Fragepunkt schärfer in den Blick zu bekommen, soll zunächst versucht werden, die beiden Begriffe „Schöpfungsbejahung“ und „Jesusnachfolge“ im Rahmen ihrer theologischen Zusammenhänge und vor allem im Zusammenhang der „Spannungseinheit von Bejahung Gottes und Bejahung des Menschen“ zu sehen.

7.2.1.2 Zum theologischen Kontext des Begriffs *„Schöpfungsbejahung“*

7.2.1.2.1 Zum Verständnis des Begriffs

Die Schöpfungsbejahung, wie sie hier gemeint ist, vollzieht Gottes Ja zum Menschen, zu seinem Glück und der ihn erfüllenden Aufgabe innerhalb der gegenwärtigen Schöpfung mit, also *schon jetzt*; trotz aller Vorläufigkeit, Endlichkeit und Bedrohtheit seines schöpfungsmäßigen Lebens in der Welt darf der Jünger Jesu diesen Pol der Spannungseinheit nicht leugnen oder abschwächen.

Aus diesem grundlegenden „Ja zu Gottes Ja zum Menschen“ ergibt sich auch das Ja zum Geschenk der Freiheit und zu einer recht verstandenen (dialogischen bzw. kommunikativen) „Selbstverwirklichung“[20] – und zwar ebenfalls, insofern dieses Geschenk *schon jetzt* (wenn auch in aller Bedrohtheit von außen und innen, *inmitten* des Leidens an den anderen und sich selbst) gegeben wird. Das Stichwort „Selbstverwirklichung“ bezeichnet, in *diesem* dialogischen und kommunikativen Kontext verstanden, eine legitime Variante der „Selbstliebe“, die in der synoptischen Jesustradition zum Maßstab der Nächstenliebe erklärt wird.[21] Der Mensch, der das „Geschenk der Freiheit“ und damit die Chance der Persönlichkeitsentfaltung (als einer dialogischen, alle zwischenmenschlichen Bezüge einschließenden „Selbst-

eine weitere Variante hinzuzufügen; es gilt vielmehr, dieses Thema in den Rahmen der bis jetzt entwickelten Konzeption der jesuanischen „Spannungseinheit von Bejahung Gottes und Bejahung des Menschen“ zu stellen bzw. auch umgekehrt von dem jetzigen Thema her die Konzeption der Spannungseinheit neu zu bedenken.
Zum Thema „Weltbejahung des Christen“ vgl. *A. Auer*, Weltoffener Christ; *J.B. Metz*, Zur Theologie der Welt 11-45. (Trotz des inkarnationstheologischen Ansatzes bei Metz, den ich von den neutestamentlichen Ursprungsstrukturen her, die in diesem Band das Grundthema sind, nicht entwickeln kann, berührt sich das Folgende im Anliegen mit dem von Metz [vgl. vor allem a.a.O. 37-45].) Vgl. auch *K. Rahner,* Glaube, der die Erde liebt, bes. 63-68 (= den Abschnitt, von dem der Titel des ganzen Bändchens genommen ist): Zur Relevanz der Osterbotschaft für die Bejahung dieser Erde. Von neutestamentlicher Seite vgl. *R. Schnackenburg*, Christliche Existenz I, 181-186.

[20] Die Adjektive „dialogisch“ und „kommunikativ“ kennzeichnen die hier gemeinte „Selbstverwirklichung“ als Gegensatz zu einem egozentrisch pervertierten Verständnis des Begriffs. Die hier gemeinte „kommunikative Selbstverwirklichung“ entspricht dem von *K. Rahner* (Art. Anthropozentrik, in: LThK I, 632f) an zweiter Stelle genannten positiven Sinn von Anthropozentrik. Vgl. auch oben 6.3.3.3.2.

[21] Mk 12,31 parr.

verwirklichung"), soweit sie schon jetzt gegeben ist, dankbar bejaht, steht von daher in der Haltung des „Leben-Wollens", das (zumindest vordergründig) als Gegensatz der „Kreuzesnachfolge" (vgl. Mk 8,34f) als einer Bereitschaft zum Sterben[22] erscheint; er verleugnet nicht den schöpfungsmäßig in ihn hineingelegten Wunsch, glücklich zu sein, und zwar schon im gegenwärtigen Leben. Auch in dieser Hinsicht darf „Schöpfungsbejahung" zwar personal, aber nicht individualistisch verstanden werden; bei der Bejahung der guten Geschenke des Schöpfers sind nicht nur die Chancen des gesellschaftlich relevanten Handelns in seiner Schöpfung mitzudenken, sondern darin und darüber hinaus ist das Ja zu einer universalen Solidarität[23] mitzuvollziehen.

7.2.1.2.2 Schöpfungsbejahung bei Jesus von Nazaret

Wenn zum Wirken Jesu das Schenken von Freiheit bzw. die prophetisch-radikale Bejahung des Menschen als *einer* der beiden Spannungspole unverzichtbar hinzugehört (trotz des Wissens Jesu um Leid, Krankheit, Tod, Sünde – bis hin zu der Gefahr des Scheiterns vor Gott), so schließt das auch die Bejahung der Schöpfung und der Freiheit und Freude für den Jünger Jesu selbst ein. Jesus hat im Zusammenhang seines Gewährens von Gemeinschaft an Festen teilgenommen. Die Bejahung von schöpfungsmäßiger Freude ist ganz selbstverständlich und – meist unbetont – darin eingeschlossen. Die Basileia-Verkündigung ist ihrem Wesen nach Schöpfungsbejahung – und zwar nicht nur Bejahung der zukünftig-vollendeten Schöpfung, sondern auch schon des gegenwärtigen Äons[24]: insofern die Basileia – als Vollendung der guten Schöpfung Gottes – durch das Wirken Jesu in den gegenwärtigen Äon hinein vorstößt. Denken wir in diesem Zusammenhang an die Krankenheilungen Jesu, an seine offenbar charakteristische Bereitschaft, Gemeinschaft auch in gemeinsamen Mahlfeiern sichtbar werden zu lassen, so daß er seinen Zeitgenossen keineswegs als Asket erschien[25]. Bei Jesus ist die Basileia Gottes auch unter diesen Aspekten keinesfalls nur apokalyptisch geprägt, während in den einseitigen Formen von Apokalyptik der „kommende Äon" und eine auf den jetzigen Äon bezogene Schöpfungsbejahung kaum etwas gemein hätten. Die Mitte der von Jesus gewollten Schöpfungsbejahung

[22] Davon wird unten in 7.2.2.2 noch ausführlicher die Rede sein müssen.

[23] Vgl. *J.B. Metz*, Glaube 204-211; *H. Peukert*, Wissenschaftstheorie (bes. 301f.323); s. unten 7.2.2.1.

[24] Das gilt auch für die „Umwertung aller Werte" durch die Basileia-Verkündigung Jesu (s. unten 7.2.2.1), die primär futurisch-eschatologisch konzipiert ist, aber wie das Wirken Jesu überhaupt bereits dynamisch in diese jetzige Weltzeit hineinwirken soll.

[25] Vgl. Lk 7,34 par Mt 11,19.

ist – in *seinem* Sinn verstanden – die Nächstenliebe (bis hin zur Feindesliebe).[26]

Freilich muß im folgenden auch das andere bedacht werden: die harten apokalyptisch gefärbten Worte, die die jetzige Schöpfung abzuwerten scheinen, und in ihrem Zusammenhang die Härte der Nachfolgeforderung.

7.2.1.3 Zum theologischen Kontext des Begriffs *„Jesusnachfolge"*

Zunächst ist der jesuanische Begriff „Nachfolge" herauszustellen, bevor – in einem zweiten Schritt – nach einem möglichen nachösterlichen Sinn des Begriffs gefragt werden kann.

7.2.1.3.1 Nachfolge – jesuanisch

Der Ruf Jesu zur Nachfolge[27] ist eine der spezifischsten Konkretionen seines Anspruchs, daß in seiner Person die Basileia Gottes in diese Weltzeit hinein vorstößt, und damit Konkretisierung des Anspruchs Gottes selbst. Nur von hier aus ist zu erkennen, worin die letztgültige Motivation für die Härte des jesuanischen Nachfolgeanspruchs[28] besteht. In dieser Konkretisierung des Anspruchs Gottes reflektiert sich die „Gottheit Gottes": des Gottes Jesu Christi, der Herr ist und Vater, des Gottes, der schenken will *und* Richter ist.[29] Die Spitze dieses Sachverhalts in Richtung auf den in der Bindung an Jesus stehenden Jünger besteht darin, daß dieser die Bedrohtheit des Menschen und das Gericht Gottes akzeptiert[30] sowie die Nachfolge als *den* Weg aus der Bedrohung heraus und *den* Weg zur Bereitung der eschatologischen Basileia erkennt – für sich und für die anderen, denen er in der Nachfolge zu dienen hat.[31] Der Jünger Jesu stellt sich hinein in das eschatologische Geschehen, in dem Gott alle Werte umwertet. In letzter Konsequenz liegt die

[26] Daß die Jesusnachfolge und die Ganzheit und Fülle der Schöpfung zusammengehören, ist innerhalb der Verkündigung Jesu prinzipiell in der Verknüpfung der Botschaft von der Herrschaft Gottes (die in Jesus in diese Weltzeit hinein vorstößt) mit der „Radikalisierung" des Liebesgebots angelegt; s. unten 7.2.2.1 (auch 7.2.2.5).

[27] Vgl. oben 3.8.2.2 mit Anm. 107; auch 3.2.3.

[28] Vgl. Lk 9,57-62 par Mt; Lk 14,26.27 par Mt; Lk 14,28-32; vgl. *A. Polag*, Christologie 84-86.

[29] Die Worte von der Schicksalsgemeinschaft des Jüngers mit Jesus bilden schließlich – in der Rangordnung nicht zuletzt – einen Hinweis darauf, daß die „Bejahung der Gottheit Gottes" wie die „Bejahung des Menschen" im Tod Jesu und entsprechend in der Bereitschaft der Jünger, ihm auf diesem Weg zu folgen, ihren Kulminationspunkt haben; vgl. oben 3.9.2.

[30] Vgl. oben 3.5.2.2 und unten 7.2.2.1.

[31] Insofern der Jünger den Menschen zu dienen hat, denen Jesus die Basileia-Botschaft bringen will, gehört selbstverständlich die jesuanische „Bejahung des Menschen" auch zur Aufgabe des Jüngers; jedoch liegt der Akzent bei den Nachfolgeworten als solchen auf der spezifischen Konkretisierung des „Anspruchs Gottes".

Spitze, die auf den Jünger selbst zielt, in der Forderung des „Nein-Sagens zu sich selbst" (Mk 8,34) und im Sterben um des Lebens willen – im Sinn von Mk 8,35: „Wer sein Leben retten will, wird es verlieren; wer sein Leben um meinetwillen und des Evangeliums willen[32] verliert, wird es retten."[33]

7.2.1.3.2 „Jesusnachfolge" – nachösterlich

In diesem Punkt gelangen wir zu dem in der Gegenüberstellung „Schöpfungsbejahung – ‚Jesusnachfolge' " recht eigentlich anvisierten, für die Zeit der Erhöhung Jesu geltenden Sachverhalt.
Das vorösterliche Verständnis der Nachfolgegemeinschaft des Jüngers mit Jesus von Nazaret – in dem Sinn, daß die Jünger im wörtlichen Sinn auf den Wegen Galiläas hinter Jesus hergehen und nicht nur seine Sendung, sondern auch sein Leben teilen – mußte nachösterlich transformiert werden zur Gemeinschaft mit dem erhöhten Jesus Christus. Diese Transformation[34] der spezifischen Nachfolgegemeinschaft[35] verbindet sich jetzt mit der Transformation der vorösterlichen Solidarisierungsgemeinschaft mit Jesus, zu der alle in Israel gerufen sind,[36] und gewinnt dadurch ekklesiologische Dimensionen.[37]
Unter „Jesusnachfolge" verstehe ich in diesem nachösterlichen Zusammenhang zunächst einen Existenzvollzug, der mit dem Leben *glaubender* Menschen zusammenfällt;[38] „Jesusnachfolge" ist in diesem Sinn prägnantes Synonym für „Glauben an Jesus und in Gemeinschaft mit Jesus" bzw. für „Leben im Christusglauben"; dementsprechend meine ich mit „Jesusnachfolge" das Leben, das die Glaubenden in konkret sich auswirkender Gemeinschaft mit dem erhöhten Jesus Christus[39] führen. Im Nachfolgebegriff der synoptischen Jesustradition „liegen ursprünglich Heil und Beruf unge-

[32] Ob nicht nur „um des Evangeliums willen", sondern auch „um meinetwillen" nachösterlicher Zusatz ist (so *R. Pesch*, Das Markusevangelium II z.St.), muß hier dahingestellt bleiben. Der Spruch würde auch ohne diese Zusätze im Zusammenhang der Entscheidungsforderung und vor allem des Nachfolgerufs Jesu stehen.

[33] Vgl. zu diesen Stellen unten 7.2.2.2.

[34] Vgl. *A. Schulz*, Nachfolgen 180: Für die Christenheit zur Zeit des Neuen Testaments „gibt es deshalb ... nur noch eine mögliche Christusgemeinschaft, die mit dem verherrlichten Herrn Jesus ...".

[35] Vgl. die Strukturkomponenten 16 und 17 (T).

[36] Strukturkomponente 15 (J), s. oben 3.8.2.1.

[37] Vgl. oben 5.4.4.2.

[38] Vgl. *A. Schulz*, Nachfolgen 147f: Die Wortgruppe „glauben, Glaube, gläubig" „nimmt unter den Äquivalenten für *mathetēs* [Jünger] einen ausgezeichneten Platz ein"; im Johannesevangelium wird „nachfolgen" ein Synonym für „glauben" (a.a.O. 172-176).

[39] Vgl. oben 5.4.4.2 (und 5.4.4.4) im Zusammenhang mit 5.3.3.1; 5.3.3.4 und 5.3.6, bes. 5.3.6.5. Nachösterliche „Jesusnachfolge" ist nicht einfach „Nachahmung Jesu", sondern primär Dienst- und Schicksalsgemeinschaft mit Jesus.

trennt ineinander"[40]; und auch nachösterlich sind in einer legitimen Transformation der synoptischen Jesusnachfolge eigenes Heil des Jüngers in der Christusgemeinschaft und Dienstgemeinschaft mit Jesus für das Evangelium grundsätzlich verbunden; jedoch wird die Auffächerung in verschiedene Charismen (vor allem bei Paulus) deutlich. Dabei kann freilich (um das schon hier zu sagen[41]) das mit „Jesusnachfolge" Gemeinte und seine Problematik bei solchen Christen besonders signifikant werden, die zu spezifischen Charismen bzw. Funktionen gerufen sind.

Der Begriff „Jesusnachfolge" in diesem Sinn ist jedoch trotz der Auffächerung in Charismen grundsätzlich auf jeden glaubenden Menschen zu übertragen, weil jeder den Geist bzw. die Gemeinschaft mit dem erhöhten Jesus empfängt; die hier gemeinte nachösterliche Transformation von „Nachfolge" ist identisch mit dem gelebten Glauben aller Jünger, die als Gesamtheit (und je nach ihrem Charisma auch als einzelne) verantwortlich sind für die Weitergabe des Evangeliums.[42]

Was die nachösterliche Transformation der jesuanischen Nachfolge angeht, vermag ich also nicht prinzipiell zwischen zwei Klassen von Christen zu unterscheiden – von denen die einen dem Gekreuzigten „nachfolgen", indem sie um der Basileia willen leiden, und die anderen dadurch, daß sie ihr Leben „nur" als Zugehen auf ihren eigenen Tod bejahen.[43] Vielmehr verschränkt sich beides, weil die Jüngergemeinschaft als ganze in Gemeinschaft mit Jesus Christus proexistent ist für die Welt.[44]

Das Wort „Jesusnachfolge" ist in dem hier in Frage stehenden, auch für die nachösterliche Christusgemeinschaft geltenden Sinn bewußt beibehalten

[40] *A. Schulz*, Nachfolgen 186.

[41] Vgl. unten Anm. 44.

[42] Vgl. *W. Thüsing*, Aufgabe der Kirche 66-72.74f.

[43] Vgl. *K. Rahner*, Selbstverwirklichung und Annahme des Kreuzes, in: Schriften VIII 322-326, der den Zusammenhang zwischen dem Sich-Loslassen „in den Abgrund des Geheimnisses des Daseins hinein" (325) und der Annahme des eigenen Kreuzes durch den glaubenden Christen aufzeigt.

[44] Vgl. oben 5.4.4.5 (und Strukturkomponente 16 [T]). Ich muß mich also gegen eine solche Aufspaltung (und damit auch gegen eine prinzipielle Aufspaltung zwischen einer Spiritualität für Kleriker und Ordensleute und einer Spiritualität für „Laien") aussprechen – ganz unbeschadet der Tatsache, daß die verschiedenen Charismen ihre je spezifischen Möglichkeiten und Besonderheiten haben, daß sie bejaht und dem je einzelnen Charismenträgern und ihren Gruppen unversehrt belassen werden müssen. Die „Nachfolge" ist keineswegs streng und ausnahmslos an eine äußerlich wahrnehmbare Funktion gebunden.
Trotzdem wird man sagen können, daß die Problematik „Schöpfungsbejahung und Jesusnachfolge" oft recht deutlich als typisches Problem derjenigen Christen offenkundig wird, die sich im Rahmen kirchlicher Institutionen in eine spezifisch geprägte Form der „Nachfolge" hineinstellen. Doch was in diesen spezifischen Formen der „Nachfolge" deutlich, nicht selten überdeutlich werden kann, gilt doch grundsätzlich für den Jünger Jesu als solchen.

worden (wenn auch in Anführungszeichen), um die bleibende Gültigkeit und Wirksamkeit des unbedingten jesuanischen Anspruchs anzudeuten und darauf hinzuweisen, daß der jesuanische Ursprung gerade hier nicht aus dem Auge gelassen werden darf. Übrigens ist im Laufe der Kirchengeschichte bei einer ganzen Reihe von Charismenträgern eine mehr oder weniger ausgeprägte Tendenz zu erkennen, wieder zum Ursprungs-Sinn der vorösterlichen Jesusnachfolge vorzudringen; als Beispiel braucht hier nur Franz von Assisi genannt zu werden. Gerade weil der Nachfolge-Ruf Jesu von Nazaret auch nachösterlich „bleibt" und weiterwirkt, erscheint mir das jetzige Thema so unentbehrlich: denn die Sicht des Ganzen (des Ganzen aus den jesuanischen und den nachösterlich-transformatorischen theologischen Strukturen) als Spannungseinheit ist gefährdet, wenn der Akzent zu einseitig auf nachösterliche, vielleicht defiziente Ausdrucksformen der Bindung an Jesus und des Weiterwirkens der „Nachfolge" gelegt wird – auf Ausdrucksformen, hinter denen das Jesuanische und damit auch das Alte Testament zurücktreten oder verblassen könnten.
Mit „Jesusnachfolge" ist hier also eine Haltung der Konformität des nachösterlichen „Jüngers" mit Jesus Christus gemeint, in die die Unbedingtheit der vorösterlichen Nachfolge integriert ist (die ihrerseits der Unbedingtheit des Nachfolgerufs Jesu von Nazaret entspricht). Ist die nachösterliche Gemeinschaft mit Jesus, die durch das Pneuma vermittelt wird (und in der Jesus in der Weise Gottes selbst mit dem glaubenden Menschen verbunden ist [und umgekehrt]), für den nachösterlichen Jünger die zentrale Wirklichkeit, dann entsprechen ihre Ausdrucksformen nicht nur einer „Ersatzvorstellung"[45] für die Nachfolge; vielmehr kann (und muß) in ihnen die theologische Spitze der vorösterlichen Nachfolge lebendig wirksam bleiben.

7.2.1.4 Der Fragepunkt

7.2.1.4.1 Überleitung: „Jesusnachfolge" als Kontrast zur Schöpfungsbejahung

Recht unterschiedliche, ja gegensätzliche Texte – einer aus dem Neuen und eine Reihe von Zitaten aus dem Alten Testament – bieten die Möglichkeit, den hier mit der Gegenüberstellung „Jesusnachfolge – Schöpfungsbejahung" gemeinten Kontrast anschaulicher zu machen – wobei diese Zusammenstel-

[45] Der Ausdruck „Urchristliche Ersatzvorstellungen" für das im wörtlichen Sinn nicht mehr mögliche jesuanische „Nachfolgen" (bei *A. Schulz*, Nachfolgen 180-195 durchaus positiv und keineswegs herabmindernd gebraucht, beispielsweise für die paulinische Christusgemeinschaft) dürfte kaum adäquat sein.

lung von Texten nicht den Anspruch erheben will und kann, das gesamte Problemfeld abzudecken. Die Texte sind so ausgewählt, daß ein scharfer Kontrast unter einem ganz bestimmten Aspekt hervortreten kann: Auf der einen Seite zeigt sich äußerste Zielgerichtetheit auf Jesus Christus hin, auf der anderen ein in sich selbst – gewiß „vor Jahwe" – pulsierendes schöpfungsmäßiges Leben.

Phil 3,7-14: „Was mir als Gewinn erschien, das erachte ich um des Christus willen für Schaden[46] ... um Christus zu gewinnen und in ihm erfunden zu werden ... ihn zu erkennen und die Kraft seiner Auferstehung und die Gemeinschaft mit seinen Leiden ... Ich jage [diesem Ziel] nach, ob ich es wohl erlange ... Was hinter mir liegt, vergesse ich und strecke mich aus nach dem, was vor mir liegt ... "

Auf der alttestamentlichen Seite bin ich nicht in der Lage, das, was ich unter „Schöpfungsbejahung" verstehe, in ähnlicher Prägnanz und Signifikanz (und zwar im Kontrast zur *Zielgerichtetheit* der „Jesusnachfolge") durch einen einzigen Text wiederzugeben; ich weise auf eine Reihe von Texten hin, vor allem aus der Weisheitsliteratur[47]: Koh 9,7.9: „... iß fröhlich dein Brot und trinke wohlgemut deinen Wein; denn von jeher gefällt es Gott, wenn du so tust ... Genieße das Leben mit der Frau, die du liebst, all die Tage deines Windhauch-Lebens, die Gott dir gegeben unter der Sonne"[48]; Hl 8,6: „Stark wie der Tod ist die Liebe ... ihre Brände sind Feuerbrände, sind Flammen Jahwes"; Sir 32,6.13: „Eine Füllung von Gold und ein Siegel von Smaragd ist der Klang der Lieder bei köstlichem Wein ... preise deinen Schöpfer für all dies, der dich so reichlich gelabt mit seinen Gütern."[49]
Alle diese Stellen sind theologisch (wenn auch nicht traditionsgeschichtlich) unter dem Vorzeichen des „Schöpfungsbefehls" von Gen 9,7 zu sehen: „Werdet fruchtbar und mehret euch, erfüllt die Erde und macht sie euch untertan" – bzw. unter dem Vorzeichen der grundsätzlichen und grundlegenden Schöpfungsbejahung Gottes, der der Glaube des priesterschriftlichen Autors konform sein will: „Und Gott sah alles, was er gemacht hatte, und siehe, es war sehr gut" (Gen 1,31).

In dem Paulustext sehen wir einen Ausdruck der nachösterlichen „Jesusnachfolge", des Anstrebens der Gemeinschaft mit dem gekreuzigten und auferweckten Jesus Christus, der an Intensität der Ausrichtung auf dieses Ziel im Neuen Testament kaum überboten werden dürfte[50]: auf das Ziel, das die Schicksalsgemeinschaft (und für Paulus ohne Zweifel damit verbunden:

[46] Schon hier, bei der Zitation, muß angemerkt werden, daß der Text nicht unmittelbar den Gegensatz zwischen Schöpfungsbejahung und Jesus-Nachfolge anspricht, sondern im Zusammenhang des paulinischen Gegensatzes „Gerechtigkeit aus Werken des Gesetzes – aus Christusglauben" (vgl. Phil 3,9) steht. Weiteres s. unten Anm. 51a.

[47] Für diese Texte wird selbstverständlich kein traditionsgeschichtlicher Zusammenhang behauptet; höchstens wäre nach einem motivgeschichtlichen Zusammenhang zu fragen.

[48] Vgl. ferner Koh 3,12f.

[49] Vgl. auch Ps 104,15.

[50] Es könnte sich – in paulinischer Transposition – um einen Reflex der Unbedingtheit der Nachfolgeforderung Jesu von Nazaret handeln: „Keiner, der seine Hand an den Pflug legt und zurückschaut, ist geeignet für die Basileia Gottes" – Lk 9,62.

Dienstgemeinschaft) mit Jesus Christus darstellt, das darüber hinaus in der Dikaiosyne, der „durch Christus" geschenkten rechten Relation zu Gott, und ihrer von Paulus in dem Philippertext pointiert herausgestellten transzendenten Vollendung[51] besteht; in den ausgewählten alttestamentlichen Texten erkennen wir ein im Rahmen seines eigenen innerweltlichen Rhythmus sich bewegendes und gewissermaßen in dankbarem Genuß des irdischen Geschenkes Gottes sich vollziehendes Leben, das eines diesen Vollzug transzendierenden Ziels nicht zu bedürfen scheint.

„Ich vergesse das, was hinter mir liegt", diese Aussage könnte (in einer Isolierung des paulinischen Satzes) nahelegen, hinter dem, das da „vergessen" wird, auch das schöpfungsmäßig Gute überhaupt zu sehen[51a], das in *diesem* Paulustext immerhin ausgeklammert zu sein scheint.[52] Leistet die paulinische Sicht also vielleicht doch – und sei es nur in ihrer Nachwirkung – einer enggeführten Christozentrik Vorschub auf Kosten der im Alten Testament enthaltenen und mit Selbstverständlichkeit verwirklichten Fülle des Lebens? Bedingt die neutestamentliche „Jesusnachfolge" nicht vielleicht auch unabhängig von Paulus gegenüber dem Alten Testament und dessen schöpfungsbejahendem Lebensgefühl doch mindestens die Gefahr einer Verschär-

[51] Vgl. Phil 3,7-14 im Rahmen des bis zu dem Abschnitt 3,17-21 reichenden Kontextes.

[51a] Zu beachten ist jedoch: Die Antithese bei Paulus ist nicht einfach „Lebensgenuß – Verzicht", sondern auf der einen Seite „sein Vertrauen setzen auf das ‚Fleisch' " (und dabei im vermeintlichen Status eines Vollendeten gewissermaßen ausruhen) – und auf der anderen Seite „sich rühmen in Christus Jesus" (und damit dem Leben die Richtung auf ein noch nicht erreichtes Ziel geben).
Darauf, daß die Stelle trotzdem signifikant für unser Problem sein könnte, weist jedoch schon die von seiten jüdischer Theologen an Paulus geübte Kritik hin, die paulinische „Christusmystik" bzw. die mit ihr zusammenhängende Gesetzeskritik sei unvereinbar mit jüdisch-alttestamentlicher „Übernahme des Geschöpfseins". Vgl. *H.-J.Schoeps,* der den entscheidenden Unterschied zwischen Paulus und dem Judentum darin sieht, daß die „Gottesfurcht" (für die der rechte Glaube ein Synonym sei) bei Paulus in die „Perspektivenverzerrung" geraten sei (Paulus 304); das Gesetz, gegen das Paulus streitet, ermögliche in seinem alttestamentlich-jüdischen Sinn „die menschliche Kreatursituation" und damit die Übernahme des Geschöpfseins" (a.a.O. 312). Für Schoeps muß die intensive Christozentrik des Paulus also als Infragestellen von Schöpfungsbejahung erscheinen. – Vgl. auch *M. Buber,* der vom „gnostischen Charakter wesentlicher Züge dieser Konzeption" (= der des Paulus) spricht (Zwei Glaubensweisen 84; s. auch 151f), was ebenfalls die Unvereinbarkeit von paulinischer „Christusmystik" und alttestamentlich-jüdischer Schöpfungsbejahung implizieren dürfte. Abgesehen davon spricht Buber von einer „Dämonisierung des Weltregiments" bei Paulus, was in die gleiche Richtung zielt (a.a.O. 166; vgl. auch 158). *G. Bornkamm* (Paulus 237) formuliert innerhalb seiner Zusammenfassung der Argumente neuerer jüdischer Theologen, daß sie dem Paulus unter anderem „... die Lösung des einzelnen aus dem bergenden Schoß von Volk, Geschichte und Welt, ja deren Nichtanerkennung als Schöpfung und ihre Dämonisierung" vorwerfen.

[52] Vgl. jedoch Phil 4,8, wo Paulus Motive der stoischen Moralphilosophie aufnimmt, um den philippischen Christen zu zeigen, daß sie vor dem, „was immer wahr, was ehrbar, was recht, was immer rein, was angenehm, was löblich, was irgend Tugend ist und Lob" (und zwar offenbar auch in ihrer heidnischen Umgebung) nicht zurückzustehen haben und die Augen davor nicht zu verschließen brauchen (vgl. *J. Gnilka*, Philipperbrief z.St.).

fung, einer Veränderung und teilweise Verengung jenes der grundlegenden alttestamentlichen Offenbarung zugehörigen „Lebensgefühls"?[53]
In den beiden folgenden Abschnitten wird die jetzt angeschnittene Frage von zwei verschiedenen Seiten aus angegangen.[54]

7.2.1.4.2 Die Fragestellung – vom Kontrast zwischen Schöpfungsbejahung und (nachösterlicher) „Jesusnachfolge" ausgehend

Die Kontrastierung der neu- und alttestamentlichen Texte bzw. Textzusammenstellungen führt uns zu einer – freilich nur auf *eindeutige* nachösterliche Engführungen zutreffenden – Feststellung, die zur Problemstellung überleitet: Eine einseitige und enggeführte, auf den „Anspruch Gottes" und damit auf die Nachfolgeforderung gelegte Akzentsetzung kann den polar zugeordneten Akzent abschwächen oder sogar verdrängen, der auf dem „Ja zu Gottes Ja zum Menschen" (und damit auf der Schöpfungsbejahung) liegen muß; in der Konsequenz können die gegenwärtige Schöpfung und ihre Glücksmöglichkeiten (die der Schöpfer trotz und in allem Miteinander von Freude und Leid in sie hineingelegt hat) abgewertet oder negiert werden.
Da eine Spannungs*einheit* von „Schöpfungsbejahung" (mit ihrem Mittelpunkt im „Geschenk der Freiheit" für den Menschen) und „Bejahung des Anspruchs Gottes" eindeutig bei Jesus selbst gegeben ist und (bei aller Härte der Entscheidungsforderung) auch für den ihm nachfolgenden Jünger als Aufgabe gilt, stellt das eigentliche Problem sich somit nachösterlich: durch eine Christozentrik, der die – auch die Schöpfung umspannende – Theozentrik Jesu und sein radikales Ja zur „Humanität" und damit wiederum zur Schöpfung nicht mehr ausreichend bewußt sind. Das Phänomen eines christozentrisch motivierten Aszetismus ist ja zweifellos historisch zu erkennen (wenn auch in der jeweiligen historischen Realität in vielfacher Brechung

[53] Die Polarität von Forderung und Freiheit scheint im Alten Testament nicht in dem Maß und nicht in der Art zur scharfen Spannung zu werden, wie sie uns im Neuen Testament entgegentritt. Was könnten die Gründe dafür sein?
Ich vermag hier nur einzelne Elemente einer möglichen Antwort anzugeben:
Zu einer so scharfen Spannung kommt es erst durch die „Radikalisierung" von Forderung und „Geschenk der Freiheit" bei Jesus. Diese ist zwar – auf der Seite der Forderung – zunächst durch apokalyptische Vorstellungsstrukturen mitbedingt, aber insgesamt durch die Eigenart der Jesusoffenbarung bestimmt: durch ihren bereits präsentisch-eschatologischen Charakter, durch das Handeln Jesu zur Vor-Realisierung der Basileia, vor allem anderen aber durch die Spannungseinheit, die wir als in der Jesusoffenbarung wirksam erkannten. Durch die Jesusnachfolge (nachösterlich in der Weise der „Gemeinschaft" der Glaubenden mit dem *gekreuzigten* und erhöhten Christus – also durch die Jesusnachfolge als *Kreuzesnachfolge*) kommt zweifellos ein spezifisches neues Moment in den Problemkontext hinein. Hierzu wird unten in 7.2.2.3-5 noch Stellung genommen werden.

[54] Dabei müssen wir uns bewußt bleiben, daß es sich um eine und dieselbe, wenn auch unter verschiedenen Aspekten betrachtete Frage handelt.

und Mischung mit legitimen christlichen Inhalten). Und Aszetismus als Mißverständnis von Jesusnachfolge kann durchaus lebensverneinend sein. Das Problem wird also, in brisanter Schärfe, am deutlichsten in einer – nachösterlichen – Übersteigerung und Engführung der Jesusnachfolge, in der ein offenkundiger Gegensatz zur alttestamentlich-biblischen Schöpfungsbejahung entsteht. Provozierend kommt die Problemstellung somit heraus, wenn diesem Aszetismus eine Weltbejahung entgegengesetzt wird, die mit ganzer Freude und Erwartung in den gegenwärtigen Geschenken der Schöpfung lebt – trotz und mit den Erfahrungen von Leid und Tod, die zu dieser Schöpfung gehören.

7.2.1.4.3 Die Fragestellung – von der (nachösterlich-transformierten) Basileia-Botschaft und dem eschatologischen Vorbehalt ausgehend

Die Basileia-Verkündigung Jesu läßt zwar (auch in ihrer nachösterlichen Transformation[55]!) das dynamische Hineinwirken der Basileia schon in die jetzige Weltzeit erkennen (und unterscheidet sich darin fundamental von der Apokalyptik), hält aber trotzdem (oder vielleicht gerade deswegen) die Intensität der futurisch-eschatologischen Verkündigung durch (mitsamt einer Reihe von apokalyptischen Ausdrucksformen).[56] Unter diesem Aspekt ergibt sich eine zweite – auf dasselbe Ziel wie die erste ausgerichtete – Version der Fragestellung:
Ist der nachösterlich an die Basileia-Botschaft Jesu glaubende, „nachfolgende" Christ nicht vielleicht doch darauf angewiesen (falls er der Härte der Weisung Jesu treu bleiben will), den Akzent auf dem Unheil und der Bosheit des jetzigen Äons zu belassen, den jetzigen Äon (wenn schon nicht in der Weise einer extremen Apokalyptik abzuschreiben, so doch wenigstens) mit erheblichem Vorbehalt zu betrachten und entsprechend sein Leben einzurichten? Oder soll und darf er vielleicht dennoch – und zwar nicht nur theoretisch – einen genauso starken Akzent darauf setzen, daß diese jetzige Weltzeit von der Schöpfung her prinzipiell gut ist?
Es geht mir hier um die Frage, ob die Radikalisierung des „Anspruchs Gottes und Jesu" im Neuen Testament wirklich – anders als die Apokalyptik – dieses prinzipielle Gutsein auch der jetzigen vergänglichen Schöpfung spannungsvoll zu integrieren vermag oder nicht. Daß der Christ nicht im jetzigen Äon aufgehen darf, daß für ihn eine Art Distanz – besser: Spannung – vorgegeben ist, ist unbezweifelbar, wenn man die Nachfolgeworte Jesu als (durch die „Transformation" hindurch) gültig und bleibend ansieht. Aber

[55] Vgl. oben 5.3.2-3, bes. 5.3.3.3.
[56] Vgl. die Strukturkomponente 3 (T); s. oben 5.3.5; auch 5.5.2.

welcher Art ist diese Spannung oder Distanz? Weist – um eines der gewichtigsten Beispiele zu nennen – das paulinische ὡς μή *(hōs mē)* („... die, die Frauen haben, [sollen sein] wie solche, die keine haben...) auf ein (gewissermaßen schauspielerndes) „Tun als ob“ – oder auf eine Spannung, die zur Spannungseinheit geführt werden muß? Und wie ist das möglich – wodurch kann eine Dynamik entstehen, die diese Spannungs*einheit* erstrebbar und erreichbar macht? Um die Konsequenz deutlich zu machen: Würde die Spannungseinheit zwischen der „Bejahung der jetzigen Schöpfung“ (und damit des jetzigen Engagements – und auch: der Glücksmöglichkeit – innerhalb der geschaffenen Welt) und der „Jesusnachfolge“ letztlich doch nicht als unverzichtbare Aufgabe des Christen (und als konstitutiv für die Ganzheit seines Glaubens) einsichtig werden können, so bräuchte gar nicht mehr über die Chance einer Spannungseinheit von Bejahung Gottes und Bejahung des Menschen geredet zu werden.[57]

[57] Bei der Fragestellung dieses Abschnittes 7.2 – bezüglich des grundlegenden Glaubensvollzugs eines Jüngers Jesu *im jetzigen Äon* – handelt es sich keineswegs um ein Rand- oder gar Scheinproblem. Ein Scheinproblem wäre sie nur (einerseits) für Menschen bzw. auch Christen, die den Pol des Anspruchs Gottes dem Pol der Humanitätsermöglichung eindeutig unterordnen würden – in Faszination, Engagement – und in Liebe zur Schönheit der Welt. (Vgl. Weish 13,6f über diejenigen, die im Unterschied zu den Verfertigern von Götzenbildern Gestirne und Naturmächte verehren: „Indessen verdienen diese nur einen geringen Tadel. Denn sie gehen vielleicht nur irre, während sie wirklich Gott suchen und finden wollen. Mit seinen Werken beschäftigt, forschen sie ja [nach ihm], lassen sich aber durch das Aussehen verführen, *weil das, was sie sehen, so schön ist.*“ – *K. Rahner* [Art. Anthropozentrik, in: LThK I, 633] weist auf die Gefahr einer „humanistisch gesteigerten Aufmerksamkeit auf den Menschen selbst“ hin, auf einen Humanismus, „der den Menschen entfaltet und seine Größe ‚genießt‘ “; „auch ein ‚humanisme dévot‘ “ enthält jene Gefahr, „ist aber nicht einfach identisch mit einem unchristlichen Verfallensein an diese Gefahr.“) Andererseits wäre die Fragestellung auch für diejenigen Christen ein Scheinproblem, die den Pol der Humanitätsermöglichung dem des Anspruchs Gottes engführend unterordnen und den Kreuzesnachfolge-Ruf als Aufforderung zur Abwertung der gegenwärtigen Schöpfung mißverstehen würden. In diesem Zusammenhang sei noch auf das Mißverständnis einer schematisierend aufgefaßten Zwei-Wege-Lehre (vgl. Mt 7,13-14; Did 1,1) aufmerksam gemacht, in dem die Bejahung der Schöpfung und des Schöpfungsmäßig-Guten und damit auch des „Humanismus“ nicht als Positivum erkannt, sondern unterschiedslos auf den „breiten Weg, der ins Verderben führt“, verlegt wird.
Jedoch: Offenbart der Konflikt zwischen der überschäumenden Diesseits- bzw. Humanitätsbejahung des Renaissance-Florenz – um eins der für mein Empfinden instruktivsten historischen Beispiele herauszugreifen – und dem Bußernst eines Savonarola nicht doch eine Spannung, die in der „Sache“ der Jesusoffenbarung angelegt ist? Der Gegensatz besteht von der einen Seite her in dem Engagement Savonarolas für radikale Jesusnachfolge (mitsamt dem tragischen Konflikt, in den es führte); auf der anderen Seite, der der Florentiner Renaissance, erkennen wir Weltbejahung im antiken Sinn (im Sinn der Neuentdeckung, der „Wiedergeburt“ der Antike), die freilich oft noch immer mit einem Festhalten an der alttestamentlich-christlichen Schöpfungsbejahung verbunden wird. War diese Hinwendung zur Schönheit der Welt *nur* Abfall vom Christentum? Zugegeben: Zu einem beträchtlichen Teil war sie das; die antichristlichen (und letztlich auch antijesuanischen) Tendenzen innerhalb der Renaissance dürfen nicht übersehen werden. Ablehnung des Christentums zugunsten des antiken Heidentums, die es ebenfalls weithin gab, ist eben nicht „Schöpfungsbejahung“. Wird man demnach auch vieles Kritische zur Lebens- und Diesseitsbejahung der Renaissance sagen müssen, so stellt sich trotzdem die Frage,

7.2.2 Versuch einer Antwort: Schöpfungsbejahung – Leben durch Sterben hindurch – Jesusnachfolge in der Agape

Die Frage, ob und wie der Jünger Jesu das prinzipielle Gutsein auch der jetzigen vergänglichen Schöpfung zu bejahen und bejahend zu leben habe, soll in fünf Schritten einer Lösung nähergeführt werden:
Erstens: Die Spannungseinheit von Schöpfungsbejahung und Jesusnachfolge fordert das Dienen der Jünger und letztlich den Durchbruch aus Haß und Gleichgültigkeit zur *Agape.*[58]
Zweitens: „Schöpfungsbejahung" ist christlich letztlich nur *durch ein „Sterben" hindurch* realisierbar – und zwar durch ein „Verlieren des Lebens in der Jesusnachfolge" hindurch; dieses transzendiert das auch im Alten Testament vorfindliche Ja zum schöpfungsgemäßen Sterben und prägt schon das gegenwärtige Leben des Christen.[59]
Drittens: Schöpfungsbejahung kann für den Jünger Jesu nur legitim sein, wenn sie die Verheißung *eschatologischen Lebens durch Tod und universale Vollendung hindurch* im Blick behält; so muß die Spannung zwischen dem *„eschatologischen Vorbehalt"* und dem engagierten Ja zur gegenwärtigen Schöpfung Gottes zur Spannungs*einheit* geführt werden.[60]
Viertens: Das „Sterben" realisiert sich für den Christen in der Gemeinschaft mit der Agape des Gekreuzigten; diese Agape des Jüngers umspannt die Metanoia – und damit die Bereitschaft zum Loslassen des je und je ergriffenen Lebens.[61]
Gerade von hier aus zeigt die Agape sich *(fünftens)* als Ziel- und Einheitspunkt von Schöpfungsbejahung und Jesusnachfolge.[62]

7.2.2.1 Eine erste Antwort: Die „Spannungseinheit von Schöpfungsbejahung und Jesusnachfolge" *und die – nach universaler Solidarität strebende – Agape*

Auch für das in der Überschrift genannte Thema ist es sachgerecht, wiederum von den jesuanischen Grundlagen auszugehen. „Schöpfungsbejahung

ob in ihr nicht auch etwas von legitimer Schöpfungsbejahung durchscheint – ob dadurch die Spannung zwischen „Schöpfungsbejahung" und „Jesusnachfolge" nicht doch sehr deutlich wird.

[58] S. unten 7.2.2.1.
[59] S. 7.2.2.2.
[60] S. 7.2.2.3.
[61] S. 7.2.2.4.
[62] S. 7.2.2.5.

bei Jesus von Nazaret"[63] und „Nachfolge – jesuanisch"[64] sind oben je für sich skizziert worden. Aber welches Gewicht hat bei Jesus von Nazaret die Nachfolgeforderung im Verhältnis zu seiner „Schöpfungsbejahung"? Es ist in unserem Zusammenhang kaum überflüssig, noch einmal Fragen zu stellen: warum für die Solidarität des Jüngers mit Jesus nicht das „Mahlhalten mit Zöllnern und Sündern" genügen soll, die dienende Offenheit und das Engagement für alle, auch die Randexistenzen – anders gesagt: warum es nicht auch für einen Christen denkbar sein soll, daß das schöpfungsmäßige Leben in voller Zuwendung, ohne Einbindung in eine *Spannungs*einheit, einfachhin bejaht würde (durchaus in einem moralisch vertretbaren und guten Sinn), ohne daß die Jesusnachfolge es immer wieder durch-kreuzen müßte.[65] Müssen die harten, teilweise apokalyptisch gefärbten Entscheidungsforderungen und Gerichtsworte[66] wirklich das Gewicht behalten, das sie in der Jesustradition fraglos haben? Bedeutet die apokalyptische Denk- und Aussageweise der synoptischen Jesustradition (und zu einem beträchtlichen Teil bereits Jesu selbst) nicht doch ein Problem für eine Theologie der Bejahung des Menschen, des „Geschenks der Freiheit" für den Menschen?
Auf diese Frage soll jetzt, an erster Stelle, ein Gedanke vorgelegt werden, der scheinbar von außen, von einer universal-menschheitlichen Sicht an die Antwort heranführen will und der zudem die Antwort zunächst in der Weise eines negativ formulierten Arguments bietet: Die Spannungseinheit zwischen der Bejahung des jetzigen schöpfungsmäßig Guten und der oft harten Weitergabe des Anspruchs Gottes durch Jesus aufzuheben kann schon deshalb nicht legitim und „sachgerecht" sein, weil es keineswegs nur auf das eigene Glück des Einzelmenschen ankommt, weil dann also am Leid der anderen vorbeigelebt würde – letztlich am Leid der Menschheit vorbei, für das es die (den Sinn zurückgebende und vollendende) Antwort nach dem neutestamentlichen Kerygma letztlich nur durch Kreuz und Auferweckung Jesu Christi gibt.

Dieser Gedanke ist jedoch noch nicht ausreichend begründet, die Eingangsfrage nach dem heutigen Recht von Nachfolgeforderung und Gerichtsworten Jesu noch nicht hinreichend aufgearbeitet. Im folgenden vermag ich zu-

[63] Vgl. oben 7.2.1.2.2.
[64] Vgl. oben 7.2.1.3.1.
[65] Anders gefragt: Warum kommt eine Antwort auf diese Frage nicht am „apokalyptischen Vorbehalt" vorbei? (Vgl. unten 7.2.2.3.)
[66] In diesem Zusammenhang mag auch die Frage gestellt werden: Warum dürfen solche Gerichtsworte nicht von der heutigen Einsicht in die subjektive Entschuldbarkeit sehr vieler Fehlhaltungen aufgehoben oder entschärft werden? Warum müssen die Gerichtsworte noch zu der Zuwendung Jesu selbst zu den Sündern und Dirnen – fraglos in einer Spannung – hinzugedacht werden?

nächst freilich nur eine erste Reihe von weiterführenden Gedanken anzugeben, die zu einer Begründung *konvergieren* – die aber ihrerseits noch weiterer Ergänzung und Vertiefung bedürfen.[67]

– In den apokalyptisch strukturierten Jesusworten findet sich an zentraler Stelle die Seligpreisung der Armen, Hungernden und Weinenden.[68] Diese Begriffe dürfen bei Jesus nicht spiritualisierend verstanden werden; in der Seligpreisung dieser im wörtlichen Sinn Armen ist eine Umwertung aller gesellschaftlichen Werte für die Zukunft der Basileia verheißen, die jedoch – wie der Proklamationscharakter von Lk 6,20b-21 zeigt[69] – bereits gegenwärtig wirksam und fordernd ist. Nun ist dieser dreifache Makarismus schon in der Logienquelle mit der ebenfalls auf Jesus selbst zurückgehenden Forderung der Feindesliebe verbunden. Mit dieser Verknüpfung ist die Intention Jesu getroffen, auch wenn er selbst die beiden Einheiten noch nicht zusammengefügt haben sollte; denn daß das schrankenlose Erbarmen Gottes (das in dem Makarismus mitzuhören ist) den Imperativ der ebenfalls schrankenlosen Liebe des Menschen bis hin zur Feindesliebe aus sich entläßt, ist sicherlich jesuanisch.[70]
Gerade die Gottesverkündigung Jesu (mitsamt ihrer apokalyptischen Färbung) impliziert und fordert die „radikale" Agape; diese unbedingte Agape bejaht jedoch ihrerseits wiederum die ganze Schöpfung und den ganzen Menschen.
– Wenn man die harten „apokalyptischen" Jesusworte eliminiert oder abschwächt, wird ein Gott gepredigt, der nicht mehr der lebendige Gott des Alten Bundes und Jesu selbst wäre.[71] Die Struktur der alttestamentlichen und

[67] Das wird das Thema der Abschnitte 7.2.2.2-5 sein.
[68] Lk 6,20b-21.
[69] Vgl. *H. Merklein*, Gottesherrschaft, bes. 53-55.
[70] Das gilt auch abgesehen von der Frage, ob die Seligpreisungen und die Forderung der Feindesliebe, die beide sicher von Jesus selbst stammen, auch von ihm selbst in der Weise der „programmatischen Rede" Lk 6 zusammengefügt wurden: Vgl. *H. Merklein*, a.a.O. 236: „Der ‚Ort' der Forderung der Feindesliebe ist die Theo-logie, aber eben die Theo-logie Jesu. Der Gott, den Jesus verkündet, ist der eschatologisch handelnde Gott. Unter Berücksichtigung dieses Kontextes (Textpragmatik) der Aussage [von Mt 5,48] ist der ‚Ort' der Forderung der Feindesliebe die Basileia-Botschaft." Vgl. auch a.a.O. 237: „Wo Gott sich jetzt zum Heil des Menschen entschlossen hat und sich radikal, voraussetzungslos und bedingungslos dem Menschen zuwendet, muß und kann (!) der Mensch seinerseits sich nur radikal dem Menschen zuwenden, ohne für seine Zuwendung Bedingungen und Voraussetzungen geltend machen zu können. Tatsächlich sind von hier aus alle anderen Forderungen Jesu erklärbar."
[71] Vgl. auch Unsere Hoffnung I, 5; *J.B. Metz*, Zeit der Orden 78-88. Freilich müßte das Stichwort „Apokalyptik" – soll der Bezug zu den neutestamentlichen Ursprungsstrukturen hergestellt werden (in denen die Vorstellungen der zeitgenössischen Apokalyptik entscheidend durchbrochen werden, s. oben 3.5.2.3) – doch wohl genauer umschrieben werden, als es ebd. 84 geschieht.

jesuanischen Glaubensexistenz des Menschen vor Gott ist bipolar; sie lebt aus der Bejahung sowohl des Machtcharakters der absoluten Liebe als auch ihres Erbarmenscharakters[72] (entsprechend dem Wesen und der Selbstmitteilung Gottes selbst): Der vertrauend und glaubend vor Gott stehende Mensch sieht diesen keineswegs als einen (gewissermaßen in Gutmütigkeit) alles zudeckenden Gott; er sieht ihn vielmehr sowohl als den absolut Liebenden wie auch als denjenigen, der durch seine Existenz für den Menschen, der sich ihm konfrontiert sieht, der Richtende ist – und dessen Verzeihung nicht von der Schwäche, sondern von der absoluten Majestät und Macht der Liebe gewährt wird. Alles würde verderben, wollte der den Glauben suchende Mensch diese Spannungseinheit auflösen.

– Gegenüber diesem sich je und je als uneinholbar größer erweisenden Gott und dem Heilswillen seiner Liebe gehen die Rezepte eines statisch-beruhigten („bürgerlichen") Christseins und einer naiven Heilsgewißheit nicht auf. Ein solcher entschärfter Gottesglaube hätte vor allem keine Motivation mehr zu bieten für ein Handeln, das den circulus vitiosus von Gewalt und Gegengewalt zu sprengen vermöchte; mit anderen Worten: Ein Christentum, das den Forderungen und Drohworten Jesu ihre Spitze genommen hätte, würde sich damit der Chance des Friedenstiftens[73] und des Dienstes der Versöhnung selbst berauben.

– Es wäre ein illusionäres und kein jesuanisch-christliches Denken, den *peirasmós* (die Versuchungssituation)[74] als Gefährdung der Agape übersehen zu wollen.

– Das harte Herz, das der Agape entgegensteht, kann nur in dem glaubendvertrauenden Stehen vor dem Gott Jesu überwunden werden: Und dieses vermag nur als Konfrontiertsein mit diesem Gott und als In-Frage-gestellt-Sein von seiner – in Liebe *und* Macht wirkenden – Andersartigkeit zur Metanoia zu rufen.

Aber warum sollen Christen dann nicht die Konsequenz ziehen, sich von der Welt zu distanzieren um der Radikalität der Jesusnachfolge willen? Weil dann erst recht an den heutigen Aufgaben des Christen innerhalb der Gesellschaft vorbeigelebt würde; universale Solidarität kann es nicht geben ohne die Bejahung dieser leidenden, bedrängten, gefährdeten und schönen Welt und der Fülle des Lebens in ihr. Eine Agape, die sich nicht in diese Welt und ihre Schönheit, ihren Reichtum des Lebens, ihre Risiken und ihre Leiden hineingeben würde, könnte nicht zur Humanisierung der gesellschaftlichen

[72] Vgl. oben 6.3.3.1.

[73] Mt 5,9.

[74] Vgl. die (in der lukanischen Kurzfassung letzte) Vaterunserbitte Lk 11,4 fin. S. auch oben 6.1.1.2, Anm. 9; ferner 3.9.2.

Strukturen helfen, weder im Großen noch im Kleinen. Diese Antwort hat ihre unverzichtbare jesuanische Grundlage: Jesus von Nazaret hat sich trotz seines scharfen Blicks für die Bedrohtheit dieser dem Gericht entgegengehenden Welt nicht von ihr distanziert, und diese jesuanische Grundlage muß durch die nachösterliche Transformation hindurch „bleiben", sie muß – in bleibender und neuer Kraft – weiterhin gültig und wirksam sein. Wie die Nachfolge ist auch der nachösterliche Christusglaube als solcher, und zwar prinzipiell, mit der Ganzheit und Fülle der Schöpfung verbunden. Ist das bereits in der keimhaften Christologie Jesu enthalten, in der das Kommen der Basileia nicht ohne Jesus und sein Wirken zu denken ist, so geht es nachösterlich noch deutlicher aus der Aufnahme des gekreuzigten Jesus in das Geheimnis des Schöpfers hervor.[75]

Schöpfungsbejahung und Jesusnachfolge finden somit ihren Ziel- und Einheitspunkt in der – aus dem bedingungslosen Erbarmen Gottes heraus aufgegebenen und die Spannungseinheit gegenüber Gott und den Menschen durchhaltenden – Agape.[76] „Schöpfungsbejahung" (als Bejahung des vom Schöpfer geschenkten Lebens als Mensch) muß von daher *universal* vollzogen werden und damit also in Solidarität mit allen auf den Tod zugehenden Menschen – aber auch in „Solidarität mit den Toten"[77]. Nur wenn die „Schöpfungsbejahung" auf eine in dieser Weite verstandene Agape zuläuft, hat sie die Chance, mit der Jesusnachfolge (und damit der Schicksalsgemeinschaft mit dem Gekreuzigten) zusammen zur Spannungseinheit geführt zu werden. Die Agape setzt zwar grundlegend und unverzichtbar bei der konkreten Begegnung und Hinwendung von Mensch zu Mensch an, darf sich aber trotzdem nicht privatistisch einschränken; sie muß vielmehr, will sie ihrem Ursprung konform sein, universale Solidarität anstreben. Die Öffnung in dieser Weite und Tiefe wird sie nicht finden können ohne die Gemeinschaft mit der universalen Proexistenz des Gekreuzigten.[78]

[75] Im nachösterlichen Neuen Testament wird die Verbindung von Christologie und Schöpfung durch die Verkündigung von der Schöpfungsmittlerschaft Christi versucht (vgl. z. B. Kol 1,15f). Man muß freilich fragen, ob hierin nicht auch die Gefahr von Engführungen enthalten ist. Im Grunde wird mit der Aussage der Schöpfungsmittlerschaft Jesu Christi eine absichernde Entfaltung des „Zusammendenkens von Jesus und Gott" geboten, ohne die die Verkündigung von der singulären Heilsbedeutung Jesu Christi für die damaligen Hörer und Leser nicht stimmig und nicht tragfähig gewesen wäre. Immerhin dürfte dieses vorwärtsdrängende christologische Bekenntnis, das zugleich Verteidigung ist, doch auf der Linie eines nachösterlich-christologischen Durchhaltens des alttestamentlichen Schöpfungsglaubens liegen. (Vgl. *W. Thüsing,* Zugangswege 254f, zur Begründung der christologisch-protologischen Aussagen in der Eschatologie.)

[76] Hier klingt bereits das Motiv an, das im abschließenden Abschnitt 7.2.2.5 wieder aufgenommen werden wird.

[77] Vgl. *J.B. Metz,* Glaube 72-74.114-116; *H. Peukert,* Wissenschaftstheorie 300ff.310.315.323. (Vgl. Unsere Hoffnung I,3.)

[78] Vgl. *H. Schürmann,* Das eschatologische Heil 72; *ders.,* Tod 138-143.

Die hiermit – von der Basileia- und Gottesverkündigung Jesu ausgehende und zum Agape-Gedanken hinführende – in Umrissen versuchte Antwort hat manche notwendigen Zusammenhänge noch kaum berücksichtigt. Wir werden das Motiv „Agape" noch einmal vertiefend wiederaufnehmen müssen.[79] Doch bevor das geschehen kann, sind zunächst noch andere Fragen zu bedenken, die durch das Geprägtsein des Lebens vom Tod[80] und das im Neuen Testament angesagte „Vergehen der Gestalt dieser Welt"[81] angestoßen werden.

7.2.2.2 Leben durch Sterben hindurch

Die Überschrift ist zwar in Anlehnung an neutestamentliche Texte formuliert;[82] diese betreffen aber nicht *unmittelbar* das hier in Frage stehende Problem „Schöpfungsbejahung und Jesusnachfolge". Deshalb darf keine exegetische Deutung jener Stellen erwartet werden. Daß die Überschrift dem Abschnitt (ohne Zitation) vorangestellt wird, impliziert eine These: Für den Jünger Jesu gibt es das Leben der vollen Schöpfungsbejahung nur durch ein „Sterben" hindurch. Dieses schon im jetzigen irdischen Leben sich vollziehende „Sterben" steht zwar in engstem Zusammenhang mit dem anthropologischen Sachverhalt, daß das Leben ein Zugehen auf das Sterben ist; dieser anthropologische Sachverhalt ist jedoch durch die „Jesusnachfolge" als „Schicksalsgemeinschaft mit Jesus" verschärft und gewissermaßen neu geprägt.

Schon anthropologisch gibt es die Polarität von Leben-Wollen und Annehmen des Lebens als eines Zugehens auf den Tod; und schon auf dieser anthropologischen Ebene besteht das Problem, wie der auf den Tod zugehende Mensch das Leben bejahen und sich seiner freuen könne. Hier sei nur auf wenige alttestamentliche Stellungnahmen oder besser Haltungen diesem Problem gegenüber angespielt, zunächst auf die in der Genesis begegnende Formel „er starb alt und lebenssatt"[83]. Doch hier wird die Bejahung des Lebens, das sich einfach seiner Tage freut[84], nicht durch ein Sterben hindurch

[79] Unten 7.2.2.4-5.

[80] S. unten 7.2.2.2.

[81] S. unten 7.2.2.3.

[82] Vgl. Mk 8,35; Joh 12,24.

[83] Vgl. Gen 25,8; 35,29; Ijob 42,17. Es handelt sich hierbei nicht um eine durchgängige und schlechthin typische alttestamentliche Auffassung, sondern um *einen*, freilich für bestimmte frühe Schichten repräsentativen Versuch der Bewältigung des Todesproblems, der hier zur Kontrastierung herangezogen wird. Vgl. hierzu *G. v. Rad*, Theologie des Alten Testaments I 402; *H.W. Wolff*, Anthropologie 168f. Zum Todesproblem im Alten Testament insgesamt vgl. *G. v. Rad*, a.a.O. 288-290.399-403.417-420; *H.W. Wolff*, a.a.O. 150-176.

[84] Vgl. Koh 11,9.

erreicht, sondern dadurch, daß es – schlicht und gewiß theologisch legitim (ohne Lösung oder mit einer sehr vorläufigen Lösung des Todesproblems) – aus der Hand Jahwes entgegengenommen wird, ebenso wie das Sterben. Wenn Kohelet die Vergänglichkeit, den „Windhauch"-Charakter des Lebens hinnimmt, dann akzeptiert er dabei die ihm unverständliche, aber nicht weiter hinterfragbare, der Schöpfung immanente Setzung Gottes, dann läßt er Gegensätze, deren Vereinbarkeit er nicht sieht, nebeneinander stehen; in anderer, schärferer und theologisch tieferblickender Kontrastierung geschieht das im Buch Ijob.
Schöpfungsbejahung schließt also durchaus die Bejahung des Sterbens als einer schöpfungsmäßigen Gegebenheit ein; das Leben ist in der faktischen Schöpfungswirklichkeit als Zugehen auf das Sterben angelegt,[85] und die Annahme des Lebens als eines Sterbens ist auch dem Christen wie jedem Menschen bereits schöpfungsmäßig aufgegeben.[86]
Doch mit dieser Feststellung dürfen wir uns angesichts der neutestamentlichen Botschaft nicht zufriedengeben. Durch Jesus und den Glauben an seine Auferweckung kommt etwas Neues in den Problemkontext hinein, das die Polarität von Zugehen auf das Sterben und Bejahung des jetzigen Lebens in anderer Weise sehen lehrt. In unserem Fragehorizont „Schöpfungsbejahung und Jesusnachfolge" stehen Aspekte von Lebensbejahung und von Sterben im Vordergrund, die die Frage nicht durch das „er starb alt und lebenssatt" der Genesis zur Ruhe kommen lassen.
Der Aspekt von „Schöpfungsbejahung", der den *Ausgangspunkt* für unsere Überlegungen bildete,[87] ist die Bejahung des geschöpflichen Lebens, seiner Freude, seiner Schönheit, des Engagements in der Welt, des Erfolgs der Mühe und der Freude daran – und damit Bejahung alles dessen, was schon in diesem Äon Leben und Hoffnung auf Leben ist. Dieses Verständnis von Schöpfungsbejahung, von Lebenwollen, wird nicht von der Relativierung des Todes durch den Gedanken der „Lebenssattheit" des alten Menschen

[85] Das darf unabhängig von den theologischen Deutungen des Todes, die einen Zusammenhang zwischen Tod und Sünde herstellen, gesagt werden.
[86] Vgl. *K. Rahner*, Selbstverwirklichung und Annahme des Kreuzes (Schriften VIII 322-326); *ders.*, Über das christliche Sterben (Schriften VII 273-280, bes. 277f).
Der „Glaubensvollzug des Christen" ist durch das Stichwort „Jesusnachfolge", das in unserer jetzigen Überlegung beherrschend ist, freilich so verschärft, daß jetzt eine Spannung in den Blick kommt, die in der Konzeption des auf seinen Tod gläubig zugehenden Christen bei K. Rahner vielleicht doch noch nicht voll artikuliert ist. Rahners transzendental konzipierte Vermittlung zwischen der Annahme des Lebens und des Sterbens, die schöpfungsmäßig Aufgabe jedes Menschen ist und als solche auch den Christen auferlegt ist, mit dem „Kreuz" (und der „Jesusnachfolge") müßte vielleicht doch härter als Spannung und „Bruch" (als „Bruch", den das Kreuz bedeutet) ausgesagt werden. Vielleicht müßte die Konzeption Rahners doch in der Weise ergänzt werden, wie ich es in „Strukturen des Christlichen" 119f anzudeuten suchte.
[87] Oben 7.2.1.2.1.

zum theologischen Problem, auch nicht eigentlich von der Skepsis Kohelets her, obwohl er und ungleich mehr Ijob auf dem Weg dahin sind. Das Problem ergibt sich – über die Erfahrung von Leid und von der Vergänglichkeit auch jungen Lebens weit hinaus – von der Leidensgeschichte der Menschheit als ganzer her[88], von der Erinnerung an die Toten, die als Unterdrückte und von einem humanen Leben Ausgeschlossene starben.[89] Hiermit sind wir bereits sehr nahe an die theologische Problematik herangeführt, die sich in voller Schärfe aus der apokalyptisch geschärften Sicht Jesu und weiter Teile des Neuen Testaments ergibt. In der tieferdringenden Sicht Jesu und des ihm folgenden Neuen Testaments kann das Leben des Menschen eben *nicht* dadurch zu seinem Ziel kommen, daß er „alt und lebenssatt" stirbt. Das Sterbenmüssen des Menschen *und* das Sterben in der Jesusnachfolge (vgl. Mk 8,35) sind gewiß nicht bloß scheinbar Gegensatz zum Lebenwollen; sie bilden vielmehr so wirklich diesen Gegensatz, daß nur das – in der Schöpfung keineswegs zwingend angelegte – Wunder der Auferweckung den Tod zum Leben zu wenden vermag.[90]

Das Prinzip „Leben durch Sterben hindurch" ist am klarsten in Mk 8,35 ausgesprochen (im Zusammenhang mit der als Kreuzesnachfolge verstandenen Jesusnachfolge [Mk 8,34]): „... wer sein Leben retten will, wird es verlieren, wer aber sein Leben verliert..., wird es retten." In diesem Kontext bezieht es sich eindeutig auf das Gewinnen oder Verlieren des transzendent-eschatologischen Lebens in der kommenden Welt Gottes. Der Spruch reflektiert die Glaubensüberzeugung, die eben angesprochen wurde: Das Leben, das Gott dem Jünger Jesu durch Tod und Auferweckung hindurch schenken will, wird es nur für diejenigen geben, die ihr irdisches Leben um der Basileia willen aufs Spiel setzen.[91]

Der Spruch ist schon in neutestamentlicher Zeit auf das Leben des Jüngers diesseits der Todesgrenze angewendet worden. In Mk 10,29f – einem der Sprüche, die vom Verlassen allen Besitzes und vom Aufgeben aller Bindungen um der Jesusnachfolge willen sprechen und die sicherlich zu den Sachparallelen von Mk 8,34f zu rechnen sind – heißt es: „Es gibt keinen, der Haus oder Brüder oder Schwestern oder Mutter oder Vater oder Kinder oder Äcker um meinetwillen und des Evangeliums willen verlassen hätte, der nicht Hundertfältiges erhalten würde – jetzt in diesem Äon Häuser und Brüder und Schwestern und Mütter und Kinder und Äcker unter Verfolgungen,

[88] Vgl. *J.B. Metz,* Messianische Geschichte als Leidensgeschichte.
[89] Vgl. oben 7.2.2.1, Anm. 77.
[90] Vgl. schon oben 5.3.4.3; 5.3.4.5.
[91] Vgl. *G. Dautzenberg,* Sein Leben bewahren, bes. 59f.

und in dem kommenden Äon das ewige Leben."[92] Lk 9,23 „aktualisiert" das Wort vom „Aufnehmen des Kreuzes" Mk 8,34, das ursprünglich den Weg in den Tod des verurteilten Verbrechers bezeichnen mochte bzw. nachösterlich den Weg in den Tod um Jesu Christi willen bedeutet, indem er das Wort „täglich" hinzufügt: „... und nehme sein Kreuz täglich auf sich und folge mir".

Diese „Aktualisierung" auf das tägliche Leben des Christen diesseits der Todesgrenze ist legitim, ja notwendig, und für unser Problem „Schöpfungsbejahung und Jesusnachfolge" (über die betont ekklesiologische Akzentuierung von Mk 10,29f hinaus) hilfreich. Weshalb? *Weil jetzt, durch das Jesusgeschehen, die („alltägliche") Polarität von Lebenwollen und Zugehen auf den Tod sich mit der „Schicksalsgemeinschaft mit dem gekreuzigten Jesus" verbindet.* Daß die Antwort so lauten muß, wird noch verdeutlicht und vertieft, wenn wir die Polarität „Schöpfungsbejahung – Jesusnachfolge" auf die grundlegende Spannungseinheit von „Bejahung Gottes und Bejahung des Menschen" zurückführen: In der Polarität von „Lebenwollen" und „Sterben" steht in dieser Sicht das „Lebenwollen" unter dem Vorzeichen der Bejahung des Menschen durch seinen Schöpfer, während das „Sterben" bzw. die Bereitschaft, die Schicksalsgemeinschaft mit Jesus als *dem* Boten und Entscheidungszeichen der Basileia bis zum Ende durchzutragen, (in polarer Antithese dazu) eine letzte Konsequenz der grundlegenden Forderung bildet, den absoluten Anspruch Gottes anzuerkennen.

Ich gelange auf diesem Wege (von den Implikationen zentraler Texte des Neuen Testaments her) zu der Überzeugung, daß das Problem der Polarität von Lebenwollen und Zugehen auf den Tod durch die jesuanisch-nachösterlich radikalisierte Sicht des Todes und seiner Überwindung in der Auferwek-

[92] Dieses Logion spricht zwar erstens unser Problem nicht direkt an und wird zweitens in der vorliegenden Form kaum unmittelbar jesuanisch sein. Trotzdem dürfte es in durchaus legitimer Weise durch Markus bzw. die vormarkinische Tradition gebildet worden sein: insofern es nicht nur beim Spruch vom Verlassen der irdischen Bindungen ansetzt, sondern durchaus im Sinn Jesu, der sicher kein Apokalyptiker im einseitigen Verständnis des Wortes war, den Lohn nicht ausschließlich in das Jenseits verlegt; Jesus hat durchaus den Wert irdischer Gemeinschaft gesehen, gerade auch der Gemeinschaft von Menschen, die zu Jüngern geworden sind. In *diesem* Sinn ist das Wort für unsere Fragestellung relevant.
R. Pesch, Das Markusevangelium II z.St. (S. 145): Die in der Lohnverheißung für die gegenwärtige Zeit „gegebene Verheißung" entspreche „der Situation des Wandermissionars"; R. Pesch hält den Hinweis auf die Verfolgungen für möglicherweise vormarkinisch interpoliert. Vgl. ferner (a.a.O.): „Daß unser Wort den gegenwärtigen Äon nicht dualistisch abwertet, sondern ihm bereits (anfänglichen) Heilscharakter zuspricht... paßt durchaus zur Verkündigung Jesu..." Das Logion „verrät, daß wir es nicht mit grundsätzlichem Rigorismus zu tun haben..." – Im Hinblick auf das Gewähren von Gemeinschaft (konkretisiert in der Tischgemeinschaft) durch Jesus ist es vielleicht doch nicht ganz so unwahrscheinlich, Mk 10,29f Jesus selbst zuzutrauen – mindestens was seine „ipsissima intentio" angeht.

kungstat Gottes[93] keineswegs erledigt ist, sondern jetzt auf einer neuen Stufe als Aufgabe gestellt wird. Die Spannung von „leben wollen“ und „das Sterben bejahen“ wird jesuanisch-christologisch einerseits als Spannungs*einheit* ermöglicht und andererseits als solche Polaritätseinheit zur Aufgabe. Der Jesusglaube und die Kommunikation mit dem Gekreuzigten-Auferweckten ist gerade dazu notwendig,[94] daß jene Polarität zur Spannungs*einheit* hingeführt werden kann.

Der Christ muß der – bei aller scheinbaren Konsequenz und bei aller Bereitschaft zur Härte gegen sich selbst doch allzu „einfachen“, weil einseitigen – Lösung widerstehen, das Nein-Sagen zu sich selbst und das Aufnehmen des Kreuzes Jesu von Mk 8,34 mit einer Abwertung der gegenwärtigen Schöpfungswirklichkeit zu assoziieren. Das Prinzip „Leben durch Sterben hindurch“ (vgl. Mk 8,35) würde dann in gleicher Weise zu einer zu einfach-einseitigen Lösung. Was durch die Schicksalsgemeinschaft mit dem Gekreuzigten im *jetzigen* Äon zustande kommen soll, ist unter einem bestimmten, aber letztlich entscheidenden Aspekt gerade die polare Einheit von Schöpfungsbejahung und Jesusnachfolge.[95] Denn wer das Kreuz bejahen will durch Verneinen der Schöpfung, wird in Gefahr sein, letztlich am Kreuz Jesu Christi selbst vorbeizuleben. Anders gesagt: Wer aszetistisch die Schöpfung herunterspielt, für den verliert das Kreuz seine wirklichen Dimensionen: Es ist nicht mehr das Kreuz des Jüngers Jesu als eines Menschen, der das Leben liebt und bejaht, es ist also nicht mehr ein Sterben, das in der vollen Dimension des Durchleidens angenommen wird, *sondern Entschärfung des Sterbens durch Abwertung des Lebens.*[96] In der umgekehrten Gedankenrichtung gesagt: Im Leben des Jüngers diesseits des Todes kann nur das Annehmen und Durchleiden des Lebens als eines Zugehens auf den Tod – neu ermöglicht und (als Leiden) verschärft durch die Schicksalsgemeinschaft mit Jesus – zu einer vollen und lauteren Bejahung der jetzigen Schöpfungswirklichkeit führen.

[93] Vgl. oben 5.3.4.3-5.
In der Polarität von „Lebenwollen“ und „Sterben“ steht in dieser Sicht das „Lebenwollen“ unter dem Vorzeichen der Bejahung des Menschen durch seinen Schöpfer, während das „Sterben“ bzw. die Bereitschaft, die Schicksalsgemeinschaft mit Jesus bis zum Ende durchzutragen (im Sinne von Mk 8,35) – in polarer Antithese dazu – eine letzte Konsequenz der grundlegenden Forderung bildet, den absoluten Anspruch Gottes anzuerkennen.

[94] Vgl. oben 5.3.4.8.

[95] Das Ziel der präsentischen Gemeinschaft mit dem erhöhten Gekreuzigten ist nicht auf die sakramentale Kommunikation einzuengen; vgl. unten 7.2.2.3; auch oben 5.4.4.5 mit Anm. 102.

[96] Diese meiner Meinung nach unumgängliche Konsequenz will sicherlich nicht besagen, daß die Spannungseinheit von Schöpfungsbejahung und Kreuzesnachfolge im Leben aller Christen in gleicher Weise phänomenologisch deutlich werden müsse; es gibt auch hier eine Verschiedenheit der Charismata (vgl. unten 7.2.2.4.2, dort auch Anm. 116).

7.2.2.3 Die Hoffnung auf das eschatologische – durch Tod und universale Vollendung hindurch verheißene – Leben und das Ja zur gegenwärtigen Schöpfung[97] (Zum „eschatologischen Vorbehalt")

Zwar soll an dieser Stelle (bzw. überhaupt in diesem kriteriologischen I. Band) noch nicht im eigentlichen Sinne paulinische Theologie behandelt werden; doch kann in unserem jetzigen Zusammenhang („Bejahung der gegenwärtigen Schöpfung und Jesusnachfolge" – im Blick auf die kommende Vollendung) kaum auf die – für christliche Spiritualität klassisch gewordene – Formulierung des „eschatologischen Vorbehalts" durch Paulus verzichtet werden, die sich in 1 Kor 7,29-31 findet: „. . . die, die Frauen haben [sollen sein] wie solche, die keine haben, und die Weinenden wie nicht Weinende und die Sich-Freuenden wie solche, die sich nicht freuen, und die Kaufenden wie solche, die nicht besitzen, und die die Welt gebrauchen, wie solche, die sie nicht verbrauchen [das heißt: die sie nicht zum Ziel machen und dadurch mißbrauchen[98]]; denn die Gestalt dieser Welt vergeht." Diese Formulierung ist in jedem Fall einschlägig für unser Problem, wie auch immer man sie verstehen oder mißverstehen mag. Es soll zwar nicht behauptet werden, daß das paulinische ὡς μή *(hōs mḗ)* und die bisher dargelegte Konzeption der Spannungseinheit von Schöpfungsbejahung und „Jesusnachfolge" einander völlig decken. Aber diese paulinische Formulierung zwingt uns, die eschatologische Dimension dieser polaren Einheit noch stärker ins Auge zu fassen.[99]

[97] Diese Formulierung der Überschrift nimmt das Motiv „Leben durch Sterben hindurch" wieder auf und stellt es in den gesamt-eschatologischen Zusammenhang hinein.

[98] Der paulinische Text hebt sich deutlich von der frappanten apokalyptischen Parallele in 6 Esra 16,40ff ab; vgl. *W. Schrage,* Die Stellung zur Welt bei Paulus 125ff.

[99] Das Kapitel 1 Kor 7 bildet eine Stellungnahme des Paulus zu den Fragen um Ehe und Ehelosigkeit im Spannungsfeld von extrem präsentischer („enthusiastischer") und extrem futurischer Eschatologie. Dabei ist es ein außerordentliches Phänomen, daß Paulus trotz seiner Naherwartung mitsamt ihren apokalyptischen Ausdrucksformen (die gerade in 1 Kor 7 eine bedeutende Rolle spielt) auch der Gegenwart des Christen und seiner Aufgabe in der Welt grundsätzlich gerecht wird. Das *hōs mē* als Miteinander von Distanz und Bejahung ist in diesem positiv-spannungsvollen Sinn möglich, weil der Apostel sowohl an der drängenden futurisch-eschatologischen Heilserwartung festhält als auch *ebenso* die Gegenwart des Pneumas (als der Kraft Gottes für die sich engagierende Agape) ernst nimmt. (Gerade die Pneuma-Linie seiner präsentisch-eschatologischen Sicht, die – gewissermaßen aus der futurisch-eschatologischen Vollendung heraus – in den jetzigen Äon hineinwirkt, bildet das eigentliche Movens seiner spannungsgeladenen Eschatologie.)
Noch einmal: Der nicht nur in 1 Kor 7, sondern darüber hinaus im Kontext des gesamten 1. Korintherbriefs eindeutig erkennbare Aufruf des Paulus zum Engagement, sein Bemühen, das jetzige schöpfungsmäßige Leben nicht abzuwerten, sondern sich mit den Problemen des Lebens im gegenwärtigen Äon auseinanderzusetzen, stellen vor dem Hintergrund der intensiven Naherwartung, in der Paulus lebt, ein kaum zu überschätzendes Positivum seiner Theologie dar. Das darf gesagt werden trotz der Tatsache, daß es in 1 Kor 7 Aussagen gibt, in denen Paulus

Oben[100] wurde bereits gefragt, ob das paulinische *hōs mē* ein „Tun als ob" (in der Konsequenz also eine Art Schauspielern) sei. Es geht dabei um das Problem, ob das *hōs mē* der Sache nach einen Vorbehalt oder sogar ein Zurücknehmen des Engagements in der Schöpfung bedeutet – so daß in der paulinischen Sicht mit ihrer intensiven Naherwartung doch noch etwas von der Verneinung des jetzigen Äons übriggeblieben wäre, wie sie die radikalen Formen von Apokalyptik kennzeichnet.[101]
Gewiß gibt es die Verzerrung, ja entstellende und zerstörende Deformation gegenwärtiger Weltfreude und gegenwärtigen Weltengagements durch egoistisches Genießen- und Gelten-Wollen (darin hat die Apokalyptik sicher nicht falsch gesehen); es gibt also sicherlich die Entstellung dadurch, daß dieses Leben, seine Freude und sein Erfolg zu Götzen werden. Aber es muß ebenso – und noch stärker – betont werden: Wenn etwas nicht zum Götzen werden könnte, wäre es nicht schöpfungsmäßig gut.

die Spannungsfülle nicht durchzuhalten (oder vielleicht nicht einmal zu erreichen) vermag, für die sein Prinzip des *hōs mē* prinzipiell offen ist. Wenn Paulus in 1 Kor 7,28 sagt, daß er die korinthischen Christen „schonen" möchte, da Verheiratete angesichts des nahen Endes „Bedrängnis für das Fleisch" haben werden, so könnte das doch ein (im Rahmen der durch die Naherwartung begründeten Ratschläge von 7,26-28 verständliches) Ausweichen vor einer schöpfungsmäßig und nachfolgetheologisch äußerst bedeutsamen Realisierung des „Lebens durch Sterben hindurch" sein. Für die Entscheidung eines Christen zur Ehelosigkeit können nur Charisma und Berufung maßgebend sein; es kann nicht darum gehen, Christen vor einer „Bedrängnis" zu bewahren, die eine Realisierungsform ihrer Jesusnachfolge werden könnte. Wenn Paulus in 1 Kor 7,32-34 wünscht, die Christen möchten „ohne Sorge sein", und im Zuge dieses Gedankens ein „Geteiltsein" des verheirateten Christen konstatieren will, so ist ihm wohl auch hier ein Gedanke unterlaufen, der von seiner starken Naherwartung her verständlich ist, der aber mit den Grundzügen seiner eigenen Theologie (vgl. Gal 3,27-29; Röm 14,4-9 – Stellen, die ohne Frage für jeden Christen gelten) kaum übereinstimmt. Auch ein – nicht größeres, sondern *spezifisches* – Freisein für den Kyrios durch Ehelosigkeit gilt nicht für jeden Christen als Ziel, sondern nur für diejenigen, die das betreffende Charisma (vgl. 1 Kor 7,7) haben. Doch auch im Kontext von 1 Kor 7,26ff kommt Paulus (selbst unter dem radikalen Vorzeichen so drängender Naherwartung) keineswegs zu einer Verneinung der Schöpfungsordnung, wie V. 27 zeigt. (Vgl. zum Problem *W. Thüsing,* Die Intention Jesu, bes. 367-369.) Übrigens müßte 1 Kor 7 in der Konsequenz der sonstigen paulinischen Theologie doch wohl stärker und grundsätzlicher mit 1 Kor 13 verbunden werden; dann käme – unter dem Vorzeichen der Agape – wiederum die Aufgabe in Sicht, die Spannungseinheit anzustreben.

[100] 7.2.1.4.3.

[101] Gewiß steht das *hōs mē* von 1 Kor 7 nicht in einem traditionskritisch feststellbaren (auf der Ebene der Performanzen gegebenen) Überlieferungszusammenhang mit Mk 8,35, aber doch wohl in einem in der Tiefendimension der Rezeption des Jesuanischen verlaufenden Traditionsstrom. 1 Kor 7,29-31 wäre dann noch ein Reflex der Aufforderung Jesu, das eschatologisch-transzendente Leben durch den Tod hindurch zu gewinnen, aber auch der jesuanischen Aufforderung, alles zu verlassen – und doch Jesu eigene Offenheit für die Menschen und auch ihre Freude mitzuleben. *W. Schrage,* Die Stellung zur Welt bei Paulus, verneint stoischen Einfluß und nimmt nur apokalyptischen Einfluß an; *H. Conzelmann* nimmt auch stoischen Einfluß an, konzediert aber, daß der nicht-stoische Charakter des Weltverhältnisses im weiteren Zusammenhang bei Paulus erscheine (Der erste Brief an die Korinther z.St. [S. 158, auch Anm. 26]).

Im Rahmen unserer Fragestellung (die sich auf das Verhältnis zwischen dem „Gewinnen des Lebens durch ein ‚Sterben' hindurch" und der „Bejahung der gegenwärtigen Schöpfung" bezieht) kann die jetzige Schöpfung für christlichen Glauben nicht unmittelbar, also eben nicht ohne die Brechung durch das „Sterben", mit der Vollendung in Beziehung gesetzt werden. Vor-Erfüllung der Vollendung sind nicht unmittelbar die Gaben der Schöpfung, sondern – nach Paulus – ist es das Pneuma, das die (bereits präsentische) „Neue Schöpfung in Christus" hervorbringt[102].
Aber gibt es die Vor-Erfüllung „nur" im Pneuma bzw. „nur" sakramental? Keineswegs: insofern das ganze Leben des nachösterlichen Jüngers Jesu bzw. er, der Jünger, selbst mit seiner ganzen Leiblichkeit und Geschichte vom Pneuma getragen ist – und insofern die „Vor-Erfüllung im Pneuma" unzulässig eingeengt wäre, wenn das vom Pneuma ergriffene schöpfungsmäßige Leben ausgeklammert würde. Die gegenwärtige Schöpfung in ihrem Gut-Sein steht nicht beziehungslos abseits von Verheißung und Erfüllung. Sie ist Feld der Bewährung, ist Verheißung und in ihrer Weise auch Vor-Verweis und Zeichen für die Vollendung – und vor allem *ist sie unersetzbar dasjenige, was vollendet werden soll.*[103] Gottes Ja zum Menschen ist nicht nur ein Ja zu etwas noch Ausstehendem, ist nicht nur ein Ja zu dem Menschen, wie er in der eschatologischen Vollendung einmal sein soll; vielmehr zeigt sich gerade in dieser eschatologisch-letzten Bejahung, daß Gott sein Ja schon zum jetzigen, konkreten Menschen spricht und damit zu allem, was dessen schöpfungsmäßiges Leben ausmacht. Dieses eschatologische Ja Gottes zielt darauf, daß der konkrete geschöpfliche Mensch als beseelter Leib mit seiner gesamten Geschichte in die bleibende Gültigkeit und Lebendigkeit des noch nicht erahnbaren Geheimnisses der Vollendung hinein „umgestaltet"[104], „transformiert" wird. Schöpfungsbejahung als „Ja zu Gottes Ja zum Menschen" ist erst von diesem soteriologisch-eschatologischen Handeln Gottes

[102] Vgl. 2 Kor 5,17; ferner die paulinischen Aussagen, nach denen das Pneuma „Erstlingsgabe" (Röm 8,23) bzw. „Unterpfand" (2 Kor 1,22) der Vollendung ist. – Zum Begriff „Vor-Erfüllung" s. oben5.3.5.

[103] Die verheißene Vollendung ist die Vollendung *dieses* je konkreten jetzigen Menschen und nicht eine Veränderung seiner Identität. Auch hier gilt – hinsichtlich der Anthropologie des christlichen Glaubens – *analog* das christologische Prinzip, das oben 4.4.3 ausgeführt wurde: Die Vollendung des in Gemeinschaft mit Jesus lebenden und glaubenden Menschen durch *seinen* (des glaubenden Menschen) Tod und *seine* Auferweckung hindurch bedeutet, daß dieser Mensch und seine ganze leibhaftig erfahrene Geschichte hineingeführt wird in die bleibende Gültigkeit und Seligkeit seines vollendeten Lebens vor Gott und mit Gott. In diese Vollendung geht aber auch alles aus seinem Leben ein, was „schöpfungsmäßig" gut war, sofern darin nur (offen oder verborgen) die Agape wirksam gewesen ist: und zwar eben dadurch, daß die *absolute* Agape sich dann vollendend mitteilt. (Übrigens kommt von der Unersetzbarkeit des Lebens innerhalb der jetzigen Schöpfung ja auch der Ernst der Entscheidungsforderung und der Gerichtspredigt.)

[104] Vgl. Phil 3,21.

her in der Tiefendimension verankert, die durch die neutestamentliche Botschaft erschlossen wird. Gerade unter diesem Aspekt verstärkt das Stichwort „Schöpfungsbejahung“ den Akzent, den das Ja Gottes zum *konkreten*, in der gegenwärtigen Schöpfung lebenden Menschen setzt.[105]
So muß das Leben in der gegenwärtigen Schöpfung mit seiner Freude, seinem Glück, seiner Begrenztheit, seinem Engagement, seinem Leid wie im Alten Testament vom Glauben her als „Leben vor Jahwe“ – nachösterlich intensiviert und neu qualifiziert als „Gemeinschaft mit Gott durch Gemeinschaft mit Jesus Christus“[106] – verstanden werden. *Deshalb* gilt nicht nur für das Leben der „Nachfolge“, für das Glaubensleben im engeren Sinn, sondern – in einem Zusammenhang mit ihm (vor allem unter dem Aspekt der Ursprungsstrukturen mit ihrer universalistischen Offenheit) – auch für alles schöpfungsmäßig Gute, daß es durch Tod und Auferweckung hindurch zu seiner bleibenden Vollendung gelangt.[107]
Der eschatologische „Vorbehalt“ bedeutet somit nach meiner Auffassung nicht ein Zurückweichen vor den Werten der gegenwärtigen Schöpfung, sondern das „Paradox“ *des Miteinanders von Ergreifen der gegenwärtigen Schöpfungswirklichkeit und futurisch-eschatologisch begründeter Bereitschaft zum Loslassen.* Der Christ, der vom erhöhten Jesus bestimmt sein will, bejaht – scheinbar paradox – mit gleicher Intensität sowohl die gegenwärtige Schöpfung Gottes als auch die sie transzendierende Verheißung des „neuen Himmels und der neuen Erde“[108]. Der eschatologische „Vorbehalt“

[105] Hier ist wieder an den ursprünglichen Sinn der jesuanischen Makarismen zu erinnern, in denen den materiell Armen die Basileia zugesprochen wird; ferner an die Krankenheilungen und überhaupt die Hinwendung Jesu zu den konkreten ihm begegnenden Menschen.

[106] Entsprechend der „Grundlinie der nachösterlichen Transformation des Soteriologischen“, vgl. oben 5.3.3.

[107] Dieser Schluß ist zwangsläufig, wenn konsequent darauf verzichtet wird, in „Natur“ und „Gnade“ zwei voneinander streng getrennte „Stockwerke“ zu sehen; das würde nicht nur der genuinen scholastischen Lehre widersprechen, sondern wiederum einer einseitig apokalyptischen Disqualifizierung des jetzigen Äons als böse entsprechen (in dem Sinn, daß nur das „obere“ Stockwerk [die „Gnade“] vollendungswürdig wäre und nicht auch das „untere“ [die Natur bzw. das schöpfungsmäßig Gute und seine konkrete Geschichte]). – Vgl. *W. Breuning,* in: MySal V 882: Im Auferweckungsglauben geht es darum, „. . . daß wir in unserer Leibhaftigkeit, sprich Geschichtlichkeit, von Gott aufgenommen werden. Der für Gott liebenswerte Gebrauch unserer Leiblichkeit in der Existenzform dieser Welt bedingt überhaupt unseren Bestand vor ihm.“ Gott liebt in seiner Auferweckungstat „einen Leib, der gezeichnet ist von der ganzen Mühsal, aber auch der rastlosen Sehnsucht einer Pilgerschaft. . . Auferweckung des Leibes heißt, daß von all dem Gott nichts verlorengegangen ist, weil er den Menschen liebt. Alle Tränen hat er gesammelt, und kein Lächeln ist ihm weggehuscht. Auferweckung des Leibes heißt, daß der Mensch bei Gott nicht nur seinen letzten Augenblick wiederfindet, sondern seine Geschichte.“

[108] Apk 21,1. – Vergleichen wir zum Problem die Apokalyptik und die Gnosis, so kann vielleicht gesagt werden: Die einseitige Apokalyptik will sich nur von der Welt distanzieren und sie nicht bejahen, während manche Formen von Gnosis die Distanzierung von der „Materie“ zusammen mit einer pervertierten Form von „Bejahung“ empfehlen (Libertinismus wegen der vermeintlichen Irrelevanz der Materie).

zielt darauf, daß der glaubende Christ *in der Spannung von Bejahung der gegenwärtigen Schöpfung* und seines eigenen jetzigen Lebens in der Schöpfung einerseits *und der Bereitschaft* zur „Distanz" bzw. (richtiger) *zum Loslassen dieses Lebens* andererseits steht.[109] Bejahung der kommenden Schöpfung (*und* Bejahung der schon jetzt durch die Pneuma-Gabe als „Angeld" geschenkten Neuen Schöpfung[110]) gibt es für ihn nicht an der Bejahung der jetzigen Schöpfung vorbei – wie es für ihn auch umgekehrt das Sich-Hineingeben in dieses vom Schöpfer geschenkte Leben nicht ohne die eschatologisch motivierte, auch zu harten Konsequenzen bereite „Jesusnachfolge" gibt. Wenn der an Jesus glaubende Mensch in dem Spannungspol der Schöpfungsbejahung und der „Humanität" Jesu ausruhen zu können meint und auch wirklich für bestimmte Zeiten dankbar ausruhen darf, dann doch in dem Wissen, daß der andere Pol des Anspruchs Gottes durch Jesus ihn einfordern wird – und daß sein Glaube im Jasagen zu dieser Spannungseinheit besteht, die ihn offenhält für den je größeren Gott.

7.2.2.4 „Leben durch Sterben hindurch" – Metanoia – Agape

7.2.2.4.1 Suchen wir nach einer anthropologischen Entsprechung für das spannungsvolle Miteinander von bejahendem Ergreifen und Bereitschaft zum Loslassen der Schöpfungswirklichkeit, die eben als Kernpunkt des „eschatologischen Vorbehalts" aufgezeigt wurde, so stoßen wir auf die Polarität von Sich-selbst-Wegschenken und Sich-selbst-Verwirklichen *in der Liebe,* von „Freiheit schenken" und „die eigene Freiheit finden" in der wechselseitigen liebenden Hinwendung. Diese Beobachtung kann uns dazu führen, die Beziehung zwischen dem „Leben durch Sterben hindurch" (das ja Sinnmitte auch des „eschatologischen Vorbehalts" ist) und der Agape (im neutestamentlichen, von der Liebe Gottes selbst herkommenden Sinn) zu bedenken – und so zu dem Ergebnis der „ersten Antwort" (oben 7.2.2.1: „Die Spannungseinheit von Schöpfungsbejahung und Jesusnachfolge und die nach universaler Solidarität strebende Agape") zurückzulenken. Will der Christ für die anderen – und sich selbst – das jetzige schöpfungsmäßige Leben und sein Glück dankbar-bejahend suchen und annehmen, so wird er das als Jünger Jesu letztlich nur in der Jesusnachfolge als einer „Kreuzesnachfolge" tun können: in einer Hingabe, die die Struktur eines Sterbens, einer

[109] In diesem Zusammenhang erscheint mir die Haltung des christlichen Humanisten Thomas More signifikant zu sein, der um der Jesusnachfolge willen Verurteilung und Tod auf sich nahm. Seine Schrift „Utopia" beweist, wie ernst er das jetzige innerweltliche Dasein und seine gesellschaftlichen Strukturen genommen hat.

[110] Vgl. 2 Kor 5,17.

Lebenshingabe hat und in der seine Agape konform wird mit dem Wegschenken des Lebens durch den Gekreuzigten.
Mit diesem Gedanken nehme ich Bezug auf die vermutlich letzte und wohl reifste neutestamentliche „Aktualisierung" des „Rettens des Lebens durch Verlieren des Lebens" von Mk 8,35, die in der johanneischen Auffassung der Bruderliebe als einer Lebenshingabe[111] vorliegt; jesuanisch ausgeweitet[112] würde besser von der Nächstenliebe (bis hin zur Feindesliebe) als einer „Lebenshingabe" gesprochen. Das auf Leben und Engagement innerhalb der jetzigen Schöpfungswirklichkeit angewendete Prinzip „Leben durch Sterben hindurch" steht demzufolge in engster Einheit mit der Agape, sofern diese als Gemeinschaft mit der Proexistenz des Gekreuzigten erkannt wird[113]: Nur wenn die Liebe (und zwar nicht nur in Ausnahmesituationen, sondern die Agape, wie sie auch in den großen oder unscheinbar-verborgenen Schwierigkeiten *und* den guten Begegnungen des Alltags geübt wird) an der Kreuzes-Agape Jesu Christi partizipiert (in Dimensionen, die das Leben der gegenwärtigen Schöpfung von der Vor-Erfüllung her – transzendierend und neu prägend – umgreifen), wird das Leben durch Sterben hindurch geschenkt, also – auf unsere Fragestellung angewendet: wird christliche Schöpfungsbejahung ermöglicht.
In diesem Verständnis kann es Agape nur durch Metanoia hindurch geben: „Sterben" – im Kreuzesnachfolge-Kontext der Jesustradition (vgl. Mk 8,34) verstanden als „Neinsagen zu sich selbst" („sich selbst verleugnen") – ist Radikalisierung der Metanoia in der Jesusnachfolge, der Metanoia als des Sich-Umwendens um einhundertachtzig Grad von sich selbst und seinem Egoismus weg auf Gott als die absolute Liebe und die von ihm bejahten Menschen hin; solche Metanoia ist dasjenige, was den innersten Kern der Zielgerichtetheit des „Sterbens" im Sinn der Kreuzes-Agape bildet.[114]

[111] Vgl. 1 Joh 3,16f; Joh 15,12f. S. *G. Dautzenberg,* Sein Leben bewahren 65f; *W. Thüsing,* Erhöhung und Verherrlichung 124-126; *ders.,* Die Johannesbriefe 123-126.
[112] Vgl. *W. Thüsing,* Die Bitten des johanneischen Jesus, bes. 322-333.
[113] Vgl. oben 5.3.4.8; *W. Thüsing,* Botschaft, bes. 144-146.
[114] Gerade dieses Durchstoßen zur Metanoia, zum „Ruhmverzicht" im paulinischen Sinn und zum rechten „Sich-Rühmen" ist notwendig, um die Spannungseinheit von Schöpfungsbejahung und Bejahung der Nachfolge anstreben zu können. Vgl. E. Przywara, nach dem die Mitte zwischen der „Vertikalen" und der „Horizontalen" sich nur im Kreuz findet (vgl. die Belege bei *B. Gertz,* a.a.O. 295-297; grundlegend bereits 209-211 [bezüglich des Koordinatenkreuzes der analogia entis]); in meinem Zusammenhang wende ich diesen Gedanken auf die „Mitte" – bzw. die Spannungseinheit – zwischen Schöpfungsbejahung und Jesusnachfolge an.

7.2.2.4.2 Unter diesem Aspekt gewinnt auch *die Frage nach der Legitimität und Notwendigkeit eines Verzichts auf Werte der Schöpfung* ihren Ort.[115] Zwar kann es jesuanisch-christlich nicht legitim sein, wenn Abwertung und Geringschätzung des schöpfungsmäßig Guten und Furcht vor dem Wagnis, das mit dem Bejahen und Ergreifen solcher Werte verbunden sein kann, zum Motiv für den Verzicht werden. Doch von der Weisung Jesu her und entsprechend *seiner* Proexistenz wird kein Christ – je nach Situation, Berufung und Charisma[116] – an Verzichten auf Werte der Schöpfung vorbeikommen können. Aber das ist dann ein Verzichten um der Agape willen, zunächst und vor allem um eines Dienens in der Liebe willen. Darüber hinaus kann und wird der Jünger Jesu jedoch auch gerufen sein, durch solche Verzichte für sich und andere Zeichen zu setzen: Zeichen für die Agape Gottes, die ihm geschenkt wurde, der er antworten will und die er weitergeben soll,[117] Zeichen gegen Lieb-losigkeit, egoistische Verkrampfung in sich selbst und Haß, gegen das Geheimnis des Bösen, das sich aus der Botschaft Jesu nicht wegdiskutieren läßt – um der absoluten Liebe konform zu werden, um dem Durchbruch dieser Agape Gottes durch die Mauern von Lieblosigkeit und Haß zu dienen.

7.2.2.4.3 Gewiß können Egoismus und egoistisches Genießenwollen ohne den Blick auf den Nächsten sich fälschlich als naturgemäß verstehen und vielleicht sogar wähnen, sie gehörten zur Bejahung der Schöpfung. Trotzdem können solche Gefahren dem Christen nicht ein grundsätzliches Recht geben, der Spannung von Schöpfungsbejahung und „Jesusnachfolge" durch einseitige Unterbetonung oder Ausblendung der schöpfungsmäßigen Werte auszuweichen;[118] er darf das Zugehen auf das Sterben und letztlich das Kreuz Jesu nicht seiner Schärfe berauben durch Disqualifizierung des schöpfungsmäßigen Lebens; vielmehr werden die heutigen und die kommenden Generationen von Christen um ihrer Aufgabe für die Gesellschaft willen den Auf-

[115] Diese Frage ist mit Absicht noch nicht im Zusammenhang des „Lebens durch Sterben hindurch" (7.2.2.2) und des „eschatologischen Vorbehalts" (7.2.2.3) behandelt worden, da mir eine Antwort letztlich nur im jetzigen Kontext der Agape-Theologie möglich zu sein scheint.

[116] Es gibt zweifellos Berufungen und Charismata, in deren Vollzug der Verzicht auf schöpfungsmäßige Werte stark in den Vordergrund rückt, und es wird sie – vielleicht in je anderen Erscheinungsformen – auch weiter geben müssen. Aber die jetzt gezogene Konsequenz scheint mir vor allem für die heutige Aufgabe jedes Christen von Bedeutung zu sein, Glaubensvollzug und Aufgabe in Gesellschaft und Welt als Einheit zu leben.

[117] Nicht nur für das Weitergeben dieser Liebe, das sicher an erster Stelle steht (vgl. 1 Joh 4,19 ff), sondern auch für die „Sachgemäßheit" der „unmittelbar"-ausdrücklichen Antwort auf die Liebe Gottes kann ein Verzicht auf schöpfungsmäßige Werte – je nach dem Charisma des einzelnen – legitimes Zeichen sein.

[118] Ebensowenig wie durch eine Relativierung von Leiden und Tod, von der oben in 7.2.2.2 die Rede war.

trag haben, die Hingabe (das „Gebet als Gesamt-Lebensvollzug“[119]) mitten in der guten und bedrohten Schöpfung Gottes zu suchen, in einer das Leiden wagenden Bejahung der schöpfungsmäßigen Werte.[120] Mag diese Konsequenz in früheren Perioden der Kirchengeschichte oft mehr oder weniger verstellt gewesen sein – für die heutige Aufgabe des Christen, Glaubensvollzug und Engagement für die Humanisierung der gesellschaftlichen Verhältnisse als Einheit zu leben (also letztlich um der Agape willen, die die universale Solidarität anstrebt), scheint sie mir unumgänglich zu sein.[121]

7.2.2.4.4 Ermöglicht ist das Zugehen auf das Sterben in dieser Tiefendimension durch die Gemeinschaft mit Jesus, in der es eine neue Qualität erhält; es ist Übernahme des Sterbens in Solidarität mit dem, der die Spannungseinheit von „Bejahung Gottes und Proexistenz für die Menschen“ bis zum Tod durchhielt. Liebendes Geöffnetsein für ein solches „Sterben“ der „Kreuzesnachfolge“ ist *im letzten* das, was die Kraft zur Spannungseinheit von Schöpfungsbejahung und Jesusnachfolge gibt. Dieses „Sterben um des Lebens willen“ – als Radikalisierung der Metanoia in der Agape – bedeutet das Eingehen sowohl auf den Anspruch Gottes als auch auf sein „Geschenk der Freiheit“ (und damit auf die von ihm geschenkte Offenheit für das Humanum). Nur so kann der glaubende Mensch auch offen werden für die universale zwischenmenschliche Solidarität – weil er nur in der bedingungslosen Haltung von Metanoia und „Ruhmverzicht“ offen werden kann für Gott als das universale, absolute Geheimnis der Liebe.

7.2.2.5 Die Agape als Ziel- und Einheitspunkt von Schöpfungsbejahung und „Jesusnachfolge“

Zum Abschluß sei noch einmal die Frage artikuliert, die offen oder insgeheim die Überlegungen zu „Schöpfungsbejahung und ‚Jesusnachfolge‘ “ be-

[119] Vgl. Röm 12,1 (die Mahnung des Paulus an die Christen, ihre ganze leibhaftige Existenz Gott als „lebendiges Opfer“ darzubringen) als Zusammenfassung und Vertiefung dessen, was mit der Aufforderung zum Gebet „ohne Unterlaß“ (1 Thess 5,17) letztlich gemeint sein dürfte.

[120] Aus diesem Grund ist es mir fraglich, ob der Wunsch des Paulus in 1 Kor 7,28, seine Christen zu „schonen“ (mit seinen Konsequenzen, also dem Abraten von der Ehe) mit der Grundstruktur nicht nur paulinischen, sondern auch jesuanischen Denkens im Einklang steht; vgl. oben 7.2.2.3, Anm. 99.

[121] Sich in der Agape ganz hineinzugeben in die so schöne und bedrohte Schöpfungswirklichkeit, das ist der Ruf nicht nur an den Christen, der in der Weltaufgabe steht; sich ganz hineinzugeben und ganz solidarisch zu sein in der Agape, das ist auch einer Karmelitin oder einem Charles de Foucauld möglich.
Die Tradition christlichen Weltverzichts bildet freilich einen ständigen Stachel, der gespürt werden und nicht geringgeschätzt werden sollte.

wegte: Wie kann es gelingen, daß die Botschaft des (nachösterlichen) Neuen Testaments nicht zur Blickverengung führt, sondern gerade dazu, die Mitte der Schöpfungs- und Offenbarungswirklichkeit zu finden und damit zur ganzen Wirklichkeit hinzuführen und fähig zu machen, nichts von dem ganzen Leben und Anteilnehmen, das dem Christen aufgegeben ist, zu verweigern? Diese Frage zeigt nochmals sowohl die Aufgabe als auch die immense Schwierigkeit, das Ziel auch nur annähernd zu erreichen. Die Aufgabe zu bestehen – das kann nicht durch Zurückschrauben der beiden Spannungspole auf ein harmloses Mindestmaß gelingen, sondern nur dadurch, daß *beide* voll zur Begegnung und zum Ringen um die Einheit und Ganzheit gelangen – durch die Metanoia hindurch und in der Agape.

Die Agape ordnet die Schöpfungsbejahung nicht nur der Jesusnachfolge unter, sondern bindet beide zu einer polaren Einheit zusammen – sie ist Ziel- und Einheitspunkt von Schöpfungsbejahung und Jesusnachfolge, wie sie auch den Ursprung der Spannungseinheit bildet. Denn nur aus dem Geheimnis der sich selbst schenkenden absoluten Liebe[122] kann die Kraft kommen, beides – in nur scheinbar paradoxer Weise – zusammenzubinden: *Je unbedingter die Jesusnachfolge ist und vor allem je mehr sie in die Konformität mit der Proexistenz Jesu selbst führt, um so gefüllter, reiner und intensiver ist auch die Schöpfungsbejahung.*[123] Jesusnachfolge kann keineswegs eine Abschwächung, Herabminderung oder gar Verdächtigung der Bejahung des schöpfungsmäßig Guten im gegenwärtigen Äon bedeuten; die durch die Weisung Jesu geforderte und durch die Gemeinschaft mit ihm neu ermöglichte Nächstenliebe (bis hin zur Feindesliebe) führt in die Mitte der Schöpfungsbejahung Jesu selbst[124]; sie eröffnet damit auch die Freude an dieser jetzigen Schöpfung und das Engagement in ihr neu. *Gerade der in Gemeinschaft mit Jesus glaubende Mensch kann und muß – um der Agape willen – bereit und offen sein, sich der ganzen Wirklichkeit zu stellen.*

Das Thema „Schöpfungsbejahung und Jesusnachfolge" ist *ein* – freilich zen-

[122] Vgl. zu dieser theo-logischen Begründung 1 Joh 4,8.16; s. unten S. 352.

[123] Der Gedanke ist nicht in jeder Hinsicht umkehrbar. Die Jesusnachfolge darf nie um der Schöpfungsbejahung willen aufgegeben werden, wohl aber kann der Verzicht auf Werte der Schöpfung um der Nachfolge willen gefordert sein. Eine Umkehrbarkeit kann nur dann ausgesagt werden, wenn die „Schöpfungsbejahung" als Bejahung des konkreten geschaffenen Menschen bereits mit ganzer Intensität danach strebt, mit der Bejahung des Menschen durch Gott und Jesus konform zu werden.
Der Gedanke ist übrigens formal in Analogie zu dem christologischen Prinzip des Maximos Confessor formuliert – und steht wohl auch in einem inneren Zusammenhang damit. (Vgl.oben den Exkurs [6.2.2.5], Abschnitt [6.2.2.5.8].)

[124] Vgl. oben 7.2.1.2.2 zum Zusammenhang von Basileia-Verkündigung und Schöpfungsbejahung Jesu.

traler – Aspekt des umfassenden Themas „Polarität von Bejahung Gottes und Bejahung des Menschen". Um deutlich zu machen, wie sehr dieser Aspekt in das umfassende Thema integriert ist, dürfen wir auch für das letztere die beiden Pole in der gleichen „paradoxen" Weise zusammensehen: *Je unbedingter die* (durch die „Jesusnachfolge" in den Dienst der Agape bis zur Kreuzesnachfolge stellende) *Bejahung der Gottheit Gottes und des Anspruchs seiner Liebe ist, um so gefüllter, reiner und intensiver ist auch die „Schöpfungsbejahung" und in ihrer Mitte das Ja zum Menschen.*[125] In ihm engagiert der Christ sich schon jetzt für den *konkreten* Menschen, seine gesellschaftliche Situation und Not (und damit für seine Freiheit im theologisch-anthropologisch umfassenden, aber immer konkreten Sinn), weil der Gott und Vater Jesu Christi den anderen durch Jesus angenommen hat. Für den Jesusglauben ist dieser Satz nicht einfach eine Konsequenz oder ein Postulat, sondern Ausdruck der Hoffnung für die Welt wie für den einzelnen.

Die Spannungseinheit von Schöpfungsbejahung und Jesusnachfolge innerhalb der polaren Einheit von Bejahung Gottes und Bejahung des Menschen gründet letztlich in dem Gott der Hoffnung selbst[126] – in dem Gott, der der Schöpfer der Welt ist *und* der Vater Jesu Christi: der Jesus gesendet und in sein wirkendes Geheimnis aufgenommen hat; sie gründet im Schöpfer als dem „je immer größeren Gott", dem Gott der Basileia, der diese seine Herrschaft durch Jesus Christus schon jetzt in diese Weltzeit hineinwirken läßt und der allein die *Einheit* der Spannungspole ursprunghaft lebt und sie für uns und in uns realisieren kann.

Die Agape ist Ziel- und Einheitspunkt von Schöpfungsbejahung und „Jesusnachfolge" letztlich deshalb, weil der Gott, der sie schenkt, zu Recht einfachhin „die Liebe" genannt werden kann[127] – trotz und in seiner polaren Einheit, besser: Lebensfülle von Liebe *und* Macht.

Diese polare Einheit, die die Schöpfungsbejahung – als Sich-Hineingeben in die schöpfungsmäßige, kommunikative Fülle des Lebens sowie (gleichzeitig und ebendadurch) als Annehmen der Freiheit, dialogisch sich selbst zu verwirklichen – mit der Jesusnachfolge zusammenbindet, kann von uns sicher nur asymptotisch angezielt werden. Ihre Gefährdung und ihre Unwahrscheinlichkeit zu sehen, ja darüber hinaus die Unmöglichkeit zu erkennen, sie aus eigener Kraft zu verwirklichen, und sie trotzdem als Ziel anzusprechen und zu erstreben: das bedeutet, das Leben auf ein Vertrauen zu grün-

[125] Dieser Satz kann Leuchtkraft gewinnen durch das Beispiel Franz von Assisis. Freilich ist dieser nicht „Modell", das zur buchstäblichen Nachahmung gedacht wäre; er ist vielmehr „Zeichen" – aber das in einem eminenten Sinn für jeden Christen, der den Weg der Nachfolge sucht.

[126] Vgl. Röm 15,13.

[127] 1 Joh 4,8.16; s. oben 6.3.3.1.2.

den, das sich auf das absolute Geheimnis der Liebe richtet – das bedeutet, die spannungsvolle Rätselhaftigkeit dieses Geheimnisses (von dem wir uns kein Bild machen dürfen) nicht nur hinzunehmen, sondern gerade darauf die liebend-antwortende Hoffnung zu setzen.

7.3 Zur Relevanz für die Aufgabe der Christen in Welt und Kirche: Offenheit der Agape nach außen und innen

7.3.1 Vorbemerkung

Mit diesem Thema bewegen wir uns noch in demselben Problemfeld wie in 7.2 („Schöpfungsbejahung und Jesusnachfolge"). Das Engagement der Christen für Gesellschaft und Welt ist zwar zweifellos ein Dienen im Sinn der Intention Jesu. Aber „Jesusnachfolge" (in dem oben[128] dargelegten Sinn) und Handeln im Sinn der Intention Jesu sind nicht einfach deckungsgleich; die Intention Jesu bezieht sich sowohl auf die „Bejahung des Menschen" als auch auf die „Bejahung Gottes". Innerhalb der anzuzielenden „Spannungseinheit von Schöpfungsbejahung und Jesusnachfolge" ist das gesellschaftliche Engagement von Christen primär dem Pol „Schöpfungsbejahung" bzw. „Ja zu Gottes Ja zum Menschen" zuzuordnen. Die innerkirchliche Bindung und Kommunikation ist eine konkrete Vorbedingung und Ausdrucksform heutiger „Jesusnachfolge"; diese ist letztlich nicht an der konkreten Gemeinschaft der Jünger Jesu vorbei zu realisieren. Von daher sind Bindung und Leben innerhalb der Kirche dem Pol „Jesusnachfolge" zugeordnet – und damit letztlich der „Bejahung Gottes"; denn der Ruf zur Nachfolge ist, wie wir sahen[129], eine der jesuanischen Ausdrucksformen jenes Anspruchs. Engführungen und Fehlentwicklungen im Bereich der „Spannungseinheit von Schöpfungsbejahung und Jesusnachfolge" bedingen somit analoge Engführungen und Verzerrungen sowohl beim gesellschaftlichen Engagement als auch bei der innerkirchlichen Kommunikation.
Zwei Extreme kommen bei dieser Zusammenordnung der Themen „Aufgabe für die Kirche" und „Aufgabe für die Welt" in Sicht: Das eine Extrem ist der Versuch, dem Anspruch Gottes durch eine Art der Solidarisierung mit der Kirche gerecht zu werden, die bis zur vollen Identifizierung mit de-

[128] 7.2.1.3.1 und 7.2.1.3.2.
[129] Oben 7.2.1.3.1.

ren gegenwärtigen Verfassungs- und Kommunikationsstrukturen geht und bei der die „Offenheit der Agape nach außen" gegenüber den sich vordrängenden Verpflichtungen für das Innenleben der Kirche zur Randerscheinung würde; das andere Extrem wäre der Primat des gesellschaftlichen Engagements (der „Brüderlichkeit nach außen") in einem so betonten Sinne, daß er die Vernachlässigung der theologisch-soziologischen Größe „Jüngergemeinschaft" bzw. „Kirche" nach sich zöge.
In diesen beiden Extremen spiegelt sich die Spannung, die zwischen einem „Leben mit und in dem Geheimnis Jesu" einerseits und einem Leben im Engagement für die „Sache" Jesu[130] besteht.

7.3.2 Offenheit der Agape „nach außen"

Bei Jesus ist die Bejahung des Menschen – in Spannungs*einheit* mit der Bejahung Gottes – zeitlich und vor allem sachlich-theologisch früher als die Kirche bzw. die ersten Keime einer Jüngergemeinschaft. Jesus ist nicht zuerst proexistent für die Kirche, sondern primär und übergreifend für die Welt – also haben auch seine Jünger ihren Dienst entsprechend *dieser* Priorität zu leben.
Nun werden „Christentum" und christliche Botschaft bekanntlich von vielen Menschen und von mächtigen politischen Systemen als Hemmnis für die gesellschaftliche Entwicklung angesehen, und allzuoft haben Christen (und auch verantwortlich Leitende in der Kirche) Anlaß für ein solches Urteil gegeben.
Die kritisierte Praxis von Christen und Kirche hängt damit zusammen, daß die Jünger Jesu die Spannung, die durch den Pol des „Anspruchs Gottes" bedingt ist, nicht ausschalten dürfen, wenn sie sich ihrer Aufgabe für die Welt hingeben. Fragen wir also: Wieso zeigt sich bezüglich der Aufgabe des Christen in der Welt eine solche „Spannung"? Ein scharfer, blockierender Widerstreit ist möglich zwischen individualistischer Frömmigkeit einerseits und dem Stehen in der Welt andererseits, aber auch zwischen einer kollektivistisch-sektenhaften Absonderung der Jüngergemeinschaft als solcher einerseits und der Aufgabe für die Welt andererseits. In beiden Fällen liegt eine

[130] Unter der „Sache Jesu" verstehe ich die Intentionen, für die er eintrat und zu denen sowohl die Öffnung für den Menschen und seine Befreiung als auch das Eintreten für den Anspruch Gottes gehören; unter „Geheimnis Jesu" ist seine einzigartige Bindung an das absolute Geheimnis Gottes verstanden, also vor allem seine Aufnahme in das Geheimnis Gottes und seine Wirksamkeit aus diesem Geheimnis heraus, aber auch schon die nach dem Zeugnis des Neuen Testaments einzigartige Gottesbeziehung des irdischen Jesus sowie die Exusia, die aus dieser singulären Gemeinschaft mit Gott folgt.

unerträgliche und unversöhnbare Spannung vor: Auf der einen Seite steht eine Beziehung zu Gott, die sich aus Heilsegoismus oder Furcht vor dem Verlust des Glaubens - oder vielleicht letztlich, weil sie ihr Bild von Gott nicht zerbrechen lassen will - gegenüber der Gesellschaft und ihrer Verantwortung für sie abkapselt; auf der anderen Seite steht - letztlich als Reaktion - eine Beziehung zur Welt, die diese in einer Weise gestalten will, daß dabei das allein tragfähige absolute Geheimnis der Liebe ausgeklammert wird.
Wie kann also die allzuoft wirksam gewordene Tendenz zum Individualismus (und damit zum Rückzug auf das eigene Seelenleben oder auf ein konventikelhaft verstandenes Leben der Gemeinde) überwunden werden? Die Antwort kann auch hier wiederum[131] nur dadurch gegeben werden, daß das jesuanische Prinzip der Spannungseinheit von Bejahung Gottes und Bejahung des Menschen auch auf *diese* Spannung angewendet wird: Die Überwindung ist nur möglich, wenn die Spannung zwischen dem Anspruch Gottes (der den einzelnen Christen in die Hinwendung zu Gott selbst und in die Solidarisierung mit der Jüngergemeinschaft Jesu ruft) und dem Engagement für die Menschheit und ihre Not zur Spannungs*einheit* geführt wird: und wenn dadurch - im Durchhalten der von Jesus selbst gelebten Spannungseinheit - der Mensch und das Engagement für die Humanisierung seiner gesellschaftlichen Strukturen bejaht werden *im Verzicht auf die abgegrenzte „reine Gemeinde“*[132], in der Öffnung für die Probleme der Menschheit als ganzer - im Exodus aus vielleicht liebgewordener Enge in die Weite und Ungesichertheit einer Agape, die für alle offen ist.
Die Spannungseinheit fordert in diesem Zusammenhang das Vertrauen des Christen, daß die Öffnung für die Welt um so intensiver, reiner und weiter geschieht, je unbedingter die Öffnung für Gott und seinen Anspruch ist[133] - und letztlich, daß er sich zu einem scheinbaren Paradox bekennt: daß er die Botschaft und die Wirklichkeit des Kreuzes, die „Hemmnis“ zu sein scheint, als die letztlich bewegende Kraft anerkennt.[134]

Die in der matthäischen Bergpredigt[135] der Jüngergemeinschaft gestellte Aufgabe, „Licht der Welt“ und „Stadt auf dem Berg“ zu sein - also die Aufgabe der Christen für die Welt - bedingt ein Zweifaches:

[131] An dieser Stelle können wir auf 7.2.2.1 zurückgreifen.

[132] Gemeint ist der grundsätzliche Verzicht Jesu auf das „religionspolitische“ Prinzip seiner pharisäischen Gegner, die Rettung Israels durch Aussonderung aller „Unreinen“ zu beschleunigen; vgl. oben 3.2.1.

[133] Vgl. oben 7.2.2.5 (dort auf die Spannungseinheit von „Schöpfungsbejahung“ und „Jesusnachfolge“ bezogen).

[134] Vgl. *W. Thüsing*, Botschaft 143f.

[135] Mt 5,13-16.

– der Weisung Jesu zur unbedingten Agape zu folgen – und das heißt heute: auch der Gesellschaft und der Menschheit als ganzer seine Kräfte zur Verfügung zu stellen, also sich für die Humanisierung der „Sekundärstrukturen" (der gesellschaftlichen Strukturen) zu engagieren, die das Neue Testament noch kaum im Auge haben kann[136], zuvor aber – als selbstverständliche Voraussetzung – die Agape in den „Primärstrukturen" (von Mensch zu Mensch) zu erstreben;
– die Aufgabe für die Welt bedingt aber ebenso das Weitergeben der Weisung Jesu, die missionarische Öffnung der Jüngergemeinschaft, das Bestreben, die Menschen aus allen Völkern in die Solidarität mit Jesus und seiner Intention einzubeziehen (entsprechend der Weisung von Mt 28,19 „Macht alle Völker zu Jüngern. . . ").[137]

Aber auch die für die Jüngergemeinschaft Jesu unverzichtbare missionarische Öffnung muß in der Weise des Exodus erfolgen (und in keinem, wenn auch noch so unreflektiert-unbewußten Verständnis in der Weise der „Kolonialisierung"). Wurde oben in 7.2 von der Spannungseinheit von „Jesusnachfolge" und „Schöpfungsbejahung" gesprochen, so muß im jetzigen Zusammenhang – in Weiterführung der dortigen Gedanken – eine Spannungseinheit von Jesusnachfolge und Toleranz postuliert werden – insofern es die Bejahung des Menschen (als Schöpfungsbejahung) nicht ohne die Bejahung seiner Freiheit gibt. Unter „Toleranz" ist hierbei also eine Haltung verstanden, die die volle „Bejahung des Menschen" widerspiegelt: die volle Offenheit für den nichtchristlichen Mitmenschen und die Würde und Freiheit, die der Schöpfer ihm gegeben hat. Auf dieses Postulat kann nicht verzichtet werden: Der Ruf zur Nachfolge steht in enger Verbindung mit dem Absolutheitsanspruch Jesu Christi. Wird dieser Absolutheitsanspruch Gottes durch Jesus aus der Einheit mit seinem „Geschenk der Freiheit" gelöst, so kommt es zu der Intoleranz, die sich in der Kirchengeschichte so oft und so unheilvoll ausgewirkt hat. Sicherlich darf der Begriff „Toleranz" nicht in seiner heutigen Füllung unhistorisch in das Leben Jesu von Nazaret zurückprojiziert werden; für den heutigen Jünger Jesu folgt die Verpflichtung zur Toleranz jedoch aus der „Freiheitsermöglichung" durch Jesus, aus seiner Offenheit für die „Randexistenzen", die „Sünder", aus seiner Befreiung vom Legalismus. Das Ziel muß „Toleranz" sein: Achtung dessen, was bei nichtchristlichen Menschen religiös und weltanschaulich vorgegeben ist, und Bejahung des schöpfungsmäßig Guten darin (das trotz der Vermischung mit

[136] Es geht hier um eine Wiederaufnahme und Weiterführung der Überlegungen von 7.2.2.1 zur „nach universaler Solidarität strebenden Agape" auf das jetzige Thema hin.
[137] Vgl. *W. Thüsing,* Aufgabe der Kirche 66-70; vgl. oben 5.4.3; 5.4.4.3; bes. 5.4.4.4 und 5.4.4.5.

Irrtümern vorhanden ist) – *und zwar ohne Minderung der „Jesusnachfolge"*, ohne Minderung der „Gemeinschaft mit Gott durch Gemeinschaft mit Jesus Christus" *und ohne Leugnung oder Abschwächung der eigenen Sendung.*

Daß die Kraft freigesetzt wird, die „radikal" („von der Wurzel her") offen macht für den Mitmenschen – diese Kraft, die Jesus in die Welt bringt und in der er das Erbarmen Gottes verkündet und mitteilt –, das wird sich nur dann ereignen, wenn die Botschaft vom Kreuz und die Gemeinschaft mit dem Gekreuzigten nicht als Hindernis betrachtet und eliminiert, sondern als die eigentliche Dynamik, in der Öffnung sich ereignet, akzeptiert werden – als Chance, das egoistische Sich-Verkrampfen in der Weise, wie die Welt es letztlich braucht, aufzubrechen zur Agape.[138] Ohne die „paradoxe" Polarität von Weltauftrag und Kreuz büßt das „Salz"[139] seine Wirkung ein, verliert die Dynamik der in der Unerfaßbarkeit Gottes – als des ganz Anderen – gründenden Spannungseinheit ihre Kraft, verhärtete Strukturen aufzubrechen.[140] Um eine Katastrophe der Menschheit zu verhindern, braucht es heute eine „Mitmenschlichkeit", die radikaler und kraftvoller ist als ein nur vom Menschen her gedachter Humanismus; es braucht die Feindesliebe der Bergpredigt – und die gibt es nicht ohne das Kreuz.[141]
Die Intention Jesu ist primär nicht, die gesellschaftlichen Strukturen zu verändern; seine Intention ist vielmehr darauf gerichtet, das Trennende in der Menschheit aufzubrechen, und zwar von innen heraus.[142] Aber wir dürfen überzeugt sein – mehr: als Christen sollen wir glaubend darauf vertrauen, daß nichts den Menschen und auch der Humanisierung ihrer gesellschaftlichen Strukturen hilfreicher ist als dieses Aufbrechen des Trennenden, die „Versöhnung".[143]

[138] Vgl. schon oben 7.2.2.1; dort war davon die Rede unter dem Aspekt der Frage, weshalb die apokalyptisch-harten Jesusworte nicht entschärft werden dürfen.

[139] Vgl. Mk 9,49 f parr.

[140] Vgl. oben 6.3.3.5.6; dort wurde dargelegt, daß das Infragestellen der Gottesbilder und das Infragestellen der Bilder, die ein Mensch sich vom anderen macht, einander bedingen. Was dort als Konsequenz aus dem absoluten Geheimnis Gottes und seinem Selbstmitteilungswillen grundsätzlich dargelegt wurde, gilt nicht nur in dem einen oder anderen Einzelfall, sondern im Hinblick auf die gesamte Menschheit mitsamt ihren gesellschaftlichen Strukturen, die, soweit sie in Gruppenegoismus verhärtet sind, in der Kraft der Agape verändert werden müssen. – Es sei noch einmal daran erinnert: Die Strukturkomponenten 12-14 (T) (unbedingte Agape – Offenheit der Christen für die Freiheit der anderen – Universalismus) gehören zur nachösterlichen Christologie/Soteriologie untrennbar hinzu.

[141] Vgl. *W. Thüsing,* Botschaft 145f. – Dabei muß freilich gesehen werden, daß nicht nur derjenige Christ proexistent ist für die Welt, der etwas „tut", sondern daß auch derjenige, der – von außen betrachtet – nichts „tun" kann, in der Sicht des Glaubens seine Chance zum Erfüllen eines Dienstes für die Welt hat.

[142] Vgl. *W. Thüsing,* a.a.O. 141, Anm. 8.

[143] Vieles müßte in diesem Zusammenhang noch ausdrücklicher zur Sprache gebracht werden; was über die Solidarität mit den Armen und Unterdrückten und dem Engagement für sie gesagt

7.3.3 Offenheit der Agape „nach innen“

Die Kirche (nicht nur der einzelne Christ!) hat ihre Dienstfunktion für die Welt, besitzt aber auch als solche ihr spezifisches eigenes inneres Leben als „Raum“ für das Empfangen der Vor-Erfüllung des Heils.[144] Sie muß in der Brüderlichkeit nach innen leben, um die Kraft für die Offenheit und Brüderlichkeit nach außen zu haben.[145] Ebendeshalb – weil die Kirche nicht in sich ruht, sondern in ihrem Dienst geöffnet sein muß für Gesellschaft und Menschheit – reflektiert sich in ihr selbst die Spannung zwischen dem Lebens- und Kommunikationsgefüge, das sie „nach innen“ braucht, und ihrer Aufgabe für die Welt. Diese Spannung wird intensiviert durch die grundlegende Polarität von Bejahung Gottes und Bejahung des Menschen, von Jesusnachfolge und Schöpfungsbejahung, die die Gemeinschaft der Jünger Jesu zunächst gerade im Rahmen ihres eigenen Lebens – als „Bruderschaft nach innen“ – durchzutragen hat. Der jesuanischen Spannungseinheit korrespondiert also eine ekklesiologische: zwischen der Betonung dessen, was den Anspruch Gottes und Jesu Christi sichern soll, und der Betonung von Freiheit und Humanität. Diese zur Einheit zu führende Spannung gibt es nicht nur im Wirken Jesu und nicht nur für die Menschen „draußen“, denen die Kirche zu dienen hat; man darf und kann diese Polarität nicht aus dem Leben der Kirche in der Weise ausklammern, daß in deren Innenraum (um es überspitzt zu sagen) nur der Pol des Anspruchs Gottes wirksam würde – und der Pol der Humanität nur „draußen“.[146]
Diese Polarität nimmt nicht nur die Form der Spannung zwischen Amtsträgern und Gemeinde, sondern im Zusammenhang damit und darüber hinaus die Form der Spannung zwischen „Konservativen“ und „Progressiven“ in der Kirche an.[147]

wurde, müßte noch stärker betont werden. Ich unterlasse es, mehr darüber zu schreiben: nicht, weil ich diese Thematik für unwichtig halten würde – solche Solidarität gehört ja (gerade in unserer Zeit!) zu der für Heil und Gericht entscheidenden Tat der Liebe hinzu, vgl. Mt 25,31-46) –, sondern weil es von anderen (ich nenne vor allem J.B. Metz) vom heutigen Problemhorizont her adäquater und umfassender gesagt worden ist, als ich es könnte. – Zum Thema „Versöhnung“ vgl. *H.-J. Findeis,* Versöhnung – Apostolat – Kirche (maschinenschriftliche Dissertation, Münster 1979).

[144] Strukturkomponente 15 (T); vgl. oben 5.4.4.3-4.

[145] S. oben 5.4.4.5 und 6.3.3.2.2.

[146] Dieser Gedanke wird – in anderem Zusammenhang – unten in 7.4.3 weitergeführt werden.

[147] Diese beiden Positionen (oder Positionsgruppen) dürfen nun aber nicht in Schwarzweißmalerei dargestellt werden. Einerseits gibt es nicht nur einen starren, abgekapselten Konservativismus. Die „Konservativen“ sind – auch in ihrer Spannung zu den „Progressiven“ – sicherlich oft Christen, die das Anliegen des Paulus in Phil 3,7-14, in unbedingter und intensiver Zielgerichtetheit auf Christus und durch ihn auf Gott und seinen Anspruch zu leben, sehr ernst nehmen, dieses Anliegen freilich dann nicht oder nicht ausreichend als einen von zwei Spannungspolen erkennen, sondern die ihnen vertraute Ausdrucksform des *einen* Spannungspols als unverrückbare,

Für die hiermit angesprochene Problematik ist wieder eine paulinische Formulierung hilfreich, und zwar 1 Kor 8,1: „Die Gnosis bläht auf, die Agape baut auf." Bei den Spannungen zwischen den „Schwachen" und den „Starken" in den paulinischen Gemeinden[148] dürfte es sich um Konfliktsituationen handeln, die mutatis mutandis vielleicht in etwa der heutigen Spannung zwischen den zur „Bewahrung" neigenden und den auf „Fortschritt" drängenden Kräften verglichen werden können. Die Lösung des Paulus ist das Handeln aus einer Agape heraus, der das konkrete Heil des einzelnen Bruders *und* das „Aufbauen" in bezug auf die Gemeinde über Prinzipienfragen gehen – aus einer Agape, in der er überzeugt ist, seinem Kyrios und *dessen* Proexistenz konform zu sein: also ein Handeln um der Gemeinschaft mit dem Gekreuzigten willen. Auch hier gilt – analog – das Prinzip des „Lebens durch Sterben hindurch"[149]: Die Chance zur Vermittlung zwischen den in Spannung zueinander stehenden Gruppen und damit die Chance für die lebendige Einheit der Kirche ist durch die „radikale" Agape gegeben, durch die letztlich nur in Gemeinschaft mit der Kreuzes-Proexistenz Jesu Christi selbst mögliche Agape.
Die angesprochenen innerkirchlichen Probleme sind nur zu lösen, wenn die Spannung von Exusia und Diakonia sowie von Amt und Charismen zur Einheit zusammengeführt bzw. diese Einheit engagiert angestrebt wird.[150]
Wird der Problemkreis innerkirchlicher Praxis angesprochen, darf auch das Stichwort „Spiritualität" nicht unberücksichtigt bleiben: Die Chance lebendiger, dem *Menschen* innerhalb der Kirche Raum gebender innerkirchlicher „Einheit" gibt es nur durch eine kirchliche Praxis, in der die Öffnung des einzelnen und der Jüngergemeinschaft als ganzer auf das unauslotbare Geheimnis, das Gott genannt wird, im Glaubens- und Lebensvollzug angestrebt wird: Spiritualität, Gebet und Gottesdienst sind schon von hier aus unverzichtbare Komponenten eines den Ursprüngen verpflichteten christlichen *und* kirchlichen Lebens.

unbedingt zu verteidigende Bastion ansehen (ohne auf den anderen Spannungspol zu achten bzw. gegen die ihn vertretende Richtung). Und auch auf der anderen Seite sollte man nicht meinen, daß alle „Progressiven" das Christentum nur dem Zeitgeschmack anpassen wollten. Man kann ihnen (selbst denen, die einseitige Formen einer „Theologie der Sache Jesu" vertreten) das Engagement für die Dynamik des Evangeliums Jesu Christi – und damit einen mindestens impliziten Christusglauben, näherhin einen impliziten Glauben an das *Geheimnis* Jesu Christi – nicht von vornherein absprechen.

[148] Vgl. 1 Kor 8.10 und Röm 14-15.

[149] Vgl. oben 7.2.2.2

[150] Vgl. *W. Thüsing,* Dienstfunktion, bes. 82-88.

7.3.4 Versuch, die „Mitte" ohne abschwächende Harmonisierung anzustreben und durchzuhalten

Dieses Postulat bezieht sich auf beides, sowohl auf die Weltaufgabe des Christen als auch auf die innerkirchliche Kommunikation. (Der hier postulierte „Versuch" wird sich freilich wohl zunächst innerkirchlich entwickeln und wirksam werden müssen, damit er auch im Vollzug der „Aufgabe für die Welt" wirksam werden kann.) Die dynamische Offenheit, die sich aus der durch Jesus vorgegebenen Spannungseinheit ergibt, muß meiner Überzeugung nach zu einer *nicht-neutralistischen*[151] „Mitte" führen – und zwar um des Ganzen willen, um der Überwindung der Spaltungen sowohl in der Menschheit als auch in der Kirche willen. Um des Ganzen willen: das meint auch hier, daß bei dieser Überwindung von Egoismus, von Vorurteilen, Abneigung und Feindschaft das Ganze des Jesusglaubens und der Intention Jesu von Nazaret auf dem Spiel steht – und damit das Ganze des christologisch vermittelten Gottesglaubens.

„Ohne abschwächende Harmonisierung": Ein Anstreben der „Mitte" kann allzuleicht einer solchen Harmonisierung geziehen werden. Aber dieser Gefahr darf die hier gemeinte Position der „Mitte" auf keinen Fall erliegen. Die Gefahr kann jedoch nur dann vermieden bzw. überwunden werden, wenn die beiden einander widerstreitenden Tendenzen – in der Gesellschaft wie in der Kirche – als Spannungspole begriffen werden, die zwar sicherlich zur Einheit bestimmt sind und deren Einheit angestrebt werden muß, von denen aber keiner auch nur irgendwie abgeschwächt werden darf. Wiederum: „Spannungseinheit" darf nicht verwechselt werden mit „Synthese".

Man könnte einwenden, es sei doch ein vielleicht zu einfacher Ausweg, eine Spannungseinheit zu postulieren und sich dadurch von einer Entscheidung zu dispensieren. Das hier gemeinte Anstreben und Durchhalten der „Mitte" – „ohne abschwächende Harmonisierung" – verpflichtet jedoch zur Entscheidung für die Intention Jesu. Die Konzeption der Polarität von Bejahung Gottes und Bejahung des Menschen, der dieses Postulat eines Anstrebens der „Mitte" entspringt, ist – von den neutestamentlichen Grundstrukturen her – theo-logisch verantwortbar und notwendig. Sie begnügt sich keineswegs passiv mit einem einfachen Nebeneinander-Stehenlassen von Unvereinbarem, sondern entscheidet sich aufgrund des Glaubens an die „Spannungseinheit" des Auseinanderstrebenden, die Gott in Jesus Christus geschaffen hat; sie entscheidet sich damit für die Agape.

[151] Das hier gemeinte Anstreben der „Mitte" ist in keiner Weise ein Gegensatz zur aktiven Solidarisierung mit den Unterdrückten und Ausgebeuteten und zu einem Parteinehmen gegen das Unrecht; die „Mitte" fordert es vielmehr, weil sie im Dienst der unbedingten Agape Jesu Christi steht.

Das Anstreben der „Mitte" – „ohne abschwächende Harmonisierung" – darf sicherlich nicht als eine Art Patentrezept mißverstanden werden. Man wird aber vielleicht von einer fruchtbaren Utopie sprechen dürfen. Nachfolge impliziert die Bereitschaft zum Nonkonformismus, die Bereitschaft, zwischen die beiden gegenläufigen Ströme zu geraten. Die Spannungseinheit von Weltauftrag und Gemeinschaft mit dem Gekreuzigten, die sich aus der Ambivalenz des neutestamentlichen Befundes ergibt, zwingt zu einem Verhalten, das sich als Gratwanderung zwischen Abgründen, zwischen zwei den Christen gefährdenden Integralismen, bezeichnen läßt. Denn auch das Leben Jesu ist eine solche „Gratwanderung" gewesen. Daß er einerseits den legalistischen Integralismus seiner Gegner (vor allem der pharisäischen) ablehnte, sich den Mitmenschen radikal öffnete und doch andererseits aus dieser Öffnung nicht einen neuen Integralismus machte, sondern seinem Vater zugewandt und gehorsam blieb – darin liegt die freimachende Tat seiner Liebe beschlossen.
Auch der jesuanisch-christliche Ansatz für die „Offenheit der Agape nach außen und innen" gründet somit in der durch Jesus von Nazaret gelebten Spannungseinheit von Bejahung Gottes und Bejahung des Menschen, von „Durchhalten des Anspruchs Gottes" und „Geschenk der Freiheit"; er kann auch für die nachösterlich-glaubende Kirche darin gründen: weil auch und gerade die Spannungseinheit von radikaler Öffnung für Gott und radikaler Öffnung für die Menschen nach Ostern, durch die Auferweckungstat Gottes, bleibend eingeborgen und universal wirksam ist im Leben des in das Geheimnis Gottes aufgenommenen Gekreuzigten. Die mit dem Postulat der Offenheit angezielte „Mitte" gibt es deshalb für den Jünger Jesu letztlich nur als Schnittpunkt der Linien des Kreuzes.[152]

[152] Vgl. zu diesem auf Przywara zurückgehenden Gedanken oben den Exkurs [6.3.4.4] zur Kreuzes-Struktur der „Spannungseinheit von Bejahung Gottes und Bejahung des Menschen". Vgl. ferner auch oben 7.2.2.4.1, Anm. 114.

7.4 Zur Relevanz für christlich-kirchliche Verkündigung und Theologie: Prinzipielle dynamische Offenheit der christlichen Glaubenswelt trotz bzw. (richtiger:) wegen der Gebundenheit an Gott durch Jesus Christus

7.4.1 Die These

Beginnen möchte ich mit einem zweifachen Vergleich, der sehr gegensätzliche Auffassungen von der Welt christlichen Glaubens und ihrer Sicherung oder Festigung widerspiegeln soll. Man versteht die „Welt christlich-kirchlichen Glaubens" noch allzuoft wie ein Territorium, das von einer Art chinesischer Mauer geschützt wird: Wenn die Mongolenhorden die Befestigungsanlage an einer Stelle durchbrechen, ist das ganze Land gefährdet. Oder – eine andere Variante dieses Vorstellungsmodells – man sieht die Welt des Glaubens wie eine von Deichen geschützte Hallig: Wenn die Sturmflut den Deich an einer Stelle durchbricht, ist alles dem wogenden Meer preisgegeben. Ohne Bild: Wenn z. B. die Jesusreden des Johannesevangeliums nicht vom irdischen Jesus so gehalten worden sind, wie sie im Neuen Testament stehen – oder wenn die johanneische Erzählung von der Auferweckung des Lazarus nicht wirklich eine historische Tatsache widerspiegelt, sondern „nur" narrativer Ausdruck für die Verkündigung der schon jetzt im Glauben geschehenden Spendung göttlichen Lebens ist: dann ist für solches „Mauer-" oder „Bastionsdenken" das ganze Johannesevangelium, darüber hinaus das Neue Testament und sogar das Gesamt der kirchlichen Lehre in Frage gestellt.[153]

Der andere Vergleich, der die entgegengesetzte Position (d. i. meine These) ausdrückt: Die Welt christlichen Glaubens ist zu vergleichen mit einem elektromagnetischen Kraftfeld. Hier kommt es nur darauf an, daß der Magnetkern stark genug ist; in diesem Fall wird das Kraftfeld voll aufrechterhalten, die Eisenspäne bleiben in ihrer dynamischen Zuordnung zum Magnetkern. Ohne Bild: Der Kraftkern ist („objektivierend":) Gottes machtvolle, sich in Jesus Christus selbst mitteilende Liebe; er ist (biblisch-evangelial:) die Verkündigung dieser *unsere* Liebe provozierenden Agape, die Gott selbst ist; er ist schließlich („gnoseologisch" – auf den Glauben und auf Glaubens-

[153] Ist der differenzierte literarische Charakter der neutestamentlichen Schriften einmal erkannt, ließen sich die Beispiele fortsetzen, auch hinsichtlich von Fragen, die noch als weniger peripher gelten als die genannten (für die inzwischen bei den Forschern Übereinstimmung herrschen dürfte).

erfahrung bezogen) der Glaube an Gott als das absolute Geheimnis der Macht und Majestät, das sich aber gerade in seiner Macht uns – in Jesus – liebend zugewendet hat.[154] Wenn wir im Kontext des für die Kapitel 6 und 7 bestimmenden Gedankens bleiben, ist der „Magnetkern" *die lebendige Einheit von Macht und Liebe in Gott selbst,* die Gott zum Heil der Welt sich auswirken läßt.[155] Die These besagt also: Das Ganze der christlichen Glaubenswelt kann niemals mittels einer „chinesischen Mauer" verteidigt und erst recht nicht in seinem Wachstum gesichert werden, sondern nur, indem der Christ und die Gemeinde sich glaubend und vertrauend – und die Polaritätseinheit von Bejahung des Menschen und Bejahung Gottes, die Jesus selbst ursprunghaft vorgeprägt hat, mitvollziehend – in das „Kraftfeld" des spannungsreich ausstrahlenden „Magneten" der Macht und Liebe Gottes hineinwagen und darin ausharren.

7.4.2 „Spannungseinheit" und „Offenheit"

Der in den beiden Vergleichen enthaltene Kontrast muß jetzt auf den ihm zugrundeliegenden *fundamentalen* Gegensatz zurückgeführt werden. Auf der einen Seite steht die Offenheit vom Ursprung her (das heißt: von der im Ursprung angelegten dynamischen Spannungseinheit von „Bejahung Gottes und Bejahung des Menschen" her) und damit das Vertrauen auf die Kraft des „Magnetkerns", den der unbegreifliche Gott der Macht und der Liebe letztlich selbst bildet. Zu dieser „Offenheit vom Ursprung her" gehört das Festhalten der grund-legenden „Kompetenz"[156], das bedeutet: der „Tiefenstruktur" des Ursprungs neutestamentlicher Offenbarung, der uns in Jesus und dem Auferweckungsglauben gegeben ist.[157] Die „Offenheit vom Ursprung her" setzt voraus, daß keine Verwechslung dieser Grundkompetenz mit den verschiedenen „Performanzen" – den Konkretionen nachösterlicher Transformation – stattfindet; auch in den ältesten Zeiten des nachösterlichen Neuen Testaments sind diese „Performanzen" nicht der Ursprung

[154] Vgl. die als Kurzformel geeignete Aussage in 1 Joh 4,16; vgl. dazu *W. Thüsing,* Die Johannesbriefe, z. St.; s. auch oben 6.3.3.1.2.

[155] Wir könnten zur Charakterisierung dieses „Magnetkerns" auch die drei in Kapitel 5 entwickelten „Grundlinien der nachösterlichen Transformation des Jesuanischen" einbringen.

[156] Der Begriff ist hier anders verstanden als in dem am Formal-Grammatikalischen orientierten Modell von N. Chomsky; er ist hier auf in der Tiefenschicht keimhaft angelegte *Inhalte* bezogen. (Vgl. oben 2.4.3, Anm. 25.)

[157] Vgl. das in der Doppeltabelle (5.5.1) zusammengefaßte Ergebnis der Kapitel 3-5 und vor allem das durchgängig wirksame Strukturprinzip 1; vgl. ferner wiederum die „Grundlinien der nachösterlichen Transformation".

selbst und erst recht sind das die Performanzen des vierten und fünften Jahrhunderts nicht. „Offenheit vom Ursprung her" besagt zudem, daß der Ursprung nicht als starre, verfügbare Größe festgehalten wird. Daraus folgt: Auch die Artikulationen für „ursprünglich" gehaltener, aber dem Ursprung gegenüber doch wiederum geschichtlich bedingter Performanzen dürfen nicht als isolierte, starre und handhabbare Größen betrachtet werden; vielmehr besagt Offenheit vom Ursprung her, daß die Christen ihre jeweilige, immer *auch* geschichtlich mitbestimmte Heilsverkündigung vom Ursprung her in Frage stellen lassen.[158]
Die entgegengesetzte, hier abgelehnte Position würde demgegenüber bedeuten, daß man der Infragestellung durch den jesuanischen Ursprung und seine Spannungseinheit aus dem Weg gehen würde. Aus dem faktisch heute vorhandenen Glaubensbewußtsein und der faktisch vorhandenen kirchenamtlichen Lehre würde eine Art Gebäude gemacht, eine Festung, die durch ihre Bastionen (auch noch durch vorgeschobene Außenbastionen) zu sichern wäre.[159] Hier muß der Christ und erst recht der Theologe sich entscheiden: ob er das gegenwärtig erkennbare Glaubensgut in der Art eines Systems für abgeschlossen und im wesentlichen göttlich vollendet ansehen will – oder ob er es wagt, Glaubenswelt und Theologie wegen des offenen Charakters der im Ursprung angelegten Ansätze ebenfalls offenzuhalten: auf die ihnen innewohnenden Chancen des Wachstums und der Vollendung hin. Diese Offenheit ist möglich, wenn man sich nicht auf einen der Spannungspole fixieren läßt, sondern jede derartige Fixierung immer wieder aufbricht bzw. darin einwilligt, daß sie immer wieder – aus dem Geheimnis Gottes heraus – aufgebrochen wird.
Wir dürfen und müssen überzeugt sein, daß Kirche und Christentum noch nicht „fertig" sind, sondern auf der Grundlage der Ursprünge (des Jesuanischen *und* der grundlegenden österlichen Transformation) auf dem Weg in eine vielleicht ganz ungeahnte Zukunft sind – wenn Gott seiner Kirche die Zeit dazu gibt, vielleicht auf dem Weg zu einer Gestalt und zu Ausdrucksformen des Glaubens, die die jetzigen Ausdrucksmöglichkeiten umgreifend übersteigen, und zwar möglicherweise weit übersteigen. Dabei verlieren die bisherige Rezeptionsgeschichte des Glaubens sowie die bisherigen kirchenamtlichen Sicherungen des Glaubensgutes sicherlich nicht ihre Bedeutung, werden aber in ihrer dem Ursprung und *seiner* Wirksamkeit dienenden

[158] Wenn das theologisch sachgerecht geschehen soll, darf es sicherlich nicht unhistorisch, unter Ausblendung der zwischen dem Neuen Testament und der heutigen Situation liegenden Rezeptionsgeschichte des Glaubens, geschehen; vgl. oben 2.6.

[159] Vgl. *H.U. v. Balthasar,* Schleifung der Bastionen (mit anderen Fragestellungen, die jedoch teilweise mit den meinen konvergieren; auch das Stichwort von der „Chinesischen Mauer" habe ich dort, wenn auch ohne weitere Ausdeutung, wiedergefunden: a.a.O. 83).

Funktion gesehen; in einer solchen Perspektive vermögen wir zu erkennen, daß sie um des absoluten Geheimnisses willen offen sind für ein Transzendieren ihrer selbst.[160]
Die Betrachtung des christologisch-ekklesiologischen Relationsfeldes unter dem Aspekt der Spannungseinheit – und meiner Meinung nach nur sie – ist geeignet, das Christentum in seiner von Jesus her gegebenen prinzipiellen dynamischen Offenheit zu zeigen: als eine Bewegung, die nicht auf Polarisierung und erst recht nicht auf Erstarrung durch einseitiges Festhalten eines der Spannungspole angelegt ist, sondern eben auf lebendige Spannungs*einheit*.[161]

7.4.3 Die Konsequenz. „Offenheit" – wofür?

Es muß – geduldig und beharrlich, aber konsequent – angestrebt werden, die Bedingungen kirchlicher Glaubensvermittlung so zu gestalten, daß die „prinzipielle dynamische Offenheit", die Jesus gebracht hat (als die singuläre und einzigartige Chance, die in dem Angebot ebendieser Offenheit durch den immer wieder größeren Gott liegt) nicht zu einem geschlossenen System degeneriert[162], sondern auf die in Gemeinschaft mit Jesus zu erstrebende und zu erhoffende Spannungseinheit von „Anspruch Gottes" und „Geschenk der Freiheit" geöffnet bleibt – und daß sie sich in diese Offenheit hinein (und damit letztlich auf den „Deus semper maior" hin) zu entfalten vermag.
In der Konsequenz der Weisungen Jesu und ihrer nachösterlichen Transformation darf diese Offenheit freilich nicht ohne die Haltung (und das konkrete, tätige Anstreben!) der *ekklesialen Agape* gesucht werden; mehr: sie kann nicht an der ekklesialen Agape vorbei gefunden werden.[163] Jedoch – das muß hinzugesagt werden – widerspricht dieser Agape nicht der Prozeß theologischer Auseinandersetzung; er gehört vielmehr wesentlich zur Theologie und damit auch zur kirchlichen Lehrentwicklung. Das Anliegen ekklesialer Agape ist dabei also keineswegs nur, das Ergebnis dieses Prozesses – in einer wie auch immer geratenen Fixierung – festzuhalten; es geht weit darüber hinaus.

[160] Zum Begriff des „offenen Systems" bei *H. Rombach* (Substanz, System, Struktur), das hier verglichen werden könnte, vgl. oben 2.4.2 mit Anm. 21.
[161] Vgl. *K. Rahner*, Strukturwandel 100-108 („Offene Kirche"); *ders.*, Das Dynamische in der Kirche.
[162] Vgl. *H. Schürmann*, Kirche als offenes System, bes. 310; daß die Gemeinde des Neuen Bundes ein „total offenes System" ist, wird von Schürmann eschatologisch, pneumatologisch und agape-theologisch begründet (311).
[163] Vgl. oben 7.3.3.

So liegt die Kollision zwischen der Pflicht zur Solidarität mit denen, zu deren Amt die Wahrung der Lehrtradition gehört, und der Verpflichtung, die dynamische Offenheit des Evangeliums zur Geltung zu bringen, durchaus im Bereich des Möglichen und Legitimen. Aufgabe der ekklesialen Agape ist dann nicht die Unterdrückung eines Konflikts oder eine harmonisierende Scheinantwort, sondern das engagierte Bemühen um eine tragfähige und verantwortbare Lösung. Gerade so bietet die – vom Prinzip der dynamischen Offenheit bestimmte – ekklesiale Agape die Chance für die Kommunikation zwischen Amtsträgern und Gemeinde, zwischen Amtsträgern und Theologen – und die Chance für die Rezeption nicht nur der gestaltgebenden Ursprünge, sondern auch einer ihrer Vermittlung dienenden kirchenamtlichen Lehre.

Dabei sollte die Frage nach dem Ziel einen starken Akzent erhalten: „Offenheit" – wofür? Das Durchhalten der von Jesus her vorgegebenen und geschenkten Spannungseinheit von Bejahung Gottes und Bejahung des Menschen führt zur Offenheit für die noch ungeahnten Möglichkeiten der Zukunft (eben wegen der Hoffnung auf die ungeahnten Möglichkeiten Gottes als der *absoluten* Zukunft); es führt zur Offenheit auch für Erkenntnisse, die zwar mit dem Ursprung, aber auf den ersten Blick nur schwer mit dieser oder jener „Performanz" innerhalb der Rezeptionsgeschichte (und das heißt ja auch: der Geschichte der Abwehr und Absicherung) vereinbar sind. Es bedeutet ferner (um diese sich jetzt aufdrängende Konkretion anzusprechen) Offenheit für ein weiteres Wachsen der Ansätze des Zweiten Vatikanums im Hinblick auf den Ökumenismus[164] und die nichtchristlichen Religionen – und auch im Hinblick auf den nicht-theistischen (bzw. sogar atheistischen) Humanismus.

[164] Von der Konzeption der Spannungseinheit her dürfte sich auch hier – entsprechend der Grundintention Przywaras, jedoch nicht entsprechend der radikal-übersteigernden Schärfe seiner Formulierungen – ein „dialektischer" Ökumenismus als tragfähiger und fruchtbarer darstellen als der bequemer erscheinende Weg eines „linearen Ökumenismus". Während linearer Ökumenismus eine weitgehende Angleichung der verschiedenen Kirchen „in eine Linie" besage, wurzele dialektischer Ökumenismus im Ernstnehmen der konfessionellen Gegensätze (Przywara: „in der schärfsten Herausarbeitung der innermenschlichen Gegensätze" [*E. Przywara,* Katholische Krise 250; vgl. *B. Gertz,* Glaubenswelt 387]). Gegen Przywara muß freilich auch das „lineare" Moment einer immer weiter fortschreitenden Übereinstimmung im Verständnis der Schrift zur Geltung kommen, und trotz des Ernstnehmens der konfessionellen Gegensätze (vor allem ihrer Tiefenschicht, vgl. *H. Volk,* Gott alles in allem 191-222) darf auch die menschliche Bemühung nicht zugunsten einer radikalen „Theonomie" ausgeschaltet oder relativiert werden.

7.4.4 Offenheit: „wegen der Gebundenheit an Gott durch Jesus Christus“

Würde das in dieser Überschrift enthaltene Prinzip nicht zur Geltung gebracht, wäre alles Reden von der „Offenheit“ christlicher Glaubenswelt nutzlos: weil dann die Spannungseinheit von Gebundenheit und Offenheit, von „Anspruch Gottes“ und „Geschenk der Freiheit“ preisgegeben wäre – und damit die von Gott gewollte Dynamik der Offenheit selbst. Hier begegnen wir einem Prinzip, das dem von Mk 8,34f (Intensität der Nachfolge durch „Neinsagen zu sich selbst“ bzw. „Leben durch Sterben hindurch“) durchaus analog ist – bzw. in dem das Prinzip von Mk 8,34f sich innerhalb des Bereiches christlich-kirchlicher Verkündigung und Theologie zu konkretisieren vermag. Die „prinzipielle dynamische Offenheit“ ist ja nicht etwa Laxheit, dient nicht einer Erleichterung und Ermäßigung christlichen Lebens, sondern ist vom Ursprung her *auf-gegeben*; sie ist also keineswegs der Beliebigkeit überlassen. Wenn die „Offenheit“ (als zur Fülle des Lebens gehörend) durch ein „Neinsagen zu sich selbst“ gewonnen werden muß, dann ist darin die Bereitschaft impliziert, die Gnosis, die selbstherrliche „Erkenntnis“, der Agape unterzuordnen: Die „Gebundenheit an Gott und Jesus Christus“ ist nicht Gegensatz, sondern Voraussetzung, Grund und Kraft der „Offenheit“. Beide, Gebundenheit und Offenheit, erfordern die ekklesiale Agape. Denn die Proexistenz Jesu Christi kann nur durch eine in *ihrer* Proexistenz glaubwürdige Jüngergemeinschaft bezeugt werden; solche Glaubwürdigkeit kommt aber nicht zustande, wenn der Agape Jesu Christi nicht zunächst innerhalb der Jüngergemeinschaft Raum gegeben wird.
Zum Thema „Offenheit wegen der Gebundenheit an Gott durch Jesus Christus“ gehört auch – und in der Rangfolge keineswegs zuletzt – der folgende Punkt (der zwar oben[165] schon angesprochen wurde, aber recht eigentlich in den jetzigen Zusammenhang gehört): Wenn die „prinzipielle dynamische Offenheit der Glaubenswelt“ von Jesus her vorgegeben und deshalb als Aufgabe gestellt ist, dann darf das keineswegs in dem Sinn mißverstanden werden, als ob *die große Tradition christlicher und kirchlicher Theologie und Spiritualität* (von der Patristik an über das Mittelalter und die Ära von Reformation und katholischer Reform bis in unsere Zeit) ad acta zu legen oder gar zu eliminieren wäre. Es geht vielmehr darum, sie trotz bzw. richtiger: *aufgrund* der Erkenntnisse, die sich (beispielsweise) dem heutigen Exegeten aufdrängen, *wiederzugewinnen*. Gerade aus einer Theologie der Spannungseinheit, wie ich sie von den Ursprüngen, vor allem von Jesus selbst her, sichtbar machen möchte, müßten – wenn nur die Spannungseinheit engagiert genug angestrebt und durchgehalten wird – neue Ansätze der Spiritualität er-

[165] Vgl. oben 7.3.3.

wachsen: Diese wird – ohne Verleugnung der Tradition – eine biblische Spiritualität sein; die Erneuerung wird nicht möglich sein ohne Wiedererwekkung biblischer Frömmigkeit; sie erwächst aus alttestamentlichem Boden; sie wird das Jesuanische in seiner Gesamtheit aufnehmen; sie könnte nicht jesuanisch-christlich sein, wenn sie nicht auch die fruchtbare Spannungseinheit zwischen dem „Geheimnis Jesu" (seiner Aufnahme in das Geheimnis Gottes) und dem jesuanischen Ja zum Menschen (und damit gerade heute auch zu den gesellschaftlichen Konsequenzen der Agape) zu integrieren imstande wäre; sie wird schließlich Wege suchen – auch neue Wege – für die heute nicht immer selbstverständliche und leichte, aber unverzichtbare Aufgabe, das „Geheimnis Jesu" nicht nur zu bedenken, sondern auch auszusagen.

Doch selbst Jesus Christus im Geheimnis seines Kreuzes und seiner Auferweckung (in diesem Geheimnis, ohne das es nach dem Neuen Testament kein Heil gibt) ist nicht letztes Ziel, sondern Weg. Er ist nicht ein Mittler, der sich zwischen die Menschen und Gott stellen würde; vielmehr vermittelt er die Unmittelbarkeit zu Gott. Er führt in die Unendlichkeit und Grenzenlosigkeit Gottes als der absoluten Liebe hinein. „Gebundenheit an Gott durch Jesus Christus": das bedeutet, durch den Geist Jesu Christi – und in Partizipation an der Ausrichtung des erhöhten Jesus Christus – auf Gott selbst ausgestreckt zu sein.

Spiritualität, Verkündigung und Theologie müssen also von der Hoffnung auf den je immer größeren Gott getragen sein. Denn wie der Christ hofft, daß alles Dunkel des Glaubens sich in der eschatologischen Vollendung lichten wird – durch den unverhüllten Blick auf den, den kein Auge je gesehen hat –, so darf er schon für sein Leben in diesem Äon hoffen, daß ihm *im „Suchen des Antlitzes Gottes"* das erhellende Licht des Glaubens geschenkt wird; ja, er muß sich durch und durch von der Überzeugung prägen lassen, daß sein Glaube dieses Suchen in die Unendlichkeit hinein *braucht.* Denn nur dann können die bedrängenden Probleme dessen, der als Ungläubiger glauben will (vgl. Mk 9,24), auf die Antwort hin transzendiert werden, die die Ganzheit des Glaubens zu geben vermag – nur dann können das Wissen um die „Sache" Jesu von Nazaret und der Glaube an ihn als den Erhöhten der Einheit entgegengeführt werden –, nur dann kann die „prinzipielle dynamische Offenheit" gewonnen werden: *wenn der Glaube zu seinem eigentlichen Ziel durchzudringen sucht, zum lebendigen, alle unsere Begriffe immer wieder sprengenden Gott Israels und Jesu von Nazaret – zur Unbegreiflichkeit des Geheimnisses, in das der gekreuzigte Jesus aufgenommen ist.* Ohne diese Öffnung auf die Unendlichkeit des absoluten Geheimnisses der Liebe (und das bedeutet ja: ohne das Zerbrechen der von uns selbst verfertigten Gottesbilder) kann nichts in Glaube, Verkündigung und Theologie „in Ordnung kommen"; vielmehr gewinnt alles in der Welt des Glaubens letztlich nur durch das Suchen nach dem verborgenen Antlitz des je immer größeren Gottes (durch dieses Suchen, das bereits ahnende Gotteserfahrung impliziert) seine „Stimmigkeit", Glaub-Würdigkeit. Gerade der mit Aufgabe und Charisma theologischen Arbeitens betraute Christ muß wissen, daß er durch seine Arbeit in die Nähe des brennenden Dornbuschs (vgl. Ex 3,1-6) geführt wird. Er wird das Ziel seines Mühens verfehlen, wenn er das nicht sehen will: wenn er nicht bereit ist, „die Schuhe abzulegen" (Ex 3,5).

Verzeichnis der mit Kurztiteln zitierten Literatur

Auer, A., Weltoffener Christ. Grundsätzliches und Geschichtliches zur Laienfrömmigkeit, Düsseldorf 1960

Balthasar, H. U. v., Analogie und Dialektik. Zur Klärung der theologischen Prinzipienlehre Karl Barths: Divus Thomas 22 (1944) 171-216

– Karl Barth. Darstellung und Deutung seiner Theologie, Köln [2]1961

– Mysterium Paschale, in: MySal III/2 (1969) 133-326

– Erich Przywara, in: Erich Przywara. Sein Schrifttum 1912-1962. Zusammengestellt v. L. Zimny, Einsiedeln 1963

– Schleifung der Bastionen. Von der Kirche in dieser Zeit, Einsiedeln [4]1954

Barth, K., Der Römerbrief. 12., unveränderter Abdruck der neuen Bearbeitung von 1922, Zürich 1978

Beck, H.-G., Art. Byzanz. II. Kirchengeschichtlich, in: RGG I (1957) 1573-1578

Ben-Chorin, Sch., Bruder Jesus. Der Nazarener in jüdischer Sicht, München [3]1970

– Jesus im Judentum (Schriftenreihe für christlich-jüdische Begegnung 4), Wuppertal 1970

– Paulus. Der Völkerapostel in jüdischer Sicht, München 1970

Berger, K., Die Auferstehung des Propheten und die Erhöhung des Menschensohnes. Traditionsgeschichtliche Untersuchungen zur Deutung des Geschickes Jesu in frühchristlichen Texten (StUNT 13), Göttingen 1976

(Strack, H.L.) – Billerbeck, P., Kommentar zum Neuen Testament aus Talmud und Midrasch, Bd. II, München 1924

Blank, J., Paulus und Jesus. Eine theologische Grundlegung (StANT 18), München 1968

Böckle, F., Glaube und Handeln, in: MySal V (1976) 21-115

Bonhoeffer, D., Widerstand und Ergebung. Briefe und Aufzeichnungen aus der Haft, hrsg. v. E. Bethge, Hamburg [8]1974

Bornkamm, G., Jesus von Nazareth, Stuttgart – Berlin – Köln – Mainz [11]1977

– Paulus, Stuttgart – Berlin – Köln – Mainz [3]1977

Braun, H., Jesus. Der Mann aus Nazareth und seine Zeit (ThTh 1), Stuttgart – Berlin [2]1969

– Der Sinn der neutestamentlichen Christologie, in: ders., Gesammelte Studien zum Neuen Testament und seiner Umwelt, Tübingen 1962, 243-282

Breuning, W., Gemeinschaft mit Gott in Jesu Tod und Auferweckung (Der Christ in der Welt, V. Reihe, Bd. 9a/b), Aschaffenburg 1971

– Systematische Entfaltung der eschatologischen Aussagen, in: MySal V (1976) 779-890

– Aktive Proexistenz – Die Vermittlung Jesu durch Jesus selbst: TrThZ (1974) 193-213

Buber, M., Zwei Glaubensweisen, Zürich 1950

Bultmann, R., Jesus, 25.-27. Tsd., Tübingen 1964 (1. Aufl. 1926)
– Das Verhältnis der urchristlichen Christusbotschaft zum historischen Jesus (1960), in: ders., Exegetica. Aufsätze zur Erforschung des Neuen Testaments, ausgewählt, eingeleitet und hrsg. v. E. Dinkler, Tübingen 1967, 445-469
Chomsky, N., Aspekte der Syntax-Theorie (Theorie 8), Frankfurt/M 1970
Conzelmann, H., Der erste Brief an die Korinther (KEK 5), Göttingen 1969
Dautzenberg, G., Sein Leben bewahren. ψυχή in den Herrenworten der Evangelien (StANT 14), München 1966
Deissler, A., Gottes Selbstoffenbarung im Alten Testament, in: MySal II (1967) 226-271
– Die Grundbotschaft des Alten Testaments. Ein theologischer Durchblick, Freiburg – Basel – Wien 1972
Dumoulin, H., Exkurs zum Konzilstext über den Buddhismus, in: Das Zweite Vatikanische Konzil. Dokumente und Kommentare, Teil II. LThK (1967) 482-485
Ebeling, G., Das Wesen des christlichen Glaubens, Gütersloh [4]1977

Findeis, H.-J., Versöhnung – Apostolat – Kirche. Eine exegetisch-theologische und rezeptionsgeschichtliche Studie zu den Versöhnungsaussagen des NT (2 Kor, Röm, Kol, Eph) – mit Berücksichtigung der Versöhnungslehre Karl Barths, masch. Diss. Münster 1979
Fischer, H., Die Christologie des Paradoxes. Zur Herkunft und Bedeutung des Christusverständnisses Sören Kierkegaards, Göttingen 1970
Fischer, K. P., Der Mensch als Geheimnis. Die Anthropologie Karl Rahners. Mit einem Brief von Karl Rahner (ÖF 2,5), Freiburg – Basel – Wien 1974
Frankemölle, H., Jahwebund und Kirche Christi. Studien zur Form- und Traditionsgeschichte des „Evangeliums" nach Matthäus (NTA N.F. 10), Münster 1974
– Jesus von Nazareth. Anspruch und Deutungen (Projekte zur theologischen Erwachsenenbildung 4), Mainz 1976
– Jesus – Anspruch und Deutungen (Topos-Taschenbücher 88), Mainz 1979 (Getrennte [überarbeitete] Veröffentlichung der thematischen Teile des vorhergehenden Titels)
Friedrich, G., Art. προφήτης κτλ. D. Propheten und Prophezeien im Neuen Testament, in: ThWNT VI (1959) 829-863
Fries, H., Art. Fundamentaltheologie, in: SM II (1968) 140-150
Frisch, M., Tagebuch 1946-1949, München – Zürich 1969

Gertz, B., Glaubenswelt als Analogie. Die theologische Analogie-Lehre E. Przywaras und ihr Ort in der Auseinandersetzung um die analogia fidei (Themen und Thesen der Theologie), Düsseldorf 1969
Gnilka, J., Der Philipperbrief (HThK 10,3), Freiburg – Basel – Wien 1968
– Wie urteilte Jesus über seinen Tod?, in: K. Kertelge (Hrsg.), Der Tod Jesu 13-50
Graß, H., Ostergeschehen und Osterberichte, 2., erw. Aufl. Göttingen 1962
Greshake, G., Die Auferstehung der Toten. Ein Beitrag zur gegenwärtigen Diskussion um die Zukunft der Geschichte (Koinonia 10), Essen 1969
– Das Verhältnis von „Unsterblichkeit der Seele" und „Auferstehung des Leibes" in problemgeschichtlicher Sicht, in: G. Greshake – G. Lohfink, Naherwartung – Auferstehung – Unsterblichkeit 82-120
– Der Wandel der Erlösungsvorstellungen in der Theologiegeschichte, in: Erlösung und Emanzipation, hrsg. v. L. Scheffczyk (QD 61), Freiburg – Basel – Wien 1973, 69-101

Greshake, G. – Lohfink, G., Naherwartung – Auferstehung – Unsterblichkeit. Untersuchungen zur christlichen Eschatologie (QD 71), 3., erw. Aufl. Freiburg – Basel – Wien 1978
Grillmeier, A., Die Wirkungen des Heilshandelns Gottes in Christus, in: MySal III/2 (1969) 327-392
Grillmeier, A. – Bacht, H. (Hrsg.), Das Konzil von Chalkedon. Geschichte und Gegenwart, Bd. III: Chalkedon heute, Würzburg 1954
Groß, H., Motivtransposition als Form- und Traditionsprinzip im Alten Testament, in: H. Vorgrimler (Hrsg.), Exegese und Dogmatik, Mainz 1962, 134-152
Grundmann, W., Das Evangelium nach Matthäus (ThHK 1), Berlin 1968
Guardini, R., Der Gegensatz. Versuche zu einer Philosophie des Lebendig-Konkreten, Mainz [2]1955
Hahn, F., Christologische Hoheitstitel. Ihre Geschichte im frühen Christentum (FRLANT 83), Göttingen 1963
– Methodologische Überlegungen zur Rückfrage nach Jesus, in: K. Kertelge (Hrsg.), Rückfrage nach Jesus 11-77
– Das Verständnis der Mission im Neuen Testament (WMANT 13), Neukirchen-Vluyn 1963
Halder, A., Art. Polarität, in: LThK VIII (1963) 581f
Hengel, M., Christologie und neutestamentliche Chronologie. Zu einer Aporie in der Geschichte des Urchristentums, in: Neues Testament und Geschichte. Festschrift für O. Cullmann, hrsg. v. H. Baltensweiler und B. Reicke, Zürich – Tübingen 1972, 43-67
– Nachfolge und Charisma. Eine exegetisch-religionsgeschichtliche Studie zu Mt 8,21f und Jesu Ruf in die Nachfolge (BZNW 34), Berlin 1968
– Ist der Osterglaube noch zu retten? Friedrich Lang zum 60. Geburtstag gewidmet: ThQ 153 (1973) 252-269
Hermann, I., Kyrios und Pneuma. Studien zur Christologie der paulinischen Hauptbriefe (StANT 2), München 1961
Hügel, F.v., Religion als Ganzheit. Aus seinen Werken ausgewählt und übersetzt von M. Schlüter-Hermkes, Düsseldorf 1948
Hünermann, P., Gottes Sohn in der Zeit. Entwurf eines Begriffs, in: Jesus – Ort der Erfahrung Gottes. B. Welte gewidmet, Freiburg – Basel – Wien 1976, 210-236
Jeremias, J., Neutestamentliche Theologie, Bd. I: Die Verkündigung Jesu, Gütersloh 1971
Jüngel, E., Paulus und Jesus. Eine Untersuchung zur Präzisierung der Frage nach dem Ursprung der Christologie (HUTh 2), Tübingen 1962
Käsemann, E., Der Ruf der Freiheit, 5., erw. Aufl. Tübingen 1972
Kasper, W., Der Glaube an die Auferstehung Jesu vor dem Forum historischer Kritik: ThQ 153 (1973) 229-241
– Jesus der Christus, Mainz [6]1977
Kertelge, K., Der dienende Menschensohn (Mk 10,45), in: Jesus und der Menschensohn. Festschrift für A. Vögtle, hrsg. v. R. Pesch und R. Schnackenburg, Freiburg – Basel – Wien 1975, 225-239
– (Hrsg.), Rückfrage nach Jesus. Zur Methodik und Bedeutung der Frage nach dem historischen Jesus (QD 63), Freiburg – Basel – Wien [2]1974
– (Hrsg.), Der Tod Jesu. Deutungen im Neuen Testament (QD 74), Freiburg – Basel – Wien 1976
Kierkegaard, S., Abschließende unwissenschaftliche Nachschrift zu den Philosophischen Brocken. Erster Teil. Gesammelte Werke, 16. Abt., Düsseldorf – Köln 1957

Klausner, J., Jesus von Nazareth. Seine Zeit, sein Leben und seine Lehre (Berlin 1930), 3., erw. Aufl. Jerusalem 1952

Kremer, J., Die Osterbotschaft der vier Evangelien. Versuch einer Auslegung des Berichtes über das leere Grab und die Erscheinungen des Auferstandenen, 2., durchges. Aufl. Stuttgart 1968

– Das älteste Zeugnis von der Auferstehung Christi. Eine bibeltheologische Studie zur Aussage und Bedeutung von 1 Kor 15,1-11 (SBS 17), Stuttgart 1966

Kümmel, W.G., Die Theologie des Neuen Testaments nach seinen Hauptzeugen Jesus, Paulus, Johannes (NTD Erg. R. 3 GNT), 3., durchges. u. verb. Aufl. Göttingen 1976

Kutsch, E. Art. *bᵉrīt* – Verpflichtung, in: THAT I (Hrsg. E. Jenni – C. Westermann), München – Zürich 1971, 339-352

Lang, A., Art. Heilig, das Heilige. II. Religionsphilosophisch, in: LThK V (1960) 86-89

Lehmann, K., Die Erscheinung des Herrn. Thesen zur hermeneutisch-theologischen Struktur der Ostererzählungen, in: Wort Gottes in der Zeit. Festschrift für K. H. Schelkle, hrsg. v. H. Feld und J. Nolte, Düsseldorf 1973, 361-377

– Dogmengeschichtliche Hermeneutik am Beispiel der klassischen Christologie des Konzils von Nizäa, in: Jesus – Ort der Erfahrung Gottes. B. Welte gewidmet, Freiburg – Basel – Wien 1976, 190-209

– Auferweckt am dritten Tage nach der Schrift. Früheste Christologie, Bekenntnisbildung und Schriftauslegung im Lichte von 1 Kor 15,3-5 (QD 38), Freiburg – Basel – Wien 1968

Lessing, G.E., Über den Beweis des Geistes und der Kraft, in: ders., Werke in sechs Bänden, Bd. 6: Theologie/Philosophie. Auf Grund der von J. Petersen und W. v. Olshausen besorgten Ausgabe neu bearbeitet von F. Fischer, Frankfurt – Innsbruck – Paris – Brüssel – Lausanne 1965, 283-288

Lohfink, G., Gott in der Verkündigung Jesu, in: Heute von Gott reden, hrsg. v. M. Hengel u. R. Reinhardt, München – Mainz 1977, 50-65

– Die Grundstruktur des biblischen Bittgebets, in: Greshake, G. – Lohfink, G. (Hg.), Bittgebet – Testfall des Glaubens, Mainz 1978, 19-31

– Zur Möglichkeit christlicher Naherwartung, in: G. Greshake – G. Lohfink, Naherwartung – Auferstehung – Unsterblichkeit 38-81

– Das Zeitproblem und die Vollendung der Welt, ebd. 131-155 (im Rahmen des Nachtragskapitels der 3. Aufl. [„Disput“])

Lohfink, N., Unsere großen Wörter. Das Alte Testament zu Themen dieser Tage, Freiburg – Basel – Wien 1977

Lohse, E., Grundriß der neutestamentlichen Theologie (ThW 5), Stuttgart – Berlin – Köln – Mainz 1974

Marxsen, W., Die Auferstehung Jesu als historisches und als theologisches Problem, Gütersloh 1964

– Die urchristlichen Kerygmata und das Ereignis Jesus von Nazareth: ZThK 73 (1976) 42-64

– Die Sache Jesu geht weiter, Gütersloh o.J.

Merklein, H., Die Gottesherrschaft als Handlungsprinzip. Untersuchung zur Ethik Jesu (FzB 34), Würzburg 1978

Metz, J. B., Messianische Geschichte als Leidensgeschichte, in: J. B. Metz – J. Moltmann, Leidensgeschichte. Zwei Meditationen zu Markus 8,31-38, Freiburg – Basel – Wien [2]1974, 36-58; auch in: Neues Testament und Kirche. Für R. Schnackenburg, hrsg. v. J. Gnilka, Freiburg – Basel – Wien 1974, 63-70

– Glaube in Geschichte und Gesellschaft. Studien zu einer praktischen Fundamentaltheologie, Mainz 1977
– Weltverständnis im Glauben. Christliche Orientierung in der Weltlichkeit der Welt von heute, in: ders., Zur Theologie der Welt, Mainz – München 1968, 11-45
– Zeit der Orden? Zur Mystik und Politik der Nachfolge, Freiburg – Basel – Wien 1977
Miskotte, K. H., Art. Numinos, in: RGG IV (1960) 1543-1545
Moltmann, J., Der gekreuzigte Gott. Das Kreuz Christi als Grund und Kritik christlicher Theologie, München [3]1976
– Theologie der Hoffnung. Untersuchungen zur Begründung und zu den Konsequenzen einer christlichen Eschatologie (BEvTh 38), 2., durchges. Aufl. München 1965
Mußner, F., Die Auferstehung Jesu (BiH 7), München 1969
– Theologie der Freiheit nach Paulus (QD 75), Freiburg – Basel – Wien 1976
– Traktat über die Juden. Eine Hilfe für Christen, um besser und richtiger über die Wurzeln ihrer Religion denken zu können, München 1979
– Ursprünge und Entfaltung der neutestamentlichen Sohneschristologie. Versuch einer Rekonstruktion, in: L. Scheffczyck (Hrsg.), Grundfragen der Christologie heute (QD 72), Freiburg – Basel – Wien 1975, 77-113
Neuhäusler, E., Anspruch und Antwort Gottes. Zur Lehre von den Weisungen innerhalb der synoptischen Jesusverkündigung, Düsseldorf 1962
Neuner, P., Erfahrung und Geschichte. Die bleibende Herausforderung des Modernismus: Orientierung 43 (1979) 2-6
– Religiöse Erfahrung und geschichtliche Offenbarung. Friedrich von Hügels Grundlegung der Theologie (BÖT 15), München 1977
Nolte, J., Die Sache Jesu und die Zukunft der Kirche. Gedanken zur Stellung von Christologie und Ekklesiologie, in: Jesus von Nazareth, hrsg. v. F.J. Schierse, Mainz 1972, 214-233
Ohlig, K.-H., Jesus, Entwurf zum Menschsein. Überlegungen zu einer Fundamental-Christologie, Stuttgart 1974
Otto, R., Das Heilige. Über das Irrationale in der Idee des Göttlichen und sein Verhältnis zum Rationalismus, 36.-40. Tsd., München 1971 (1. Aufl. 1917)
Pannenberg, W., Art. Dialektische Theologie, in: RGG II (1958) 168-174
Pesch, O.H., Sprechender Glaube. Entwurf einer Theologie des Gebetes, Mainz 1969
Pesch, R., Über die Autorität Jesu. Eine Rückfrage anhand des Bekenner- und Verleugnerspruches Lk 12,8f par, in: Die Kirche des Anfangs. Festschrift für H. Schürmann, hrsg. v. R. Schnackenburg, J. Ernst und J. Wanke (EThSt 38), Leipzig 1977, 25-55
– Zur Entstehung des Glaubens an die Auferstehung Jesu. Ein Vorschlag zur Diskussion: ThQ 153 (1973) 201-228
– Das Markusevangelium, 2 Bde. (HThK 2,1.2), Freiburg – Basel – Wien 1976. 1977
– Materialien und Bemerkungen zu Entstehung und Sinn des Osterglaubens, in: A. Vögtle – R. Pesch: Wie kam es zum Osterglauben? Düsseldorf 1975, 133-184
– Stellungnahme zu den Diskussionsbeiträgen: ThQ 153 (1973) 270-283
Peukert, H., Kommunikative Freiheit und absolute befreiende Freiheit. Bemerkungen zu Karl Rahners These über die Einheit von Nächsten- und Gottesliebe, in: Wagnis Theologie. Erfahrungen mit der Theologie Karl Rahners, hrsg. v. H. Vorgrimler, Freiburg – Basel – Wien 1979, 274-283
– Wissenschaftstheorie – Handlungstheorie – Fundamentale Theologie. Analysen zu Ansatz und Status theologischer Theoriebildung, Düsseldorf 1976

Polag, A., Die Christologie der Logienquelle (WMANT 45), Neukirchen-Vluyn 1977
Przywara, E., Analogia entis. Metaphysik. Ur-Struktur und All-Rhythmus (Schriften III), Einsiedeln 1962
– Art. Analogia fidei: LThK I (1957) 473-476
– Augustinus. Die Gestalt als Gefüge, Leipzig 1934
– Alter und Neuer Bund. Theologie der Stunde, Wien 1965
– Christentum gemäß Johannes, Nürnberg 1954
– Deus semper maior. Theologie der Exerzitien [mit Beigabe Theologumenon und Philosophumenon der Gesellschaft Jesu], 2 Bde., Wien – München 1964
– Was ist Gott? Summula, Nürnberg ²1953
– Humanitas. Der Mensch gestern und morgen, Nürnberg 1952
– In und Gegen. Stellungnahmen zur Zeit, Nürnberg 1955
– Katholische Krise. In Zusammenarbeit mit dem Verfasser hrsg. und mit einem Nachwort versehen v. B. Gertz, Düsseldorf 1967
– Logos. Logos, Abendland, Reich, Commercium, Düsseldorf 1964
– Mensch. Typologische Anthropologie, Bd. I, Nürnberg 1959
– J. H. Kardinal Newman, Christentum. Ein Aufbau. 8 Bde. in 5, Freiburg 1922
– Religionsphilosophische Schriften (Schriften II), Einsiedeln 1962
– Ringen der Gegenwart. Gesammelte Aufsätze 1922-1927, 2 Bde., Augsburg 1929

Rad, G.v., Theologie des Alten Testaments, 2 Bde. (EETh 1), München 1966.1968
Radermacher, H., Art. Dialektik, in: Handbuch philosophischer Grundbegriffe, Bd. I (1973) 289-309
Rahner, K., Art. Anthropozentrik, in: LThK I (1957) 632-634
– Über den Begriff des Geheimnisses in der katholischen Theologie, in: ders., Schriften zur Theologie, Bd. IV: Neuere Schriften, Einsiedeln – Zürich – Köln 1960, 51-99
– Chalkedon – Ende oder Anfang? in: Das Konzil von Chalkedon. Geschichte und Gegenwart, hrsg. v. A. Grillmeier u. H. Bacht, Bd. III: Chalkedon heute, Würzburg 1954, 3-49
– Kirchliche Christologie zwischen Exegese und Dogmatik, in: ders., Schriften zur Theologie, Bd. IX, Einsiedeln – Zürich – Köln ²1972, 197-226
– Art. Dogmenentwicklung, in: LThK III (1959) 457-463
– Das Dynamische an der Kirche (QD 5), Freiburg – Basel – Wien 1958
– Über die Einheit von Nächsten- und Gottesliebe, in: ders., Schriften zur Theologie, Bd. VI: Neuere Schriften, Einsiedeln – Zürich – Köln 1965, 277-298
– Gerecht und Sünder zugleich, in: ders., Schriften zur Theologie, Bd. VI: Neuere Schriften, Einsiedeln – Zürich – Köln 1965, 262-276
– Glaube, der die Erde liebt. Christliche Besinnung im Alltag der Welt, Freiburg – Basel – Wien ⁴1968
– Grundkurs des Glaubens. Einführung in den Begriff des Christentums, Freiburg – Basel – Wien 1976
– Grundlinien einer systematischen Christologie, in: K. Rahner – W. Thüsing, Christologie – systematisch und exegetisch. Arbeitsgrundlagen für eine interdisziplinäre Vorlesung (QD 55), Freiburg – Basel – Wien 1972, 15-78
– Laudatio auf Erich Przywara, in: ders., Gnade als Freiheit. Kleine theologische Beiträge, Freiburg 1968, 266-273
– Art. Liebe, in: SM III (1969) 234-252
– Vom Offensein für den je größeren Gott. Zur Sinndeutung des Wahlspruchs „Ad maiorem Dei gloriam“, in: ders., Schriften zur Theologie, Bd. VII: Zur Theologie des christlichen Lebens, Einsiedeln – Zürich – Köln 1966, 32-53

– Probleme der Christologie von heute, in: ders., Schriften zur Theologie, Bd. I, Einsiedeln – Zürich – Köln [8]1967, 169-222
– Schuld – Verantwortung – Strafe in der Sicht der katholischen Theologie, in: ders., Schriften zur Theologie, Bd. VI: Neuere Schriften, Einsiedeln – Zürich – Köln 1965, 238-261
– Selbstverwirklichung und Annahme des Kreuzes, in: ders., Schriften zur Theologie, Bd. VIII, Einsiedeln – Zürich – Köln 1967, 322-326
– Über das christliche Sterben, in: ders., Schriften zur Theologie, Bd. VII: Zur Theologie des geistlichen Lebens, Einsiedeln – Zürich – Köln 1966, 273-280
– Strukturwandel der Kirche als Aufgabe und Chance, Freiburg – Basel – Wien [2]1972
– Art. Sünde. V. Dogmatisch, in: LThK IX (1964) 1177-1181
– Zur Theologie der Freiheit, in: ders., Schriften zur Theologie, Bd. VI: Neuere Schriften, Einsiedeln – Zürich – Köln 1965, 215-237
– Zur Theologie der Menschwerdung, in: ders., Schriften zur Theologie, Bd. IV: Neuere Schriften, Einsiedeln – Zürich – Köln [5]1967, 137-155
– Transzendentaltheologie, in: SM IV (1969) 986-992

Ratzinger, J., Kommentar zum I., II. und VI. Kapitel der Dogmatischen Konstitution über die göttliche Offenbarung, in: Das Zweite Vatikanische Konzil. Konstitutionen, Dekrete und Erklärungen, Teil II. LThK (1967), 504-515.515-528.571-581

Roloff, J., Anfänge der soteriologischen Deutung des Todes Jesu: NTS 19 (1972/73) 38-64

Rombach, H., Substanz, System, Struktur. Die Ontologie des Funktionalismus und der philosophische Hintergrund der modernen Wissenschaft, 2 Bde., Freiburg – München 1965. 1966

Sartory, Th., „Nicht du trägst die Wurzel, die Wurzel trägt dich“ (Röm 11,18). Einleitung zu diesem Buch, in: ders. (Hrsg.), Entdeckungen im Alten Testament oder Die vergessene Wurzel (Experiment Christentum 8), München 1970, 5-23

Schäfer, K., Art. Paradox, in: Handbuch philosophischer Grundbegriffe, Bd. II (1973) 1051-1059

Schaeffler, R., Was dürfen wir hoffen? Die katholische Theologie der Hoffnung zwischen Blochs utopischem Denken und der reformatorischen Rechtfertigungslehre, Darmstadt 1979

Schierse, F. J., Christologie (Leitfaden Theologie 2), Düsseldorf 1979

Schillebeeckx, E., Christus und die Christen. Die Geschichte einer neuen Lebenspraxis, Freiburg – Basel – Wien 1977
– Menschliche Erfahrung und Glaube an Jesus Christus. Eine Rechenschaft, Freiburg – Basel – Wien 1979
– Jesus. Die Geschichte von einem Lebenden, Freiburg – Basel – Wien 1975

Schischkoff, G., Philosophisches Wörterbuch, Stuttgart [20]1978

Schlier, H., Über die Auferstehung Jesu Christi (Kriterien 10), Einsiedeln 1968

Schmaus, M., Art. Perichorese, in: LThK VIII (1963) 274-276

Schnackenburg, R., Die sittliche Botschaft des Neuen Testamentes (Handbuch der Moraltheologie 6), 2., vermehrte und verb. Aufl. München 1962
– Christliche Existenz nach dem Neuen Testament. Abhandlungen und Vorträge, 2 Bde., München 1967. 1968
– Gottes Herrschaft und Reich. Eine biblisch-theologische Studie, Freiburg 1959
– Der geschichtliche Jesus in seiner ständigen Bedeutung für Theologie und Kirche, in: K. Kertelge (Hrsg.), Rückfrage nach Jesus 194-220

– Das Urchristentum, in: J. Maier – J. Schreiner, Literatur und Religion des Frühjudentums, Würzburg – Gütersloh 1973, 284-309
Schnider, F., Jesus der Prophet (Orbis biblicus et orientalis 2), Göttingen 1973
Schoeps, H.-J., Paulus. Die Theologie des Apostels im Lichte der jüdischen Religionsgeschichte, Tübingen 1959
Schrage, W., Die Stellung zur Welt bei Paulus, Epiktet und in der Apokalyptik. Ein Beitrag zu 1 Kor 7,29-31: ZThK 61 (1964) 124-154
Schreiner, J., Die Zehn Gebote im Leben des Gottesvolkes. Dekalogforschung und Verkündigung (BiH 3), München 1966
Schürmann, H., Beobachtungen zum Menschensohn-Titel in der Redequelle. Sein Vorkommen in Abschluß- und Einleitungswendungen, in: Jesus und der Menschensohn. Für A. Vögtle, hrsg. von R. Pesch und R. Schnackenburg, Freiburg – Basel – Wien 1975, 124-147
– Das Gebet des Herrn. Aus der Verkündigung Jesu erläutert, Freiburg 1958
– Das hermeneutische Hauptproblem der Verkündigung Jesu. Eschato-logie und Theo-logie im gegenseitigen Verhältnis, in: ders., Traditionsgeschichtliche Untersuchungen zu den synoptischen Evangelien. Beiträge (KBANT), Düsseldorf 1968, 13-35;
zuerst in: Gott in Welt. Festgabe für K. Rahner, Bd. I, Freiburg – Basel – Wien 1964, 579-607
– Das eschatologische Heil Gottes und die Weltverantwortung des Menschen. Hermeneutische Anmerkungen zur Relevanz biblischer Aussagen, in: Theologie der Befreiung (Sammlung Horizonte N.F. 10), Einsiedeln 1977, 45-78
– Kirche als offenes System: IKZ 1 (1972) 306-323
– Neutestamentliche Marginalien zu Frage der Entsakralisierung. Recht und Grenzen des theologischen Säkularismus, in: ders., Ursprung und Gestalt 299-325
– Orientierungen am Neuen Testament. Exegetische Gesprächsbeiträge [Exegetische Aufsätze III] (KBANT), Düsseldorf 1978
– Jesu ureigener Tod. Exegetische Besinnungen und Ausblick, Freiburg – Basel – Wien 1975;
darin vor allem: Wie hat Jesus seinen Tod bestanden und verstanden? (S. 16-65); zuerst in: Orientierung an Jesus. Zur Theologie der Synoptiker. Für J. Schmid, hrsg. v. P. Hoffmann, Freiburg – Basel – Wien 1973, 325-363
– Jesu ureigenes Todesverständnis. Bemerkungen zur „impliziten Soteriologie“ Jesu, in: J. Zmijewski – E. Nellessen (Hrsg.), Begegnung mit dem Wort. Festschrift für H. Zimmermann (BBB 53), Bonn 1980, 273-309
– Ursprung und Gestalt. Erörterungen und Besinnungen zum Neuen Testament (KBANT), Düsseldorf 1970
– Worte des Herrn. Jesu Botschaft vom Königtum Gottes. Auf Grund der synoptischen Überlieferung zusammengestellt, Leipzig 1960
Schulz, A., Nachfolgen und Nachahmen. Studien über das Verhältnis der neutestamentlichen Jüngerschaft zur urchristlichen Vorbildethik (StANT 6), München 1962
Schweizer, E., Jesus Christus im vielfältigen Zeugnis des Neuen Testaments, 2., durchges. Aufl. München – Hamburg 1970
Simons, E., Art. Kerygma, in: SM II (1968) 1117-1123
Smulders, P., Dogmengeschichtliche und lehramtliche Entfaltung der Christologie, in: MySal III/1 (1970) 389-476
Söhngen, G., Wesen und Akt in der scholastischen Lehre von der participatio und analogia entis: Studium Generale 8 (1955) 649-662

Steck, O.H., Israel und das gewaltsame Geschick der Propheten. Untersuchungen zur Überlieferung des deuteronomistischen Geschichtsbildes im Alten Testament, Spätjudentum und Urchristentum (WMANT 23), Neukirchen-Vluyn 1967

Stuhlmacher, P., „Kritischer müßten mir die Historisch-Kritischen sein!": ThQ 153 (1973) 244-251

Thüsing, W., Aufgabe der Kirche und Dienst in der Kirche: BiLe 10 (1969) 65-80

– Die Bitten des johanneischen Jesus in dem Gebet Joh 17 und die Intentionen Jesu von Nazaret, in: Die Kirche des Anfangs. Festschrift für H. Schürmann, hrsg. v. R. Schnackenburg, J. Ernst u. J. Wanke (EThST 38), Leipzig 1977, 307-337

– Die Botschaft des Neuen Testaments – Hemmnis oder Triebkraft der gesellschaftlichen Entwicklung?: GuL 43 (1970) 136-148

– Dienstfunktion und Vollmacht kirchlicher Ämter nach dem Neuen Testament, in: Macht, Dienst, Herrschaft in Kirche und Gesellschaft, hrsg. v. W. Weber, Freiburg – Basel – Wien 1974, 61-74

– Erhöhungsvorstellung und Parusieerwartung in der ältesten nachösterlichen Christologie (SBS 42), Stuttgart o.J. (1969) [Kurztitel: Älteste Christologie]

– Die Erhöhung und Verherrlichung Jesu im Johannesevangelium, 3., verb. u. um einen Nachtrag erw. Aufl. (NTA 21, 1/2), Münster 1979

– Die Intention Jesu und der Zölibat. Neutestamentliches Plädoyer für die Ermöglichung freiwilliger Ehelosigkeit vom Amtsträgern: Diakonia 3 (1972) 363-377

– Die Johannesbriefe (Geistliche Schriftlesung 22), Düsseldorf 1970

– Per Christum in Deum. Studien zum Verhältnis von Christozentrik und Theozentrik in den paulinischen Hauptbriefen (NTA N.F. 1), Münster [2]1969

– Strukturen des Christlichen beim Jesus der Geschichte. Zur Frage eines neutestamentlich-christologischen Ansatzpunktes der These vom anonymen Christentum, in: Christentum innerhalb und außerhalb der Kirche, hrsg. v. E. Klinger (QD 73), Freiburg – Basel – Wien 1976, 100-121

– Neutestamentliche Zugangswege zu einer transzendental-dialogischen Christologie, in: K. Rahner – W. Thüsing, Christologie – systematisch und exegetisch. Arbeitsgrundlagen für eine interdisziplinäre Vorlesung (QD 55), Freiburg – Basel – Wien 1972, 79-315

Thum, B., Art. Heilig, das Heilige. I. Religionswissenschaftlich, in: LThK V (1960) 84-86

Tödt, H. E., Der Menschensohn in der synoptischen Überlieferung, Gütersloh 1959

Trilling, W., Die Botschaft Jesu. Exegetische Orientierungen, Freiburg – Basel – Wien 1978

– Hausordnung Gottes. Eine Auslegung von Matthäus 18 (WB 10), Düsseldorf 1960

Unsere Hoffnung. Ein Bekenntnis zum Glauben in dieser Zeit, in: Gemeinsame Synode der Bistümer der Bundesrepublik Deutschland. Beschlüsse der Vollversammlung. Offizielle Gesamtausgabe I, 2., durchges. und verb. Aufl. Freiburg – Basel – Wien 1976, 84-111

Vielhauer, Ph., Jesus und der Menschensohn. Zur Diskussion mit Heinz Eduard Tödt und Eduard Schweizer (1963), in: ders., Aufsätze zum Neuen Testament (ThB. NT 31), München 1965, 92-140

Vögtle, A., Jesus von Nazareth, in: R. Kottje – B. Möller (Hrsg.), Ökumenische Kirchengeschichte, Bd. I: Alte Kirche und Ostkirche, Mainz 1970, 3-24

– Wie kam es zum Osterglauben?, in: A. Vögtle – R. Pesch, Wie kam es zum Osterglauben? Düsseldorf 1975, 11-131

– „Theo-logie" und „Eschato-logie" in der Verkündigung Jesu?, in: Neues Testament und Kirche. Für R. Schnackenburg, hrsg. v. J. Gnilka, Freiburg – Basel – Wien 1974, 371-398

– Todesankündigungen und Todesverständnis Jesu, in: K. Kertelge (Hrsg.), Der Tod Jesu 51-113

– Das öffentliche Wirken Jesu auf dem Hintergrund der Qumranbewegung (Freiburger Universitätsreden N.F. 27), Freiburg 1958

Volk, H., Gott alles in allem. Gesammelte Aufsätze, Mainz 1961

Welte, B., Homoousios hemin. Gedanken zum Verständnis und zur theologischen Problematik der Kategorien von Chalkedon, in: Das Konzil von Chalkedon. Geschichte und Gegenwart, hrsg. v. A. Grillmeier und H. Bacht, Bd. III: Chalkedon heute, Würzburg 1954, 51-80

Wiederkehr, D., Entwurf einer systematischen Christologie, in: MySal III/1 (1970) 477-648

– Konfrontationen und Integrationen der Christologie, in: Theol. Berichte 2 (1973) 11-119

Wilckens, U., Auferstehung. Das biblische Auferstehungszeugnis, historisch untersucht und erklärt (ThTh 4), Stuttgart – Berlin 1970

– Der Ursprung der Überlieferung der Erscheinungen des Auferstandenen, in: Dogma und Denkstruktur. Festschrift für E. Schlink, hrsg. v. W. Joest – W. Pannenberg, Göttingen 1963, 56-95

Wolff, H. W., Anthropologie des Alten Testaments, München 1973

Wust, P., Naivität und Pietät, Gesammelte Werke Bd. II, Münster 1964

Zeller, D., Exegese als Anstoß für systematische Eschatologie, in: P. Fiedler – D. Zeller (Hrsg.), Gegenwart und kommendes Reich (SBB), Stuttgart 1975, 153-164

– Prophetisches Wissen um die Zukunft in synoptischen Jesusworten: ThPh 52 (1977) 258-271

Zenger, E., Die Mitte der alttestamentlichen Glaubensgeschichte: KatBl 101 (1976) 3-16

Zimmerli, W., Grundriß der alttestamentlichen Theologie (ThW 3), Stuttgart – Berlin – Köln – Mainz 1972